KV-392-722

téada dúchais

téada dúchais

Aistí in ómós don Ollamh Breandán Ó Madagáin

IN EAGAR AG

Máirtín Ó Briain agus Pádraig Ó Héalaí

Cló Iar-Chonnachta
Indreabhán
Conamara

An Chéad Chló 2002

ISBN 1 902420 06 3

Obair ealaíne: Éadaín Hunter
Dearadh clúdaigh: Éadaín Hunter agus Pierce Design
Dearadh: Pierce Design

Tugann Bord na Leabhar Gaeilge
tacaíocht airgid do Chló Iar-Chonnachta

Faigheann Cló Iar-Chonnachta
cabhair airgid ó an Chomhairle Ealaíon

Chuir Ollscoil na hÉireann Gaillimh cúnamh airgid ar fáil don leabhar seo

Clóchur: Cló Iar-Chonnachta, Indreabhán, Conamara
Fón: 091-593307 Facs: 091-593362 R-phost: cic@iol.ie
Priontáil: Clódóirí Lurgan, Indreabhán, Conamara
Fón: 091-593251/593157

Clár

noda coitianta

ARÉ Annála Ríoghachta Éireann: J. O'Donovan, eag. agus aist., *Annala Rioghachta Eireann. Annals of the Kingdom of Ireland by the Four Masters, from the earliest period to the year 1616*, I-VII, Dublin 1848-51.

AU Annála Uladh: S. Mac Airt agus G. Mac Niocaill, eag. agus aist., *The Annals of Ulster (to AD 1131)*, I, Dublin 1983.

CBÉ Lámhscríbhinní sa phríomhbhailiúchán i gCartlann Bhéaloideas Éireann, Roinn Bhéaloideas Éireann, An Coláiste Ollscoile, Baile Átha Cliath.

CBÉS Lámhscríbhinní i mBailiúchán na Scoileanna i gCartlann Bhéaloideas Éireann, Roinn Bhéaloideas Éireann, An Coláiste Ollscoile, Baile Átha Cliath.

CSG Cumann na Scríbheann Gaedhilge. Irish Texts Society.

DIL *Dictionary of the Irish Language*, Dublin 1913-76.

Dinn *Foclóir Gaedhilge agus Béarla. An Irish-English Dictionary*, Dublin 1927.

EID T. de Bhaldraithe, eag., *English-Irish Dictionary*, Dublin 1959.

FGB N. Ó Dónaill, eag., *Foclóir Gaeilge-Béarla*, Baile Átha Cliath 1977.

IGT O. Bergin, eag., 'Irish Grammatical Tracts', forlíonadh le *Ériu* 8-10, 14, 17 (1916-55).

LASID H. Wagner, *Linguistic Atlas and Survey of Irish Dialects*, I-IV, Dublin 1958-69.

LL An Leabhar Laighneach: R. I. Best, *et al.*, eag., *The Book of Leinster. Formerly Lebar na Núachongbála*, I-VI, Dublin 1954-83.

MG Meán-Ghaeilge

NG Nua-Ghaeilge

RC *Revue Celtique*

SG Sean-Ghaeilge

SnaG K. McCone *et al.*, eag., *Stair na Gaeilge in Ómós do Phádraig Ó Fiannachta*, Maigh Nuad 1994.

ZCP *Zeitschrift für celtische Philologie*

Brollach

Bhí Breandán Ó Madagáin ina Ollamh le Nua-Ghaeilge in Ollscoil na hÉireann, Gaillimh, ó 1975 go dtí go ndeachaigh sé ar scor sa bhliain 1997. Mar chomhartha measa air féin agus mar aitheantas ar an gcomaoin a chuir sé ar shaothrú léann na Gaeilge, bheartaíomar cuireadh a thabhairt dá chomhghleacaithe agus dá iarscoláirí in Ollscoil na hÉireann, Gaillimh, agus sa Choláiste Ollscoile, Baile Átha Cliath (mar a raibh sé ina Léachtóir i Roinn na Nua-Ghaeilge roimh theacht go Gaillimh dó) aistí a scríobh ina ómós. Is cúis áthais agus ríméid dúinn an fhéilscríbhinn seo a bheith ar fáil anois, ar shlánú deich mbliana agus trí fichid d'fhear an leabhair, agus í le bronnadh air ag an gcomhdháil bhliantúil, 'Litríocht agus Cultúr na Gaeilge', a thionscain sé féin i 1990. *Ad multos annos*, a Bhreandáin.

Is mian linn buíochas a ghabháil leis na húdair as na aistí a sholáthar agus as a bhfoighne le linn an tsaothair a bheith á thabhairt chun críche. Táimid faoi chomaoin mhór ag Éadaín Hunter as cúram a dhéanamh don obair shuntasach ealaíne san fhéilscríbhinn. Chuidigh Fiona de Paor agus Susan Ní Chéide go fonnmhar linn le linn dóibh a bheith ina Rúnaithe i Scoil na Gaeilge agus tá ár mbuíochas dlite dóibh ina thaobh sin. Chaith Cló Iar-Chonnachta leis an saothar seo leis an ngairmiúlacht is dual dóibh agus is mór againn a gcúnamh agus a gcomhairle ón uair a thóg siad ar láimh é. Is breá linn a admháil go bhfuarthas deontas i gcabhair don fhoilseachán seo ó Chiste Foilseachán Ollscoil na hÉireann, Gaillimh, agus ba mhaith linn ár mbuíochas a chur in iúl go háirithe don Leas-Uachtarán, an tOllamh Ruth Curtis, dá bharr sin.

Máirtín Ó Briain — Pádraig Ó Héalaí

coincheapa agus téarmaí

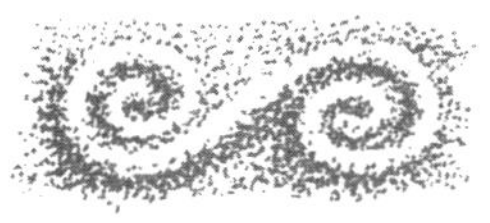

ANDERS AHLQVIST

I

Tá a lán le rá ar son féachaint chuige go bhfreagraíonn coincheapa agus téarmaí dá chéile. Seo prionsabal tábhachtach a bhí taobh thiar den chaoi ar cuireadh liosta údarásach téarmaí do ghramadach na Sean-Ghaeilge le chéile.[1] Mar sin féin, is léir do chách nach dtaobhaíonn úsáid na teanga leis i gcónaí. Léireofar seo tré chúpla sampla ó théarmaíocht gramadaí na Gaeilge.

II

GRAMADACH/GRAIMÉAR

Seo péire bunúsach go maith sa réimse séimeantaice atá i gceist agam san alt seo. De réir an dá fhoclóir oifigiúla,[2] tá sainchiall ag gach ceann ar leith acu, mar seo:

> **grammar**, s. (a) Gramadach f ... (b) Graiméar *m*, leabhar *m* gramadaí.[3]
>
> **graiméar**, *m*. (*gs.* & *npl.* **-éir**, *gpl.* ~). Grammar (book).[4]
>
> **gramadach**, *f*. (gs. **-aí**). (Science of) grammar. **Leabhar gramadaí**, (book of) grammar.[5]

Tá an méid seo deas soiléir.[6] Dá réir, is dhá choincheap éagsúla atá iontu seo: rud teibí is ea 'gramadach', rud nithiúil is ea 'graiméar'. Chomh maith, de réir mar a thuigim, níl aon easaontas ann maidir le húsáid cheart an dá fhocal i Nua-Ghaeilge chaighdeánach an lae inniu. Ag an am céanna, is léir gur focail iasachta iad seo, ionas gur díol spéise é a rianú cé mar a tháinig siad isteach sa Ghaeilge agus cén uair.

Suimiúil go leor, ní luann *DIL*[7] ach an ceann teibí acu, mar seo:

> **grammatach** ā, f. *grammar*: gl. *grammatica* Ir. Gl. 82. legeand gramadach is gluas, Auraic. 54. eter gramadaigh & dileachtaigh, *ib*. 51. *Fig*. of a conjuror's or magician's book (*cf*. Fr. *grimoire*): do dhá phlaosc dhealbhdha ghlasa … | i lár lae is deacra 'ná gramatach draoidheachta *your eyes … harder to read in broad daylight than a wizard's book of spells*, Hackett xx 38.[8]

> **grammatic** *grammar* : *gs*. dán inna grammatic, Acr. 13b1 (Thes. ii 6).[9]

> **as-gleinn** … *investigates, examines* … atgaill grammataig greic .i. & ro foiglainn '*he learned Greek grammar*' ACC 123.[10]

I measc na dtagairtí a thugann *DIL*, is cosúil gurbh é an ceann deiridh thuas as *Amra Choluimb Chille* an ceann is sine acu.[11]

De réir mar is eol dom, tá an chéad tagairt don fhocal *graiméar* ar fáil i bhfoclóir Uí Bheaglaoich agus Mhic Chuirtín, mar seo:

> Grammar. s. graiméar.[12]

Tá tagairtí don fhocal seo i bhfoinsí níos déanaí. Ina measc tá foclóir mór Uí Raghallaigh, áit a gcaitear leis mar seo:

> Gramadach, *gramadach*, s.m. grammar.

Chomh maith, faightear seo:

> Graiméar, *graimear*, s. grammar.[13]

Uaidh seo, tuigim nár dhóigh leisean go raibh aon idirdhealú céille i gceist idir an dá fhocal. Tá eolas den chineál céanna ar fáil i bhfoclóirí eile a foilsíodh tar éis fhoclóir Uí Raghallaigh. Seo mar atá ag O'Brien:

> *gramadach*, grammar[14]

agus ag De Vere Coneys:

> Graiméar, -éir, pl. id. s.m. *a grammar*[15]

agus sa chéad eagrán d'fhoclóir an Duinnínigh:

> Graiméar, -éir, *pl. id.*, *m.* a grammar[16]

agus ag O'Neill Lane:

> Grammar, *n.*, a treatise on the principles of language, (1) gramadach, -aigh, *m.*; (2) graiméar, -éir, *m.*[17]

Feictear sna samplaí go raibh eolas ceart go leor ar an dá théarma atá i gceist againn, ach nach raibh idirdhealú céille i gceist.[18] Seo rud a thagann chun cinn sa chéad eagrán eile d'fhoclóir Uí Dhuinnín, mar a n-athraíonn an scéal ar bhealach an-bhunúsach agus thar a bheith suimiúil:

> Graiméar, -éir, *pl.id.*, *m.*, a grammar. [19]
>
> Gramadach, -aighe, *d.* -aigh, f., science of grammar (gramataidheacht, *id.*); spell, charm, glamour (*corr.* of grammar), g. draoidheachta, *id.*, *al.* gramatach.[20]

Is léir mar sin go bhfuair an tAthair Ó Duinnín greim ar eolas nua tar éis dó an chéad eagrán dá fhoclóir a fhoilsiú. Cé nach féidir liom é a aimsiú i measc na bhfoinsí ar fad a luann sé, measaim gurbh é an ceann is dóichí an cnuasach de théarmaí a d'fhoilsigh Tomás Ua Nualláin sa bhliain 1908.[21] Anseo, faightear an tagairt seo do cheann den dá fhocal atá i gceist:

> Grammar, gramadaig, f. T. P. i. 6, 7 ; 6, 33 ; 'is éigean do neach "fosisedar" dán na gramadaig go dtionóla sé na huile doilbhthe,' it is necessary for whosoever professes the art of grammar that he should collect all the formations, T. P. ii. 6.[22]

Cé, mar a chonacthas thuas, gur luaigh foclóirithe eile *gramadach* roimh an Duinníneach, tá pointí a thaispeánann, dar liomsa, gur faoi anáil na hiontrála seo a mhúnlaigh sé a iontráil féin don fhocal *gramadach*. Ar an gcéad dul síos, ba mar fhocal firinscneach a cuireadh isteach sna foclóirí níos sine é. Níos tábhachtaí ná sin, áfach, is cosúil nár cheap éinne acu go bhféadfadh difríocht chéille a bheith idir *gramadach* agus *graiméar*.[23] Mar sin, déanaim amach gurbh é an Duinníneach féin faoi deara an rogha úsáideach seo a thabhairt don Ghaeilge, rogha nach bhfuil ag an mBéarla[24] ná ag an bhFraincis,[25] go bhfios domsa.

Tá bunús an dá fhocal Gaeilge soiléir go maith. Síolraíonn an péire acu ón nGréigis *grammatikē*, tríd an Laidin *grammatica*. Mar a léiríodh thuas, tháinig *grammatach* isteach sa tSean-Ghaeilge go luath, ar iasacht, díreach ón Laidin, agus is dócha gur mhair an focal seo ar chaoi éigin go dtí gur chuir foilsiú an *Thesaurus Palaeohibernicus* athbheocht ann ag tús an chéid. Fuair an Ghaeilge an focal *graiméar* ar bhealach níos casta, mar go raibh dhá lúb bhreise i gceist. Ar dtús rinne an Fhraincis *gra(m)maire* as an bhfocal Laidine *grammatica*,[26] agus ansin fuair an Béarla ar iasacht é sa riocht *grammar*,[27] atá ina fhoinse ag an bhfocal Gaeilge.

ÁINSÍ(OCH)/CUSPÓIREACH

Más coincheapa leathana agus bunúsacha go maith atá i gceist leis an gcéad phéire focal, a léirítear a stair thuas, tá réimse séimeantaice an phéire seo i bhfad níos cúinge. Arís, is fiú féachaint sa chéad áit ar an eolas a thugann an dá fhoclóir oifigiúla fúthu, ag tosú leis an gceann Béarla–Gaeilge:

> **accusative**, *a.* & *s.* (Tuiseal) cuspóireach.[28]
>
> **objective**, *a.* … *(b) Gram*: **Objective case**, tuiseal cuspóireach.[29]

Sa treo contráilte, áfach, faightear an méid seo a leanas:

> **áinsí**, *m.* (*gs.* ~). *Gram*: Accusative (case).
>
> …
>
> **áinsíoch, 1**. *m.* (*gs.* **-ígh**). *Gram*: Accusative (case).
>
> **áinsíoch, 2**. *a.* (*gsm.* ~, *gsf.* **-iche**, *npl.* ~*a*). *Gram*: Accusative.[30]

Chomh maith leis na focail seo, luaitear an ceann eile den phéire atá faoi chaibidil anseo, ar an dóigh seo:

> **cuspóireach**[1], *m*. (gs. **-righ**). *Gram*: Objective, accusative (case).
>
> **cuspóireach**[2], *a1*. *Gram*: Objective, accusative. **Tuiseal** ~, objective case; accusative case. **Clásal** ~, object clause.[31]

Is léir ón méid seo gur eolas rud beag contrártha a thugann an dá fhoclóir oifigiúla faoi na focail seo. Ó tharla gur fairsinge an t-eolas atá ann agus gur déanaí a foilsíodh, is dóigh liom gur féidir a ghlacadh leis gur údarásaí an t-eolas a thugann an foclóir Gaeilge–Béarla.[32] Mar sin, d'fhéadfaí a mholadh d'eagrán leasaithe (má bhíonn a leithéid choíche ar fáil) den fhoclóir Béarla–Gaeilge na hiontrálacha cuí a eagrú díreach de réir an eolais atá san fhoclóir Gaeilge–Béarla.

Sula dtugtar faoi, áfach, is fiú féachaint ar stair na bhfocal seo. In *DIL* faightear an méid seo:

> **2 áinsid** i, m. (ad-nessa) *accusative case*: fri á. fogní in briathar asberr *intelligo*, Sg. 149ᵃ4. ar is ruidles do rangabáil immognom fri ainsid Sg. 188ᵇ1. ni asse aranimfognad int ansid frissin bréthir as *sum*, Thes. ii 228.36 (PCr.). for laim nainsedo, Ml. 23c21. i forgnuis ainmneda & ainsida, Auraic. 1644. ainmneda & ainseda, 1649. ina n-aininidh & 'na ainsid, 1678.[33]

Aistriúchán céille an fhocail Laidine *accusativus* atá in *áinsid*. Tá an t-ainmfhocal gníomhaí seo bunaithe ar bhunbhrí an bhriathair *ad-nessa*.[34] De réir an eolais a thugann foclóir an Acadaimh, is cosúil nár mhair sé mar théarma gramadaí go haimsir na dTráchtas Gramadaí.[35] Níor aimsigh mé aon tagairt don fhocal *cuspóireach* i bhfoclóir an Acadaimh.

Is é an chéad shampla atá agam d'fhocal cosúil leis ná an iontráil seo a leanas i bhfoclóir Uí Raghallaigh:

> Cuspórdha, *cuspordha*, odj. objective.[36]

Sa chás seo nílim cinnte, áfach, gur téarma gramadaí atá i gceist; an-seans nach ea. Pé scéal é, níorbh fhéidir é a aimsiú i mórán foclóirí go dtí ceann Lane, áit ar féidir a bheith cinnte gur téarma gramadaí a bhí le bheith ann:

> Accusative, n. (*Gram.*), the accusative case, an tuiseal cuspóireach.[37]

Ní bhfuair mé aon eolas faoi cheachtar den dá théarma i gcéad eagrán fhoclóir an Duinnínigh, ach tá seo sa dara ceann:

> Cuspóireach, -righe, *a.*, objective; an tuiseal c. the objective case.[38]

Sa chás seo, is léir nár bhac an tAthair Ó Duinnín leis an eolas a lua a bhí ag Ua Nualláin:

> **Accusative**, áinsidh, m.g. -eadha, Ml. 27 c 10, Sg. 135 b 1; 'áinsidh neodair,' accusative neuter, Sg. 61 b 13. 76 a 1; 'áinsidh an chéad dill,' accusative of the 1st declension, Sg. 91 b 4.[39]

San am idir an dá chogadh, áfach, d'fhoilsigh an tAthair Mac Cionnaith foclóir nua Béarla–Gaeilge. Tagann aidiacht bhunaithe ar *áinsidh* chun solais anseo:

> accusative, an tochlú, an t-áinsidhe, an tuiseal áinsidheach [T] ...[40]

Ina ainneoin sin, tá *cuspóireach* ag dhá ghraiméar Gaeilge a mbaintear cuid mhaith úsáide astu fós sa lá atá inniu ann. Níl liosta tuiseal aimsithe agam i gceann Uí Chadhlaigh, ach tá *cuspóireach* in úsáid ann sách minic anseo agus ansiúd.[41] Tá liosta ag Mac Giolla Phádraig, áfach; téann sé mar seo a leanas:

> Tá cúig Thuiseal sa Ghaeilge – an tAinmneach, an Cuspóireach, an Tabharthach, an Ginideach agus an Gairmeach.[42]

Ar an taobh eile den scéal, is féidir a rá go bhfuil seo as dáta anois, chomh fada is a bhaineann le Nua-Ghaeilge na linne seo, ar an ábhar gur ionann foirm don tuiseal ainmneach agus don tuiseal áinsíoch anois.[43] Aithníonn graiméar na mBráithre Críostaí an méid seo ar an gcaoi seo:

> Seo iad tuisil na Gaeilge: **an tuiseal ainmneach** (an t-ainmneach), **an tuiseal tabharthach** (an tabharthach), **an tuiseal ginideach** (an ginideach) agus **an tuiseal gairmeach** (an gairmeach).[44]

Nuair a dhéantar plé as Gaeilge ar ghramadach de chuid teangacha eile, is iondúil, de réir mar is eol dom, *ainsí(och)* a úsáid.[45] Tá an méid céanna fíor faoi obair scolártha de chuid an lae inniu a phléann teangeolaíocht na Gaeilge tré Ghaeilge.[46]

Músclaíonn an méid seo eolais ceist shuimiúil faoi fhoclóir de Bhaldraithe, .i. an chúis a bhí aige gan *áinsí(och)* a lua ar chor ar bith mar aistriúchán don Bhéarla *accusative*. Faraor, ní féidir an cheist sin a fhreagairt go cinnte anois. Pé scéal é, is dócha gur furasta a thuiscint cén chaoi ar tháinig *cuspóireach* isteach sa Ghaeilge. Is léir gur iasacht aistriúcháin ón mBéarla atá ann. Chomh maith, tá eolas againn faoin gcaoi ar cumadh an téarma *objective (case)* sa Bhéarla, mar a léiríonn an iontráil seo a leanas ó fhoclóir mór an Bhéarla:

> **Objective.** ... 7. *Gram.* expressing or denoting the object of an action: *spec.* applied to that case of mod. English in which a substantive or pronoun stands when it is the object of a verb, or is governed by a preposition ...
>
> The accusative and dative of earlier Eng. (as well as the instrumental, locative and ablative of prehistoric times) are merged in mod. Eng. in the objective, which in personal and relative pronouns is distinct in form from the nominative, but in sbs. and other pronominal words is identical with the nominative.
>
> **1763** Lowth *Eng. Gram.* (ed. 2) 32 A Case, which follows the Verb Active, or the Preposition ... answers to the Oblique cases in Latin; and may properly enough be called the Objective Case.[47]

Tá roinnt le tuiscint ón méid seo. Ar an gcéad dul síos, is léir gur don Bhéarla go sainiúil a cumadh an téarma seo. Ba é a bhí ó fhear a chumtha, de réir mar a thuigim an scéal, téarma a léireodh an chaoi ar athraigh córas na dtuiseal Béarla ón gcóras a bhíodh ann tráth .i. ó chóras a bhfuil líon na dtuiseal mar atá sa Laidin agus sa Ghréigis. Is mar sin a bhí sa tSean-Ghaeilge. Sa Nua-Ghaeilge, d'imigh péire acu, ach maireann líon tuiseal níos airde ná sa Bhéarla mar sin féin. Dá bhrí seo, níl aon chúis ann le múnla an Bhéarla a ghlacadh sa chás seo. Nuair a fhoilseofar eagráin úra den dá fhoclóir oifigiúla, molaim na hiontrálacha seo a leanas a chur in áit na gceann a luaitear thuas. Ar dtús, bheadh sé seo sa treo Béarla–Gaeilge:

> **accusative**, *a.* & *s.* áinsíoch, áinsí (*m*).
>
> **objective, 1**. *a.* ... (*b*) *Gram*: cuspóireach.

Sa treo contráilte, áfach, is dóigh liom gur féidir an méid seo a fhágáil díreach mar atá faoi láthair:

> **áinsí**, *m.* (*gs.* ~). *Gram*: Accusative (case).
>
> ...
>
> **áinsíoch**[1], *m.* (*gs.* **-ígh**). *Gram*: Accusative (case).
>
> **áinsíoch**[2], *a.* (*gsm.* ~, *gsf.* **-iche**, **npl**. ~*a*). *Gram*: Accusative.

Ina choinne, is léir go dteastaíonn leasú, i gcás an fhocail *cuspóireach*: Seo bealach oiriúnach chuige:

> **cuspóireach**[1], *a1*. *Gram*: Objective, *Lit*: accusative. **Clásal** ~, object clause.
>
> **cuspóireach**[2], *m.* (gs. **-righ**). *Lit*: Objective, accusative (case).

Thabharfadh sé seo an t-eolas cuí do dhuine ar mhaith leis gach ciall an fhocail (mar atá agus mar a bhí) a thuiscint.[48]

III

San alt seo, léiríodh stair roinnt coincheapa agus téarmaí, sa treo is go mbeadh eolas níos cruinne ar a gcúlra, ar a n-úsáid agus ar a réimsí séimeantaice. Chomh maith, tá moladh dearfach ann d'fhoclóirithe na Gaeilge, don am atá le teacht.

---

[1] A. Ahlqvist, *Téarmaí Gramadaí na Sean-Ghaeilge*, Baile Átha Cliath 1993 [= *TGS*].

[2] Bainim úsáid as an lipéad seo mar gur gnáthach *EID* agus *FGB* a úsáid mar fhoinsí údarásacha do cheart na Gaeilge comhaimseartha, i dteannta an lámhleabhair don chaighdeán oifigiúil, *Gramadach na Gaeilge agus Litriú na Gaeilge: An Caighdeán Oifigiúil*, Baile Átha Cliath 1958; féach freisin C. Ó Háinle, 'Ó Chaint na nDaoine go dtí an Caighdeán Oifigiúil', *SnaG*, 745–93; 766 agus 775–6.

[3] *EID*, 309.

[4] *FGB*, 664.

[5] *Ibid.*, 665.

[6] Tá an t-eolas céanna ar fáil in *TGS*, 13, 23, 29.

[7] Tugtar faoi deara go gciallaíonn mo ráiteas-sa faoi fhocal gan a bheith ar fáil sa bhfoclóir seo (nó i gcinn eile), nár aimsigh mise ann é agus, mar sin féin, gur féidir go bhfuil sé ann ar bhealach éigin.

[8] *DIL*, *s.v.*

[9] *Ibid.*, *s.v.* Féach freisin fonóta 22.

[10] *Ibid.*, *s.v.*

[11] Tá príomheagarthóir an téacs (W. Stokes, 'The Bodleian Amra Choluimb Chille', *Revue celtique* 20 [1899], 31–55, 132–83, 248–89, 400–37; 32) den tuairim gurbh é atá ann *a complete piece of artificial, alliterative prose,*

written, probably, in the ninth century. De réir taighde níos úire, áfach, tá sé cuid mhaith níos sine. Mar sin, táthar anois den tuairim choitianta go mbaineann sé le tús an tseachtú haois; féach Máire Herbert, *Iona, Kells and Derry*, Oxford 1988, 9–10: *linguistic evidence, however, places its composition around the year 600, thereby concurring with textual testimony that the poem was occasioned by the news of the saint's death.* Féach freisin P. L. Henry, *Saoithiúlacht na Sean-Ghaeilge*, Baile Átha Cliath 1976, 198, 210, chomh maith le T. O. Clancy agus G. Márkus, *Iona: The Earliest Poetry of a Celtic Monastery*, Edinburgh 1995, 96, 239.

[12] C. Ó Beaglaoich, agus Aodh Buidhe Mac Cuirtin, *An Focloir Bearla Gaoidheilge*, Pairis 1732, 272. Níl tagairt acu don fhocal *gramadach*.

[13] E. O'Reilly, *An Irish-English Dictionary*, [eagrán nua] Dublin 1821, s.vv.

[14] J. O'Brien, *Focalóir Gaoidhilge–Sax-bhéarla*, Dublin 1832, 267. Faraor, ní thugann sé inscne an fhocail. Chomh maith, níl tagairt aige don fhocal *graiméar*.

[15] T. De Vere Coneys, *Focloir Gaoidhilge–Sacs-bearla*, Dublin 1849, 196, féach freisin D. Foley, *An English–Irish Dictionary*, Dublin 1855, 155: Grammar, s. *graiméar, teangacheartuightheoir*. (Is dóigh liom gur déanmhas *ad hoc* atá sa dara ceann acu). Tá seo ag E. Fournier d'Albe, *An English–Irish dictionary and phrase book*, Dublin 1903, 129: **Grammar**, Graiméar, *m*. 1 *t*.

[16] P. S. Dinneen, *Foclóir Gaedhilge agus Béarla. An Irish-English Dictionary*, Dublin 1904, 380. Faightear an méid céanna, ach é a bheith droim ar ais, ar ndóigh, in *A Concise English–Irish Dictionary*, Dublin 1912, 62, dá chuid: grammar, *Graiméar, m.*

[17] T. O'Neill Lane, *Larger English-Irish Dictionary* (*Foclóir Béarla–Gaedhilge*), Dublin 1916, 709.

[18] Tugtar faoi deara, áfach, go ndearnadh ainmfhocal firinscneach den fhocal *gramadach* agus nach é is coitianta sna foinsí seo.

[19] Dinneen, *Foclóir Gaedhilge agus Béarla*, s.v.

[20] *Ibid.*, s.v.

[21] *Ibid.*, xxiii–xxx.

[22] T. Ua Nualláin, *Sanas Gramadaig Maille le roinnt focal ealadhan eile Ar na dtiomsughadh a primh-leabhraibh an tseanchusa*, Dublin 1908, 22. Seasann 'T. P.' anseo don chnuasach mór ábhar éagsúil ón tSean-Ghaeilge a foilsíodh ag tús an chéid seo caite: W. Stokes agus J. Strachan, *Thesaurus Palaeohibernicus* I–II, Cambridge 1901–3. Tá tagairt don sliocht as na gluaiseanna Sean-Ghaeilge ar shaothar Aibhistín ar fáil in *DIL* freisin: féach fonóta 9. Seo mar atá an buntéacs Sean-Ghaeilge de réir an *Thesaurus* (ii, 6.33–4): *isecen doneuch fosisedar dán inna grammatic* con*tinola innahuili dolbthi*. Tá an t-aistriúchán Béarla gan aon athrú ag Ua Nualláin.

23 Féach freisin leabhrán de chuid An Roinn Oideachais: *Téarmaí Gramadaighe is Litridheachta*, Baile Átha Cliath 1938, 11, áit a léitear:

> **Grammar**, Gramadach, -aighe, f. graiméar, -éir, m. Genitive may be used as adjective = grammatical.

Níl sé soiléir domsa, ar aon nós, ar thuig údar (nó údair) an tsaothair seo difear a bheith ann idir an dá théarma.

24 Tá na sainmhínithe seo a leanas ar fáil i bhfoclóir coitianta Béarla: J. B. Sykes, *The Concise Oxford Dictionary*, Oxford 1976^{6}, 465:

> **gră'mmar** n. **1**. Art or science dealing with a language's inflexions or other means of showing relations between words as used in speech or writing, and in its phonetic system, and the established rules for using these.
>
> **2**. Treatise or book on grammar. **3**. Person's manner of using grammatical forms ...

25 Mar seo a luann an *Petit Larousse Illustré*, Paris 1974, 481 an rud:

> GRAMMAIRE ... n. f. (lat. grammatica). Science des règles du langage ... Livre contenant des règles, constituant une étude ...

26 Tá an forás *-t-* > *-r-* rialta go maith san fhocal seo agus i gcinn Fhraincise eile den tsaghas céanna, .i. ar dtús rinneadh an *-t-* glórach > *-d-*, tháinig caolú air agus d'athraigh sé go *-r-*: féach M[ildred] K. Pope, *From Latin to Modern French with Especial Consideration of Anglo-Norman*, Manchester 1934, 231.

27 Féach *Concise Oxford Dictionary*, s.v. grammar: ME, f. A[nglo-]F[rench] *gramere*, OF *gramaire* ...

28 *EID*, s.v.

29 *Ibid.*, s.v.

30 *FGB*, s.vv.

31 *Ibid.*, s.vv.

32 Cuid mhaith, bhí seo taobh thiar den chaoi ar cuireadh na focail seo isteach in TGS: **áinsíoch** *a* accusative (21, féach freisin 15, 16, 17 agus 27), **cuspóireach** *a* objective (22, féach freisin 17 agus 20).

33 *DIL*, s.v.

34 Féach R. Thurneysen, *A Grammar of Old Irish*, Dublin 1946, 170–1 maidir le tuilleadh sonraí faoina dhéanmhas.

35 Fúthu seo, féach, D. McManus, 'An Nua-Ghaeilge Chlasaiceach', *SnaG*, 335–445; 337–9.

36 O'Reilly, *An Irish-English Dictionary*, s.v. Is ríléir gur botún cló atá sa litriú 'odj.' (in áit 'adj.').

37 Lane, *English-Irish Dictionary*, 22.

38 Dinneen, *Foclóir Gaedhilge agus Béarla*, 298. Níor aimsigh mé aon tagairt don fhocal *áinsidh(each)* ann.

[39] *Sanas Gramadaig*, 7.

[40] L. Mc Cionnaith, *Foclóir Béarla agus Gaedhilge. English-Irish Dictionary*, Baile Átha Cliath 1935, *s.v.* Ciallaíonn [T] go bhfuair sé a chuid eolais faoi seo ó lucht téarmaíochta de chuid Roinn an Oideachais. Seo mar atá dá réir sin (*Téarmaí Gramadaighe is Litridheachta*, 3):

> **Accusative**, an t-áinsidhe, tuiseal áinsidheach ... The accusative as a general objective case, an t-áinsidhe ina chuspóireach choitcheann.

Tá iontráil anseo faoi **Objective** (lch. 14), ach ní téarma gramadaí atá i gceist ann. Freisin, is fiú a lua go síolraíonn tochlú ó na Tráchtais Ghramadaí, a raibh Mc Cionnaith ina údar mór orthu, cé nach luann sé anseo gur don tuiseal áinsíoch iolra a thagraíonn sé ó cheart (den chuid is mó, ar aon nós): féach *DIL*, *s.v.* tothlugud. Maidir leis an téarma *tochlú (tothlughadh)*, féach McManus, 'An Nua-Ghaeilge Chlasaiceach', *SnaG*, 335-445; 365.

[41] C. Ó Cadhlaigh, *Gnás na Gaedhilge*, Baile Átha Cliath 1940: féach mar shampla 250–1 agus na tagairtí a thugtar san innéacs: 659.

[42] B. Mac Giolla Phádraig, *Réchúrsa Gramadaí*, Baile Átha Cliath [1938[1]] 1963[3], 72.

[43] Féach freisin *Gramadach na Gaeilge agus Litriú na Gaeilge: An Caighdeán Oifigiúil*, l: '*An tAinmneach agus an Cuspóireach*. Is ionann foirm i gcónaí anois don dá thuiseal seo, san Uatha agus san Iolra, agus uime sin áirítear iad araon faoin teideal *Ainmneach* i ndíochlaonadh na n-ainmfhocal.'

[44] [L. Ó hAnluain], *Graiméar Gaeilge na mBráithre Críostaí*, Baile Átha Cliath 1960[1], 1985[2], 47; 1990[3], 41. Sa leagan Béarla *New Irish Grammar*, Dublin 1995, 26, téitear céim níos faide, nuair a sheoltar an *Common Form* a mhínítear mar seo: *The Common Form corresponds to the traditional nominative, accusative, and dative cases to be found in many previous grammars.*

[45] Féach m. sh., E. A. Sonnenschein, aistr., Mairgréad Ní Éimhthigh, *Graiméar Gréigise*, I-II, Baile Átha Cliath 1942, I-II, I, 8–26 agus II, 230.

[46] Féach an ráiteas seo ag S. Ua Súilleabháin, 'Gaeilge na Mumhan', *SnaG*, 479–538; 491: 'Tá deireadh ar fad le tuiseal áinsíoch an ainmfhocail i gcanúintí an lae inniu.' Féach freisin na tagairtí ar fad san innéacs.

[47] *The Oxford English Dictionary*, *s.v.*

[48] Ag an am céanna, d'inseodh an comhartha *Lit* dó nach moltar an focal a úsáid feasta sa bhrí áirithe sin: féach *FGB*, vii maidir leis seo.

Ní sean go nua is ní nua go sean

Filíocht Nuala Ní Dhomhnaill agus dioscúrsa na Gaeilge

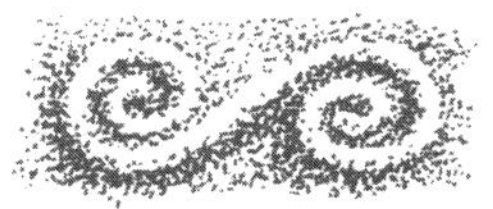

GEARÓID DENVIR

noda

Úsáidtear na noda seo a leanas ag tagairt do shaothar Nuala Ní Dhomhnaill san aiste seo:

CD = *Cead Aighnis*, An Daingean 1998.

DD = *An Dealg Droighin*, Baile Átha Cliath 1981.

F = *Feis*, An Daingean 1991.

FS = *Féar Suaithinseach*, Maigh Nuad 1984.

Scríobh duine de mhórsmaointeoirí bunúsacha an fichiú haois, Sigmund Freud: *Everything new must have its roots in what was before.*[1] Ag trácht ar an rud ar a dtug sé *the historical sense*, ina aiste iomráiteach 'Tradition and the Individual Talent', thagair an file agus an criticeoir T. S. Eliot don ghá atá, dar leis, le *[perceiving] not only the pastness of the past but ... its presence.*[2] Sa bhliain 1899 thiomnaigh Dubhghlas de hÍde a leabhar ceannródaíochta *A Literary History of Ireland* do Chonradh na Gaeilge, *the only body in Ireland which appears to realize that Ireland has a past, has a history, has a literature, and the only body in Ireland which seeks to render the present, a rational continuation of the past.*[3] Nuair a bhunaigh de hÍde agus Eoin Mac Néill Conradh na Gaeilge i 1893 ní hamháin go mba bhunchuid dá n-aisling athréimniú na Gaeilge mar theanga labhartha, ach ba dhlúthchuid dá straitéis athréimnithe teanga leanúnachas agus cointeanóideachas an traidisiúin a léiriú trí chothú na litríochta. Ar an ábhar sin d'fhógair Bunreacht Chonradh na Gaeilge go luath ina ré go raibh sé mar aidhm thánaisteach acu 'Stuidéar do dhéanamh ar an litridheacht Ghaedhilge atá aguinn cheana, agus litridheacht nuadh i nGaedhilge do shaothrughadh'.[4]

Ba chuid bhunúsach de thuiscint mhuintir an Chonartha an cointeanóideachas, an leanúnachas stairiúil i gcultúr agus i ndioscúrsa na Gaeilge, an ceangal gan bhearna ba mhaith le lucht tiomsaithe Athbheochan na Gaeilge a shamhlú idir an Éire a bhí agus an Éire nua a bhí ag teacht chun cinn lena linn féin.[5] Is é atá i mbunáite véarsaíocht thréimhse sin na hAthbheochana, áfach, aithris ainnis ar fhilíocht an traidisiúin ó thaobh foirme agus, go minic, ó thaobh ábhair. Tá sí breac le gaois na sean, le moladh ar cheantar dúchais na bhfilí, le mioneachtraí i saol pobail áitiúil.

Déantar trácht inti ar shaol an Ghaeilgeora, ar Chonradh na Gaeilge, ar thurais chuig an nGaeltacht. Moltar an ghluaiseacht náisiúnta saoirse agus an Ghaeilge féin. Taobh eile an bhoinn sin an nóta frith-Shasanach, frith-Bhéarla. Bhí Seán Buí le criogadh agus Caitlín Ní Uallacháin le cur ina háit féin athuair. Tá an véarsaíocht seo lán de dhóchas agus de mhisneach dochreidte, dochloíte, atá, san am céanna simplí soineanta, agus a d'eascair as spiorad an neamhspleáchais nua a bhí ag borradh san am. Ach ní filíocht í. Guth poiblí atá inti ceart go leor, fiú scáthán de shórt ar ghné áirithe de shaol na hÉireann san am, ach is mar cháipéisí sóisialta agus stairiúla amháin is fiú a bunáite a léamh anois.

Sampla maith í filíocht de hÍde féin de cheapadóireacht na linne. Ba é a d'fhoilsigh an chéad chnuasach de bhundánta Gaeilge, *Ubhla den Chraoibh*, i 1900, agus d'admhaigh sé sa réamhrá go mb'fhéidir go raibh 'droch-shnuadh ar mo chuid úbhall. Ní 'l siad dearg ná dathamhail, agus ní 'l siad cóirighthe go bláthamhail blasta ar mhéis áluinn mar budh mhian liom'.[6] A leithéid seo a bhí i gceist aige, is dócha:

Bhí mé trá sona
'S súgach leis sin,
Nois táim go dona
Tuirseach a's tinn;

'g cuimhniughadh ar chailín
D'oidhche 's do ló
Caillte le cailín
Gonnta le grádh.[7]

Mar atá léirithe ag Cathal Ó Háinle,[8] ag Breandán Ó Conaire,[9] agus ag criticeoirí eile, bhí de hÍde go mór faoi thionchar thraidisiún amhránaíochta na ndaoine, ó thaobh ábhair, teanga agus foirme, ina chuid filíochta tar éis foilsiú a mhórshaothair *Amhráin Grádh Chúige Connacht* i 1893. Ina theannta sin, bhí anáil láidir ag traidisiún criticiúil agus aeistéiticiúil ghluaiseacht an rómánsachais Bhéarla air féin agus ar chuid mhaith dá chuid filí comhaimseartha. Ainneoin na híoróine stairiúla agus cultúrtha sin go raibh de hÍde agus filí Gaeilge na hAthbheochana go mór faoi chomaoin ag an traidisiún agus ag an gcruinneshamhail 'ghallda' a raibh siad ag diúltú dóibh, thiomsaigh lucht éigse na Gaeilge sa tréimhse 1882-1939 réabhlóid shuntasach smaointeoireachta agus liteartha sa méid agus gur chruthaigh siad go bhféadfaí litríocht Ghaeilge a chumadh i gcomhthéacs an tsaoil nua-aimseartha. Is i gcomhthéacs choincheap seo an chointeanóideachais agus an leanúnachais dioscúrsa a thiomsaigh lucht na hAthbheochana ba mhaith liom iniúchadh a dhéanamh sa pháipéar seo ar fhilíocht Nuala Ní Dhomhnaill.

Níl amhras ar bith faoi ach go bhfuil Nuala Ní Dhomhnaill ar dhuine de phríomhfhilí na hÉireann faoi láthair i gceachtar den dá theanga dhúchais atá againn. Tarraingíonn a cuid filíochta go láidir ar chruinne shiombalach na Gaeilge, ar chruinneshamhail nó *Weltanschauung* sin an dúchais, an priosma teanga, cultúrtha, sóisialta agus stairiúil sin trínar sonraíodh an réalachas riamh anall ina ghné 'ghaelach' le linn chointeanóideachas na staire. Scríobhann sí go lán-chomhfhiosach taobh istigh den traidisiún seo mar is léar ón iliomad agallamh atá tugtha aici, agus ó riar alt agus aistí atá scríofa aici, gan trácht ar anailís oibiachtúil ar an bhfilíocht féin. Go deimhin, treoraíonn sí an léitheoir chuig an gcruinne shiombalach seo i dteidil agus i réamhráite a cuid cnuasach aonteangach Gaeilge – bunleaganacha deifnídeacha a cuid filíochta i gcónaí de réir bhreith a béil féin[10] – trí úsáid a bhaint as scéalta traidisiúnta nó *exempla* mar bhealach seolta isteach chun a saothair.

Ar an gcaoi seo, tagraíonn an chéad leabhar, *An Dealg Droighin*, don lofacht sin istigh sa duine a chaithfear a chuisliú tríd an ngníomh cruthaitheach le go dtosaí próiseas an chneasaithe spioradálta nó an tslánaithe. Ar an gcuma chéanna, tagraíonn *Féar Suaithinseach* don teálta naofa soineanta sin istigh ionainn uilig ina luíonn slán, mar a dhearbhaíos blurba an leabhair, an 'abhlainn bheannaithe a thit uainn fadó', siombail na glaineachta agus na neamhurchóide. Seo an bhearna trína dtiocfaimid athuair ar an mbeatha spioradálta atá ionann is ceilte agus plúchta ag fiailí, ar mar a chéile iad agus an ghné aimrid de nádúr an duine. Is í *Feis* an cnuasach is aibí, is fuinte agus is sásúla le Ní Dhomhnaill go nuige seo agus, dar liom, ceann de phríomhráitis chruthaitheacha fhilíocht na Gaeilge lenár linn. Tá forás suntasach sa chnuasach seo ní hamháin sa ghuth muiníneach file ach i saothrú comhfhiosach na meafar dúchasach, toradh thaighde an údair i gcartlann Roinn Bhéaloideas Éireann agus i bhfoinsí liteartha eile. Baineann an leabhar macalla as scéal Mhór Mumhan, a d'fhulaing 'oíche dhorcha an anama' san alltar buile amuigh, nó go dtáinig sí ar a céill in athuair trí luí leis an rí ceart i gceiliúradh buacach na feise is teideal don chnuasach. Dearbhaíonn an cnuasach is deireanaí uaithi, *Cead Aighnis*, gona mhacalla glan sa teideal ón seanamhrán 'Droimeann Donn Dílis',[11] go bhfuil reacaire na ndánta fós i ngleic leis na scáileanna agus leis an dorchadas céanna ina saol laethúil agus ina scéal pearsanta féin. Feictear an méid sin go mórmhór sa tsraith 'Na Murúcha a Thriomaigh' atá bunaithe ar mhurúcha an bhéaloidis arbh í a gcinniúint féachaint le beatha a bhaint amach in aghaidh a nádúir agus a ndúchais ar an talamh tirim.

I dteannta an méid sin, áfach, mar atá léirithe ag Bríona Nic Dhiarmada,[12] Neasa Marnell[13] agus Pádraig de Paor,[14] rianaítear próiseas an indibhidithe mar a thuigtear sin sa tsíceolaíocht Jungach i bhfilíocht Ní Dhomhnaill. Tá buneilimintí an phróisis sin le sonrú ar bhealach neamhstruchtúrtha ar an gcéad dá chnuasach, ach tugann sí an ghné seo dá saothar chun foirfeachta i gcéaduair in *Feis*, áit a rianaítear an próiseas céim ar chéim ó dhorchadas scáileanna na rannóige tionscnaimh, 'Cailleach', trí phróiseas cruthaitheach na feise féin, go dtí teacht chun foráis, inmhe agus aibíochta go buacach soilseach i ngluaiseacht deiridh an chnuasaigh, 'Spéirbhean'. Ainneoin easpa struchtúir ar leibhéal an chnuasaigh – bua suntasach de chuid *Feis* – agus ainneoin na 'prósúlachta' i gcuid de reacaireacht na ndánta féin, is é atá in *Cead Aighnis* an tóir chéanna ar an slánú trí bhithin an fhocail i saol seasc nach bhfuil an duine istigh leis féin ann. Iarracht atá sa leabhar cuimhne bhunaidh a athchruthú as duibheagán fomhuireach. Is í an tsraith 'Na Murúcha a Thriomaigh' an chuid is éifeachtaí agus is sásúla den chnuasach áit a rianaítear 'bunús an scéil ... tráma an triomaithe'[15] agus an mhurúch ag féachaint le téarmaí tagartha a shainiú d'fhonn teacht ar réiteach le saol gan bhrí. Forás suntasach sa chnuasach seo an reacaireacht dhéach i gcuid mhaith dánta, an pósadh idir reacaireacht shiombalach dhioscúrsa traidisiúnta na Gaeilge (meafar sínte na murúch maille le deismireachtaí eile a phléifear ar ball) agus dioscúrsa anailíseach na síceolaíochta agus na teiripe.

Iomramh síceolaíoch ar leibhéal bunúsach na haircitípe Jungaí atá i bhfilíocht Ní Dhomhnaill ó thús, fís chruthaitheach a bheachtaítear trí mheán an fhocail le linn di a bheith ag iarraidh teacht ar an máithreach chruthaitheach shíceach atá lonnaithe ina fo-chomhfhios féin. Murab ionann is an neamh-chomhfhios coiteann a mbíodh trácht ag Jung air, saothraíonn Ní Dhomhnaill an fhís seo go lán-chomhfhiosach. Ní hamháin sin, ach is é atá ina cuid filíochta iarracht le hord agus eagar na healaíne a chur ar bheatha ainrialta na sícé i bhfriotal a tharraingíos ar ábhar traidisiúnta, mar atá, tuiscintí atá neadaithe i gcruinneshamhail na Gaeilge. Dioscúrsa nó fráma tagartha agus iniúchta é seo a fheileas í ar leibhéal instinniúil an fho-chomhfheasa agus atá in ann a beatha inmheánach a chur faoi smacht an fhocail, dá dhoiléire agus dá mhíshásúla an smacht srianta daonna sin. Réitíonn an méid seo, ar ndóigh, le síordhearbhú Jung féin, go bhfuil an próiseas seo thar a bheith cultúrlárnaithe nó cultúrshainiúil.

Léiríonn an dán deireanach 'Cuimhne an Uisce' an cúram leanúnach seo i saothar Ní Dhomhnaill go paiteanta. Tá an mhurúch a thriomaigh ag féachaint le sainiú a dhéanamh, trí bhíthin an fhocail, ar a 'cuimhne bhunaidh',[16] ar an 'duibheagán fomhuireach',[17] a bhaineas le mianach nó mian chun a slánaithe nach dtig léi a thabhairt chun cruinnis ach ar leibhéal domhain an fho-chomhfheasa:

> Níl aon téarmaíocht aici,
> ná téarmaí tagartha

ná focal ar bith a thabharfadh an tuairim is lú
do cad é 'uisce'.
'Lacht trédhearcach,' a deir sí, ag déanamh a cruinndíchill.
'Sea,' a deireann an teireapaí, 'coinnibh ort!'
Bíonn sé á moladh is á gríosadh chun gnímh teangan.
Deineann sí iarracht eile.
'Slaod tanaí,' a thugann sí air,
í ag tóraíocht go cúramach i measc na bhfocal.
'Brat gléineach, ábhar silteach, rud fliuch.'[18]

Jungachas clasaiceach é seo sa méid agus go n-aithníonn Jung an fharraige mar *the favourite symbol for the unconscious, the mother of all that lives*[19] agus gur léar ar mheafar na murúch a thriomaigh gurb iarracht atá sna dánta tarraingt ar chumhacht na haircitípe mar chuid de phróiseas slánaithe. Cúram leanúnach eile a shníomhas ina shnáithe aontachta trína saothar ó thús freisin is ea feidhm na filíochta féin sa phróiseas, ceird sin an dúchais atá thar a bheith cultúrshainiúil chomh maith:

Ach cén fáth go gcothaíonn tú í mar sin, cloisim tú ag rá.
Tá, gurb í mo dhóchas is m'aonábhar slánaithe í.
An chéad uair eile a bhuailfidh Tonn Tóime an duaircis
anuas sa mhullach aduaidh orm, go dtabharfaidh sí glan isteach
ar an míntír mé, is brat na bé bailbhe i mo láimh agam.
Cheana féin tugann sí ar fuaid na cruinne mé gach oíche.
Ní gá dhom ach an cogarnach ceart a chur ina cluais chlé:—
'Mo ghraidhn do léim, a sheanbhéim hoover, a chailín,
Haí over to England, Haí over to Spain.'[20]

Diúltaíonn Ní Dhomhnaill ina saothar ó thús don chruinneshamhail Chairtéiseach réasúnaíoch, á éileamh go bhfuil bealaí eile tuisceana, feasa agus braistinte ann seachas *cogito ergo sum* Descartes. In alt dar teideal 'An Ghaeilge mar Uirlis Fheimineach', tagraíonn sí don 'fhireannú atá ar mhórtheangacha na hEorpa'[21] agus do ghaiste intleachtúil agus mothálach fhlaitheas an réasúin fhirinn agus na cruinneshamhla loighiciúla. Samhlaíonn sí an Ghaeilge le teanga na mórmháthar, téarmaíocht thar a bheith Jungach, ar ndóigh, agus tairgíonn a dioscúrsa mar réiteach ar an ngábh Cairtéiseach.

Deir sí i roinnt dánta luatha go bhfuil muintir na linne seo 'fachta matamataiciúil ... Eorpach is intleachtúil'[22] agus go bhfuilimid 'rómhór faoi chuing ag nósanna Rómhánacha'.[23] Ní foláir diúltú don aigne dhúnta shrianta nach nglacfadh le teacht an earraigh, an dóchais agus raidhse an nuafháis

go dtí teacht na gealaí nua
is rabharta mór na Márta
is an comhfhad oíche is lae
atá Eorpach is intleachtúil ...[24]

Caithfear diúltú do leagan amach Chlann Horatio, na hintleachtóirí inár measc a dhéanfadh gáire faoi na seantuiscintí traidisiúnta 'piseogacha' ar an saol, agus féachaint san am céanna le modhanna eile tuisceana agus feasa a aimsiú:

Dhera, ná fuilimse dáiríre i gcónaí
is dála mo mhuintir faoin tuath
cé ná creidimid puinn i faic
fós ní bhréagnaímid éinní
mar tá níos mó ar thalamh is ar neamh
ná mar is eol díbhse, a chlann Horatio.[25]

Fearacht an linbh i réamhrá *Eireaball Spideoige* le Seán Ó Ríordáin a raibh aigne oscailte i leith an tsaoil aige,[26] múineann a cuid páistí féin do Ní Dhomhnaill le teacht ar bhunfhírinní atá i bhfolach faoi fhíricí agus 'riachtanais an tsaoil réadaigh'.[27] Níl siadsan fós faoi gheasa ag flaitheas an réasúin agus ar an ábhar sin tig leo glacadh le fírinní bunúsacha na miotas a shamhlaíos an intinn Chairtéiseach a bheith 'i gcoinne an oird nádúrtha'.[28] Sin é an fáth a gcreideann siad i miotas 'Loch a' Dúin', dán ní miste a mheabhrú as an tsraith bhuacach 'Spéirbhean' in *Feis* a bhfuil macallaí le sonrú ann as 'Fill Arís', ceann den ríbheagán dánta 'solais' atá ag an Ríordánach féin:

Is do chreideadar mé. Fada uathu fós
an scoilt idir an croí is an aigne
idir an Láithreach, an tuar is an tairngreacht,
an Modh Foshuiteach is an Aimsir Chaite.[29]

Mar a léirigh an Ríordánach roimpi in 'Oilithreacht Fám Anam', gaibhníonn agus reonn tuirlingt an fheasa agus teacht i réim an réasúin cumas an duine déileáil ar bhealach forásach leis an saol ina thimpeall.[30] I lár néal dóláis sa tsraith dhorcha 'Cailleach' in *Feis*, samhlaíonn Ní Dhomhnaill an réasún céanna mar lochán reoite ag an Mol Thuaidh agus Banríon an tSneachta ag sméideadh uirthi, á mealladh chun fuachta:

Leathnaíonn an néal dóláis ar mo chroí
faoi mar a leathnaíonn brat smúite ar an gclabhar:
lá i ndiaidh lae titeann oiread na frí de síos
go dtí go ndúisíonn tú maidin amháin is tá an t-ualach ann.

Nó faoi mar a leathnaíonn sneachta ar an ndíon
fleaiteáilte atá lasmuigh d'fhuinneog na seomra leapan.
Méadaíonn na calóga bána ina gceann is ina gceann
go dtí go bhféachann tú suas is seo chughat Banríon an
tSneachta

ag sméideadh ort, ag fógairt duit teacht léi
go hallaí fuara feannaideacha a páláis
ag an Mol Thuaidh. Tá, istigh ina lár, lochán
an réasúin is é calcaithe chomh cruaidh le stán.[31]

Más léi éalú ó ghaiste sin an réasúin fhuair chuig tíortha níos teolaí daonna, nó i dtéarmaí síceolaíocha ón dubhlionn agus ón néaróis go dtí an slánú agus an tsláinte, tá gá aici le straitéisí neamhchairtéiseacha frithréasúnaíocha d'fhonn teacht chun réitigh leis na scáileanna istigh. Aimsíonn sí eochair na tuisceana sin, dar liom, i gcruinne shiombalach na Gaeilge a fuair sí le hoidhreacht agus a shealbhaigh sí go lán-chomhfhiosach.

I gcomhrá a bhí aici le Rebecca E. Wilson i 1990 thagair Ní

Dhomhnaill don *Atlantis* sin istigh, do mhianach na brionglóide atá sí ag iarraidh a aimsiú athuair inti féin:

> I know we can't go back exactly to our original existence, but we can gain an awful lot from, for example, how the Aboriginals live. They spend two thirds of their lives asleep or working out their sacred dramas which they get from their dreams. I think there's an enormous capacity for that still alive in Irish people. I think I'm very lucky in being Irish because the Irish language wasn't industrialized or patriarchalized. And many things, including this idea of a deeper quality, this negative femininity, this Hag Energy, which is so painful to mankind, hasn't been wiped from our consciousness, as it has in most cultures.[32]

Tá tábhacht ar leith le réimse seo na brionglóide i bhfilíocht Ní Dhomhnaill, agus go mórmhór sna dánta aibí in *Feis* agus in *Cead Aighnis*. Deis atá sa bhrionglóid i dtéarmaí shíceolaíocht Freud agus Jung araon le dul ag allagar leis an bhfo-chomhfhios le linn do fhlaitheas an réasúin a bheith ar fionraí. Réalachas eile nach ionann is réalachas spáis agus ama an ghnáthshaoil iarbhír atá i gceist leis an *dreamtime* seo, le saol samhlaíoch na brionglóide. Idirspás atá ann idir bás agus beatha, idir codladh agus dúiseacht, nuair is oscailte atá an duine don nuachas, don eispéireas nua. Seo an uair a mbuaileann sí leis 'na daoine seo go léir (a shiúlann) go reigleálta isteach i mo thaibhrithe'[33] Is sa chruinne shamhlaíoch chruthaitheach seo a aimseos sí pé ar bith cén slánú atá i ndán di freisin:

> Mar is istigh sa sícé amháin
> a tharlaíonn míorúiltí
> an cheana, an mhaithiúnachais
> is an ghrá
> mar is i dtaibhrithe amháin
> a bhíonn an ghrian is an ré ag soilsiú
> le chéile is spéir na maidne
> orthu araon ag láú.[34]

Seo é tráth a cuairte oíchiúla ar an lios, ar an saol eile, an áit dhraíochtúil sin a bhíos raidhsiúil álainn bisiúil ar uaire, agus ar uaire eile uafar aimrid bagrach. Seo an áit ina dtagann sí ar neachanna éagsúla neamhshaolta trína bhféachann sí le brí éigin a aimsiú ina beatha – bean an leasa, an chailleach ghránna a imríos daorbhreith ar an daonnaí, an fear caol dorcha ar mhaith leis í a fhuadach as, arrachtach na bhfinscéal a fhéachas lena cloí, agus a leithéidí.

Gné bhunúsach de chruinne shiombalach na Gaeilge riamh anall, ón tseanlitríocht anuas go dtí traidisiún an bhéil bheo inniu, is ea coincheap seo an tsaoil eile. Mar a scríobh Proinsias Mac Cana: *The idea of the ever-present otherworld and its relationship to the world of mortal men is one that pervades Irish tradition.*[35] Dhearbhaigh Ní Dhomhnaill féin ag ceardlann scríbhneoireachta i Maigh Nuad i 1986 gur mar sin atá i gcónaí ina súile sise:

> Ná fuil a fhios ag madraí an bhaile in Iarthar Chiarraí go bhfuil an saol seo ann agus an saol eile chomh maith agus go mbíonn an dá shaol de shíor ag broic lena chéile ... Agus nach í seo an chomaoin is mó a fhágfaidh litríocht na Gaeilge ar an domhan iomlán – ar theangacha uile iarthar domhain – nár dhún sí riamh bearna na dtaibhrí, 'the gap of dreams' mar a thug an file Béarla air.[36]

Ní hionann seo ar fad agus a rá go n-insíonn Nuala Ní Dhomhnaill scéalta sí nó seanscéalta, ná go bhfuil sí 'piseogach', ainneoin cheist roscach an fhir – urlabhraí an réasúin – in 'Clann Horatio' agus ainneoin scian na coise duibhe a iompraíos sí i gcónaí mar chosaint thraidisiúnta in aghaidh an oilc a chuirtear in iúl i bhfoirm na neachanna bagracha neamhshaolta:

> 'Tánn tú piseogach,'
> a dúirt an fear liom.
> D'admhaíos go rabhas.
> Dúrt, fiú, ná téim riamh amach istoíche
> gan kitchen devil

> sáite i dtóin mo phóca agam ...
> scian na coise duibhe.
> An t-aon ní amháin a fhóireann
> i gcoinne amhailt san oíche –
> sáigh is ná tairrig.[37]

Ní béaloideas atá sí a scríobh. Ní hionann cluiche seo na scáileanna ach an oiread agus a éileamh go 'gcreideann sí sna sióga', ráiteas nach bhfuil aige ach brí litriúil amháin agus brí amháin litriúil, ráiteas a eascraíos as dioscúrsa aontomhaiseach na glúine atá 'fachta matamataiciúil' agus a déarfadh go gcaithfidh a dó agus a dó a bheith cothrom lena ceathair i gcónaí. Teilgin sheachtracha ar bhunfhírinní, ar bhunmhianach agus ar bhunchlaonta síceacha ar leibhéal domhain an neamh-chomhfheasa choitinn atá sna neachanna neamhshaolta agus in áitreabhaigh eile ríocht na mbrionglóidí i bhfilíocht Ní Dhomhnaill. Samhlaítear agus cuirtear i láthair iad i ndioscúrsa cruthaitheach a bhfuil a bhunús le rianú siar i dtraidisiún na Gaeilge. Dearbhaíonn an file féin an méid sin go soiléir:

> ... all I believe in now are angels as psychic powers, as projections of the psyche. Likewise mermaids and banshees. I'm talking about images to describe archetypical presences.[38]

Bíonn sí anonn is anall de shíor sna dánta idir dhá chruinne, mar atá, an chruinne fhisiciúil agus an chruinne shíceach, idir saol an leasa agus áiteanna mar é ar láimh amháin agus, ar an láimh eile, an gnáthshaol ina maireann an duine ó lá go lá den chuid is mó. Tá mar a bheadh dhá dhioscúrsa ar leith, dhá mhodh reacaireachta, dhá theanga éagsúla aici leis an dá réalachas sin a chur in iúl, agus le hidirdhealú a dhéanamh idir an dá chruinne sin.

Dá réir sin, tig léi a chur in iúl i ndán mar 'An Crann' gurbh í Bean an Leasa a tháinig i láthair agus a ghearr anuas an crann b'ansa lena fear le *Black & Decker*, gníomh a thugtar le tuiscint nach smaoineodh reacaire an dáin, an bhean chéile mhaith, go deo air.

Reictear giniúint agus forás na heachtra sa dán i ndioscúrsa traidisiúnta a ghlacas *de facto* leis go bhfuil a leithéid de dhrochphearsa ann agus Bean an Leasa. Níos sia amach sa dán, áfach, tagann an léitheoir ar an eolas 'réalaíoch' seo a leanas iar n-imeacht do Bhean an Leasa:

Thit an tóin as mo bholg
is faoi mar a gheobhainn lascadh chic
nó leacadar sna baotháin
líon taom anbhainne isteach orm
a dhein chomh lag san mé
gurb ar éigin a bhí ardú na méire ionam
as san go ceann trí lá.[39]

Mar a chéile sa dán scéiniúil 'An Bhatráil' a bhaineas le drochíde a thabhairt ar pháiste, tá an reacaireacht i gcois dá leith idir domhan an leasa agus domhan an ospidéil, idir dhá mhíniú ar an droch-chaoi atá ar an bpáiste. Ar leibhéal amháin fuadaíodh an páiste as go dtí an lios, áit ar chuir na daoine maithe drochbhail air, agus cuirtear an méid seo in iúl i dtéarmaí tagartha a bhaineas le seanchas traidisiúnta an leasa agus an fhuadaigh as. Ar leibhéal eile, áfach, is léar go dtuigeann an reacaire (an mháthair) nach gcreidfeadh lucht an ospidéil sa domhan iarbhír nach í féin is cionsiocair leis an drochbhail atá ar an bpáiste. Fitear an dá inseacht ar an scéal, agus an dá dhioscúrsa, ina chéile tríd síos agus bíonn an reacaire anonn is anall eatarthu gan idirdhealú idir 'fírinne' an dá leagan: téann sí i muinín ceiríní traidisiúnta agus *sudocream* nua-aoiseach ag aon am amháin agus í ag féachaint lena páiste a leigheas, agus bagraíonn sí ar an bhfear caol dubh atá roimpi i ndoras an leasa go sáfaidh sí le scian coise duibhe é. Agus féach go n-admhaíonn sí gur do sceach sa tslí roimpi a thugas sí faobhar na scine.

Thugas mo leanbhán liom aréir ón lios
ar éigean.
Bhí sé lán suas de mhíola is de chnathacha
is a chraiceann chomh smiotaithe is chomh gargraithe

go bhfuilim ó mhaidin ag cur ceiríní teo lena thóin
is ag cuimilt sudocream dá chabhail
ó bhonn a choise go clár a éadain.

Trí bhanaltra a bhí aige ann
is deoch bhainne tugtha ag beirt acu dó.
Dá mbeadh an tríú duine acu tar éis tál air
bheadh deireadh go deo agam leis.
Bhíodar á chaitheamh go neamheaglach
ó dhuine go chéile,
á chur ó láimh go láimh, ag rá
'Seo mo leanbhsa, chughat mo leanbhsa.
Seo mo leanbhsa, chughat mo leanbhsa.'

Thangas eatarthu isteach de gheit
is rugas ar chiotóg air.
Thairrigíos trí huaire é tré urla an tsnáith ghlais
a bhí i mo phóca agam.
Nuair a tháinig an fear caol dubh romham
ag doras an leasa
dúrt leis an áit a fhágaint láithreach
nó go sáfainn é.
Thugas faobhar na scine coise duibhe
don sceach a bhí sa tslí
romham is a dhá cheann i dtalamh aige.

Bhuel, tá san go maith is níl go holc.
Tá fíor na croise bainte agam
as tlú na tine
is é buailte trasna an chliabháin agam.
Is má chuireann siad aon rud eile nach liom
isteach ann
an diabhal ná gurb é an chaor dhearg
a gheobhaidh sé!
Chaithfinn é a chur i ngort ansan.

Níl aon seans riamh go bhféadfainn dul in aon ghaobhar
d'aon ospidéal leis.
Mar atá
beidh mo leordhóthain dalladh agam
ag iarraidh a chur in iúl dóibh
nach mise a thug an bhatráil dheireanach seo dó.[40]

Níl sna dánta seo, agus san iliomad dánta den mhianach céanna ag Ní Dhomhnaill ina saothar ó thús, ach dioscúrsa leis an dorchadas a fhoclú, meafar sínte saotharfhada d'fhonn féachaint le teacht chun réitigh leis na scáileanna atá mórthimpeall an fhile. Ní fhágann sin go ndiúltaíonn sí don saol comhaimseartha ná gur mhaith léi filleadh ar shaol idéalach rómánsúil réamhthionsclaíoch béaloideasúil. Níl amhras ar bith faoi ach gur pearsa de chuid na freacnairce reacaire na filíochta seo, duine sofaisticiúil nua-aoiseach meánaicmeach, oilte de chuid na mílaoise atá i dtiúin le dearcadh coitianta agus le cultúr uirbeach na linne. Labhrann guth sin na freacnairce go láidir sa saothar agus pléann Ní Dhomhnaill cuid de bhuncheisteanna na linne ina cuid filíochta: fadhb chráite an duine aonair atá ag féachaint le brí éigin a aimsiú i saol luaineach síorathraíoch; ionad agus ról an fhir agus na mná; buncheisteanna faoi ghnéasúlacht an duine; an lionndubh; grá máthar, grá collaí agus grá caidrimh ina ghnéithe casta uilig, gan ach cuid an bheagáin a lua.

Gné eile de dhioscúrsa traidisiúnta, de chruinneshamhail na Gaeilge a dtarraingíonn Ní Dhomhnaill go fial uirthi ina cuid filíochta ná an claonadh sin a bhí riamh anall sa litríocht tagairt do chanóin an traidisiúin mar ghléas ionann is dlisteanaithe don nuachruth.[41] Tá nós aici línte as amhráin, seanfhocail agus nathanna traidisiúnta cainte, cultacha gaisce scéalaíochta, sleachta as seanscéalta agus míreanna eile de chuid na litríochta béil a shníomh isteach ina cuid dánta. Tá ciúta seo na hidirthéacsúlachta – gaisneas á bhaint os íseal as téacsanna eile i saothar úrnua cruthaitheach ina shraith fholaithe faoi leibhéal simplí na reacaireachta nó na scéalaíochta – ar cheann de phríomhdheismireachtaí liteartha ghluaiseacht an iar-nua-aoiseachais. An méid sin ráite, áfach, contúirt bhunúsach a bhaineas lena leithéid de dheismireacht athfhriotalach nach mbeadh dá barr i ndeireadh na feide ach paistís de dhán mar mhalairt ar ráiteas úrnua cruthaitheach a bheadh fréamhaithe go dlisteanach sa traidisiún údarach as ar eascair sé.

Aithneoidh cuid mhaith léitheoirí a bhfuil eolas acu ar thraidisiún na hamhránaíochta, mar shampla ionadaíoch den ghné seo, tagairtí sa véarsa seo thíos do Raiftearaí, do Phádraig Mac Piarais, d'Aogán Ó Rathaille, agus don amhrán 'Bean Dubh an Ghleanna':

> Ní fhéadfá í a thabhairt in aon áit leat,
> do thabharfadh sí náire in aithis duit.
> Díreach toisc go raibh sí an-mhór ina vamp
> thiar ins na fichidí, is gur dhamhas sí an Searlastan
> le tonntracha méiríneacha ina gruaig dhualach thrisleánach;
> gur **phabhsae gléigeal** í thiar i naoi déag sé déag,
> **go bhfacthas fornocht i gConnachta í, mar áille na háille,**
> is ag taisteal bhóithre na Mumhan, mar **ghile na gile**;
> go raibh sí beo bocht, gan locht,
> **a píob mar an eala**, ag teacht taobh leis an dtoinn,
> **is a héadan mar shneachta**.[42]

Éire náireach na linne seo a thréig a dúchas, a dhíol a hoidhreacht, is ábhar don dán seo – fearacht Chaitlín Ní Uallacháin na haislinge agus na n-amhrán – agus saibhríonn na tagairtí sa véarsa sin gona macallaí as saothair fhilí eile i réanna eile ar chás leo an cúl le cine céanna an reacaireacht tríd síos. Ina theannta sin, tharla go leanann an dán air sa modh athfhriotalach céanna go deireadh le tagairtí d'amhráin, do sheanfhocail agus do nathanna coitianta cainte, cruthaítear aontacht aeistéiticiúil agus mhachnaimh tríd síos sa dán agus suitear file na linne seo go daingean dá réir sin i líne shoiléir oidhreachta agus idé-eolaíochta.

Ar an gcaoi chéanna, is inbhéartú ar an nath coitianta cainte go dtagann fad choiscéim choiligh ar an lá idir dhá Nollaig atá i dtús an dáin 'An Casadh':

Anois nó go bhfuil coiscéim choiligh
leis an oíche
ní féidir liom mo chasóg labhandair
a chrochadh a thuilleadh
le haon tsiúráil nó leath chomh neafaiseach
ar an nga gréine
ar eagla go dtitfeadh sí ar an urlár romham
ina glóthach frog.[43]

Is ionann fad choiscéim choiligh ar an lá ar leibhéal siombalach agus bua an tsolais ar an dorchadas agus bua dá réir sin an dóchais agus an athfháis ar an dúluachair. Sa dán seo, áfach, iompaíonn Ní Dhomhnaill domhan an ghnáis bunoscionn trí inbhéartú a dhéanamh ar na gnáth-thuiscintí. I leaba a bheith ag súil le dóchas an earraigh agus na hathnuachana, tuigeann an léitheoir go bhfuil oíche dhorcha an anama ag bagairt agus reacaire an dáin ag sleamhnú isteach sa néaróis. Is measaide fós an titim sin an comórtas idir gnáthchiall an ráitis faoi choiscéim an choiligh agus an leagan inbhéartaithe atá ag Ní Dhomhnaill, arae is dorchaide fós tíorántacht na hoíche tuiscint a bheith ag an reacaire gurb ann don solas.[44]

Lochtaíonn Gabriel Rosenstock Ní Dhomhnaill i ngeall ar ghné seo na hidirthéacsúlachta ó dhioscúrsa na Gaeilge ina saothar, mar dhóigh de is gur bradaíl liteartha nó *plagiarism* atá ann. Molann Rosenstock, go fiú, gur cheart di uaschamóga a chur timpeall ar chuile thagairt ón traidisiún sa chaoi is go mbeadh an léitheoir ar an eolas gur tagairt atá ann.[45] Eascraíonn an dearcadh seo as míthuiscint bhunúsach ar dhioscúrsa traidisiúnta na Gaeilge, gan trácht ar fheidhm agus ar aidhm na hidirthéacsúlachta sa litríocht iar-nua-aoiseach. Ní hionann bunúlacht na Gaeilge agus bunúlacht an Bhéarla (ná aon teanga eile ach an oiread). Cuid bhunúsach de mhodh reacaireachta na Gaeilge tagairtí dá leithéid. Ní bradaíl atá ann ach aitheantas ómósach á bhronnadh ar na seanfhilí, ar na sinsir liteartha. Ní hamháin sin, ach is gníomh ionclúidithe atá ann, dearbhú gur den ghrúpa 'istigh' an té a dhéanas an macalla agus an té a ndéantar macalla air – straitéis bhunúsach réitigh, mar sin, i gcás

Ní Dhomhnaill maidir le hábhar agus foirm a cuid filíochta. Ní miste a lua freisin, dála an scéil, go bhfaightear an straitéis chéanna seo coitianta go maith ag filí eile Gaeilge ó Sheán Ó Ríordáin in Éirinn ag achainí 'A Sheanfhilí, Múinidh Dom Glao',[46] go dtí filí na hAlban mar Shomhairle MacGill-Eain a úsáideas meadarachtaí agus caint na n-amhrán[47] agus Meg Bateman a tharraingíos go fial ar amhráin thraidisiúnta na hAlban.

Tagairtí nó macallaí ar mhicrileibhéal an téacsa féin atá in athfhriotal línte as amhráin, nathanna cainte agus seanfhocail den chineál seo. Baineann Ní Dhomhnaill gaisneas as an gcineál céanna ciúta athfhriotail ar mhacraileibhéal théacsanna dánta chomh maith sa méid agus go mbunaíonn sí corrdhán go hiomlán ar ghné áirithe den traidisiún, go mórmhór seanscéalta gaisce. Ar an gcaoi seo éiríonn le dán mar 'Geasa' tarraingt ar scéal coitianta na caillí a imríos breith leis an ngaiscíoch agus a chuireas iallach air í a leanacht go dtí an Domhan Thoir – an saol eile sa scéalaíocht – d'fhonn tóraíocht an duine ar an ní dofhála a chur in iúl. Ní hamháin go dtugann an dán faoi shainiú a dhéanamh ar théarmaí tagartha an turais, nó faoi léarscáil inmheánach a sholáthar más doiligh féin í a léamh, ach i ndeireadh na feide ní fhágtar an reacaire ar an trá fholamh amach is amach. Fágann an chailleach dhraíochta an dá choinneal ina diaidh a sholáthrós solas de chineál éigin faoi bhealach, agus ina dteannta na maidí rámha mar áis a chuideos leis an 'mbáidín guagach'[48] bualadh faoin turas fionnachtana, faoin iomramh aigne.

Má chuirim aon lámh ar an dtearmann beannaithe,
má thógaim droichead thar an abhainn,
gach a mbíonn tógtha isló ages na ceardaithe
bíonn sé leagtha ar maidin romham.

Tagann aníos an abhainn istoíche bád
is bean ina seasamh inti.
Tá coinneal ar lasadh ina súil is ina lámha.
Tá dhá mhaide rámha aici.

Tarraigíonn sí amach paca cártaí
'An imreofá breith?' a deireann sí.
Imrímid is buann sí de shíor
is cuireann sí de cheist, de bhreith is de mhórualach orm

gan an tarna béile a ithe in aon tigh,
ná an tarna oíche a chaitheamh faoi aon díon,
gan dhá shraic chodlata a dhéanamh ar aon leaba
go bhfaighead í. Nuair a fhiafraím di cá mbíonn sí

'Dá mba siar é soir,' a deireann sí, 'dá mba soir é siar.'
Imíonn sí léi agus splancacha tintrí léi
is fágtar ansan mé ar an bport.
Tá an dá choinneal fós ar lasadh le mo thaobh.

D'fhág sí na maidí rámha agam.[49]

Seo go meafarach tasc crua agus dúshlán an tsaoil, fearacht laoch an tseanscéil, dul ar thuras chuig na réigiúin choimhthíocha áit a maireann gruagaigh, fathaigh, cailleacha agus neachanna contúirteacha osnádúrtha eile a chaithfear a chloí le go bhfille an laoch abhaile slán. Ainneoin na ndriseacha cosáin uilig a shamhlaítear a bheith ionann is dosháraithe, dearbhaíonn na dánta seo go bhfuil an mianach ceart sa duine, go bhfuil 'gaiscíoch istigh ionainn'[50] agus nach fál go haer i gcónaí teacht slán:

Thángamar slán ónár naimhde
na cailleacha draíochta,
tré léimt ar dhroim an fhiolair,
tré cleite a tharrac as a sciathán
is suí ina ionad.[51]

Bíodh is go n-éiríonn le Ní Dhomhnaill ó thráth go chéile meafar éifeachtach dánfhada a shníomh as seanscéalta den chineál seo, ach an oiread leis an idirthéacsúlacht ar mhicrileibhéal an dáin ar ball, tá contúirt bhunúsach ag roinnt lena leithéid de sheift a fhágas nach mbíonn i roinnt dá cuid iarrachtaí sa réimse seo ach athfhriotal simplí gan aon bhrí shiombalach bhreise á cur leis an mbunscéal le ráiteas suntasach comhaimseartha a dhéanamh. Tharla sin i gcás roinnt dánta in *Féar Suaithbinseach*, 'Mis an Fia' agus 'Fál go hAer', mar shamplaí.[52]

Ós ag trácht ar mhodhanna reacaireachta na scéalaíochta traidisiúnta é, tá gné eile fós den dioscúrsa dúchais a fheictear go coitianta sa scéalaíocht a mbaineann Ní Dhomhnaill úsáid as ina saothar, mar atá, an reacaireacht dhíreach ó dhearcadh rannpháirtí *in medias res* mar mhalairt ar reacaireacht ris a ráitear oibiachtúil anailíseach indíreach chriticiúil ó fhaireoir. Cruthaítear trína bhíthin seo cruinne shiombalach ina gcealaítear an aigne cheistitheach, áit a gcuireann an reacaire, agus dá réir sin an léitheoir, de leataobh a gclaonadh chun díchreidimh – *a willing suspension of disbelief*. Seo é domhan an fhíréin, domhan an té a chreideas, domhan ina scaiptear ceo ach siúl tríd. Sa tsraith 'Immram' in *Feis*, mar léiriú air seo, féachann Ní Dhomhnaill le sainiú a dhéanamh ar an mBreasaíl, Beag-Árainn nó oileán draíochta sin na scéalaíochta a thagas chun barr uisce de réir an traidisiúin uair sna seacht mbliana. Is ionann teacht an oileáin faoi shúile an duine agus bearna intaistil á hoscailt idir an saol seo agus an saol eile, idir an bheatha agus an bás. Ní túisce an t-oileán aimsithe, áfach, ná éalaíonn sé leis arís:

> Tá an t-oileán lán de bhláthanna
> is de chnónna aduaine
> agus is féidir leis bogadh leis ar fuaid na cruinne
> os na tíortha teo suas go dtí na farraigí fuara.[53]

Fearacht na dturasóirí a íocas a bpaisinéireacht d'fhonn tóithín a fheiceáil i gCuan an Daingin, is deacair a áireamh i dtéarmaí iarbhíre cén éadáil a bhíos ag an duine de bharr an oileáin:

> Díolann tú dhá phunt (leathphraghas: pinsinéirí is leanaí)
> chun taispeántas a fheiscint
> ar oileán nach bhfuil ann,
> a mhiotaseolaíocht is a mhaoin,
> a onnmhuirithe is a ainmhithe.[54]

Dá neamhábhartha, neamhshaolta, dho-áirithe éadáil sin an oileáin don té ar toil leis é a fheiceáil, ceiltear an méid sin féin ar lucht an díchreidimh, ar lucht na matamataice, ar na taighdeoirí atá Eorpach is intleachtúil:

> B'shin sarar chuaigh dream antraipeolaithe
> i dtír ann
> is tar éis taighde chruinn fhaidbhreathnach
> (a mhair tréimhse deireadh seachtaine amháin)
> do thángadar ar an dtuairim láidir
> (d'aon ghuth)
> go raibh na hoileánaigh raidghníomhach.[55]

Nuair a fiafraíodh den seanchaí iomráiteach Bab Feirtéir (a raibh tionchar lárnach aici ar shaothar Ní Dhomhnaill) an raibh an Bhreasaíl ann i ndáiríre, is é freagra a thug sí, 'B'fhéidir é.' Agus siúd ansin léi ag inseacht fabhalscéil faoin oileán agus faoi chailín a fuadaíodh ann, agus cead ag an éisteoir a mheabhair agus a chuid adhmaid féin a bhaint as mar scéal.[56] Ar an gcuma seo i léarscáiliú na dúiche anama, cuirtear 'Clann Horatio agus na hintleachtóirí inár measc' as an imirt trí straitéisí nó dioscúrsa atá deoranta dá gcruinneshamhail réasúnaíoch Chairtéiseach a chur i lár an aonaigh. Mar a deireadh an scéalaí i ndeireadh a chuid reacaireachta i gcónaí, 'Sin é mo scéal! Má tá bréag ann bíodh, ní mise a chum ná a cheap.'

Straitéis ionclúdaithe agus réitigh eile fós de chuid an dioscúrsa dhúchais a mbaineann Ní Dhomhnaill leas leanúnach aisti ná idé an dinnseanchais mar ghné bhunúsach de scéal an duine. I gCorca Dhuibhne a d'aimsigh sí a *mandala* féin, an léaráid shiombalach, an léarscáil inmheánach sin a chuidíos léi an chruinne a thabhairt chun cruinnis áirithe di féin, nó i dtéarmaí Jungacha, aircitíp uilíoch a bhaineas le hathláithriú nó le samhlú miotaseolaíoch an duine ar a bhunmhianach féin.[57] Rianaíonn sí imlínte an *mandala* seo i dtrí dhán as a chéile in *Féar Suaithinseach*, 'Mandala', 'Turas Chaitlíona' agus 'An

Turas'.[58] Turas siar i dtreo na muintire agus an cheantair dhúchais atá i gceist:

> Táim chun dul ar an dturas
> go Teampall Chaitlíona,
> áit a bhfuil sinsir mo chine
> is sliocht seacht sleachta
> de mo mhuintir
> curtha.[59]

Más aistear fada aistreánach féin é, 'suas le seacht n-uaireanta a chloig cruathiomána ó Bhaile Átha Cliath' agus na Flaithis oscailte le díle bháistí anuas uirthi, fós féin is fiú an tairbhe an trioblóid. Dearbhaíonn sí an méid seo le tagairt idirthéacsúil don ghairdín ina fhásach agus do na pabhsaetha breátha a bhfuil trácht orthu sa seanamhrán grá 'Caisleán Uí Néill'. Díol suntais arís sa chás seo go ndéanann Ní Dhomhnaill inbhéartú ar an mbunfhoinse ar mhaithe lena scéal féin. Ábhar achasáin agus dóláis don reacaire sa seanamhrán go bhfuil a gairdín ina fhásach ó thréig a míle grá bán í, ach déanann 'An Turas' ceiliúradh lúcháireach dóchasach ar an nuafhás a mhúsclaíos an turas siar sa reacaire:

> Mar níl mo ghairdín ina fhásach
> níos mó; tá dhá phósae bhreátha
> ag eascar ann go rábach.
> Is i lár an gheimhridh istigh,
> i gcroí an dúluchair,
> misneach agus intinn ard is ainm dóibh.[60]

Leag Ní Dhomhnaill béim ina saothar ón tús ar an turas seo siar agus ar an dáimh shíceach agus fhisiciúil a airíos an duine lena áit féin agus a fhréamhaíos go daingean ann é. Ceiliúrann an dán 'I mBaile an tSléibhe',[61] a scríobhadh chomh fada siar le 1980 agus ar geall le clasaic faoi seo é, ceantar Chorca Dhuibhne sna téarmaí seo. Tosaíonn an dán le reacaireacht cheolmhar na logainmneacha agus a seanchais, agus fógraíonn an reacaire go mórtasach tionchar mhuintir Dhuinnshléibhe uirthi:

I mBaile an tSléibhe
Tá Cathair Léith
is laistíos dó
tigh mhuintir Dhuinnshléibhe;
as san chuaigh an file Seán
'on Oileán
is uaidh sin tháinig an ghruaig rua
is bua na filíochta
anuas chugam
trí cheithre ghlún.

Ina theannta sin, ceiliúrann an dán a dáimh fhisiciúil, shinistéisiúil féin leis an áit trí mheán na mbláthanna dúchais, agus go mórmhór an camán meall a luaitear go sonrach leis an gceantar ina ainm dúchais mar mhalairt ar a ainm oifigiúil eolaíoch:

Ar thaobh an bhóthair
tá seidhleán
folaithe ag crainn fiúise,
is an feileastram
buí
ó dheireadh mhí Aibreáin
go lár an Mheithimh,
is sa chlós tá boladh
lus anainne nó camán meall
mar a thugtar air sa dúiche
timpeall, i gCill Ura, is i gCom an Liaigh
i mBaile an Chóta is i gCathair Boilg.

Fitear na trí ghné sin dá hoidhreacht phearsanta agus cine in aon aontacht chruthaitheachta amháin tríd síos agus baintear buaic amach sa rann deiridh in íne reatha samhlaíochta a neadaítear sa cheantar dúchais agus ina thraidisiún leis an tagairt don bhreac – samhail de bhunmhianach nó bradán na beatha – d'árthaigh dhraíochta agus d'fhiolair na scéalaíochta, agus do chuibhreach caoin daonnachtach na laincisí síodúla a chuireas an t-iomlán uirthi i ndeireadh thiar.

Is lá
i gCathair Léith
do léim breac geal
ón abhainn
isteach sa bhuicéad
ar bhean
a chuaigh le ba
chun uisce ann,
an tráth
gur sheol trí árthach
isteach sa chuan,
gur neadaigh an fiolar
i mbarr an chnoic
is go raibh laincisí síoda
faoi chaoirigh na Cathrach.

Déantar ar an gcaoi seo dúiche shamhlaíochta agus anama den tírdhreach fhisiciúil, agus cosaint ar an deorantacht, ar an allúracht, ar an gcruinne naimhdeach amuigh sa bhearna bhaoil den teálta dúchais. Mar a dhearbhaigh Ní Dhomhnaill níos deireanaí in *Feis*:

Mo ghrua i gcoinne na cloiche gheibhim deis
teacht chugam féin, slán ón mbearna bhaoil,
mo cheann a chruinniú, bheith préamhaithe sa talamh is saor
ó arrachtaí na samhlaíochta is os na deamhain aeir.[62]

Rianaítear an ceangal thar a bheith fisiciúil leis an áit, ceangal atá collaí fiú i ndánta áirithe, arís agus arís eile tríd an saothar ar fad. Mheabhródh a leithéid seo, mar shampla ionadaíoch, ráiteas ó bhandia de chuid na talún sa tseanlitríocht:

Taibhríodh dom gur mé an talamh,
gur mé paróiste Fionntrá
ar a fhaid is ar a leithead,
soir, siar, faoi mar a shíneann sí.
Gurbh é grua na Maoilinne grua
mo chinn agus Sliabh an Iolair

mo chliathán aniar;
gurbh iad leaca na gcnoc
mo loirgne is slat
mo dhroma is go raibh an fharraige
ag líric mo dhá throigh
ag dhá charraig sin na Páirce,
Rinn Dá Bhárc na Fiannaíochta.[63]

Forás suntasach ar an saothar luath atá le sonrú in *Feis* agus go mórmhór in *Cead Aighnis* is ea go samhlaítear na straitéisí mínithe agus féintuisceana seo maidir leis an 'tírdhreach inmheánach'[64] i gcomhthéacs níos leithne ná an baile beag. Ainneoin cheiliúradh sinistéisiúil an dúlra a bheith ann i gcónaí, agus ainneoin 'siolla glórmhar fuaime'[65] na n-éan a bheith fós le cloisteáil, agus ainneoin í a bheith ag 'gabháilt i leith an dúchais'[66] de shíor, níl na dánta is deireanaí uaithi chomh Duibhneach lena dtáinig rompu agus suitear riar acu i gcomhthéacs níos leithne, níos 'náisiúnta'.[67]

Ní reacaireacht fhoirmliúil áitainmneacha atá anseo ná cuntas simplí rómánsúil ar áilleacht ceantair, mar a bhí ag cuid mhaith d'fhilí na hAthbheochana nár éirigh leo mórán léargais a thabhairt ar bheatha inmheánach an duine ina saothar, ach aistear fionnachtana i dtreo fírinne atá síos siar ar chúl na reacaireachta. Dinnseanchas anama atá ann, bealach isteach i dtírdhreach na samhlaíochta, an taobh tíre sin ina reictear scéal fírinneach an duine, ach é a shuíomh i bpointe sonrach san am agus sa spás. Aimsíonn Ní Dhomhnaill léargais agus féintuiscintí suntasacha le linn an iomraimh sna ceantair seo mar mhalairt ar na halltair áit nach ann d'aon bhóthar isteach di, agus áit dá réir sin a bhfuil an duine ina dheoraí, ina choimhthíoch. Tá ciall le cruinne shiombalach an dúchais di ar leibhéal pearsanta agus ar leibhéal cine nó pobail. Dearbhaíonn sí:

go bhfuil fórsaí na doircheachta
dár n-ionsaí go deo
is gurb é teas colainne ár gcine
a choinníonn sinn beo.[68]

Nó arís:

> Labhrann gach cúinne den leithinis seo liom
> ina teanga féinig, teanga a thuigim.
> Níl lúb de choill ná cor de bhóthar
> nach bhfuil ag suirí liom,
> ag cogarnaíl is ag sioscarnaigh.[69]

I ndeireadh na feide níl aon tábhacht leis an logainm per se, ná fiú ar bhealach le tírdhreach fhisiciúil na háite. Is í an dúiche anama, tírdhreach na samhlaíochta, tionchar na háite ar bheatha inmheánach an duine a thugtar chun suntais. Mar a shonraigh Seán Ó Coileáin agus é ag trácht ar phróiseas inmheánaithe na litríochta san Fhiannaíocht:

> ... the places have become internalized as literature with no physical or other restriction beyond that set by the poem itself ... Some ... may have never had more than a potential existence, as it were to be actualized only in the imagination of the hearer.[70]

Ag tagairt don phróiseas céanna, deir Rolf Baumgarten gurb é atá ann i gcás na logainmneacha sa dinnseanchas, *the reduction of the locative function ... from denotation to connotation*.[71] Bunghné de chuid phróiseas an nua-aoisithe atá in inmheánú seo na litríochta, agus téama coitianta dá réir sin i nuafhilíocht na Gaeilge léarscáiliú na ndúichí anama. Rianú bóithre isteach aidhm na cumadóireachta ar fad, dar le Liam Ó Muirthile,[72] agus tá an meon céanna le feiceáil go soiléir i bhfilíocht Sheáin Uí Ríordáin:

> Sin é do dhoras,
> Dún Chaoin fé sholas an tráthnóna,
> Buail is osclófar
> D'intinn féin is do chló ceart.[73]

Tuiscint bhunúsach í seo i gcuid mhaith d'fhilíocht thraidisiúnta agus de nuafhilíocht Ghàidhlig na hAlban freisin. Déanann Ruaraidh MacThomàis iarracht breith ar a áit féin, agus trína bhíthin sin ar an saol traidisiúnta atá anois ar throigh gan tuairisc, trí reacaireacht na logainmneacha, agus léiríonn dán mar 'A' dol dhachaidh' le hIain Mac A' Ghobhainn próiseas céanna seo an inmheánaithe. Díol suntais freisin gur ar thulach intinne .i. cnoc de chuid na cuimhne mar a bhí ag Ó Ríordáin, b'fhéidir, a shuífeas sé:

> Am màireach théid mi dhachaidh do m'eilean
> a' fiachainn ri saoghal a chur an dìochuimhn'.
> Togaidh mi dòrn de fhearann 'nam làmhan
> no suidhidh mi air tulach intinn
> a' coimhead 'a' bhuachaill aig an spréidh'.[74]

Ba mhór é meas Nuala Ní Dhomhnaill ar mhórfhile Alban, Somhairle MacGill-Eain, agus ceiliúrann a chuid filíochta seisean go minic an dáimh a bhí aige le hOileán Leodhais a dhúchais. Baineann a dhán cáiliúil 'Hallaig', mar shampla, le díbirt na muintire i lár an naoiú haois déag. Ainneoin an díshealbhaithe agus an éadóchais a lean, fearacht Ní Dhomhnaill i ndánta mar 'I mBaile an tSléibhe', cruthaíonn reacaireacht na logainmneacha agus ainmneacha na muintire ann miotas pearsanta agus cine, miotas nua dóchais as cruinne shiombalach stair pholaitiúil agus chultúrtha an chine. Agus ní haon choincheap saordha ná bréagach sin, ná *Invented Scotland* ach an oiread.

> Tha bùird is tàirnean air an uinneig
> troimh 'm faca mi an Aird an Iar
> 's tha mo ghaol aig Allt Hallaig
> 'na craoibh bheithe, 's bha i riamh
>
> eadar an t-Inbhear 's Poll a' Bhainne,
> thall 's a bhos mu Bhaile-Chùirn ...
>
> Tha iad fhathast ann a Hallaig,
> Clann Ghill-Eain 's Clann MhicLeòid,
> na bh' ann ri linn Mhic Ghille-Chaluim:
> Chunnacas na mairbh beò.[75]

Fearacht MhicGhill-Eain, ráiteas suntasach cruthaitheach comhtháite atá i bhfilíocht Nuala Ní Dhomhnaill, iarracht trí mheán an fhocail leis an dorchadas a dhíbirt ar a bealach chun an bhaile, más féidir leagan cainte a ghoid óna comhfhile ar an taobh seo de Shruth na Maoile, Cathal Ó Searcaigh. San iomramh aigne sin di agus í sa tóir ar shlánú trí mheán an fhocail, tarraingíonn sí ar chuid mhaith de phríomhléargais shibhialtacht na linne seo a bhfuil sí lonnaithe go daingean inti – síceolaíocht Jung agus Freud agus léargais ghluaiseacht an fheimineachais, mar shampla. San am céanna, tá fráma sainchultúrtha eile ina dhlúthchuid bhunúsach dá ráiteas fileata, mar atá, cruinne shiombalach na Gaeilge mar a léiríodh in imeacht an traidisiúin í. Más mór idir a saothar agus déantús fhilí na hAthbheochana a sheol filíocht na Gaeilge isteach ar urlár na nuaré, ní dochar a mheabhrú arís gur bhain an mhalairt bhisigh riamh anall le domhan na Gaeilge, agus gur fhan an t-aos dána in allagar i gcónaí leis an domhan réalaíoch ina dtimpeall, mar atá léirithe le gairid ag scoláirí mar Bhreandán Ó Buachalla, Catherine Simms, Tadhg Ó Dúshláine, agus Micheál Mac Craith. Ag sin chomh maith cuid d'éacht Nuala Ní Dhomhnaill, go dtarraingíonn sí ar an sean sa nua agus ar an nua sa sean ina cuid filíochta ar bhealach sainiúil forásach a thógas droichead idir an dá ghné sin agus a chinntíos nach gá d'eachtra an nua-aoisithe, do *The Modernization of Irish Society*, a bheith ina rogha shimplí dhénártha idir an nua agus an sean, idir an traidisiún agus an fhreacnairc, ach go dtig leis a bheith ina chumasc bisiúil eatarthu araon.

[1] S. Freud, *Moses and Monotheism*, New York 1947, 28.

[2] T.S. Eliot, 'Tradition and the Individual Talent', in *Selected Essays*, London 1932, 13-22, 14.

[3] D. Hyde, *A Literary History of Ireland*, London 1899, Tiomnú.

[4] *Córughadh Chonnartha na Gaedhilge do réir mar do leasaigh an Árd-fheis i mí Iúil 1915 í*, 2. Ainneoin baint lárnach a bheith ag riar mhaith conraitheoirí le cúrsaí litríochta Gaeilge sa tréimhse ó 1893 anuas, ní raibh aon tagairt don litríocht i measc aidhmeanna bunreachtúla an Chonartha go dtí 1902 nuair a ghlac an Ardfheis leis an dá rún oibre seo a leanas:

1. The preservation of Irish as the national language of Ireland and the extension of its use as a spoken tongue;
2. The study and publication of existing Irish literature and the cultivation of a modern literature in Irish.

[5] Tá sé áitithe ag an údar seo i roinnt alt in imeacht na mblianta gur gné bhunúsach de dhioscúrsa na Gaeilge, den tsamhailchruinne dhúchais agus í á foilsiú in imeacht an traidisiúin liteartha, an cointeanóideachas seo, an cumasc den sean is den nua a deir nach nua go sean agus nach sean go nua. Féach *Litríocht agus Pobal*, Indreabhán 1997, *passim*.

[6] *Ubhla den Chraoibh – Dánta agus abhráin, leis an gCraoibhín Aoibhinn*, Baile-ath-cliath 1900, v.

[7] 'Bhí mé trá sona', *ibid.*, 8.

[8] C. Ó Háinle, 'Athbheochan na Filíochta', *Promhadh Pinn*, Má Nuad 1978, 130-52.

[9] B. Ó Conaire, *Douglas Hyde: Language, Lore and Lyrics*, Dublin 1986, 11-53.

[10] Nuala Ní Dhomhnaill in agallamh le Claire Dunsford, 'Dramatis Persona', *Boston College Magazine*, Winter 1999, 47: *Ultimately the ones* [na dánta] *in Irish are my babies – and you touch them, I'll kill you dead! – but the poems in English are somebody else's babies, and they're babies that have grown up and walked the world and said bye-bye, Mama, and that's it.*

[11] *Cf.* 'Droimeann Donn Dílis', in P. Ó Canainn, eag., *Filíocht na nGael*, Baile Átha Cliath 1958, 18:

Dá bhfaighinnse cead aighnis
Nó radharc ar an gcoróin,
Sasanaigh do leidhbfinn
Mar do leidhbfinn seanbhróg,
Trí chnoca, trí aillte
Is trí ghleannta dubha ceo
Agus siúd mar a bhréagfainnse
Mo Dhroimeann donn óg.

12 Bríona Nic Dhiarmada, 'Immram sa tSícé: Filíocht Nuala Ní Dhomhnaill agus Próiseas an Indibhidithe', *Oghma* 5 (1993), 78-94.

13 Neasa Marnell, *An Béaloideas i bhFilíocht Nuala Ní Dhomhnaill*, Tráchtas MA, Ollscoil na hÉireann, Gaillimh, 1993.

14 P. de Paor, *Tionscnamh Filíochta Nuala Ní Dhomhnaill*, Baile Átha Cliath 1997.

15 'Na Murúcha a Thriomaigh', *CA*, 133.

16 'An Mhurúch ina hAthbhreith', *CA*, 139.

17 'Briseadh an Tí', *CA*, 138.

18 'Cuimhne an Uisce', *CA*, 120.

19 C. G. Jung, 'The Psychology of the Child Archetype', in H. Read *et al.*, eag., R. F. C. Hull, aistr., *The Archetypes of the Collective Unconscious: The Collected Works*, IX, i, London 1959; 2ú heag, 1969, 151-81; 177-8.

20 'Fíorláir na Filíochta', *CA*, 83.

21 'An Ghaeilge mar Uirlis Fheimineach', in Fran Devaney *et al.*, eag., *Unfinished Revolution: Essays on the Irish Women's Movement*, Belfast 1989, 22-7; 23.

22 'Dán Beag an Earraigh Bhig', *DD*, 66.

23 'Freagra na Mná Ceiltí', *DD*, 74.

24 'Dán Beag an Earraigh Bhig', *DD*, 66.

25 'Clann Horatio', *FS*, 84-5.

26 S. Ó Ríordáin, *Eireaball Spideoige*, Baile Átha Cliath 1952, 6.

27 'Aistear', *CA*, 36.

28 *Ibid.*

29 'Loch a' Dúin', F, 120. *Cf.* S. Ó Ríordáin, 'Fill Arís', *Brosna*, Baile Átha Cliath 1964, 41:

> Téir faobhar na faille siar tráthnóna gréine go Corca Dhuibhne
> Is chífir thiar ag bun na spéire ag ráthaíocht ann
> An Uimhir Dhé, is an Modh Foshuiteach,
> Is an tuiseal gairmeach ar bhéalaibh daoine.

Ní hé atá mé a mhaíomh go n-eascraíonn filíocht Uí Ríordáin agus Ní Dhomhnaill as na tuiscintí céanna. Go deimhin féin, ba dheacair file is 'Cairtéisí' ná an Ríordánach a shamhlú. Thug sé le fios gurb é dualgas an duine 'luí síos le smaoineamh a dhúile' ('Cnoc Mellerí', *Eireaball Spideoige*, 66) agus is é an machnamh céanna sin an tréith is suntasaí agus is leanúnaí ina chuid filíochta. Díol suntais san am céanna, áfach, gurb iad na dánta is fearr dá chuid, dar liom, na dánta ina scaoileann sé le cuibhreacha an mhachnaimh, ina ligeann sé do chumhacht na samhlaíochta gabháil lastuas den mhachnamh – leithéidí 'Adhlacadh mo

Mháthar', 'Cúl an Tí', 'Oileán agus Oileán Eile', 'Siollabadh' (*Eireaball Spideoige*, 56-8, 61, 78-83, 111), agus 'Fill Arís' thuasluaite.

30 *Cf*. Ó Ríordáin, *Eireaball Spideoige*, 70-3:

> Ach thuirling eolas buile
> A scoilt an mhaidin álainn
> 'Na fireann is 'na baineann
> Is chuir ruaig ar chlúracána.
>
> Mar ghadhar ag déanamh caca
> Ar fud an tí istoíche
> Nó mar sheilmide ag taisteal
> Do bhréan an fios mo smaointe.

31 'Banríon an tSneachta', *F*, 21.

32 Rebecca E. Wilson, *Sleeping with Monsters: Conversations with Scottish and Irish Women Poets*, Dublin 1990, 154.

33 'An Ceann', *F*, 125.

34 'Chomh Leochaileach le Sliogán', *F*, 59.

35 P. Mac Cana, 'Early and Middle Irish Literature', in S. Deane *et al.*, eag., *The Field Day Anthology of Irish Writing* I, Derry 1991, 1-60; 4.

36 Nuala Ní Dhomhnaill, 'Ceardlann Filíochta', *Léachtaí Cholm Cille* 17 (1986), 147-79; 148.

37 'Clann Horatio', *FS*, 84.

38 Agallamh in *An Droichead/The Bridge*, Fómhar-Geimhreadh 1985, 8.

39 'An Crann', *FS*, 75-6.

40 'An Bhatráil', *F*, 14-5.

41 Féach m.sh., P. A. Breatnach, 'Traidisiún na hAithrise Liteartha i bhFilíocht Chlasaiceach na Gaeilge', *Téamaí Taighde Nua-Ghaeilge*, Baile Átha Cliath 1997, 1-63.

42 'Caitlín', *F*, 32. Liomsa an bhéim.

43 'An Casadh', *F*, 11.

44 Díol suntais go gcailltear an léamh domhain seo ar fad san aistriúchán breá a rinne Medbh McGuckian ar an dán faoin teideal 'Nine Little Goats' in *Pharaoh's Daughter*, Dublin 1990, 111-3:

> It's a cock's foot of a night:
> If I go on hanging my lightheartedness
> Like a lavander coat on a sunbeam's nail,
> It will curdle into frogspawn.

45 G. Rosenstock, léirmheas ar Nuala Ní Dhomhnaill, *Spíonáin is Róiseanna*, Indreabhán 1993, leabhar agus caiséad (CIC L 21), in S. Ó Cearnaigh,

eag., *Poetry Ireland Review* 39 (Autumn 1993), *Special Issue: Contemporary Poetry in Irish*, 102-9.

46 Ó Ríordáin, *Eireaball Spideoige*, 36.

47 Féach Máire Ní Annracháin, *Aisling agus Tóir. An slánú i bhfilíocht Shomhairle MhicGill-Eain*, Maigh Nuad 1992.

48 *FS*, 107-8.

49 'Geasa', *FS*, 31.

50 *FS*, 57-8.

51 'Fál go hAer', FS, 49.

52 *FS*, 9-11 agus 48-51.

53 'Céad Amharc', *F*, 86.

54 'Poiblíocht', *F*, 89.

55 *Ibid.*

56 'Teist Mhuintir Dhún Chaoin ar an Oileán', F, 90.

57 C. G. Jung, 'Concerning Mandala Symbolism', in Read, *The Archetypes of the Collective Inconscious*, IX, i, 627-712; 'The Symbolism of the Mandala', *ibid.*, XII, ii, 95-221.

58 *FS*, 77-81.

59 'Mandala', *FS*, 77.

60 'An Turas', *FS*, 81. *Cf.* 'Caisleán Uí Néill', leagan le Máire Nic Dhonnchadha ar an dlúthdhiosca *Amhráin ar an Sean-Nós*, RTÉ CD 185, Uimh. 15:

> Tá an gairdín seo ina fhásach, a mhíle grá bán, is mise liom féin.
>
> Tá na pósaetha a' fás ann is breátha dhá bhfaca tú ariamh.

61 *DD*, 79-80.

62 'Carraig na bhFiach', *F*, 40.

63 'Cailleach', *F*, 31.

64 'Faisnéis na hAimsire Inmheánaí', *CA*, 39.

65 'Éirigh, a Éinín', *F*, 129.

66 'Faisnéis na hAimsire Inmheánaí', *CA*, 39.

67 Féach m.sh., 'Caitlín', *F*, 32; 'Mise ag Tiomáint', *F*, 79; 'Toircheas I', *F*, 105; 'Donn', *CA*, 17 agus 'Oidhe Chlainne Lir', *CA*, 23-4.

68 'Na Trí Shraoth', *F*, 41.

69 'Ag Tiomáint Siar', *F*, 119.

70 S. Ó Coileáin, 'Place and Placename in Fiannaigheacht', *Studia Hibernica* 27 (1993), 45-60; 56, 60.

71 R. Baumgarten, 'Etymological Aetiology in Irish Tradition', *Ériu* 41 (1990), 115-22; 116, 121.

[72] L. Ó Muirthile, 'Comhar-rá le Gabriel Rosenstock', *Comhar*, Feabhra 1984, 27-9; 29.

[73] Ó Ríordáin, 'Fill Arís', *Brosna*, 41.

[74] I. Mac A' Ghobhainn, 'A' dol dhachaidh', in D. Macauley, *Nua-bhardachd Ghàidhilg*, Dùn Eideann 1976, 175.

[75] S. MacGill-Eain, 'Hallaig', *Reothairt is Contraigh. Taghadh de dháin* 1932-1972, Dùn Eideann 1981, 142-3.

Athchuairt ar Shéanadh Saighre

ALAN HARRISON

Cuireadh an téacs atá faoi chaibidil agam anseo in eagar trí huaire – faoi dhó ag Kuno Meyer agus uair amháin agam féin, tá roinnt blianta ó shin, mar aon le haistriúchán agus nótaí comhthéacsúla.[1] Is é an teideal atá ag an téacs sna lámhscríbhinní 'Sénadh Saigri' agus thuairimíos go bhféadfaí ceachtar de dhá bhrí a bhaint as sin agus gur 'Beannú Shaighre' nó 'Mallachtú Shaighre' a bhí ann.

Láthair eaglasta, beagnach i lár na tíre, ainmnithe i ndiaidh duine de na naoimh darbh ainm Ciarán (cúigiú/séú haois) ba ea Saighir Chiaráin. Sula dtosóidh mé ag plé an scéil féin ba mhaith liom tagairt do chuid de na deacrachtaí a bhíonn ag scoláirí a fhéachann le heagarthóireacht a dhéanamh ar théacs a scríobhadh sa Ghaeilge i rith na meánaoiseanna. Scríobhadh an leagan is sine den scéal cóngarach do Shaighir Chiaráin féin ag tús an cúigiú haois déag. Tá cóip eile de ann atá beagnach comhaimseartha leis sin agus dhá leagan eile ón seachtú haois déag.[2] Léiríonn fianaise teanga sna leaganacha luatha gur dócha gur sa dara haois déag a cumadh iad agus baineann na heachtraí a bhfuil trácht orthu leis an dara leath den deichiú haois. I dteannta leis an deacracht dátaíochta seo is féidir a thaispeáint go bhfuil cuid den scéal bunoscionn leis an bhfírinne stairiúil de réir mar is féidir í sin a chinntiú ó na hannála.[3] Tá sé áitithe agam in áit eile go bhféadfaí an t-iomrall ama seo ar fad a mhíniú dá nglacfaimis leis go raibh údar an dara haois déag ag iarraidh feiniméin chultúrtha a réiteach le himeachtaí na staire agus gur dearbhú ar athrú i nósanna liteartha atá sa scéal.[4] Fillfidh mé ar an míniú seo arís amach anseo agus ina theannta sin luafaidh mé cúiseanna polaitiúla leis an scéal 'neamhstairiúil' seo.

Féachaimis ar éirim an scéil féin ar dtús. Insítear dúinn go raibh

Donnchadh mac Flainn, rí na Mí, ag tógáil fallaí agus claíocha thart ar an láthair eaglasta ar achainí a chéile, Sadhbh, iníon Dhonnchadha rí Osraí. Nuair a bhí an obair ar siúl tháinig daoine agus iad ag iompar chorp rí Osraí leo. Tugadh isteach go dtí an reilig é agus cuireadh é gan mhoill. Ansin le titim na hoíche tháinig

> nōnbhar crosān ciabhach cīrdhubh co mbātar forsan uaigh ac cliaraighecht amhuil is bās do chrosánaibh ó sin anall. Bá gilithir snechta a súile agus a fiacla agus bá duibhithir gual cach ball eile díbh.[5]

Le linn na 'cliaraíochta' sin dúradar dán os cionn na huaighe. Bhí na daoine a bhí timpeall buartha, agus dúradh go raibh na daoine a chonaic iad breoite ar feadh lae agus oíche. Níorbh fhéidir iad a ruaigeadh go dtí gur labhair aingeal le Céile Dé, á rá leis a mholadh dóibh uisce coisreactha a chaitheamh ar an uaigh agus Aifreann a rá i gcoinne na ndeamhan. Nuair a rinneadh sin d'imíodar i riocht éan. Bhí beirt fhilí i láthair ag breathnú ar imeachtaí na gcrosán agus iad ag meabhrú a n-iompair, ionas go bhféadfaidís aithris a dhéanamh air mar chuid dá gceird feasta.

Tamall tar éis dom an téacs a chur in eagar tháinig mé den chéad uair ar theoiricí a bhain le próiseas deasghnách agus le feidhmeanna na tairseachúlachta agus na siamsaíochta sa phróiseas sin i scríbhinní an antraipeolaí Victor Turner.[6] Ba dheacair teacht ar théacs is oiriúnaí ná *Séanadh Saighre* chun teoiricí agus modh oibre Turner a léiriú. D'fhéadfaí a mhaíomh go bhfuil sé ag cur thar maoil le tairseachúlacht. Ar an gcéad dul síos baineann sé le láthair eaglasta, agus bíonn ceangal ag a leithéid go bunúsach leis na tairseacha idir an saol nádúrtha agus an saol osnádúrtha, idir talamh agus neamh agus idir an bheatha agus an bás. Ar ndóigh, tá sé tugtha faoi deara ag a lán scoláirí go mbaintí úsáid as láithreacha eaglasta go minic mar lárionaid do ghníomhaíocht phobail a mbíodh drámaíocht agus siamsaíocht mar chodanna bunúsacha di.[7] Ócáid thairseachúil ba ea príomheachtra an scéil, is é sin, ag iarraidh fallaí agus claíocha teorann a thógáil agus a dhearbhú, cineál imeachta a mbaineann deasghnátha agus siamsaíocht phobail leis go dtí an lá inniu.[8] Feictear macallaí as imeachtaí atá gaolmhar lena leithéid in oilithreachtaí meánaoiseacha agus féiltí chun teorainneacha a dhearbhú atá coitianta ar fud na hEorpa. Freisin toisc go dtagann na deamhain ar an láthair le titim na hoíche is siombail eile é sin de na tairseacha idir léas agus dorchadas agus idir an bás agus an bheatha. Cuireann feisteas, iompar agus a n-imeacht i bhfoirm éanacha feidhm thairseachúil dheasghnách shiamsa na gcrosán in iúl. Sa chuid eile den bpáipéar seo ba mhaith liom beagán plé a dhéanamh ar na téamaí áite, ama, pearsanra agus iompair atá luaite thuas i gcomhthéacs na tairseachúlachta agus críochnú lena thuilleadh tuairimí faoi bhrí agus fheidhmeanna an scéil.

Is dócha gurbh iad na láithreacha eaglasta na háiteanna ba thábhachtaí in Éirinn na luath-mheánaoiseanna. Taobh amuigh de roinnt bailte beaga trádála, go háirithe cuid acu a raibh baint acu leis na Lochlannaigh, comhluadar bunaithe ar threabhchais áitiúla gan bailte móra ná cathracha ba ea Éire ag an am. Ba iad na mainistreacha na láithreacha ba chosúla le cathracha agus ba ghnách leo a bheith ag brath ar phátrúntacht ó na clanna uaisle agus bhíodh gnó cráifeach agus tuatach le fáil go coitianta laistigh dá mballaí. Bhíodh cealla na manach agus na tithe eile a bhain leis an saol crábhaidh gualainn ar ghualainn le tithe ceannaithe, ceardaithe agus tuataigh eile agus mhairidís go síochánta le chéile.[9]

Láthair den chineál sin a bhí i Saighir Chiaráin agus bhí sé lonnaithe ar an teorainn idir chríocha na gclann atá luaite sa scéal – rialtóirí Osraí agus na Mí. Is féidir breathnú ar thógáil na mballaí ina thimpeall mar shiombail den aontas idir an dá chlann, aontas a bhí intuigthe sa phósadh idir Donncha agus Sadhbh. Bíodh go bhfuil an cuntas ar an tógáil féin gearr agus gonta go leor, tá blas deasghnách air. Is í Sadhbh as Osraí a chruinníonn fir a céile, fir na Mí, agus oibríonn siadsan gach lá faoina stiúir ag marcáil na teorann trí bhallaí agus claíocha a thógáil. Géarchéim is ea bás a hathar, géarchéim a d'fhéadfadh síocháin shiombalach na n-imeachtaí sin a réabadh. Is cás clasaiceach den chineál a mbíonn Turner ag plé leis é seo, ag tosú le géarchéim agus ag cruthú riachtanais go dtionscnófaí deasghnáth idirghabhálach leis an teannas a scaoileadh ionas gur féidir leis an gcomhluadar teacht slán feasta. Mar a tharlaíonn go minic sna cásanna seo cuireann an deasghnáth leis an ngéarchéim ar feadh tamaill sula gcuirtear deireadh léi.

Thagraíos cheana don tábhacht atá le cúrsaí ama sa scéal agus gur féidir linn a bheith ag súil le himeachtaí tairseachúla le titim na hoíche agus nuair atá corp á chur. Aontaím ar an mórgcóir leis an réasúnú atá curtha chun cinn ag an staraí Francach Robert Muchembled faoi imeachtaí den chineál sin.[10] Dar leis chuireadh dorchadas na hoíche agus duibheagán an bháis ardeagla ar dhaoine sna meánaoiseanna, ach ag an am céanna ba chuid dhlisteanach de rithim an tsaoil leo iad. Chruthaíodh daoine a lán imeachtaí agus seifteanna chun a n-eagla a mhaolú agus a chur ar gcúl. Ba dheasghnátha cuid de na himeachtaí sin a bhíodh ag freagairt go minic do na rithimí a mbídís dírithe ina gcoinne, agus ba iad seo na pisreoga agus na creidiúintí pobail ag comhluadar meánaoiseach réamhléannta. I gcás *Séanadh Saighre* ba é bás athair Shaidhbh fócas an teannais agus is díol suime gur thángthas ar réiteach na faidhbe trí chomhairle ó dhuine fíorchráifeach, an Céile Dé, agus trí airm na hEaglaise institiúidí, uisce coisricthe agus Aifreann. Cruthaíonn sé sin comhthéacs Críostaí don scéal, agus mar a tharlaíonn go minic sa litríocht seasann an Eaglais do na cumhachtaí atá in ann eagla na hoíche agus an bháis a chur ar gcúl.

B'fhéidir gurbh iad an cur síos ar na crosáin mar dheamhain amadánta agus ar a n-imeachtaí, na gnéithe is sontasaí sa scéal. Ar an gcéad dul síos bhí naonúr díobh ann, agus is líon é sin a fhaightear i mbuíonta den chineál sin go minic ó shiamsóirí féiltiúla i ndrámaí pobail go dtí daoine a ghlacann páirt in imeachtaí i gcluichí traidisiúnta ag bainiseacha agus ag tórraimh.[11] Is dócha go mbeadh sé ceadaithe breathnú ar shampla nach mbaineann go dúchasach le hÉirinn, na rinceoirí muiriseacha – is gnách go mbíonn naonúr ina mbuíon, ochtar rinceoirí agus 'captaen' nó 'amadán'.

Uimhir ar leith is ea 'naoi' ar chúis eile, toisc go n-ainmnítear naoi n-ord de na haingil i ndiagacht phobail, agus is dócha gur féidir an líon céanna a lua le hoird na ndeamhan freisin. Is iad 'ciabhach' agus 'ciardhubh' an dá aidiacht a thagraítear do na crosáin agus deirtear go raibh an duibhe iontu ag iomaíocht le gile a súl agus a bhfiacal. Luas in áit eile gur cheapas go raibh an cuntas sin ag tagairt don bhfeisteas a bhí á chaitheamh ag na crosáin len iad a léiriú mar dheamhain agus len iad a dhealú ón ghnáthphobal.[12]

Tá cruthú go mbíodh feisteas faoi leith ag crosáin le fáil i dtagairtí eile sa litríocht – tagairtí atá níos sine ná *Séanadh Saighre.* I dtráchtas dlí deirtear gur coir i gcoinne na gcrosán é na 'ciabha' a bhaint díobh, á thabhairt le fios gur ghné shainiúil dá gceird cóiriú gruaige faoi leith a bheith acu. Ina theannta sin tá dán ann ag plé le roinnt na feola ag féastaí agus insítear dúinn ann gur cheart ionathar an ainmhí a thabhairt do na 'crosáin a mbíonn gruaig chóirithe' orthu. Ar ndóigh cuireann an dubh ar an aghaidh an feisteas is bunúsaí in iúl, an cineál feistis atá in úsáid ar fud an domhain le muintir an ghnáthphobail a dhealú ó dhaoine atá ag ligean orthu gur deamhain nó gur neacha neamhshaolta iad. In *Immram Ua Corra* tá eachtra bheag ann a thugann le fios gur feisteas faoi leith a bhíodh ann a bhíodh oiriúnach d'imeachtaí deasghnácha nó siamsaíochta na gcrosán. Sa scéal sin tá muintir Ua gCorra ag ullmhú báid le dul ar oilithreacht ag lorg Dé agus tagann buíon chrosán thar bráid. Deireann duine acu, an fuirseoir, gur mian leis dul ina dteannta. Tugann an bhuíon cead dó ach deirtear leis a chuid éadaigh, nó a éide fuirseora, a bhaint de 'mar ní leat féin a bhfuil d'éadach umat'.[13] Tá ráite agam freisin go gcuireann an eachtra sin buíonta aisteoirí taistil ar fud an domhain i gcuimhne, sa chás gur leis na buíonta na héadaí, seachas leis na baill aonair.

Faightear na gnéithe iomlána a bhaineann le siamsaíocht dhrámatúil i *Séanadh Saighre* – áit oiriúnach, tráthanna oiriúnacha (titim na hoíche agus bás duine) agus buíon aitheanta d'aisteoirí a raibh éide faoi leith orthu a dtugtaí 'crosáin' orthu. Tá nádúr agus stair na gcrosán pléite agam in áiteanna eile i dteannta an chúlra is dóigh liom a bhaineadh lena gcineál siamsaíochta.[14] Dá bhrí sin ní thabharfaidh mé anseo ach achoimriú dá bhfuil ráite cheana agam. Ní thugann aon tagairt faoi leith an pictiúr iomlán. Feictear dúinn iad in Éirinn na meánaoise mar shiamsóirí atá gaolmhar leis na *mimi, scurrae* agus *jongleurs* a fhaightear in áiteanna agus ag amanna éagsúla san Eoraip. Ar ndóigh, is é an focal Laidine is coitianta a fhreagraíonn do 'crosán' na Gaeilge ná *scurra*. Dála na macasamhla sin, is minic a thuilleadh na crosáin dímheas oifigiúil i ngeall ar an gclaonadh a bhíodh iontu dul thar fóir – magadóireacht, sciolladóireacht, míréir ghinearálta agus iompar círéibeach a bhíodh gáirsiúil ar uairibh. Glactar leis go dtéann iompar siamsúil den chineál sin siar go dtí féiltí págánacha, féiltí a raibh an rath agus an torthúlacht mar aidhmeanna acu agus b'fhéidir go bhféadfaí a áiteamh go mbíodh na siamsóirí seo ag seasamh do chumhachtaí an oilc, nó do dheamhain ar na hócáidí seo. Is minic i ndeasghnátha primitíbheacha go bhfaightear léiriú den mbua ba cheart a bheith ag dlí agus eagar na sochaí ar na cumhachtaí sin. Chun a leithéid a dhéanamh chaithfeadh daoine a bheith sásta iad féin a ghléasadh agus a iompar mar 'dheamhain'. Bhíodh a leithéid riachtanach i gcónaí i ndrámaí eaglasta na meánaoise, drámaí a dhaingníodh an Eaglais mar chumhacht an dlí agus an eagair. Ar ndóigh, míníonn sé sin an dearcadh défhiúsach a fhaightear san Eaglais ar na 'crosáin', na *mimi*, na *scurrae* agus a macasamhla.

Meabhraíonn an gearrchuntas sin an cineál suímh a d'fhéadfadh a bheith taobh thiar d'imeachtaí na gcrosán in *Séanadh Saighre*. Chaitheadar ó mhaidin go hoíche i mbun 'cliaraíochta', ag cantaireacht os cionn uaigh an rí. Téann an focal 'cliaraíocht' siar go dtí cantaireacht eaglasta agus réitíonn ábhar agus teicníc na bhfocal ina ndán le stíl agus teicníc na filíochta in aimsir na Gaeilge Clasaicí.[15] D'fhéadfaí a áiteamh, ar ndóigh, go bhfuil an mheadaracht (snéadhbhairdne) níos scaoilte ná mar ba cheart sa dán díreach, ach tríd is tríd is dóigh liom gur féidir seasamh leis an ráiteas thuas faoin dán. Ní hamháin sin, ach níl aon ní sa dán a mhíneodh an tslí a ndeachaigh iompar na gcrosán i bhfeidhm ar na daoine mórthimpeall .i. go mbídís breoite de ló is d'oíche dá dheasca. Ní foláir an t-ábhar drochmheasa ar na crosáin a chuartú in áit eile. Deirtear sa téacs go raibh dhá eilimint sa 'chliaraíocht', is é sin 'duan agus oirfideadh'. Má ghlacaimid gur mar a chéile an véarsaíocht agus an 'duan' is san oirfideadh atá an t-iompar círéibeach le fáil. Is féidir a thuairimiú go seasann an 't-oirfideadh' sin do réimse iomlán na siamsaíochta – ceol, lámhchleasaíocht, rancás, deisbhéalachas, maslaí agus iompar gáirsiúil. Is féidir le siamsa den chineál sin a bheith tráthúil, áitiúil, spontáineach agus ar ndóigh, círéibeach agus suaiteach.

Coincheapa sainiúla is ea an chíréib agus an suaitheadh san anailís de chuid Turner ar dheasghnátha daonna agus baintear feidhm astu dar leis chun an tsochaí a neartú nuair a chuirtear deireadh leo agus nuair a athbhunaítear luachanna agus próisis chomónta, nó nuair a dhírítear an tsochaí i dtreonna nua.[16] Is féidir an dá réiteach sin ar theannas na hócáide a lua i gcás *Séanadh Saighre*, ceann acu ag feidhmiú ag leibhéal na polaitíochta agus an ceann eile ag dearbhú athruithe cultúrtha. Luas cheana an teannas polaitiúil a d'fhéadfadh bás an rí a thuar – agus mar d'fhéadfadh sé an tsíocháin idir an dá ríocht, a raibh an pósadh ina shiombail di, a chur i mbaol. Briseann deasghnáth an adhlactha agus círéib na gcrosán ar an teannas sin agus cuirtear ar leataobh é. Aontaítear an dá chine in athuair agus cuirtear cogadh eatarthu ar gcúl ionas gur féidir leo a neart a dhíriú i gcoinne an namhad, na deamhain dheoranta ón alltar. Ní hamháin sin, ach éiríonn leis an Eaglais an luach atá le cráifeacht agus le searmanais naofa a athbhunú. Nuair a chuimhním ar na deacrachtaí ama atá againn leis an scéal, deacrachtaí a bhaineann le 'fírinne stairiúil' agus le cúrsaí teanga, ritheann sé liom go mb'fhéidir gur mó an tábhacht pholaitiúil a d'fhéadfadh a bheith ag an scéal ag an am a cumadh é seachas ag an am ar tharla imeachtaí an scéil. Is é atá i gceist agam ná go bhféadfadh an scéal a bheith ag freagairt do theannas polaitiúil nuair a cumadh é sa dara haois déag agus go raibh comhthreomhaireacht thagrach ann do chás an ama sin sa cheantar céanna.[17] Mar a dúirt mé thuas, faightear na gnéithe ar fad sa scéal den anailís de chuid Turner – suaimhneas > géarchéim > teannas > círéib dheasghnách > próiseas nó searmanas réitigh > suaimhneas arís.

Luas in áiteanna eile an nuaíocht chruthaitheach atá le feiceáil sa scéal. Tréimhse fhíorthábhachtach i léann na hÉireann ba ea an dara haois déag. Chuir leasú na hEaglaise ar dtús, agus ina dhiaidh ionradh na Normannach, isteach ar sheasmhacht na n-aicmí léinn. Go dtí an t-am sin bhíodh comhthuiscint idir scoláireacht na mainistreacha agus na scoláirí dúchais. Chuir atheagrú na hEaglaise faoi thionchar manach ón Mór-roinn iachall ar na scoláirí tuata socruithe nua a dhéanamh faoin léann dúchais. Ní foláir nó bhí bunús na scoileanna léannta a fhaighimid sna céadta ina dhiaidh sin le fáil sa tréimhse seo. Cuireann an t-ionannas teanga, stíle agus foirmeacha liteartha in iúl dúinn go mb'fhéidir go raibh sraith comhdhálacha nó cruinnithe ag cuid de na filí chun a leithéid a shocrú, ionas go leanfadh an léann ar aghaidh gan buíochas de na mainistreacha feasta. Ní hamháin go raibh brú seachtrach ar cheird an léinn ach tá roinnt fianaise ann go raibh brú inmheánach ó mhionbhaird eile a raibh baint acu le cúrsaí siamsa i gcomhluadar na n-uaisle – aicmí cosúil leis na crosáin mar shampla.[18] Ní hamháin gur thóg na scoláirí dúchais orthu féin dualgais a bhain le scríbhneoireacht agus le staireagraifíocht (annála, ginealaigh *etc.*), ach is cosúil gur ghlacadar isteach a gcion d'ábhar agus de bhlas imeachtaí na mionbhard mar chuid dá gcúram mar mhaoir shiamsaíochta. Luíonn sé le réasún gur sa dara haois déag a tharlódh sé seo dála na n-athruithe eile atá luaite agam. Is féidir féachaint ar *Shéanadh Saighre* dá bhrí sin mar dhearbhú agus mar chosaint ar imeachtaí agus ar chíréib na gcrosán a bheith ar fáil mar uirlisí liteartha ag na filí aitheanta feasta.

Is féidir an tuairim thuas a chinntiú ach deireadh an scéil a léamh go cúramach. Insítear ansin go raibh beirt fhilí i láthair ag éisteacht le 'cliaraíocht' na gcrosán agus gur mheabhraíodar 'duan agus oirfideadh' na gcrosán. Aithnítear duine acu mar 'Crosán Fionn Ó Cionga' agus is féidir buille faoi thuairim a thabhairt gurbh é an fáth ar tugadh an leasainm 'Crosán' air gur ghné shainiúil dá ealaín feasta aithris a dhéanamh ar na crosáin. Is uaidh, is dócha, a ainmníodh an chlann le filíocht a bhí i réim thart ar lár na tíre (ceantar Shaighir Chiaráin) ón am sin i leith, 'Clann Mhic an Chrosáin'. Mar fhianaise bhreise is ceart an meascán de véarsaíocht agus scéalta beaga greannmhara próis a dtugtar 'crosántacht' orthu a lua, meascán atá ag freagairt don mheadaracht agus don chineál iompair ainmheasartha a fhaightear in *Séanadh Saighre.* Dá bhrí sin, is féidir a rá go raibh dhá shruth i bhfás an deasghnátha a bhfuil trácht air sa scéal – sruth liteartha a chuir go mór le forás na litríochta greannmhaire feasta sa Ghaeilge, agus sruth foliteartha a lean ar aghaidh leis an siamsa mar dheasghnáth pobail. Ar ndóigh, le himeacht aimsire ba é an siamsa seachas an deasghnáth an ghné ba thábhachtaí agus sin í an ghné atá go mór chun tosaigh in imeachtaí pobail atá gaolmhar leis go dtí an lá inniu.

Thugas caint a bhí ag plé le cuid de na ceisteanna atá le fáil sa pháipéar seo ag comhdháil a bhain le drámaíocht na meánaoise in Toronto, tá cúpla bliain ó shin. Chuir sé iontas orm go raibh na scoláirí a bhí i láthair roinnte in dhá champa – iadsan a bhí i bhfábhar modheolaíochta teoiriciúla agus grúpa eile a d'fhéach ar a leithéid mar eiriceacht den chineál is measa. Ní dóigh liom go bhfuilim faoi asarlaíocht ag teoiricí ar bith, ach ní miste liom leas a bhaint as aon uirlis a chuirfidh ar mo chumas teacht níos cóngaraí d'intinn údair agus an phobail ar de é. Fuaireas uirlis mar sin i saothar Victor Turner a chuidigh liom an athchuairt seo a thabhairt ar *Séanadh Saighre.*

[1] K. Meyer, *Gaelic Journal* 4 (1892), 106-7; *ZCP* 12 (1918), 290-1; A. Harrison, 'Séanadh Saighre', *Éigse* 20 (1984), 136-48.

[2] Harrison, *ibid.*, 141.

[3] B. Ó Cuív, 'Literary Creation and Irish Historical Tradition', *Proceedings of the British Academy* 49 (1963), 233-62; 246; bhí an mearbhall ama tugtha faoi deara cheana in J. F. Kenney, *Sources for the Early History of Ireland. I Ecclesiastical*, New York 1929, 316-7.

[4] A. Harrison, *The Irish Trickster*, Sheffield 1989, 46-53.

[5] Harrison, 'Séanadh Saighre', 142.

[6] V. Turner, *The Ritual Process*, Ithaca, New York 1969; *From Ritual to Theatre*, New York 1982; *The Anthropology of Performance*, New York 1988; i dteannta scríbhinní Turner féin is fiú breathnú ar leabhair le daltaí leis, mar shamplaí R. D. Pelton, *The Trickster in West Africa*, Berkeley 1980, agus B. Kapferer, *A Celebration of Demons*, Oxford 1991.

[7] Féach mar shampla na tagairtí do shearmanais eaglasta in E. Duffy, *The Stripping of the Altars: Traditional Religion in England 1400-1580*, New Haven 1990, agus in A. Gurevich, *Medieval Popular Culture: Problems of Belief and Perception*, aistr. J.M. Bak agus P.A. Hollingworth, Cambridge 1988.

[8] Féach na tagairtí dá leithéid in R. Hutton, *The Rise and Fall of Merry England*, Oxford 1994, agus R. Hutton, *The Stations of the Sun*, Oxford 1996.

[9] Féach J. Ryan, *Irish Monasticism*, Dublin 1931.

[10] R. Muchembled, *Culture populaire et culture des élites*, Paris 1978, *passim*.

[11] S. Ó Súilleabháin, *Caitheamh Aimsire ar Thórraimh*, Baile Átha Cliath 1961.

[12] Harrison, *The Irish Trickster*, 48-53.

[13] Féach A. Harrison, *An Chrosántacht*, Baile Átha Cliath 1979, 125.

[14] Harrison, *ibid.*, *passim* ; Harrison, *The Irish Trickster*, *passim*.

[15] Féach *DIL*, s.v. 'cliaraigecht', *the act of singing or reciting in chorus*.

[16] Féach go háirithe Turner, *The Ritual Process*, 94-203.

[17] Féach an staidéar fíorshuimiúil den chineál sin a rinne mo chomhghleacaí Caoimhín Breatnach ar leagan déanach de *Sgéala Muice Meic Dhá Thó* ina leabhar *Patronage, Politics and Prose*, Maynooth 1996, 1-39.

[18] P. Mac Cana, 'The Rise of the Later Schools of *Filidheacht*', *Ériu* 25 (1974), 126-46.

Teicht do Róim

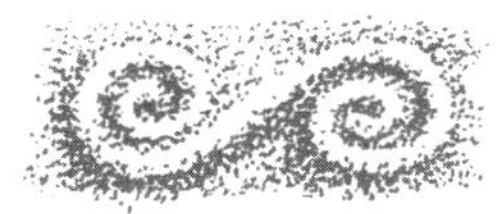

PROINSIAS MAC CANA

Ar na blúiríní filíochta is mó a bhfuil aithint orthu as ré na Sean- agus na Meán-Ghaeilge tá an rann beag a bhfuil na focla thuas ina thús:

Teicht do Róim,
mór saīdo, becc torbai;
in rí chon-daigi hi foss,
mani-mbera latt, ní fogbai.

[Dul chun na Róimhe,
mór an dua, beag an tairbhe;
an Rí a chuardaíonn tú abhus,
mura dtugair leat é, ní bhfaighir.]

Tá cuma an eipeagraim air idir bhrí agus ghontacht agus is dóiche gur sin is mó is cúis le é bheith á lua as féin chomh minic sin sa dóigh is go gceapann go leor leor léitheoirí gur rann aonair atá ann. Ina aonar atá sé i gcló ag Rudolf Thurneysen,[1] agus ina aonar a tiontaíodh go Béarla é ag cuid de na haistritheoirí a leathnaigh eolas air in Éirinn agus thar lear, Kuno Meyer agus James Carney, mar shampla.[2] Ach, ar ndóigh, is cuid de dhánfhocal dhá rann é san áit a bhfuarthas é, sa *Codex Boernerianus* in Dresden. Mar seo atá an dara rann i gcló (diomaite de mhionathruithe ar aicinn agus ar phoncaíocht) ag Whitley Stokes agus John Strachan:

Mór báis, mór baile,
mór coll céille, mór mire,
olais airchenn teicht do écaib,
beith fo étoil maic Maire.[3]

[Mór an bhaois, mór an bhuile,
mór an meath céille, mór an mhire,
óir is deimhin teacht an éaga,
bheith fá mhíghnaoi mhic Mhuire.]

Is fíor go bhfuil cóip den rann seo leis féin i lámhscríbhinn i Leabharlann na Breataine,[4] ach is é is dóiche gur den aonad amháin an dá rann. De réir J.H. Bernard i nóta a scríobh sé breis is céad bliain ó shoin baineann an dá cheann le foscéalta sa tseanchas faoi Naomh Bríd.[5]

I gcás an dara rann luann Bernard nóta ag tagairt do bhás Chonláed faoin 3 Bealtaine in *Félire Oengusso*. Is é a deirtear ann gur ith coin allta é (agus gur as sin a hainmníodh é: '.i. Conlaed as leth do chonaib'!) agus é ar a bhealach chun na Róimhe in ainneoin treorach Naomh Bríde – *exemplum* beag tíorthúil den dainséar a bhaineadh le himeacht ar oilithreacht[6] gan cead a fháil ó uachtarán do mhainistreach roimh ré, riail agus prionsabal a luaitear arís agus arís eile i scríbhinní na n-údar eaglasta ar fud na hEorpa.

Tíonn Bernard gaol idir an chéad rann agus scéilín barrúil atá ar taifead i nóta a cuireadh leis an *Liber Hymnorum*. De réir na hinsinte seo is ó Plea, mainistir de chuid Naomh Bríde san Iodáil nó in aice Mhuir nIocht, a fuarthas an t-ord a bhí ag a comhthionól in Éirinn. Mar seo a tharla:

> Chuir sí seachtar dá muintir chun na Róimhe a fhoghlaim ord Pheadair agus Phóil, ach nuair a phill siad abhaile níor fhan oiread agus focal den ord acu. 'Tá a fhios ag Mac na hÓighe,' arsa Bríd, 'ní mór bhur dtairbhe gidh mór bhur saothar.' Ansin chuir sí seachtar eile amach, agus a gasúr (mac) dall leo, nó gach a gcluineadh seisean, ba mheabhair leis é láithreach bonn. Nuair a shroich siad Muir nIocht, áfach, tháinig anfa orthu agus chuir siad an t-ancaire. Chuaigh sé i bhfostú i gclogás an dairthí agus, i ndiaidh an gnó a chur ar crannaibh, is ar an dall a thuit dul síos. Chuaigh sé agus scaoil sé an t-ancaire, agus d'fhan sé

> ansin go cionn bliana ag foghlaim an oird. Tháinig an mhuintir eile chuige ar ais ansin, tharla anfa arís san áit chéanna, agus arís chuir siad an t-ancaire, agus seo aníos chucu an gasúr dall agus ord ceiliúrtha na heaglaise sin leis. Thug sé clog aníos leis freisin agus is é an clog sin atá ag muintir Bhríde i gcónaí. Agus an t-ord atá acu is é a thug an dall leis ó Plea.[7]

Tá ar a laghad cupla cúis ar díol suime an scéal beag seo. Sa chéad áit is leagan droim ar ais é de mhóitíf na heaglaise nó na mainistreach faoi thoinn a bhfuil leaganacha di le fáil i roinnt téacsanna eile meánaoiseacha, i nGaeilge agus i Laidin, a bhfuil cuntas tugtha orthu ag John Carey; murab ionann agus na téacsanna eile, sa chás seo is iad na gnáthdhaoine atá ar snámh san aer sa bhád agus na daoine eachtracha atá ag breathnú aníos orthu le hiontas.[8] Ach chomh maith leis sin ar ndóigh tá turas chun na Róimhe i gceist ann, turas in aisce, rud atá ina údar leis an chaint úd ag Bríd, *ni mor uar tarba cid mor for saethar*, atá mar bheadh athleagan den líne *mór saīdo, becc torbai* sa rann ón *Codex Boernerianus*. Is léir gur sin an chúis is mó a bhfacthas do J. H. Bernard gur bhain an rann seo le Bríd, agus gan aon amhras is mór an chosúlacht atá idir an dá leagan cainte. Tá sé doiligh an gaol atá eatarthu a mhíniú go cruinn gan a thuilleadh fianaise bheith againn, ach d'fhéadfadh sé gur ag cuimhneamh ar *Teicht do Róim*, agus go mórmhór ar an chéad rann, a bhí údar an scéilín a cuireadh leis an Fhéilire. Is é an chéad rann is mó atá i gceist san aiste seo leis agus go háirithe an tagairt úd don turas chun na Róimhe.

Mar tá ráite ag na staraithe, tá an manachas agus an oilithreacht ar na hinstitiúidí is aithnidiúla sna meánaoiseanna, agus san am chéanna d'fhéadfaí a rá nach bhfuil aon dá institiúid is lú a bhí ag réiteach le chéile ó thaobh prionsabal agus cleachtais: é de bharrshamhail ag an cheann amháin go bhfanadh an duine socair i measc a chomhluadair féin, agus ag an cheann eile go bhfágadh sé a áit bhunaidh agus go n-imíodh sé i mbéal a chinn ar an choigríoch nó go ndéanadh sé a bhealach aistreánach go dtí ceann de na háiteacha naofa a mbíodh tarraingt ag an domhan mhór Chríostaí orthu san am. Ní raibh aon tír san Eoraip ar mhó a dúil sa tsiúl agus sa taisteal in ainm an chreidimh ná Éire le linn na tréimhse fada idir an séú céad agus an dara céad déag (agus ina dhiaidh sin féin, b'fhéidir). Má ba mhó de dheoraí ná d'oilithreach Colm Cille de réir cruinnis – agus is minic gur mhion an duifear idir an dá staid – fanann Colmán (nó Columbanus sa Laidin) agus Fursa ina n-eiseamláirí ón tséú agus ón tseachtú céad den Éireannach a d'fhág a thír agus a dhúthaigh féin agus a thug a shaol ar an Mhór-roinn ag bunú mainistreacha agus ag síolrú an chreidimh: nuair a tháinig Fursa go Sasain am éigin i ndiaidh 630 ba é ba mhian leis de réir Beda, a shaol a chaitheamh ina oilithreach ar son Dé cibé áit a bhfaigheadh sé an deis é sin a dheánamh (*cupiens pro Domino, ubicumque sibi oportunum inueniret, peregrinam ducere uitam*).[9] Ina ochtú seanmóin, áit a dtráchtann sé ar a neamhbhuaine atá saol an duine, labhaireann Colmán faoin duine daonna mar thaistealaí agus mar oilithreach ar an domhan seo ag déanamh ar cheann an bhóthair, is é sin ar dheireadh an tsaoil, agus gur ansin a bhainfeas sé amach a áitreabh síoraí sna Flaithis (*finis enim viae semper viatoribus optabilis et desiderabilis est, et ideo quia sumus mundi viatores et peregrini, de fine viae, id est, vitae nostrae semper cogitemus, viae enim finis nostrae patria nostra est*).[10] Is léir agus is ríléir as a chuid focal féin a dhlúithe a bhí, dar leis, saol an Chríostaí lena linn snaidhmthe le nóisean na hoilithreachta.

Ceaptar gur bhronn na hÉireannaigh a dtuiscint féin don oilithreacht ar na hAngla-Sacsanaigh,[11] agus is iomaí tagairt ag Beda do dhaoine ag imeacht ar deoraíocht an oilithrigh mórán ar nós na nÉireannach. Luann sé, mar shampla, in áit amháin, an mhuintir líonmhar den uile chinéal, 'idir uasal agus íseal, chléir agus thuaith, fhir agus mhná', a lean lorg na ríthe Caedwalla agus Ine a chuaigh chun na Róimhe i ndeireadh a laetha le seal a thabhairt i gcomharsanacht na n-áiteacha naofa.[12] Níor lú, agus b'fhéidir gur threise fós, an tóir a bhí ag Éireannaigh ar an deoraíocht dheonach *pro amore Dei*, deoraíocht go bás i mórán mór cásanna, sa tseachtú agus san ochtú céad.

Ach i dtaca leis an Eaglais de, agus go háirithe na mainistreacha, mhair an tseanchontrárthacht bhunaidh idir idéal na hoilithreachta agus idéal an mhanachais agus tá a rian le feiceáil go minic ar an neamhréir idir teagasc agus cleachtas, agus uaireanta taobh istigh den teagasc féin. Is fadhb í a ndíríonn údair do-áirithe a n-aird uirthi sna meánaoiseanna. Mar deir Kathleen Hughes, bunús na manach as Éirinn a théadh ar an Mhór-roinn sa dara leath den tséú céad agus sa tseachtú céad, ní raibh sé de nós acu a dturas agus a n-áiteacha cónaithe a phleanáil go cúramach roimh ré, rud a d'oir maith go leor san am do riachtanais na dtíortha thall a raibh feidhm acu le misiúnaithe dícheallacha thar gach rud eile. Ach d'athraigh an scéal diaidh ar ndiaidh san ochtú céad de réir mar a glacadh níos forleithne le gnás agus le caighdeáin riail na mBeinidicteach lena béim ar *stabilitas*, ar shocracht agus ar umhlaíocht an chomhluadair mhanachúil agus lena cháineadh trom ar na *gyrovagi* a bhíodh ag fánaíocht thart gan beann ar éinne ach ar a dtoil féin.[13] Treisítear de réir a chéile ar na glórtha údarásacha ag cur manach ar a bhfaichill ar chathú agus ar chontúirt na hoilithreachta agus na deoraíochta aiséitiúla, ach tá lear mór fianaise anuas go dtí an dara céad déag agus ina dhiaidh a léiríonn a achrannaí a bhí an choimhlint idir dhá ghné dhílse den fhíorchráifeacht. Sampla maith de seo, agus sampla atá go deas idir shúgradh agus dáiríribh, scéilín faoi Mochuda Rathain agus an diabhal a bhí ina bhróig:

> Rinne sé rún imeacht ar bord loinge as Éirinn agus gan an dara hoíche a chaitheamh in aon áit, ach bheith ag déanamh aithrí ar fud an domhain mhóir. An lá arna mhárach agus é ar a bhealach casadh air Naomh Comhghall. D'iarr Comhghall air suí ina chuideachta, ach dúirt sé nach dtiocfadh leis, go rabh deifir air agus go rabh an long réidh leis na seolta a chrochadh. 'Ná bac', a deir Comhghall, 'déanfaidh Dia don loing fanacht anocht.' Nuair a shuigh Mochuda síos ansin agus gur baineadh a chuid bróg de, is é a dúirt Comhghall, 'Tair amach, a dhiabhail,' ar sé, 'as an bhróig ...' agus leis sin léim an diabhal amach agus dúirt, 'Nach maith mar tharla gur casadh

> duit Comhghall nó ní ligfinnse duit bheith dhá oíche in aon áit' ... D'imigh an diabhal ansin agus dúirt Comhghall leis an naomh pilleadh abhaile agus na trátha a fhriotháil. Agus ar seisean,
>
> Maith do chléireach bheith abhus
> Agus é ag friotháil na dtráth;
> Deamhna fonóide a bheireann
> Spiorad na corraíochta ar chách.
>
> Agus ó shoin i leith d'fhan Mochuda abhus gan imeacht trí chumhacht Dé agus Chomhghaill.[14]

Ní staonann aithreacha agus saoithe na hEaglaise ach ag comhairliú agus ag casaoid faoin ródaíocht thar fóir. Tagraítear arís agus arís eile don nath cainte úd ag Iaróm, *Non Hierosolymis fuisse, sed Hierosolymis bene vixisse laudandum est*, ag cur ar a súile do Chríostaithe gur fearr aimsiú i dtreo an Iarúsailéim neamhaí ná bheith sásta le cuairt ar an Iarúsailéim atá abhus ar talamh.[15] Dúirt Theodor easpag Orléans (c. 798-821) gur mó a théann an bóthar go dtí na réalta tríd an dea-iompar ná tríd an Róimh.[16] Tamall níos moille, in aimsir an Dara Crosáid, diúltaíodh cead do Chistéirsigh dul ar oilithreacht go hIarúsailéim nó go dtí an Róimh agus scríobh Naomh Bernard chuig na habaí Cistéirseacha uilig a chrosadh ar mhanach nó ar bhráthair tuata bheith páirteach sa Chrosáid, in ainneoin go mbíodh sé féin ag seanmóintíocht i bhfábhar na Crosáide.[17] Níor chóir do bhall de chomhthionól mainistreach imeacht ar oilithreacht gan chead óna uachtarán agus chuirtí seo i gcuimhne i gcaint agus i scríbhinn go mion minic, in Éirinn chomh maith leis na tíortha eile:

> Pilgrimage was often enjoined as a penance. In all cases a vow of pilgrimage required the consent of the ecclesiastical superior, who often wisely discouraged indiscreet zeal in this respect. The lives also illustrate that home-sickness so characteristic in all ages of the Irish exile, which it sometimes required a miracle to cure.[18]

Is cuimhin linn eachtraí Chormaic uí Liatháin a chuaigh trí huaire ar lorg díthreibhe san aigéan agus gur theip air gach uair. Lá amháin nuair ba léir do Cholm Cille go raibh Cormac ar tí imeacht ar muir as Eirros Domno [Iorras Domhnann] in iarthar Éireann, thairngir sé nach n-éireodh leis teacht ar an áit a bhí á cuartú aige an uair seo ach oiread, agus gan de chúis leis ach go dtug sé leis manach a d'fhág an baile gan cead a fháil óna ab féin.[19] Ba dhúil í a bhí doiligh a cheansú, an dúil sa deoraíocht in ainm Dé, agus ba bheag de na naoimh, shílfeá, a bhí saor ar fad uaithi. Dhá uair a bhí cíocras chun imeachta ar Naomh Caoimhín Ghleann Dá Locha, mar shampla, ach gur cuireadh comhairle a leasa air. An chéad uair ba é Munna a rinne, agus an díthreabhach Garbhán an dara huair: 'Is fearr maise fanacht socair san áit amháin i bhfochair Chríost,' a dúirt Garbhán leis, 'ná bheith ag fálróid ó áit go háit i do sheanaois.' Nuair ba mhian leis an easpag Lughaidh Éire a fhágáil *et esse in aliena patria peregrinus*, aingeal a tháinig ó Dhia lena thabhairt ar mhalairt aigne agus a dúirt leis go raibh obair thábhachtach le cur i gcrích aige in Éirinn.[20] Nuair a tháinig fonn ar Fhinnéan Chluain Ioraird dul chun na Róimhe ón Bhreatain Bhig tar éis dó a chuid staidéir a chríochnú is amhlaidh 'a tháinig aingeal Dé chuige agus dúirt: "Gach a dtabharfaí duit sa Róimh bhéarfar duit abhus é. Gabh agus athnuaigh iris agus creideamh i nÉirinn tar éis Phádraig." Mar sin chuaigh Finnéan go hÉirinn de thoil Dé.'[21]

Gluaiseacht leasaitheach na gCéilí Dé san ochtú agus sa naoú céad, is léir gur mhian leosan srian a chur le nós na hoilithreachta thar lear. B'in an manadh a bhí amuigh ar Mhaolruain Thamhlachta, duine dá gceannairí. Deirtear faoi gur chuala sé na sruithe ag rá faoi dhaoine a bheith ag tréigint na tíre: 'An té a thréigeann a thír, ach le dul ón oirthear go dtí an t-iarthar agus ón tuaisceart go dtí an deisceart, is diúltaitheoir Phádraig ar neamh agus an chreidimh in Éirinn é.'[22] Nuair a dúirt airchinneach áirithe le Naomh Samhthann (+839) gur mhian leis dul thar lear ina oilithreach, is é an freagra a thug sí air, mura mbeadh Dia le fáil ar an taoibh abhus den fharraige, cinnte nár mhiste dóibh dul thar sáile, ach, a deir sí, 'ó tharla go bhfuil Dia comhgarach do gach éinne a ghlaonn air, ní gá dúinn dul thar sáile; óir is féidir ríocht na bhflaitheas a shroichint as gach uile thír.'[23] Ar ndóigh, dá fhorleithne an cinéal seo argóinte i measc na naomh agus na n-údar, is argóint í gur furast í a chasadh droim ar ais. Cluineann muid, mar shampla, faoi oilithreach d'Éireannach darbh ainm Dermot ar scríobh Reimbaud de Liège litir dó sa bhliain 1117; de réir a chuntais féin ba dheoraí ar son grá Dé é Dermot, é ag iompar chroch Chríost agus ag siúl 'ionsar Dhia ní hamháin go hIarúsailéim ach i ngach uile áit, as siocair go bhfuil Dia i ngach uile áit.'[24]

Níl aon amhras ach gur cheann de fhadhbanna móra na beatha rialta sna meánaoiseanna an tóir ar an oilithreacht mar dheoraíocht (*ex patria*) nó mar ócáid chuarta ar na loig naofa (*ad loca sancta*) agus an brú a chuir sí seo ar idéal na socrachta (*stabilitas*) spioradálta agus ar an chaoindúthracht inmheánach. Fadhb í nárbh fhurast a réiteach, agus is teist ar dhúil dhoshrianta na cléire san imirce ar ghrá do Dhia go bhfacthas do na húdair eaglasta gur ghá leanúint á lochtú agus á beachtú ar feadh na meánaoiseanna. Is sa chomhthéacs seo is cóir *Teicht do Róim* a shuíomh, mar is í an teachtaireacht atá ag an fhile gurb é is tábhachtaí uilig go mbeadh spiorad na hoilithreachta go hinmheánach sa duine; mura bhfuil sé sin ann ní fiú dó dul ar oilithreacht chun na Róimhe (agus, ar ndóigh, má tá sé ann níl feidhm dó dul!).

D'fhéadfaí mar sin an cuntas beag achomair seo ar an oilithreacht mar chúlra leis an rann Sean-Ghaeilge a fhágáil ag an phointe seo gan dul níos faide leis mar scéal; tar éis an tsaoil thig linn deaschaint an fhile a mhíniú go réidh as na gnásanna agus as na tuairimí éagsúla a bhain leis an oilithreacht i measc Chríostaithe iarthar Eorpa sna meánaoiseanna. Ón taoibh sin de tá an pictiúr meánaoiseach Críostaí Eorpach iomlán go leor ann féin, agus níor mhiste an scéal a fhágáil mar sin. Ach d'fhéadfadh sé leis go raibh comhthéacs níos fairsinge fós ann nach raibh an pictiúr Eorpach meánaoiseach ach ina mhionchuid de. B'fhéidir mar thús, mura mbeadh ann ach de ghrá na cuimsitheachta, nach cóir gnásanna na hoilithreachta in

Éirinn ón séú céad anuas a scoitheadh as comhthéacs an dúchais le linn dúinn díriú ar theagasc agus ar chleachtas na hEaglaise.

San aiste bhreá aici ar thagair mé di cheana, glacann Kathleen Hughes leis go bhfuil gaol idir oilithreacht agus iomramh – an aicme sin scéalta a insíonn faoi thuras thar farraige ar lorg Thír na mBeo nó na Tíre Beannaithe: *At the root of the voyage tales lies the native conception of pilgrimage.*[25] Má tá locht ar an méid seo is é go gcúngaíonn sé barraíocht ar fhíorchompás na hoilithreachta mar a chleachtaítí í in Éirinn agus i dtíortha eile. Más é atá i gceist aici go ndeachaigh eachtraí manach ar nós Chormaic uí Liatháin, atá luaite againn thuas, i gcionn ar na hiomramha, ba dhoiligh cur ina choinne sin, ach ar ndóigh ní raibh sna seachráin mhara seo ach cuid an-bheag de réimse na hoilithreachta, go fiú le linn na Críostaíochta. Ba lú i bhfad, déarfainn, an bhaint a bhí ag a leithéid le gnáthshaol thromlach mhuintir na tíre ná mar bhí ag an ghnás seanbhunaithe cuairt a thabhairt go tráthrialta ar áiteacha coisricthe taobh istigh de chríocha Éireann ar mhaithe le sláinte anama nó coirp, gnás a théann i bhfad siar i nduibheagán na réamhstaire agus, ar ndóigh, a mhaireann i gcónaí. Tá an fhianaise ar fáil go flúirseach – gheofar cuid di, mar shampla, ag leithéidí Máire MacNeill in *The Festival of Lughnasa* agus Anne Ross, *Pagan Celtic Britain*[26] – ach dá ainneoin sin agus uile tá le tabhairt faoi deara mar sin féin gur beag trácht díreach atá le fáil ar na hoilithreachtaí seo i dtéacsanna meánaoiseacha, pé acu i nGaeilge nó i Laidin.[27]

Áiteacha ar nós Chruachán Aighle, nó Cruach Phádraig mar tugadh air níos déanaí faoi anáil na Críostaíochta, is léir go raibh siad, mar bhí na toibreacha coisricthe, á ngnáthú leis na cianta ar laetha áirithe féile i rith na bliana, ach rachaidh sé rite leat teacht ar aon tagairt do cheiliúradh na bhféilte seo sna lámhscríbhinní réamh-Normannacha. Leis an fhírinne a dheánamh, tá gach cuma ar an scéal go raibh cheana féin sa ré phágánach gréasán leathan de loig choisricthe ó cheann ceann na tíre agus tarraingt ag an phobal orthu as an chomharsanacht mórthimpeall agus i gcásanna áirithe as ceantar níos farsainge, ach níor shuim le scoláirí agus le scríobhaithe na mainistreacha cur síos a dhéanamh orthu – ach ab é an chorrthagairt a thiocfadh mar chuid de chomhthéacs eile – mar nár bhain siad le léann na mainistreacha ná lena gcreideamh. Ní miste cuimhneamh nár éirigh leis an Eaglais – é sin nó nár chás léi – dreach Críostaí a chur ar mhórchuid na bhféilte Lúnasa a bhí suite ar chnoic agus ar ardáin (ní hionann agus na toibreacha coisricthe).[28]

Rud eile de, is é a thuigfeá as fianaise na ré Críostaí in Éirinn agus na ré réamh-Chríostaí sa Ghaill Cheilteach, mar shampla, gur thuataí, idir mhór agus mhion, furmhór mór na ndaoine a bhíodh ag gnáthú na log naofa seo, ach chomh fada leis na tagairtí don oilithreacht agus don deoraíocht ar son Dé a gheibh muid sna téacsanna meánaoiseacha Éireannacha ar bhain mé earraíocht as cuid acu anseo, tá siad dírithe uilig nach mór ar an chléir agus go háirithe ar na manaigh. Ar éigean a bheadh muid ag súil lena mhalairt ó tharla gur i mbeathaí na naomh agus i dtéacsanna eaglasta eile atá na tagairtí seo ar fáil, agus thairis sin ní hí dúil na dtuataí san oilithreacht a bhíodh ag déanamh buartha do na húdaráis eaglasta agus a bhíodh siad ag iarraidh a shrianú ar fud an domhain Chríostaí, ach ródhúil chuid de na manaigh a bhéarfadh orthu a mainistir agus a gcomhthionól féin a thréigint ar mhaithe le dul ar deoraíocht nó ar cuairt ar na loig bheannaithe.[29] I dtaca le hÉirinn réamh-Chríostaí – agus ar mhair di le linn na Críostaíochta – is é a shamhlófá as a bhfuil againn d'fhianaise go raibh cosúlacht mhór amháin idir cleachtú na hoilithreachta ann agus mar ba mhaith le Maol Ruain Thamhlachta agus a chuid Céilí Dé é a bheith sa naoú céad, is é sin go raibh sé teoranta sa dá chás do thír agus do thalamh na hÉireann.

Dálta go leor feiniméan eile creidimh, tá nós na hoilithreachta le fáil go fada fairsing ar fud an domhain cibé áit a gcreidtear go bhfanann brí agus cumhacht ar leith sna baill úd inar mhair agus inar bhásaigh tráth pearsain mhóra dhiaga agus naofa an chine, agus, mar bheadh súil leis, tá mórán gnéithe de chleachtas na hoilithreachta i dtír amháin a bhfaighfear a macasamhla i bhfiche tír eile i bhfad óna chéile. Ar na tíortha uilig a bhfuil an gnás préamhaithe iontu is dóiche nach bhfuil ceann ar bith a bhfuil sé fite fuaite chomh dlúth i gcultúr agus creideamh an phobail agus atá san Ind, agus is cinnte nach bhfuil aon tír eile a bhfuil seanchas agus litríocht chomh fairsing ilghnéitheach inti ag baint le deasghnátha agus deabhóid agus bunús gach cineál oilithreachta idir náisiúnta agus logánta: mar scríobh údar Indiach amháin: *As an observance it [pilgrimage] has been ubiquitous, but never compulsory.*[30] Is díol suime é, mar sin – cé nach ceart go mba chúis ar bith iontais é – go mbíodh ariamh anall agus go mbíonn i gcónaí oidí agus údair ag séanadh go bhfuil sé riachtanach nó go fiú tairbheach don fhíréan an oilithreacht a chleachtadh. Nuair a deir an *Devībhāgavata* (VI, 12.26) 'gurab í íonacht na hintinne an Tīrtha [.i. ionad oilithreachta] is fearr, níos naofa ná an Gangā [Ganges] féin ná ionaid choisricthe eile',[31] nó nuair a deir an file agus misteach Kabir: *Benares is to the East, Mecca to the West; but explore your own heart, for there are both Rama and Allah,*[32] is léir gurb é an smaointiú agus an teagasc céanna cuid mhaith atá á gcur in iúl acu agus a bhí ag file an *Codex Boernerianus*. Ach mar a mhíníonn Agehananda Bharati, níorbh ionann glacadh leis an teagasc seo i bprionsabal agus géilleadh dó i bpraitic:

> The monotheistic Lingāyat Sect of Mysore teaches as one of its main tenets that there is no need of a mediator between man and God, and that there is no need for sacrifices, penances, pilgrimages, and fasts. Acually, this is a stereotype thesis in almost all schools of Hinduism and in Vajrayāna Buddhism – of the form 'if there is true devotion, *etc.* ... then pilgrimage, fasts, and other observances are redundant'; yet those who feel the benefit of these observances do not feel rebuffed by these instructions. On the contrary, they feel that going on pilgrimages, keeping fasts, and other vows in spite of these instructions, are supererogatory rather than superfluous ... Desire for emulation of the preceptors' total way of life provides a psychological clue for a paradox which is really but apparent: all the saints

> who have minimized the importance of pilgrimage have constantly been on pilgrimage themselves, most of them having spent their lives as mendicants and minstrels who sang their songs at places of pilgrimage for the benefit of the pilgrim. Thus, it has become customary for the pious Hindu to go on pilgrimages, to believe in their merit, and yet to state that pilgrimage is not important – just as their preceptors kept doing.[33]

Is beag atá idir seo agus an méid atá ráite faoi stádas na hoilithreachta san Eoraip i rith na meánaoiseanna, mar shampla:

> The dilemma is perhaps most clearly illustrated in the sources used here by the enlistment of supernatural forces on both sides. For every miracle and vision supporting a decision to stay at home there were others encouraging pilgrims on their way. Together they emphasize the ambiguity of medieval attitudes towards this characteristic activity.[34]

Níl feidhm a rá go bhféadfadh níos mó ná údar amháin a bheith leis an chaitheamh anuas choiteann ar thurais go dtí mórláithreacha naofa i bhfad ó bhaile. I gcás Chríostaíocht na meánaoiseanna, caithfear tionchar an chórais Bheinidictigh a chur san áireamh ón tseachtú nó ón ochtú céad ar aghaidh. Deirtear leis go dtáinig bogadh i meon agus i dteagasc morálta thart ar an dara céad déag agus dá thairbhe gur aistrigh an bhéim ón iompar seachtrach i dtreo an mhachnaimh inmheánaigh agus go ndeachaigh seo i gcion ar sheasamh na n-údar i leith na hoilithreachta;[35] cé gur leor an tagairt thuas sa Devībhāgavata le taispeáint nach leagan intinne é seo a bhaineann le haon réigiún amháin den domhan ná le haon ré den stair. I gcás Mhaolruain agus na gCéilí Dé in Éirinn tá le tuigbheáil as an fhaisnéis nach i gcoinne cuairt a thabhairt ar láithreacha coisricthe *per se* a bhí siad, ach i gcoinne manaigh agus cléir a bheith ag fánaíocht gan bhac thar lear faoi scáth na hoilithreachta, agus ar ndóigh d'fhéadfaí a áiteamh go raibh an crábhadh inmheánach i gcomhréir iomlán le spiorad agus idéil na gluaiseachta díthreabhúla faoi cheannaireacht Mhaolruain agus a chomhghleacaithe. Sa deireadh thiar is cosúil go mbaineann na deacrachtaí cuid mhaith leis an bhunchoimhlint idir spreagadh seachtrach corpartha ar thaoibh amháin agus spreagadh inmheánach spioradálta ar an taoibh eile. A leithéid sin atá i gceist ag E. Alan Morinis nuair a deir sé faoin Hiondúchas:

> The objections [to pilgrimage] arise from voices drawing upon strands of the religious tradition which emphasise the transcendental and mystical aspects of Hinduism. Pilgrimage tends more to the worldly and mundane, concerning not the immanent here and now as much as the search for completion, the divine and power 'out there'.[36]

Is é an áit a dtig an deacracht agus an éiginnteacht, ar ndóigh, nach bhfuil dealú glan ar bith idir an dá dhearcadh nó an dá chleachtas de thairbhe spioradáltachta de: tar éis an tsaoil fíorspioradáltacht a spreag mórán mór de na *peregrini* le cur chun bóthair sa chéad áit. An freagra a fuair go leor de na húdair ar an fhadhb seo san Eoraip glacadh leo mar dhá ghné nó dhá mhodh den oilithreacht, ceann acu inmheánach agus an ceann eile seachtrach nó gníomhach. Is é a deireadh go leor scríbhneoirí sa naoú agus sa deichiú céad gur sa bhaile a bhí an oilithreacht fhírinneach le fáil agus ní i gcionn taistil,[37] agus is í an chomhairle a bhí ag Naomh Bernard féin gur leis an intinn is fearr a chuirtí an oilithreacht i gcrích agus nach leis na cosa:

> L'important n'était plus tellement de sortir de son pays, mais de sortir de soi ... le monastère pouvait être pour tous un désert où l'on reste stable avec un esprit d'exilé. On avait jadis pratiqué une *stabilitas in peregrinatione*; on découvrait maintenant un *peregrinatio in stabilitate*.[38]

Is é a thuigfeá as seo gur samhailt nó coincheap nua a bhí ann a bhain go háirithe leis na meánaoiseanna san Eoraip, ach is léir gur tháinig na heolaithe Indiacha ar a mhacasamhail de smaointiú le freagairt dá gcás féin. Thaispeáin Agehananda Bharati, mar shampla, gur minic ciall mheafarach leis na téarmaí ar oilithreacht,[39] agus is é a deir Surinder Mohan Bhardwaj ina thaobh:

> A *yogī*, for example, may physically stay put and yet, through a specific type of meditation, may 'perform a pilgrimage' to the seven 'shrines'. Here both the 'pilgrimage' and 'shrine' are to be understood in their generalized meaning. Pilgrimage here means to 'partake of' and the 'shrine' implies a certain quality such as 'truth'. We may further clarify this metonymy by referring to a verse from *Skandapurāna* (a religious treatise): 'Truth, forgiveness, control of senses, kindness to all living beings and simplicity are tīrthas [ionaid naofa, go litriúil 'áthanna ar aibhneacha']. Thus, *tīrtha-yātrā* [taisteal go hionaid naofa] not only means the physical act of visiting the holy places but implies mental and moral discipline. In fact, without the latter, pilgrimage in the physical sense has little significance in the Hindu tradition.[40]

Gan amhras is scéal gabhlánach é scéal na hoilithreachta agus gach a mbaineann léi ó thaobh creidimh agus cultúir ar fud an domhain agus ar feadh na staire. Is dócha leis nach bhfuil aon ghné de chreideamh na ndaoine atá níos seanbhunaithe ná níos mairsteanaí ná í: de réir dealraimh is láidre agus is líonmhaire anois ná riamh an tóir ar ionaid naofa.[41] Níl sa mhéid atá ráite anseo agam, mar sin, ach fonóta le stair mhór dhochuimsithe, ach b'fhéidir gur leor é le meabhrú dúinn gur cuid de ghréasán mhór leathan an rann beag a bhreac an scríobhaí sa *Codex Boernerianus*, gur cuid é de leanúnachas a shíneann siar chomh fada agus a shíneann an stair agus nach bhfuil a bhrí agus a bhunús teoranta ar dhóigh ar bith don tréimhse den stair inar cumadh é.

[1] R. Thurneysen, *Old Irish Reader*, Dublin 1949, 41. Glacaim leis gur ciall an fháistinigh atá le *-fogbai*, 2 uath. láithreach.

[2] K. Meyer, *Selections from Ancient Irish Poetry*, Edinburgh 1911, 100; J. Carney, *Medieval Irish Lyrics*, Dublin 1967, 80. *Cf.* na tagairtí don *Codex Boernerianus*, in D. Dumville, *Three Men in a Boat: Scribe, Language and Culture in the Church of Viking-Age Europe,* Cambridge 1997, 43-5.

[3] W. Stokes agus J. Strachan, *Thesaurus Palaeohibernicus*, II, Cambridge 1903, 296.

[4] Additional 30512, fo. 32b; féach R. Flower, *Catalogue of Irish Manuscripts in the British Museum,* II, London 1926, 483, uimh. 43. Tá roinnt malairtí suimiúla sa chóip seo: srónaíl i ndiaidh *mór; uair* is in áit *olaid;* agus *dul d'éccaib* in áit *teicht do écaib.*

[5] J. H. Bernard, 'The Irish Verses in the Codex Boernerianus', *The Academy* 47 (1895), 172.

[6] *Ailithir* (ó *aile* + *tír* '[a bhaineann le] tír eile') an fhoirm ar 'oilithreach' agus *ailithre* ar 'oilithreacht' i bhfriotal na Sean-Ghaeilge: *techt i n-ailithri / do ailithri* 'dul ar oilithreacht'.

[7] Stokes agus Strachan, *Thesaurus Palaeohibernicus*, II, 328-9; W. Stokes, eag., *Féilire Óengusso Céili Dé*, London 1985, 64-6.

[8] J. Carey, 'Aerial Ships and Underwater Monasteries. The evolution of a monastic marvel', *Proceedings of the Harvard Celtic Colloqium* 12 (1992), 16-25.

[9] Beda, *Historia Ecclesiastica Gentis Anglorum*, iii, 19; B. Colgrave agus R. A. B. Mynors, eag., *Bede's Ecclesiastical History of the English People*, Oxford 1969, 268-9.

[10] G. S. M. Walker, eag., *Sancti Columbani Opera*, Dublin 1957, 96-7. Caithfidh muid cuimhniú, a deir sé san áit chéanna, gur mar thaistealaithe, mar oilithrigh agus mar aíonna an domhain seo a mhaireann muid agus muid ar an bhóthar: *Duret igitur apud nos ista definitio, ut sic vivamus in via ut viatores, ut peregrini, ut hospites mundi ...*

[11] Kathleen Hughes, 'The Changing Theory and Practice of Irish Pilgrimage', *Journal of Ecclesiastical History* 11(1960), 143-51; 145.

[12] Beda, *Historia Ecclesiastica,* v, 7: Colgrave agus Mynors, *Bede's Ecclesiastical History,* 472-3.

[13] Hughes, 'Changing Theory and Practice', 143-4; G. Constable, *Religious Life and Thought (11th-12th centuries),* IV 'Opposition to Pilgrimage in the Middle Ages', London 1979, 130.

[14] C. Plummer, eag., *Bethada Náem nÉrenn. Lives of Irish Saints,* I-II, Oxford 1922, I, 310-1, II, 301-2.

[15] Constable, *Religious Life and Thought*, III 'Monachisme et Pèlerinage au Moyen Age', 21.

[16] *Ibid.*, IV 'Opposition to Pilgrimage', 129.

[17] *Ibid.*, 138.

[18] C. Plummer, *Vitae Sanctorum Hiberniae*, I-II, Oxford 1910, I, cxxii-cxxiii.
[19] Adamnanus, *Vita S. Columbae* I, 6; A. Orr Anderson agus Marjorie Ogilvie Anderson, *Adomnán's Life of Columba*, Oxford 1991, eag. leas., 28-31.
[20] Plummer, *Vitae Sanctorum Hiberniae,* I, Vita S. Coemgeni §§22, 29, 12, lgh 245, 249, 240.
[21] W. Stokes, eag., *Lives of Saints from the Book of Lismore*, Oxford 1890, 76, 224, ll. 2567-70.
[22] E. J. Gwynn agus W. J. Purton, 'The Monastery of Tallaght', *Proceedings of the Royal Irish Academy* 29 C (1911), 115-79; 133.
[23] Plummer, *Vitae Sanctorum Hiberniae,* II, 260, Vita S. Samthanne §24; *cf.* P. Grosjean, 'Textes Hagiographiques Irlandais', *Études Celtiques* 2 (1937), 269-303; 294.
[24] Constable, *Religious Life and Thought*, III 'Monachisme et Pèlerinage au Moyen Age', 11-2.
[25] Hughes, 'Changing Theory and Practice', 149.
[26] Máire MacNeill, *The Festival of Lughnasa*, Oxford 1962; Dublin 1982; Anne Ross, *Pagan Celtic Britain,* London 1967.
[27] *Cf.* P. Mac Cana, 'Placenames and Mythology in Irish Tradition', *Proceedings of the First North American Congress of Celtic Studies, Ottawa 1986*, Ottawa 1988, 319-41; 322-32.
[28] MacNeill, *The Festival of Lughnasa*, 68.
[29] *Cf.* Constable, *Religious Life and Thought*, IV 'Opposition to pilgrimage', 132-5 *et passim.*
[30] A. Bharati,'Pilgrimage in the Indian Tradition', *History of Religions* 3 (1963), 135-67; 145.
[31] Luaite ag E. A. Morinis, *Pilgrimage in the Hindu Tradition: A Case Study of West Bengal*, Delhi 1984, 49. Níl dáta cruinn curtha leis an téacs seo, ach is é an tuairim is déanaí go mbaineann sé leis an aonú céad déag nó an dara céad déag A.D.
[32] Thóg mé an leagan Béarla seo ó Morinis, *Pilgrimage in the Hindu Tradition*, 74.
[33] Bharati, 'Pilgrimage in the Indian Tradition', 142-4.
[34] Constable, *Religious Life and Thought*, IV 'Opposition to Pilgrimage', 146.
[35] *Ibid.*, III 'Monachisme et pélerinage au Moyen Age', 27, IV 'Opposition to Pilgrimage', 142.
[36] Morinis, *Pilgrimage in the Hindu Tradition*, 76.
[37] Féach mar shampla Constable, *Religious Life and Thought*, III 'Monachisme et Pélerinage au Moyen Age', 17.
[38] *Ibid.*, 26-7, agus tagairt aige do H. Leclercq, *Sources*, 86-7. Tá mé i dtuilleamaí leagan Constable anseo, mar nár éirigh liom an buntéacs a cheadú go fóill.
[39] A. Bharati, 'Pilgrimage Sites and Indian Civilization', in J. W. Elder, eag., *Chapters in Indian Civilizations,* Dubuque (Iowa) 1970, 85-126; 85.
[40] S. M. Bhardwaj, *Hindu Places of Pilgrimage in India*, Berkeley 1973, 2.

41 Mar is léir ó thuairiscí na n-eolaithe; e.g., V. Turner, 'The Centre Out There: Pilgrim's Goal', *History of Religions* 12 (1973), 191-230; 195: *Today reports from all over the world indicate that, if anything, larger numbers of people than ever are visiting pilgrim centers.* Maidir leis an Ind is é a deir S. M. Bhardwaj in M. Eliade, eag., *The Encyclopedia of Religion*, New York 1987, XI, 353

> Pilgrimage continues to be a very popular religious activity among Hindus, and has in fact greatly intensified with the development of transportation systems in India. Indeed, there is every indication that such 'religious travel' will continue to increase in volume. Although it is extremely difficult to ascertain the annual number of pilgrims in India, twenty millions would be a conservative estimate related to the nearly 150 well-known holy places.

Sa tSín bhí an chuma air nach raibh ach díothú i ndán do na hoilithreachtaí traidisiúnta tar éis bhunú an réimis Chumannaigh i 1949 agus, ar ndóigh, scriosadh go leor teampall and scrínte ins na hionaid choisricthe le linn na Réabhlóide Cultúrtha tuairim ar scór bliain ina dhiaidh sin, ach ó shoin i leith is cosúil go bhfuil athbheochan shuntasach ar an chleachtas bhunaidh; féach H. Eiki, in Eliade, *Encyclopedia of Religion*, XI, 350.

Cúlra Seacaibíteach James Macpherson

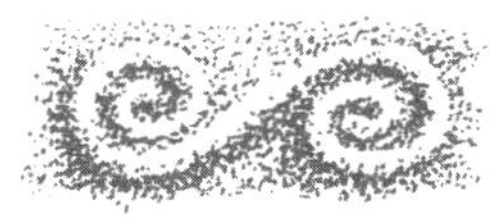

MÍCHEÁL MAC CRAITH

Tar éis éirí amach na bliana 1715 bheartaigh an rialtas córas bóithre a bhunú i nGarbhchríocha na hAlban. Ní hamháin go gcuirfeadh sé seo feabhas mór ar an gcóras cumarsáide ach bheadh sé i bhfad níos éasca saighdiúirí a bhogadh go tapaidh chuig láthair cheannairce dá dtarlódh a leithéid. Idir 1726 agus 1737 cuireadh de chúram ar an nGinearál Wade daichead droichead agus dhá chéad go leith míle de bhóithre a thógáil i dtuaisceart na hAlban. Chuaigh dhá cheann de na bóithre míleata seo trí cheantar Eobhain Mhic an Phearsain, tiarna Chluanaidh, an bóthar ó Inbhirnis go Dun Chailinn (Dunkeld) a tógadh idir 1728 agus 1730, agus an bóthar ó Fort Augustus go hAthall (Atholl) a tógadh sa bhliain 1731. Chun cur leis an bpolasaí ceansaithe agus leis an gcóras síochánaithe seo bhunaigh an rialtas ceithre bheairic i lár na nGarbhchríoch, ceann acu i Ruthven, an áit inar rugadh James Macpherson sa bhliain 1736.[1] Óna óige i leith mar sin bhí an gasúr cleachtaithe ar na saighdiúirí dearga. Go luath le linn éirí amach na bliana 1745, ar an 29ú lá de mhí Lúnasa, rinne arm an Phrionsa iarracht ar an mbeairic i Ruthven a ghabháil, iarracht gan rath. Chuaigh na Seacaibítigh trí Ruthven ar a mbealach go Cùl Odair (Culloden) agus dhóigh siad an bheairic ar an 14ú lá d'Fheabhra 1746. Is ar Ruthven a d'fhill ar tháinig slán de na Seacaibítigh ó pháirc an áir. Tharla roinnt eachtraí tábhachtacha san éirí amach i sráidbhaile Macpherson féin agus tharlódh go raibh sé ina fhinné ar dhíoltas fuilteach agus ar bhrúidiúlacht na saighdiúirí dearga agus iad ag iarraidh gach rian den mhéirleachas a bhrú faoi chois sna Garbhchríocha go deo is go brách.

Bhí muintir Mhic an Phearsain báúil leis na Stíobhartaigh le fada an lá, cé nár leor an bhá féin chun iad a spreagadh le héirí amach.

Ach tharla dhá eachtra i gceantar Bhaideanaich (Badenoch) a threisigh go mór an meas a bhí ag muintir na háite ar an Stíobhartach. Sa bhliain 1723 rinneadh ionsaí ar sheomróir Dhiúca Gordon, tiarna feodach Bhaideanaich. Is le seomróir an diúca a d'íocadh na tionóntaí an cíos. Bhí an diúca ar buile agus murach idirghabháil an Tagarthaigh féin, an rí thar sáile, Séamas III, bhí sé ar intinn ag an diúca muintir Mhic an Phearsain ar fad a chur as seilbh.

Sa bhliain 1739 bhí Tiarna Chluanaidh agus Tiarna Lovat ag comhoibriú le chéile chun saighdiúirí a earcú do reisimint nua, Am Freiceadan Dubh, nó *The Black Watch*. Chuaigh na fir isteach sa reisimint ar an tuiscint gur in Albain amháin a bheidís ar dualgas. Ach sa bhliain 1743 cuireadh faoi ndear dóibh máirseáil ó dheas go Londain agus nuair a leathnaigh an ráfla go raibh siad le cur go dtí oileáin ghalracha na nIndiacha Thiar, thréig suas le céad acu in éineacht. Ba le muintir Mhic an Phearsain a bhformhór seo. Tógadh os comhair cúirte míleata i dTúr Londain agus daoradh chun báis iad as ceannairc agus tréigean. I gcás fhormhór na gciontóirí, áfach, maolaíodh breith na cúirte go seirbhís thar lear ach lámhachadh ceannairí na ceannairce, Somhairle Mac an Phearsain agus Maolcholm Mac an Phearsain, i dTúr Londain ar an 18ú lá de mhí Iúil 1743. B'éigean dá gcomhthréigeoirí bheith i láthair chun faire ar an lámhachadh. Chuaigh an eachtra seo i bhfeidhm go mór ar cheantar Bhaideanaich agus ní hiontas ar bith é go ndeachaigh gaolta leis an mbeirt a maraíodh i bpáirt leis na bPrionsa Séarlas nuair a thosaigh an t-éirí amach.[2]

Bíodh go raibh athair Eobhain Mhic an Phearsain, Lachlan, i gceannas cathláin ag cath Shliabh an tSirriam (Sherrifsmuir) sa bhliain 1715, bhí sé i bhfad róshean don cheannas faoin mbliain 1745 agus ba é Eobhan taoiseach agus urlabhraí an phobail. Phós Eobhan Seanaid Friseil (Janet Fraser), an iníon ba shine leis an Tiarna Lovat sa bhliain 1742, agus thóg sé cúram tailte a athar air féin ón am sin i leith. Bhí go leor athruithe chun feabhais á gcur i bhfeidhm aige, mar shampla, thóg sé muileann úcaireachta i gCluanaidh sa bhliain 1743 chun gnó na mban a dhéanamh níos éascaí. Ina theannta sin bhí arm beag curtha le chéile aige chun Baideanach a chosaint ó lucht goidte beithíoch, agus d'éirigh chomh maith leis an scéim go raibh sé in ann é a leathnú chuig ceantair eile chomh maith. Bíodh go raibh fiacha troma ar Eobhan Mac an Phearsain, i ngeall ar an spéis a bhí aige sa dul chun cinn, ar éigean a bheadh suim ar bith aige in éirí amach. Bheadh i bhfad an iomarca le cailliúint aige. Fós fein, nuair a bhí Seanaid Friseil á pósadh aige sa bhliain 1742, chuir Eobhan a shéala leis an Nasc Cairdis idir muintir Fhriseil, muintir Mhic an Phearsain agus muintir Chamshrón (Cameron). De réir an chonartha seo gheall na sínitheoirí na nithe seo a leanas:

> ... to stand by and support each other in all and every honourable controversie, undertaking or dispute which may at any time fall out or arise betwixt either of us, the covenanting parties, and any of the neighbouring clans or any other party whatsomever, except our natural and lawful King and Superior, and shall ever look upon ourselves and our several tribes and following to be all so strictly united and cemented that the honour and interest of any one shall be the common cause of the whole.[3]

Níor shainmhínigh an conradh cérbh é an rí nádúrtha dleathach, Seoirse II i Londain nó Séamas III ar deoraíocht thar sáile, ach dá n-éireodh ceachtar acu, Síomón Friseil (Simon Fraser) nó Donnchadh Camshrón (Duncan Cameron) amach ar son an deoraí bhí ceangal ar Eobhan Mac an Phearsain dul i bpáirt leis. Ach cé go raibh Eobhan báúil go maith leis na Stíobhartaigh agus go raibh sé i dteagmháil go pearsanta le Séamas III sa bhliain 1743, agus gur thairg sé dul chun na Fraince chun na línte cumarsáide idir na Seacaibítigh in Albain agus a macasamhla ar an Mór-roinn a fheabhsú, fós féin, bhí sé go láidir den tuairim nárbh fhiú smaoineamh ar éirí amach a chur ar bun in Albain mura mbeadh tacaíocht láidir mhíleata ón bhFrainc taobh thiar dó. Fuair Eobhan coimisiún in arm na Breataine i mBealtaine na bliana 1745 agus rinneadh captaen de i reisimint Thiarna Loudon, ainneoin amhras áirithe a bheith ann faoina dhílseacht.

Tháinig an Prionsa Séarlas i dtír in Albain ar an 25ú lá de mhí Iúil agus ainneoin na n-iarrachtaí a rinneadh chun tathaint air éirí as an mbeartas agus filleadh ar an bhFrainc, thoiligh Donnchadh Camshrón – duine den triúr a shínigh an Nasc Cairdis – agus beirt thaoiseach eile a gcuid fear a thiomsú, má ba go drogallach féin é. Ar an 9ú lá de Lúnasa scríobh an Prionsa chuig Tiarna Chluanaidh sna téarmaí seo a leanas:

> Being fully persuaded of your Loyalty and zeal for the King's service, I think fit to inform you that I am come into this country to assert his right, at the head of such of his faithful subjects as will engage in this quarrel. I intend therefore to set up the royale Standard at Glenfinnen on Monday the 19th instant. Your appearance on that occasion would be very usefull, but if not practicable I expect you to joyn me as soon as possible, and you will always find me ready to give you marks of my friendship.
>
> Charles P.R. (Prince Regent)[4]

Is cosúil go raibh Donnchadh Forbeis (Duncan Forbes), Tiarna Uachtarán Chúirt Sheisiúin na hAlban, tar éis bualadh le hEobhan ar an 12ú lá, lá sula bhfuair sé gairm an Phrionsa. Dealraíonn sé gurbh é an gad ba ghoire do scornach Eobhain a cheantar agus a mhuintir féin a chosaint toisc go raibh siad i gceartlár bhealach máirseála na Seacaibíteach. Mura dtiocfadh fórsaí an rialtais i gcabhair air ar an bpointe boise bhí sé féin gona mhuintir *within a day's march to ruin* mar a dúirt sé féin. Nuair a tháinig an Ginearál Cope le míle trí chéad fear isteach go Baideanach ar an 27ú lá de Lúnasa rinne sé botún mór straitéiseach nuair a chuaigh sé go Beairic Ruthven agus d'fhág an bóthar mór go Peairt (Perth) agus Dún Éideann ar oscailt gan bac dá laghad roimh arm na Seacaibíteach.

Chuir sé leis an meancóg nuair a chaith sé go tarcaisneach le Tiarna Chluanaidh. Nuair a d'fhág Cope Baideanach ar an 28ú lá thuig Eobhan go rímhaith nach bhféadfadh sé brath ar an rialtas chun a thailte agus a phobal a chosaint. Thosaigh sé ag earcú a chuid fear ach dealraíonn sé go raibh siad drogallach go maith agus nach raibh mórán foinn orthu a gcuid cúraimí baile a fhágáil ina ndiaidh. An oíche chéanna tháinig suas le céad fiche de mhuintir Chamshrón chomh fada le Teach Chluanaidh agus chuir siad Eobhan i mbraighdeanas faoi dhíon a thí féin. An mhaidin dar gcionn tháinig dhá chéad eile agus rinne siad a gcime a thionlacan go dtí gur tháinig siad suas le harm an Phrionsa i bPeairt ar an 3ú lá de Mheán Fómhair. Níl a fhios againn céard go baileach a tharla ina dhiaidh sin, ach am éigin idir an 4ú agus an 7ú lá gur tháinig Eobhan ar mhalairt intinne maidir lena chuid dílseachtaí agus bheartaigh sé dul i bpáirt leis an bPrionsa san éirí amach. Scaoileadh abhaile ansin é, coimisiún mar choirnéal in arm na Seacaibíteach aige, chun deis a thabhairt dó a chuid fear a thiomsú.

Is léir ón méid thuas gur mór an drogall a bhí ar Eobhan Mac an Phearsain éirí amach ainneoin na bá pearsanta a bhí aige le cúis na Stíobhartach. Dá ainneoin sin, áfach, chomh luath agus a bhí a intinn déanta suas aige chaith sé é féin go huile is go hiomlán isteach san fheachtas agus rinne sé féin agus a chuid saighdiúirí – suas le trí chéad go leith acu – gaisce ag Clifton ar an 18ú lá de mhí na Nollag 1745, i gcath na hEaglaise Brice (Falkirk) ar an 17ú lá d'Eanáir 1746, agus i Ruathar Athaill ar an 16ú lá de mhí na Márta 1746 nuair a d'ionsaigh na Seacaibítigh faoi cheannas Eobhain agus an Tiarna George Murray suas le dosaen bunáiteanna míleata de chuid fhórsaí an rialtais. Bíodh go raibh reisimint Mhic an Phearsain mall do chath léanmhar Chùl Odair, rinne siad éacht mar chúlgharda tar éis na tubaiste chun deis a thabhairt do na teifigh, go leor acu tromghortaithe, filleadh ar an ionad teagmhála i Ruthven. Ní hamháin sin ach ba iad saighdiúirí Chluanaidh a d'aimsigh an vaigín a choinnigh trealamh pearsanta an Phrionsa agus a choinnigh slán é ó thitim isteach i lámha an Diúca Cumberland. Dhóigh an mílíste

Teach Chluanaidh an chéad seachtain de mhí an Mheithimh agus níor leor leo teach mór galánta an taoisigh a scrios gan go leor de thithe na ngnáthdhaoine sa cheantar a dhó chomh maith.

B'éigean d'Eobhan dul ar a sheachaint i measc na gcnoc in Benalder in éineacht le Donnchadh Camshrón a gortaíodh go dona i gcath Chùl Odair. D'éirigh leo teagmháil a dhéanamh leis an bPrionsa a bhí ar a sheachaint chomh maith agus bheartaigh siad gurbh í an áit ina raibh siad féin i bhfolach an áit ba shábháilte dó. Bhuail an Prionsa leo ag deireadh Lúnasa agus ar an 4ú nó an 5ú lá de Mheán Fómhair bhog na teifigh chuig ionad nua i Leitir na Leac a bhí réitithe go speisialta ag Eobhan don Phrionsa, áit a bhí sách compordach agus sách scoite amach agus sábháilte in éineacht. D'fhan Séarlas i bhfolach ansin go dtí gur tháinig scéala go raibh trí long ón bhFrainc ag fanacht i Loch nan Uamh chun cabhrú leis éalú chun na Fraince. Roimh imeacht dó thug sé an litir seo a leanas d'Eobhan:

> McPherson of Clunie
> As we are sensible of Your and Clan's fidelity and integrity to us during our adventures in Scotland and England in the year 1745 and 1746 in recovering our just rights from the Elector of Hanover, by which you have sustained very great losses both in your interest and person, I therefore promise when it shall please God to put it in my power, to make a gredfull return sutable to your sufferings
>
> Charles P.R.
>
> Diralagich in Glencamgier
> of Locharkag 18th Septr. 1746[5]

D'fhan Eobhan Mac an Phearsain deich mbliana eile ar a sheachaint i measc na gcnoc agus is minic a bhí fórsaí an rialtais sa tóir air. Ba mhóide spéis na n-údarás ann an cúram deireanach a d'fhág an Prionsa air roimh fhilleadh ar an bhFrainc dó, bainistiú an chiste chogaidh arbh fhiú £35,000 é a tháinig i dtír ón bhFrainc ar an 25ú lá d'Aibreán 1746. Bhain Eobhan leas as an airgead seo chun fóirithint orthu siúd a bhí ar an ngannchuid de bharr a bpáirt san éirí amach agus chun dóchas na Seacaibíteach a choinneáil in airde. Mar a scríobh an Ginearál Bland chuig Diúca Newcastle ar an lá deireanach d'Eanáir 1754:

> ... as the taking of Cluny will be of great service towards rooting out of Jacobitism in that part of the Highlands, and disconcerting the Jacobite schemes, I will venture to promise a good sum of money for the apprehending of him, tho' in such a manner that it shall not be publickly known to whom the money is given when apprehended, or that such a reward is offer'd, lest he should fly the country.[6]

Ní fios dúinn go baileach cén méid airgid a bhí i gceist ach i mbéaloideas Bhaideanaich dúradh go mbronnfaí míle punt agus ceannas reisiminte ar an té a sceithfeadh ar Thiarna Chluanaidh. D'ainneoin iarrachtaí an rialtais, áfach, idir phlámás, bhreabanna agus bhrúidiúlacht, d'fhan muintir Eobhain dílis dá dtaoiseach. Is léir frustrachas na n-údarás ón litir seo a leanas a scríobh Bland chuig an gCaptaen Troughear i Reisimint Lord George Beauclerck ar an 3ú lá d'Iúil 1755, nuair a bhí an Captaen á sheoladh go Baideanach agus nócha fear faoina cheannas :

> ... I must inform you that the chief design of sending you thither is in some respect to testify the dislike the Government has to the conduct of that people, who have, in spite of all endeavours to the contrary, hitherto harbour'd and protected Cluny McPherson, the person of all the attainted rebels the most obnoxious to the Government.[7]

I bhfómhar na bliana 1754 chuir an Prionsa litir ag triall ar Eobhan ag impí air teacht chun na Fraince a luaithe agus ab fhéidir. Is cosúil nach cúrsaí measa ba chúis leis an ngairm ach an Prionsa a bheith ar an ngannchuid agus go raibh súil aige go bhféadfadh Eobhan teacht i gcabhair air as an méid bhí fágtha as stórchiste an chogaidh. Chuaigh sé go Dún Éideann i dtús mhí na Bealtaine 1755. Tar éis roinnt laethanta a chaitheamh ansin d'fhág sé an phríomhchathair ar an 9ú lá agus chuaigh ó dheas go Londain mar ar chaith sé ceithre lá. Ar an 23ú lá chuaigh sé ar bord loinge ó Dover go Calais agus bhain sé talamh na Fraince amach i ngan fhios do rialtas Shasana. D'ainneoin a raibh déanta aige ar son an Phrionsa, chaith Séarlas go dona lena thacadóir dílis, agus thug sé le fios gur cheap sé go raibh cúbláil déanta ag Eobhan ar an airgead Francach. Tar éis go leor deacrachtaí d'éirigh leis coimisiún a fháil sa *Régiment Royal Écossais*. D'éirigh lena bhean chéile Dunkirk a bhaint amach in éineacht lena hiníon Mairéad sa bhliain 1757 ach fágadh a mhac Donnchadh ar scoil in Inbhirnis faoi chúram ghaolta a mháthar, gan i ndán don athair a mhac a fheiceáil go deo arís. Nuair nár leor pá an airm chun a chlann a chothú b'éigean dó impí ar Louis XV teacht i gcabhair air agus cur lena phá. Is cosúil nach raibh de thoradh ar an iarratas ach an chluas bhodhar. Scríobh sé ansin chuig Séamas III sa Róimh ach ní bhfuair sé uaidh sin ach éaradh is diúltú chomh maith. Thosaigh an tsláinte ag meath air agus fuair sé bás i nDunkirk ar an 30ú lá d'Eanáir 1764.

Is duine de ghaiscígh mhóra Éirí Amach na bliana 1745 é Eobhan Mhac an Phearsain, Tiarna Chluanaidh. Ní hamháin sin ach bhí an t-údar James Macpherson gaolta leis. Seanathair James ar thaobh a athar, Aindrias, ba dheartháir neamhdhlisteanach é le Lachlan, an seantaoiseach, athair Eobhain. Is eol dúinn nárbh aon bhac sóisialta í an neamhdhlisteanacht i sochaí na nGael agus d'fhágfadh an gaol seo go mba chol ceathracha iad athair James agus Eobhan an Éirí Amach. Ní hamháin go raibh eachtraí áirithe a tharla i Ruthven feicthe ag James lena shúile féin agus é ina ghasúr óg, ach bheadh eachtraí Eobhain i mbéal an phobail freisin mar chuid den seanchas áitiúil. Caithfidh go raibh James iontach bródúil as i ngeall ar an ngaol pearsanta agus freisin mar bhall de mhuintir Mhic an Phearsain a raibh ómós aige dá thaoiseach. I dteannta na nascanna pearsanta a bhí ann idir James agus duine de laochra móra an éirí amach, ní mór a chur san áireamh freisin gur ghlac suas le naonúr déag as Ruthven féin páirt sa reibiliún, idir fhir a bhí gaolta le James agus daoine dá lucht aitheantais. B'as Ruthven an bheirt mháistir ceathrún i reisimint Mhic an Phearsain, duine eile as an áit ina chaptaen, agus seisear déag sna gnáthranganna. Caithfidh go raibh a scéal féin ag gach aon duine acu seo, scéalta nach ndeachaigh amú ar an ngasúr óg agus é ag teacht aníos. Agus tráthúil go maith don seanchas, níor maraíodh oiread is duine amháin acu seo, ná níor daoradh chun báis duine ar bith acu ach an oiread.[8] Sula ndeachaigh sé ar an ollscoil in Obair Dheathain caithfidh go bhfaca James eachtraí agus gur chuala sé scéalta faoin gcaoi bhrúidiúil ar chuir saighdiúirí an rialtais an cheannairc faoi chois, gan idirdhealú ar bith a dhéanamh idir trodairí agus neamhthrodairí, ná idir fir, mná agus páistí.

Ba chóir an cúlra Seacaibíteach seo a chur san áireamh agus cumadóireacht Macpherson á hiniúchadh againn. Ceann de na dánta is túisce a chum sé, dán nár chríochnaigh sé riamh, is ea *The Hunter*, dán fada a cuireadh i gcló den chéad uair in eagrán Laing sa bhliain 1805.[9] Mar a dúirt Fiona Stafford faoin saothar seo:

> By celebrating a Scottish victory over the English, led by a Highlander, in full tartan dress, Macpherson was attempting to avenge the double disgrace of the 1707 Union and the '45 Rebellion.[10]

Agus sa mhéid go bhfuil an breacan á chaitheamh ag Donald, laoch an dáin, is léir go bhfuil an t-údar ag sacadh anseo faoi Acht an Dí-éadaithe a rith an Pharlaimint sa bhliain 1746 mar chuid den fheachtas chun spiorad agus cultúr Ghaeil Alban a bhriseadh go deo is go brách tar éis an éirí amach.

Maraíodh an Marascal Machaire James Keith i gCath Hochkirchen ar an 14ú lá de Dheireadh Fómhair 1758. Chum James Macpherson marbhna ar an marascal faoin dáta Ruthven, *Oct.* 31, 1758 agus foilsíodh é in eagrán Dheireadh Fómhair den iris *The Scots Magazine*. I dteannta a dhearthár George, an tIarla Marascal, ba dhuine de cheannairí móra Éirí Amach na bliana 1715 é James agus b'éigean dóibh beirt dul thar sáile de bharr na páirte a bhí glactha acu sa cheannairc. Chaith James an chuid eile dá shaol i seirbhís mhíleata ar an Mór-roinn mar ar thabhaigh sé clú agus cáil dó féin mar cheannaire den scoth. Fós féin is aisteach an rud é gur chum Macpherson dán in ómós do James Keith chomh sciobtha sin agus gan ach dán amháin foilsithe aige go nuige sin. Ach tharlódh go bhfuil míniú sásúil le fáil ar an bhfadhb seo.

Sa bhliain 1701 chum Sir Aeneas Macpherson *The Loyall Dissuasive* chun comhairle a chur ar Thiarna Chluanaidh i mBaideanach faoi bhunús na gCatanach (Clanchattan).[11] Tiomnaíodh an saothar neamhfhoilsithe seo seo don Iarla Marascal, William Keith, athair James. Is í an argóint a bhí le fáil sa *Loyall Dissuasive* gur shíolraigh muintir Keith agus muintir Mhic an Phearsain ó na sinsir chéanna, treabh Ghearmánach darbh ainm na Catti, agus gur uathu sin a shíolraigh na Catanaich. Bhí Eobhan Mac an Phearsain eolach go maith ar an traidisiún seo agus scríobh sé chuig George Keith agus James nuair a chuaigh sé chun na Fraince. Nuair a scríobh George ar ais chuige ó Neufchatel i ndeireadh Eanáir na bliana 1756 dhearbhaigh sé gur thóg sé

> ... a real concern in what regards your clan as being of the same origine, if old tradition does not fail, having ever a warm heart towards you and them.[12]

Agus nuair a scríobh James Keith chuige ó Potsdam in Aibreán na bliana 1756, dúirt sé na focail seo a leanas:

> I am not ignorant of the connection and friendship which has long existed between our two families and of which I had particular proofs myself in the year 'Fifteen ...[13]

Is mar fhear gaoil agus mar Sheacaibíteach araon a bhreathnaigh James Macpherson ar Keith agus is é an nasc dúbalta seo a thug air dul i mbun pinn chomh sciobtha sin tar éis a bháis. Go leor de na téamaí a bhí le teacht chun cinn i saothar Fiannaíochta Macpherson, déanta na fírinne, tá síolta na dtéamaí sin le feiceáil sa mharbhna seo, an bhéim ar an laochas, an chodarsnacht idir an gaisce a bhí ann fadó agus an brón atá ann anois, an tuiscint go mairfidh an laoch marbh tríd an gcáil a thabhaigh sé, tábhacht an fhile chun clú an laoich a chaomhnú agus a bhuanú – téamaí ar dhlúthchuid iad de thraidisiún aiceanta na Gaeilge. Má tá stíl an Bhéarla le sonrú go tréan ar chrot an dáin, fós féin, d'fhéadfaí a áiteamh go raibh Macpherson ag tarraingt ar thobar an dúchais do go leor de na smaointe:

A name for ages through the world revered,
By Scotia loved, by all her en'mies feared;
Now falling lost to all but fame,
And only living in the hero's name ...

On memory's tablet mankind soon decay,
On Time's swift stream their glory slides away;
But, present in the voice of deathless Fame,
Keith lives, eternal, in his glorious name:
While ages far remote his actions show;
And mark with them the way their chiefs should go;
While sires unto their wond'ring offspring tell,
Keith lived in glory, and in glory fell.[14]

Is beag, dáiríre, idir Muintir Keith, *relics of a dying race* agus 'Oisín i ndiaidh na Féinne'. Más é laoch 1715 atá á cheiliúradh go sonrach ag an bhfile, caithfidh go bhfuil laochra agus tubaiste 1745-6 i gcúl a chloiginn freisin. Má b'éigean do na deartháireacha Keith dul ar deoraíocht thar sáile tar éis éirí amach na bliana 1715, is mó is cás leis an bhfile deoraíocht Eobhain Mhic an Phearsain, taoiseach agus fear gaoil an fhile, agus é ar deoraíocht sa Fhrainc tráth cumtha an dáin seo. Ba shábháilte i bhfad, déanta na fírinne, an méirleach marbh a mhóradh ná an méirleach beo agus caithfidh gur thuig Macpherson go rímhaith an deis a thug bás Keith dó an beo a cheiliúradh i dteannta an mhairbh.

Nuair a thagraíonn Macpherson do chaisleáin thréigthe mhuintir Keith, ní hamháin go bhfuil earraíocht á baint aige as ceann de théamaí coitianta i bhfilíocht an ochtú haois déag agus an bhéim ar fhothracha, ach is téama é atá le fáil go coitianta i litríocht aiceanta na Gaeilge.

> See! The proud halls they once possessed, decayed,
> The spiral tow'rs depend the lofty head;
> Wild ivy creeps along the mould'ring walls,
> And with each gust of winds a fragment falls;
> While birds obscene at noon of night deplore,
> Where mighty heroes kept the watch before.[15]

Ach i dteannta fhothracha tréigthe chaisleáin mhuintir Keith, caithfidh go raibh an file ag smaoineamh ar bhallóg i bhfad níos gaire dá bhaile féin, fothracha Theach Chluanaidh a dódh le barr díoltais roinnt seachtainí tar éis Chùl Odair i Meitheamh na bliana 1746, ní áirím ar dódh de thithe na cosmhuintire sa timpeallacht. Ar bhealach, d'fhéadfaí a rá go bhfuil an Fhiannaíocht, an Seacaibíteachas agus taithí phearsanta an fhile ag teacht le chéile sa dán áirithe seo.

Bhí téama seo na bhfothracha le teacht chun cinn arís i saothar aibí Macpherson, go háirithe sa sliocht cáiliúil faoi hallaí Balclutha in *Carthon*, ceann de na mionphíosaí a foilsíodh i dteannta na heipice tosaigh *Fingal* (1761/2):

> I have seen the walls of Balclutha, but they were desolate. The fire had resounded in the halls: and the voice of the people is heard no more. The stream of Clutha was removed from its place, by the fall of the walls. – The thistle shook, there, its lonely head: the moss whistled to the wind. The fox looked out, from the windows, the rank grass of the wall waved round his head. – Desolate is the dwelling of Moina, silence is in the house of her fathers. – Raise the song of mourning, O bards, over the land of strangers. They have fallen before us: for, one day, we must fall. – Why dost thou build the hall, son of the winged

> days? Thou lookest from thy towers to-day; yet a few years, and the blast of the desart comes; it howls in thy empty court, and whistles round thy half-worn shield.[16]

Bíodh is gur chuir an t-údar nóta leis an téacs chun aird an léitheora a dhíriú ar na cosúlachtaí idir an sliocht thuas agus na trí véarsa dheireanacha de Leabhar an Fháidh Ísaía, caibidil a trí déag, áit a ndéantar scrios na Babalóine a thuar, ní dóigh liom gur féidir neamhaird a dhéanamh ar thaithí phearsanta Macpherson agus a bhfaca sé d'fhothracha dóite thithe a mhuintire, idir thaoiseach agus ghnáthphobal, tar éis an éirí amach, gan trácht ar mhinicíocht an téama seo i litríocht aiceanta na Gaeilge féin. Tráthúil go leor fágadh an tagairt d'Ísaía ar lár in eagrán na bliana 1773.

An íoróin is mó a bhaineann le saol Macpherson is ea gur thabhaigh sé mar aistritheoir an clú a shantaigh sé mar fhile bunúil. Ach mar atá feicthe againn ón marbhna ar an Marascal Keith, níl na dánta bunúla chomh bunúil sin amach is amach agus maidir lena chuid 'aistriúchán', tá siad sin i bhfad níos bunúla ná mar ba chóir d'aistriúcháin a bheith. Is iad na *Fragments* an chéad saothar Oisíneach nó Fiannaíochta a chuir sé ar fáil sa bhliain 1760. Na tréithe is mó a tharraing aird ar an saothar seo is ea an ghruaim, comhbhá an dúlra, an chodarsnacht idir brón an ama faoi láthair agus an sonas a bhí ann tráth, an laochas agus an grá míshona. Tugadh faoi deara freisin go raibh easpa sonraí ag baint leis na míreanna fileata seo, agus go raibh foclóir thar a bheith simplí coincréiteach in úsáid a bhí ag teacht le tuiscint an ama ar cad ab fhilíocht chéadraí ann. Go raibh focail áirithe ag teacht chun cinn arís agus arís eile, crann, cnoc, sliabh, sruthán, carraig, gealach, grian agus araile. Ach i lár na doiléire go léir tagann focal sainiúil amháin chun tosaigh go han-mhinic ar fad, an dair, go háirithe an dair ar lár á cur i gcomórtas le laoch treascartha:

> Lovely I saw thee first by the aged oak of Branno.[17]

> Thy family grew like an oak on the mountain ... But now it is torn from the earth.[18]

> He falls like an oak on the plain.[19]

> His stature like an oak on Morven.[20]

> He fell like a mountain-oak covered over with glistening frost.[21]

> I, like an ancient oak on Morven, I moulder alone in my place.[22]

> Hast thou fallen like an oak, with all thy branches round thee?[23]

> He stood on the hill like an oak.[24]

> They fell on the sounding plain; as two oaks, with their branches mingled, fall crashing from the hill.[25]

> Howl, ye tempests, in the top of the oak.[26]

> He seized and bound him to an oak.[27]

> I met him by the mossy stone, by the oak of the noisy stream.[28]

Ar éigean a roghnaigh Macpherson an crann áirithe seo trí thimpiste, go háirithe nuair a chuimhnímid gur shiombail chumhachtach de chuid na Stíobhartach é an crann dara. Thóg Aeneas géag ó dhair naofa leis ar a bhealach chuig an domhan íochtair agus ba bhreá leis na Stíobhartaigh comhshamhlú a dhéanamh eatarthu féin agus Aeneas. Cuireadh béim bhreise ar an tsiombail seo nuair a d'éirigh le Séarlas II dul i bhfolach i gcrann dara i bhforaois Boscobel tar éis chath Worcester sa bhliain 1651, agus gur chaith sé dos de dhuilleoga dara agus é ag filleadh ar Londain ar an 29ú lá de Bhealtaine 1660, Oak Apple Day. Nuair a tháinig Liam Oráiste i gcumhacht eisíodh bonn a léirigh crann dara ar lár agus taobh leis crann caol oráiste. Breacadh an mana seo a leanas ag bun an bhoinn: *Pro glandibus aurea pona*, 'cuirtear an t-oráiste in áit na ndearcán'.[29] Ba chumainn Sheacaibíteacha iad an Oak Society agus an Royal Oak Society agus sa bhliain 1750 d'eisigh an Oak Society bonn a léirigh crann dara feoite, ach taobh leis gas úr leis an mana *revirescit*, 'tiocfaidh sé faoi bhláth arís'.[30] I gceann de na hamhráin a d'fhoilsigh James Hogg sa saothar cáiliúil *The Jacobite Relics of Scotland* faighimid an curfá: *We honour our standard, the royal oak tree.*[31] Nuair a chuirimid minicíocht na híomháine seo san áireamh, nuair a chuimhnímid gur nós le saighdiúirí an Phrionsa géaga dara a cheangal dá gcuid éadaí in éirí amach na bliana 1745, agus nuair a chuimhnímid ar an gcúlra Seacaibíteach as ar fáisceadh Macpherson féin, tugann sé seo go léir le fios gur d'aon úim a roghnaigh an t-údar an crann dara chomh minic sin in *Fragments*.[32]

D'éirigh chomh maith sin le *Fragments* gur cuireadh brú ar Macpherson tuilleadh den chineál seo litríochta a sholáthar. Is iad *literati* Dhún Éideann faoi cheannas Hugh Blair is mó a bhí taobh thiar den tathaint seo, agus nuair ba chosúil nach raibh mórán spéise ag Macpherson féin sa ghnó de bharr easpa airgid, níorbh fhada gur eagraíodh dinnéar mór i nDún Éideann chun airgead a bhailiú agus neamhní a dhéanamh de dhrogall an aistritheora. D'ainneoin an drogaill seo, is aisteach an ní é go raibh imlíne na heipice a bhí le cuardach sna Garbhchríocha tugtha cheana féin ag Blair sa réamhrá a scríobh sé do na *Fragments*. Ní fhéadfadh Blair bunús an scéil a bheith ar eolas aige, ní fhéadfadh sé teacht ó éinne eile ach ó Macpherson féin. Bíodh sin mar atá, chuir Macpherson chun bealaigh i bhfómhar na bliana 1760, fear gaoil leis, Lachlan Macpherson mar chomhluadar aige ar feadh cuid den am. B'oifigeach é Lachlan i Reisimint Mhic an Phearsain le linn Bhliain an Phrionsa agus b'fhile aitheanta é chomh maith. Bheadh cáil ach go háirithe ar an marbhna breá a chum sé nuair a fuair Eobhan Mac an Phearsain bás sa Fhrainc sa bhliain 1764. Thug sé cabhair nár bheag do James Macpherson le linn an turais seo. Mar a scríobh sé chuig Hugh Blair:

> In the year 1760, I had the pleasure of accompanying my friend Mr. Macpherson, during some part of his journey in search of the poems of Ossian, through the Highlands. I assisted him in collecting them; and took down from oral tradition and transcribed from old manuscripts, by far the greatest part of these pieces he has published.[33]

Tá fianaise ann, áfach, a thugann le fios go raibh i bhfad níos mó ar bun ag Lachlan ná athscríobh amháin, ach go raibh sé páirteach sa chumadóireacht freisin. Má bhí iaróglach Chùl Odair sásta a chuid eolais ar an bhFiannaíocht agus ar an bhfilíocht a roinnt go fial ar James Macpherson, níorbh iontas ar bith é go mbeadh rian tréan den Seacaibíteachas le braistint san eipic *Fingal* chomh maith. Ach aisteach go leor, tá tionchar an tSeacaibíteachais tanaí go maith sa saothar seo. Is cinnte gur féidir breathnú ar iompar uasal Fingal ar pháirc an chatha, an chaoi ach go háirithe a gcaitheann sé chomh mórchroíoch maiteach sin leis an namhaid treascartha Swaran, mar mhalairt ghlan an iompair a léirigh Diúca Chumberland nuair a rug sé an lá ar arm an Phrionsa. Tharlódh freisin go raibh Tiarna Chluanaidh, Eobhan Mac an Phearsain, agus é ar an uaigneas mar dheoraí sa Fhrainc, i gcúl a chloiginn ag James Macpherson agus pearsa Ossian á cumadh aige, an duine deireanach dá shliocht, ainniseoir tréigthe ag smaoineamh siar de shíor ar na laethanta glórmhara a bhí ann anallód, agus é scartha óna aonmhac go deo is go brách. Ní hamháin go raibh Eobhan Mac an Phearsain á chaoineadh aige i bpearsa Ossian, ach sochaí bhriste Ghaeil Alban ar fad. Déanta na fírinne is athghin Ossian é Macpherson féin, é ag breathnú siar ar shaíocht agus ar shaol nach mairfidh níos mó ach i bhfriotal a chumadóireachta féin. Cheana féin tá athrú cló ag teacht ar an Seacaibíteachas ó mhórghluaiseacht pholaitíochta go gné den rómánsachas maoithneach. Agus ar ndóigh, más fíor an teoiric gur píosa bolscaireachta é *Fingal* chun forálacha an Achta um Mhílíste a chur i bhfeidhm in Albain le linn éigeandáil Chogadh na Seacht mBlian, is cosúil go raibh James Macpherson ar tí dul i bpáirt go huile is go hiomlán le buaiteoirí Chùl Odair.[34] Roimh dheireadh na seascaidí bhí sé fostaithe mar phaimfléadaí bolscaireachta ar son rialtas na Breataine. Íoróineach go maith, rinne sé bailiúchán tábhachtach de cháipéisí Stíobhartacha i bPáras i dtús na seacht déag seachtóidí agus coimisiún faighte aige ón rialtas. Foilsíodh an saothar sin sa bhliain 1775 faoin teideal *The History of Great Britain from the Restoration to the Accession of the House of Hanover*, agus dearcadh an rítheaghlaigh bhunaithe atá i gceist, ar ndóigh. Má léirigh saothar cruthaitheach Macpherson gur mhór aige na laochra a thit ar son an chirt, cruthaíonn an chuid eile dá shaothar gurbh ansa leis fós rith maith ná drochsheasamh. Dá mhéid a spéis sa Seacaibíteachas, a leas pearsanta féin a d'éiligh tús dílseachta i ndeireadh na dála.

1 C. Tabraham agus D. Grove, *Fortress Scotland and the Jacobites*, London 1995, 69-86.

2 A. G. Macpherson, *A Day's March to Ruin. A documentary narrative of the Badenoch men in the '45 and Col. Ewan Macpherson of Cluny*, Inverness 1996, 4-5.

3 *Ibid.*, 4.

4 *Ibid.*, 16.

5 *Ibid.*, 180.

6 *Ibid.*, 205.

7 *Ibid.*, 208

8 A. Livingstone, C. W. Aikman agus B. S. Hart, *Muster Roll of Prince Charles Edward Stuart's Army, 1745-46*, Aberdeen 1984, 186-93.

9 I gcló arís in M. Laing, eag., *The Poems of Ossian. Introduced by John McQueen*, I-II, Edinburgh 1971.

10 Fiona Stafford, *The Sublime Savage. James Macpherson and the poems of Ossian*, Oxford 1988, 57.

11 Rev. A. D. Murdoch, eag., *The Loyall Dissuasive and other Papers concerning the Affairs of Clan Chattan, by Sir Aeneas Macpherson, Knight of Invereshie, 1691-1705*, Scottish History Society, Edinburgh 1902.

12 Macpherson, *A Day's March to Ruin*, 229.

13 *Ibid.*

14 Laing, *The Poems of* Ossian, II, 588-89.

15 *Ibid.*, 589.

16 H. Gaskill, eag., *James Macpherson. The poems of Ossian and related works*, Edinburgh 1996, 128-9.

17 *Ibid.*, Fragment I, 7.

18 *Ibid.*, Fragment V, 13.

19 *Ibid.*, Fragment V, 13.

20 *Ibid.*

21 *Ibid.*

22 *Ibid.*, Fragment VII, 16

23 *Ibid.*, Fragment VIII, 18.

24 *Ibid.*

25 *Ibid.*

26 *Ibid.*, Fragment XI, 22.

27 *Ibid.*

28 *Ibid.*, Fragment XV, 29.

29 N. Woolf, *The Medallic Record of the Scottish Jacobite Movement*, London 1988, 22.

30 *Ibid.*, 116.

31 J. Hogg, eag., *The Jacobite Relics of Scotland*, I, Edinburgh 1819, 11.

32 M. G. H. Pittock, 'Jacobite culture', in R. C. Woosnam-Savage, eag., *1745 Charles Edward Stuart and the Jacobites* Edinburgh 1995, 72-86, 78-9; P. K. Monod, *Jacobitism and the English People, 1688-1788*, Cambridge 1989, 71-2, 76.

33 H. Mackenzie, *Report of the Committee of the Highland Society of Scotland Appointed to Inquire into the Nature and Authenticity of the Poems of Ossian*, Edinburgh 1805, Appendix, 8.

34 P. B. Sher, ' "Those Scotch Imposters and Their Cabal" ', in *Ossian and the Scottish Enlightenment, Man and Nature. Proceedings of the Canadian Society for Eighteenth Century Studies*, 1 (1982),

Crosántacht íorónta, a cúlra agus a húdar

GEARÓID MAC EOIN

AN CHROSÁNTACHT *RANNAM LE CHÉILE, A CHLANN UILLIAM*

Aiste chrosántachta atá in *Rannam le chéile, a chlann Uilliam,*[1] mír 111 de *Dioghluim Dána*. Is éard atá inti ná agóid idir mhagadh is dáiríre i gcoinne chlann mhac Riocaird 'Shasanaigh' a' Búrc, dara Iarla Chlainne Riocaird, i ngeall ar an bhfoghail a bhí siad a dhéanamh ar fud na tíre. Tairgeann an t-údar dóibh go roinnfidh sé Éire idir é féin agus iad, roinnt éagothrom go leor, cheapfá, mar gurb í an roinnt sin: Leitir Mhaoláin ('tír ar a gceiltear néall nimhe / fan tréan tuile / tír i leaghann sneachta ag snighe / dearca duine,' rann 9) ar thaobh amháin agus an chuid eile d'Éirinn ar an taobh eile. Fágfaidh sé faoi chlann Riocaird é rogha a dhéanamh idir an dá roinn sin. Ba ghnách, a deir sé, le ríthe na hÉireann fadó an ríocht a roinnt – agus áiríonn sé cuid de na seanríthe a rinne sin (rainn 3-5). Insíonn sé go cruinn i rann 10 cén píosa talún atá i gceist aige: 'Óthá Éighneach go hucht gColláin' .i. ó abhainn na hEidhní (*Inagh* i mBéarla inniu) go Sliabh Calláin in iarthar Cho. an Chláir, agus deir sé i rann 11 gur 'd'urláimh Í Bhriain' atá an 'eang chruinn chúthail' seo aige. Ní haon chúis náire é go mbeadh sé sásta margadh den chineál seo a dhéanamh, a deir sé (rann 12 agus ina dhiaidh), i bhfianaise an leatroim a rinne clann an Iarla air agus a fhíochmhaire a chreach siad na daoine (rainn 13-6). Ní fiú leath de thalamh na hÉireann cur ina gcoinne–is iad an dream is 'ionnsa' iad agus ní thig le haon duine smacht a chur orthu ach an 'prionnsa' .i. an bhanríon Eilís (rainn 17-8).

Sa bprós bagrann sé orthu na sé honchoin a bhí ag na seanfhilí fadó agus atá fós aige féin i gcoinne aon duine d'uaisle na hÉireann a shantódh foghail a dhéanamh air. Is iad ainmneacha na n-onchon sin: On, Ainimh, Aithis, Gríos, Glámh, agus Goirtbhriathra[2]. Ach muna n-éiríonn leis na 'huasail-ionnsdruimintibh' sin fóirithint air ní móide gur cosaint ar bith dó an 'chuideachta cheanntrom, chriothánach' a chruinníonn timpeall air in aimsir eagla nó foréigin–a mhuintir féin, is cosúil. Tugann sé tuairisc ar an gculaith chatha a bhíonn orthu sin: corráin ina gcreasa súgáin, tuanna connaidh agus boghanna ina leathláimh. Ní ionann sin is airm na 'damhraidhe' a bhíonn timpeall ar an 'ard-fhlaith' á chosaint. Casann an file ar an véarsaíocht ansin le hairm lucht leanúna na mBúrcach a ríomh (rainn 19-24).

Sa bprós a leanann na véarsaí sin tagrann sé don 'tulán sruithmheirgeach sléibhe seo' ar a bhfuil sé, ach, deir sé, ní mó meanma chlann an Iarla agus a lucht leanúna i mbun fleá agus caitheamh aimsire ina 'ríogh-bhruidhean' ná 'mór-aigneadh' na muintire seo aige féin agus iad ina suí ina mbotháin ag ól bláthaí agus meidhge agus ag éisteacht le glór na n-ainmhithe éigiallta ina dtimpeall agus aithne chruinn acu ar ghlór gach ainmhí ar leith. Ó tharla go bhfuil a rogha féin faighte ag an dá dhream (.i. é féin agus na Búrcaigh) ba chóir conradh a dhéanamh eatarthu sa gcaoi is nach ndéanfadh ceachtar acu ionsaí ar a chéile. Sa véarsaíocht (rainn 25-32) molann sé arís go ndéanfaidís conradh agus áiríonn sé na hurraí a bheidh aige féin: beirt mhac Riocaird a Búrc, Clann Suibhne (cine a bhí scaipthe ar fud na hÉireann óna dtreibh athartha i bhFánaid agus i mBoghaine), muintir Sheachnasaigh (thart ar Ghort Inse Ghuaire, Co. na Gaillimhe), Clann Uadhach (Uí Fhallamhain i ndeisceart Cho. Ros Comáin), aicme Hoibeard (Búrcaigh Dhíseart Cheallaigh, i ndeisceart Cho. na Gaillimhe). Ina dteannta sin cosnóidh gach aonfhear i bhfia na Gaillimhe é agus coinneoidh ríthe Chonnacht cuimhne ar an gconradh (rainn 33-6). Beidh sé féin ina rí ar ríora na mBúrcach agus déanfaidh sé creach ar 'fhéin chnuic Chonga' – muintir Chonchubhair b'fhéidir (rann 37–8). Sa bprós arís deir sé go n-éilíonn sé cead a bheith aige, má thagann fonn imirce air, cur faoi in áit ar bith in Éirinn a dtograíonn sé féin. Críochnaíonn an aiste le moladh na mBúrcach (rainn 39-43).

Cé go raibh creach agus díbhearg coitianta ar fud na tíre sa dara leath den séú haois déag, tá an cuntas a thugann údar *Rannam le chéile, a chlann Uilliam* chomh cruinn sin gur féidir na pearsana agus na heachtraí a luann sé a aithint sna hannála. Triúr mac de chlann Riocaird Shasanaigh mhic Uillig na gCeann a Búrc, dara hIarla Clainne Riocaird (†1582), a luann Annála Ríochta Éireann agus Annála Locha Cé: Uilleag, a tháinig i gcomharbacht a athar mar Iarla Clainne Riocaird sa bhliain 1582, Seán na Seamar (†1583), agus Uilliam (†1581). Is é an chéad uair a luaitear sna hAnnála iad ná 1572 nuair a thug *President* Chúige Chonnacht, Sir Éduard Phiton, fógra cúirte i dtrátha na Féile Pádraig i nGaillimh. I measc na ndaoine a tháinig bhí Riocard Sasanach agus a bheirt mhac, Seán agus Uilleag. Chuala an bheirt seo 'foscadh sceoil' .i. ráfla éigin a chuir scanradh orthu agus ghlanadar leo as an mbaile. Nuair a thuig an *President* go raibh siad tar éis éaló ghabh sé an chuid eile d'uaisle Clainne Riocaird agus thug sé an tIarla i gcuibhreach leis go Baile Átha Luain. Bhailigh Seán agus Uilleag arm le chéile (Clann Suibhne ina measc) agus chreach siad Connachta 'ó Eachtghe go Drobhaois' agus ón tSionainn go hIar-Chonnachta i gcaitheamh shamhradh na bliana sin 1572. Faoin bhfómhar shocraigh Comhairle Átha Cliath an tIarla a scaoileadh saor ar chuntar go gceansódh sé a chlann mhac.[3]

An bhliain dár gcionn d'éirigh aighneas i dTuadhmhumhain i measc na mBrianach agus bhailigh Tadhg mac Conchobhair Uí Bhriain arm mór (Clann Suibhne ina measc) agus rinne siad creach ar uachtar Thuadhmhumhan .i. Uí Chormaic agus Cinéal bhFearmhaic, chomh fada ó thuaidh le Corca Mo Dhruadh agus Boireann. Tháinig Domhnall Ó Briain ina gcoinne le harm a bhí cruinnithe aige faoi dheifir (Clann Suibhne ina measc sin freisin). Tharla go raibh Uilleag a Búrc ar cuairt i dTuadhmhumhain ag an am agus chuaigh sé i bpáirt le Domhnall. Chuir arm Dhomhnaill an ruaig ar arm Thaidhg ar mhullach chnoc Bhéal an Chip in aice le Leacht Uí Chonchubhair agus chuir siad tóir orthu ar fud an cheantair. Ní luann na Ceithre Máistrí cé an pháirt a ghlac Uilleag a Búrc sa troid.

Sa bhliain 1574 bhris aighneas amach idir Uilleag agus a dheartháir, Seán na Seamar, agus d'fhostaigh Seán arm mór amhas, idir Albanaigh agus Éireannaigh. Thug Iarla Oirmhumhan coimirce do Sheán agus ghéill sé don Iarla in ainm na Banríona. Sa bhliain 1576 tháinig an Giúistís, Sir Henry Sidney, go Gaillimh agus chruinnigh Riocard Sasanach a Búrc agus a bheirt mhac, Uilleag agus Seán, agus go leor d'uaisle Chonnacht agus Dáil Chais ina dháil. I ndiaidh na comhdhála seo thug an Giúistís leis go Baile Átha Cliath gialla Dháil Chais, cé is moite de Dhomhnall Ó Briain, go ndéanfaidís aisíoc leis na daoine a bhí á éileamh orthu, agus thug sé leis freisin Seán agus Uilleag a Búrc mar gheall ar an méid a mhill siad fad a bhí siad ag iarraidh a n-athair a shaoradh sa bhliain 1572. Le linn dóibh bheith i mbraighdeanas i mBaile Átha Cliath thug an Giúistís cead dóibh dul ar cuairt chuig a gcairde lasmuigh den chathair ar an gcoinníoll nach bhfillfidís ar a ndúiche féin. Ach d'éalaigh Seán agus Uilleag leo abhaile. Tháinig an Giúistís ina ndiaidh agus bhain sé Baile Locha Riach agus a dhúiche ar fad d'Iarla Clainne Riocaird agus thug sé leis go Baile Átha Cliath ina phríosúnach é. Thosaigh Seán agus Uilleag a Búrc ag creachadh na tíre arís. Sa bhliain 1578 thug an Giúistís an tIarla agus an treas mac aige, Uilliam, go Sasana len iad a thabhairt suas do Chomhairle Shasana. Sa bhliain 1580 ghabh Seán Baile Locha Riach ar ais. D'éirigh sé féin agus Uilleag amach arís agus leag siad na caisleáin go léir a bhí i lámha a namhad ina ndúiche féin. D'éirigh cuid de na Brianaigh amach in éineacht leo agus chreach siad an dúiche ó Bhoireann go Luimneach. Mar dhíoltas chroch na Sasanaigh Toirdhealbhach Ó Briain i Londain agus Uilliam a Búrc i nGaillimh i samhradh na bliana 1581, rud a thug ar na Búrcaigh agus ar na Brianaigh a bhí ag cuidiú leo síocháin a dhéanamh leis na Sasanaigh. I mí Lúnasa na bliana 1582 fuair an tIarla bás de bharr galair a tholg sé i bpríosún. Tharla aighneas arís idir Seán agus Uilleag i dtaobh na comharbachta. Shocraigh Gobharnóir Chonnacht, Sir Nicholas Malby, gurb é Uilleag a bheadh ina Iarla agus go mbeadh barúntacht Liatroma ag Seán, ach bhí an nimh sa bhfeoil acu dá chéile fós. Sa bhliain 1583 chuaigh siad ar shlógadh le Sir Nicholas Malby go Co. Mhaigh Eo agus chreachadar Cathair na Mart. Tamall ina dhiaidh sin mharaigh Uilleag Seán 'd'ionsaí oíche' i ngeall ar easaontas faoi roinnt na críche eatarthu agus adhlacadh i mBaile Átha an Rí é.[4] Mhair Uilleag go deireadh an chéid. Bhí sé i láthair ag Parlaimint Bhaile Átha Cliath 1585[5] agus ghlac sé páirt i slógadh Sir John Norris i gcoinne na gConnachtach 1596.[6] Bhí sé fós ag troid ar son na Sasanach i 1597 nuair a d'fhreastail sé ar shlógadh Sir Conyers Clifford i gcoinne Mhic Uilliam agus Rudhraighe Uí Dhomhnaill.[7] Chuaigh a mhac Riocard go Sasana in earrach na bliana 1598.[8] Is é is dóigh gurb é an tIarla Clainne Riocaird é a bhailigh arm le chéile ar ordú an Ghiúistís, an Tiarna Mountjoy, sa bhliain 1601 le haghaidh a thabhairt ar Shligeach ach a scaip nuair a tháinig Aodh Rua Ó Domhnaill ina gcoinne ar Mhachaire Chonnacht.[9] Ghlac sé páirt i gCath Chionn tSáile an bhliain chéanna.[10] Ní luann na hannála a bhás.[11]

DÁTA AGUS ÚDAR *RANNAM LE CHÉILE, A CHLANN UILLIAM*

Do bheirt mhac Riocaird Shasanaigh a Búrc, dara hIarla Chlainne Riocaird, a cumadh an aiste seo, mar is léir ó rainn 28-9, áit a luaitear as a n-ainm iad, Seán agus Uilleag. Ó labhrann an file ar an Iarla mar a bheadh sé fós ina bheatha (rann 18), agus ar a bheirt mhac mar a 'chlann' (rainn 18, 29) is léir gur roimh a bhás i mí Lúnasa 1582 a cumadh an chrosántacht. Dáiríre ní luaitear an tIarla ach mar athair a chlainne: *clann an Iarla*, lgh 380.21, 383.29 sa phrós agus i rann 29 den véarsaíocht. Níl sé ar dhuine de na hurraí a roghnaíonn an file 'mar chor síthe', cé go bhfuil a bheirt mhac ina measc (rainn 26-34). De réir na n-annála bhí an tIarla i bpríosún i mBaile Átha Cliath agus i Londain ó 1576 go dtí 1582, gan aon pháirt ghníomhach aige i bpolaitíocht na hÉireann, rud a mhíníonn an neamhshuim a dhéanann an file de in ainneoin é bheith fós beo. Comhartha eile gur roimh 1582 a cumadh an aiste is ea go labhrann an file leis an mbeirt mhac mar a bheidís in aonta a chéile, rud nach raibh tar éis bhás a n-athar. Ó nach luann an file an tríú mac, Uilliam, is dócha gur i ndiaidh an 26 Bealtaine 1581 a cumadh an dán, mar is é sin an lá ar crochadh Uilliam i nGaillimh.[12] Mar sin is idir bás Uilliam i mí na Bealtaine 1581 agus bás a athar i mí Lúnasa 1582 a cumadh an chrosántacht seo. Tá le tuiscint as rann 3c gur i láthair 'aireacht' na mBúrcach a aithriseadh an aiste don chéad uair.

Tá sé soiléir gur ar Leitir Maoláin a bhí cónaí ar an té a chum an chrosántacht. Ní hé amháin go luann sé an áit as a hainm i rann 9a, ach insíonn sé go cruinn cá bhfuil sí: 'Óthá Éighneach go hucht gColláin' (rann 10a) agus tugann sé tuairisc dhrochmheasúil ar an áit sa bprós ar lch. 380.25 agus i rann 11d. Is ag agairt a chúise féin a bhí sé mar dhuine a bhí ina chónaí ar Leitir Maoláin. Deir sé leis na Búrcaigh go mba chuma leis cén chreach a dhéanfaidís ar aon chuid eile d'Éirinn ach Leitir Maoláin a fhágáil slán aige féin. Tá le tuiscint as sin go ndearnadh creach cheana ar cheantar Leitir Maoláin. Is é is dóigh gur le linn fheachtas na bliana 1580 a creachadh í, nuair a rinne na Búrcaigh i dteannta le cuid de na Brianaigh slad ar an limistéar 'ó Bhoirinn go Luimneach'.

TADHG MAC DÁIRE MHIC BHRUAIDEADHA – ÚDAR?

I leabhar dar teideal *Propugnaculum catholicae veritatis* a scríobh duine de Chlann Bhruaideadha, Antonius Bruodinus OFM, agus a foilsíodh i bPrág sa bhliain 1669 tuairiscíonn an t-údar gur chum Tadhg mac Dáire Mhic Bhruaideadha, a sheanuncail féin, dán do chlann 'Lord John de Burgo' inar mhol sé go roinnfí Éire idir é féin agus iad.[13] Ní foláir nó is tagairt mhíchruinn do *Rannam le chéile, a chlann Uilliam* atá ansin. Ní do chlann Lord John de Burgo ach dó féin agus dá dheartháir Uilleag a cumadh é. Tá ar a laghad duan amháin eile ar fáil ina ndéanann Tadhg mac Dáire [Mhic Bhruaideadha] clamhsán faoin gcreach a rinne na huaisle air, *Fóiridh mo leisge, a Leath Cuinn*, RIA 23 N 12, 180-2. Tá a mhacasamhail eile de dhuan in RIA A iv 3, 751-3 ach ní fios go cinnte cé a chum í, cé go gcuirtear síos do Thadhg mac Dáire í le comhartha ceiste in *Catalogue* an RIA.[14] Chomh maith leis sin tá crosántacht eile againn ó Thadhg dar teideal *Tugam aghaidh ar Mhaol Mhórdha* a chum sé roimh an mbliain 1581.[15] Tá gach cosúlacht ar an scéal gurb é Tadhg mac Dáire údar *Rannam le chéile, a Chlann Uilliam*.

Tá de dheacracht leis an tuairim sin, áfach, gur ar Leitir Maoláin a bhí cónaí ar an té a chum an chrosántacht agus nach bhfuil aon fhianaise againn go raibh cónaí riamh ar Thadhg mac Dáire san áit sin. De réir Fiant de chuid na Banríona Éilíse (Uimh. 4860) is i Knockanalbie a bhí Tadhg Mac Bruaideadha ina chónaí i mí na Bealtaine 1586 agus bhí sé fós ann sé bliana déag ina dhiaidh sin (Fiant Uimh. 6615).[16] Tacaíonn an tAthair Antonius Bruodinus leis an tuairisc sin gur ar *Mons Scoti* a bhí sé ina chónaí.[17] Is ionann Knockanalbie agus Knockanalban an lae inniu agus tá an cnocán (88 méadar) ar a bhfuil an t-ainm sin tuairim is 5 chiliméadar soir ó Choillte ar chósta thiar Cho. an Chláir. Idir sin agus an áit a raibh Leitir Maoláin thoir tá fad 10 gciliméadar trasna na tíre agus meall mór Shliabh Calláin (391 méadar) sa mbealach eatarthu. Ní bheadh cúis ar bith ag an té a bhí ina chónaí i gceantar Chnoc an Albanaigh bheith ag clamhsán faoi dhrocháitreabh a bheith aige ar Leitir Mhaoláin. Ní fál go haer an deacracht seo, áfach, mar nach bhfuil a fhios againn cén uair a chuaigh Tadhg chun cónaithe ar Chnoc an Albanaigh ná cá raibh sé sa bhliain 1581. Mar sin ní bhréagnaíonn an deacracht faoi áit chónaithe Thaidhg an fhianaise gurb é a chum *Rannam le chéile, a Chlann Uilliam*.

[1] L. Mac Cionnaith, S.J., *Dioghluim Dána*, Baile Átha Cliath 1938, athchló 1969, 379-87. Tá eagrán is luaithe ná sin agus tiontó go Béarla ag an bhfear eagair céanna san *Irish Monthly*, 57 (1929), 330-3, 368-72. Ó thaobh foirm meadrachta na crosántachta féach A. Harrison, *An Chrosántacht*, Baile Átha Cliath 1979, 13-29, go háirithe 20, 25-6 agus 33, mar a bpléann an t-údar samplaí de mheadaracht na haiste seo.

[2] Tá a leithéid eile liostaí in *Airec Menman Uraird meic Coise*, O.J. Bergin *et al.*, eag., *Anecdota from Irish Manuscripts*, II, 1908, 63.1, agus ag R. Thurneysen, eag., 'The Wooing of Luaine and the Death of Athairne', RC, 24 (1903), 270-87, go háirithe 280, §20. Freisin *Celtica* 13 (1980), 14. 276.

[3] *ARÉ*, V, 1744; W. Hennessy, *The Annals of Loch Cé: A Chronicle of Irish Affairs from A.D. 1014 to A.D. 1590*, (*ALC* feasta), I-II, London 1871, II, 430–2.

[4] *ARÉ*, V, 1802-4. Tugann *ALC*, II, 454 cuntas níos iomláine ar an marú.

[5] *ARÉ*, V, 1833.

[6] *Ibid*, VI, 2000.

[7] *Ibid*, VI, 2014.

[8] *Ibid*, VI, 2050.

[9] *Ibid*, VI, 2248-50.

[10] *Ibid*, VI, 2270.

[11] Tá insint níos iomláine ar na heachtraí seo ar fad in *ARÉ* faoi na dátaí atá luaite.

[12] *ARÉ*, V, 1732; *ALC*, II, 436.

[13] Féach C. McGrath, O.F.M., 'Materials for a History of Clann Bhruaideadha', *Éigse: A Journal of Irish Studies*, 4 (1943), 48-66, go háirithe 62.

[14] *Catalogue of Irish Manuscripts in the Royal Irish Academy*, 743.

[15] A. Harrison, *An Chrosántacht*, 102-13.

[16] T. F. O'Rahilly, 'Irish Poets, Historians, and Judges in English Documents, 1558-1615.' *Proceedings of the Royal Irish Academy*, 36, C, Uimh. 6, (1922), 86-120, go háirithe 96.

[17] McGrath, 'Materials for a History of Clann Bhruaideadha', 61.

Go Dublind rissa ratter Ath Clíath

Ainmneacha Gaeilge na Príomhchathrach

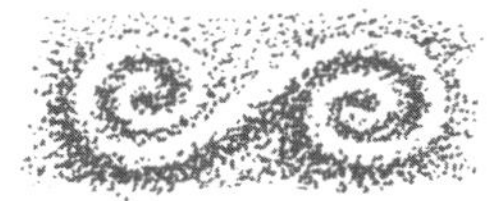

LIAM MAC MATHÚNA

Murab ionann agus formhór mór na mbailte eile sa tír, dhá ainm Gaeilge atá ar phríomhchathair na hÉireann le breis agus míle bliain. Sular tháinig na Lochlannaigh chun na tíre seo den chéad uair sa bhliain 795 A.D., bhí idir *Áth Cliath* agus *Duibhlinn* in úsáid ag na Gaeil chun tagairt d'ionaid dhifriúla a bhí cóngarach do bhéal abhainn na Life. Ba é an t-ainm *Duibhlinn* ba mhó a chuaigh i bhfeidhm ar na heachtrannaigh, áfach, tar éis dóibh cur fúthu sa cheantar sa bhliain 841. Ba é seo leis an t-ainm a ghlac na hAngla-Normannaigh chucu féin ar a seal, gur fhág *Dublin* ag Béarlóirí an lae inniu. Maidir le *Áth Cliath* de, cuireadh *Baile* mar réimír leis an ainm i ré na Nua-Ghaeilge Moiche, sa tslí gurb é *Baile Átha Cliath* an leagan is gnáthaí ag Gaeilgeoirí i gcónaí. Féachann an aiste seo le cuid den fhianaise faoin ngaol idir úsáid an dá ainm sa Ghaeilge anuas go dtí an 19ú haois a bhreithniú.[1]

ÁTH CLIATH: POINTE TAGARTHA

Tugtar faoi deara i dtosach báire go dtagraítear do *Áth Cliath* i rann ársa ginealaigh:

(1) Fut falnasta*r* ni ailed
Ath Cliat*h* cabraid,
cosmail comlaid oir
ua Luirc Labraid.[2]

[An fhaid a rialaigh sé ní iarradh
Áth Cliath cabhair,

ba chosúil le comhla óir
Labhraidh ua Luirc.]

Is faoi chló na Laidine *vadum Clied* a chastar *Áth Cliath* orainn i sampla ó dheireadh an seachtú céad in *Vita Sancti Columbae* Adhamhnáin. Déantar tairngreacht ann i dtaobh scamaill a bhí ar tí báisteach nimhe a fhearadh ar chuid áirithe d'oirthear na hÉireann:

(2) hoc est ab illo rivulo qui dicitur Ailbine usque ad vadum Clied[3]

[is é sin le rá ón sruthán darb ainm Ailbhine go hÁth Cliath]

Ní annamh gur mar phointe tagartha ar aon dul leis an gcás seo a luaitear *Áth Cliath*. Tá sampla eile le fáil sa Ghaeilge féin in ARÉ faoin mbliain 1052:

(3) Creach lá mac Mail na mbó hi Fine Ghall, go ro loisc an tír ó Ath cliath co hAlbene[4]

[Dhein mac Mhaol na mBó creachadh isteach i bhFine Gall, ionas gur loisc sé an tír ó Áth Cliath go hAilbhine.]

Ar an gcuma chéanna, nuair a thagraítear don roinnt a dhein Conn Céadchathach agus Eoghan Mór ar thír na hÉireann, deirtear gur shín an deighilt

(4) ō Āth Chlia*th* anai*r* sia*r* ia*r* nEiscir Riada da*r* certmedōn hĒrenn co Fertais Medraige ri Āth Clia*th* ania*r*thuaid 7 rl.[5]

[ó Áth Cliath anoir siar feadh na hEascrach Riadha trí cheartlár na hÉireann go dtí Feartas Meáraí ar an taobh thiar thuaidh de Áth Cliath srl.]

(5) ō Chnāmchaill co Āth Cliath sair[6]

[ó Chnamhchoill go hÁth Cliath soir]

Is faoin mbliain 770 A.D. a fhaightear an tagairt seo a leanas do *Áth Cliath* in AU:

(6) Coscradh Atha Cliath ria Ciannacht f*or* Hu Teig. Ar mor di Laignibh. Ro bbadhad soch*aidi* di Chiannucht i llan mora oc tinntud.[7]

[Bua ag na Ciannachta ar Uí Téig ag Áth Cliath. Ár mór ar na Laighnigh. Bádh slua de na Ciannachta sa lán mara agus iad ag filleadh.]

Luaitear *Áth Cliath* i roinnt mhaith de na ságaí.

(7) Ro bodrais sind, or si, oc imrádud do maic.
Is cóir a imrādud, ol Rōnán, ar ni fil i nHērinn mac is ḟerr do rēir a athar. Ár is cumma a ét immon fer 7 immon mnaí oc Áth Clíath 7 oc Clár Daire Móir 7 oc Drochiut Charpri amail bid a anim fessin no beth mom dágin-se, corop sám dam ocus duit-siu, a ben, ar Rōnān.[8]

Féadann an t-ainm seasamh d'oirthear na hÉireann i gcoitinne, saghas *pars pro tota*, faoi mar atá le tuiscint ó aistriúchán Béarla Dháithí Uí Uaithne:

'You have us deafened,' said she, 'praising your son.' 'It's right to praise him', said Rónán, 'for there is no son in Ireland who serves his father better than he. He is equally concerned, about men and women, in Dublin or in the south or the west, as concerned on my behalf as though it was his own honour were involved, so that you and I may take our ease, woman.'[9]

In ionad an liosta de thrí logainm thuas, is é rud atá i lámhscríbhinn H 3. 18, Coláiste na Tríonóide, ná

(8) o Áth Cliath co Belach nGabhrain[10]

Ar an gcuma chéanna ba i gcomharsanacht *Áth Cliath* a tharla roinnt mhaith de na heachtraí sa sága *Togail Bruidne Da Derga*. Luaitear an t-ionad go sonrach:

(9) Fan-ácbat a chomaltai occa chluichiu 7 ima-saí a charpat 7 a arai co mbaí oc Áth Clíath.[11]

[D'fhág sé a chomhaltaí ag a n-imirt agus iompaíonn sé a charbad agus a thiománaí go dtí go raibh siad ag Áth Cliath.]

Ba as *Áth Cliath* do sciar de gharda cosanta rí na Teamhrach sa scéal céanna:

(10) It é a n-anmann, trí Luind Life 7 trí hAirt Átha Clíath 7 trí Buidir Búaidneidhi 7 trí Trénḟir Chuilne.[12]

Ó tharla go raibh áiteanna eile sa tír a raibh *Áth Cliath* mar ainm orthu, ní haon iontas é go gcuirtí eilimint shonrach ar leith leis na hainmneacha difriúla go minic, d'fhonn idirdhealú a dhéanamh eatarthu (leithéid *Áth Cliath Meadhraighe* i gContae na Gaillimhe, a bhfuil Droichead an Chláirín inniu air – féach samplaí 4, 11, 12 agus 29). Níorbh fholáir nó gurbh é an *Áth Cliath* ar abhainn na Life an ceann ba mhinice orthu a ndeintí trácht thairis, áfach, mar is amhlaidh a d'fhágtaí an t-ainm lom coitianta, gan aon cháilitheoir breise ag gabháil leis.[13] Os a choinne sin, tá *Áth Cliath Cualann* le fáil i nDinnseanchas Rennes agus *Áth Cliath Duibhlinne* mar mhalairt air:

(11) Slig*e* Mór .i. Eiscir Riada, iside comraind Er*enn* inde .i. o Ath cliath Cual*ann* co hAth clia*th* Med*r*aighe.[14]

[Slí Mhór .i. Eiscir Riadha, is í sin a dheighleann Éire in dhá chuid .i. ó Áth Cliath Cualann go dtí Áth Cliath Meáraí.]

(12) Dia tarla Cond Cetchathach 7 Eogan Taidlech i comflaithis fo Erind iarna roind d'Escer Riada on Ath cliath co chele .i. Ath cliath Meadraidi 7 Ath cliath Duiblindi.[15]

[Nuair a tharla go raibh Conn Céadchathach agus Eoghan Taíleach i gcomhfhlaitheas ar Éirinn tar éis í a roinnt ag an Eiscir Riadha ó Áth Cliath amháin go dtí an ceann eile .i. Áth Cliath Meáraí agus Áth Cliath Duibhlinne.]

Faoi mar a chífear thíos, d'éirigh an leagan *Áth Cliath Duibhlinne* níos coitianta le himeacht aimsire, bíodh is gur dócha gur ar mhaithe lena éifeacht reitriciúil a baineadh úsáid as, seachas mar bheachtú tíreolaíoch.

DUIBHLINN

Faoin mbliain 790 a fhaightear an chéad tagairt do *Duibhlinn* in AU nuair a luaitear duine de na heaglaisigh a cailleadh:

(13) Siadal ab*bas* Duiblinne,

[Siadhal ab Dhuibhlinne][16]

Ach tá tagairt níos luaithe le fáil in ARÉ faoin mbliain 650:

(14) S. Bearaidh, abb Duibhlinne, do écc.[17]

Tá a fhios againn gur nós leis na Lochlannaigh a gcuid long a chur ar snámh ar stráicí éadoimhne uisce, ar *linn*, nuair ab fhéidir sin, agus ní foláir nó gur oir *Duibhlinn*, an linn dhubh gar do bhéal abhainn na Life, go binn dóibh. Tráchtann AU faoin mbliain 841 thar:

(15) Longp*or*t oc Duiblinn

agus faoin mbliain 842:

(16) Geinnti f*or* Duiblinn beos.

[Na págánaigh ar Dhuibhlinn fós.]

Ach ba aon dream amháin iad na strainséirí seo agus an grúpa atá i gceist in iontráil faoin mbliain 845 san fhoinse chéanna:

(17) Dunadh di Gallaibh Atha Cliath oc Cluanaib Andobu*r*.

[Dúnadh de Ghaill Átha Cliath ag Cluainte Annobhair.]

Ar an gcuma chéanna is é *Áth Cliath* a luaitear nuair a thráchtar ar dhíbirt na Lochlannach seo, 902:

> (18) Indarba ngennti a hEre, .i. longport Atha Cliath o Mael Findia m. Flandacain co feraibh Bregh 7 o Cerball m. Muiricain co Laignibh
>
> [Dhíbir Maol Finnia mac Fhlannagáin agus Fir Bhreá agus Cearúll mac Mhuirigeáin agus na Laighnigh na págánaigh as Éirinn, .i. longfort Átha Cliath]

agus ansin ar a bhfilleadh cúig bliana déag níos déanaí, 917:

> (19) Sitriuc h. Imair do tuidecht i nAth Cliath.
>
> [Tháinig Sitric ua Íomhair go hÁth Cliath.]

Ag freagairt do na tagairtí tosaigh thuas do theacht na Lochlannach faightear in ARÉ:

> (20) Céd ghabháil Atha cliath lá Gallaib.[18]
>
> (21) Longport oile ag Duibhlinn[19]
>
> (21) Dubhghoill do techt do Ath cliath[20]

ÁTH CLIATH AGUS DUIBHLINN TAOBH LE TAOBH

Mar sin, cé gur ag déanamh tagartha do dhá áit éagsúla a bhíodh *Áth Cliath* agus *Duibhlinn* i dtosach báire, dhealródh sé gur ghearr gur chuir na Lochlannaigh deis trasnaithe na Life (*Áth Cliath*) faoina smacht chomh maith lena mbunionad lonnaíochta (*Duibhlinn*). Ó shin i leith níl aon idirdhealú ó thaobh suímh de le brath ar úsáid an dá logainm sna foinsí a ceadaíodh. Faoi mar a tharlaíonn sé, *Áth Cliath* is minice a thugtar ar áitreabh na nGall sna foinsí Gaeilge. Cuirim i gcás an dán a cumadh in onóir d'Amhlaoibh Conung (*Óláfr Kunungr*), rí in Áth Cliath idir 857 agus 871, dar le Brian Ó Cuív,[21] mar a bhfuil tagairt chliathánach do *Áth Cliath*, chomh maith le lua sonrach ar *Duibhlinn*, le fáil:

(23) Amlaib airchingid
atha airtheraig
Erenn iathaige,
dagri Duiblinne
dene duthaige
trene triathaige.[22]

[Amhlaoibh príomhchuradh Átha oirthearaigh Éire na bhfearann, dea-rí Dhuibhlinne, dian (ar thóir) dúiche láidir uasal (a bheith aige).]

Is mar cheann de thrí phríomhionad ríochta na hÉireann, ar aonchéim tábhachta le Teamhair na nGael págánach (fócas na hardríochta) agus Caiseal na nGael Críostaí (fócas ríthe na Mumhan) a áirítear Áth Cliath (áitreabh na nGall) i rann eile:

(24) Trí lem*end* ra liṅg Gorml*aith*
ni liṅgfea ben co bráth.
léim i nAth Cl*iath*. leim i Temraig
leim i Cassel carnmaig ós chach.[23]

[Trí léim a léim Gormlaith, ní léimfidh bean (eile) go brách; léim in Áth Cliath, léim i dTeamhair, léim i gCaiseal, carnmhachaire os cionn cách.]

Is suaithinseach gur geall le pointí tagartha an liostáil seo ar chuid de phríomhionaid ríoga na tíre anallód.

Cé nach luaitear *Duibhlinn / Áth Cliath* ag deireadh Leagan I ná ag deireadh Leagan Stowe de *Táin Bó Cúailnge*, déantar tagairt dó – faoin dá ainm – i Leagan II in LL:

(25) Ra chuir a chliathaig uad go Dublind rissa ratter
Ath Clíath.[24]

[Chaith sé uaidh a chliathach chomh fada le Duibhlinn a nglaoitear Áth Cliath air.]

Tugtar faoi deara, áfach, go luaitear Cú Chulainn le *Áth Cliath* i leagan Stowe, mar a ndeir Fer Diad:

(26) Dar mo sgiath
da marbhar Cú Atha Cliath,

saithfidh me mo cloidemh caol
trem croidhi trem taobh trem chliabh.[25]

[Dar mo sciath
dá maróinn Cú Átha Cliath,
sáfaidh mé mo chlaíomh caol
trí mo chroí trí mo thaobh trí mo chliabh.]

Ach is cuma nó mír amháin i liostáil eile atá i gceist anseo, i bhfianaise na dtagairtí a leanann í sa tsraith chéanna rannta:

(27) Cu Glinne Bolg (líne 2706), Cú Glinne in Sgail (líne 2710), Cú Atha Cró (líne 2714)

Cé gur áiríodh bóthar go *Duibhlinn* ar thrí cinn de bhealaí móra na tíre anallód, d'oir *Áth Cliath* mar bheachtú air:

(28) Trí belaige Hérenn: Belach Conglais, Belach Luimnig, Belach Duiblinne .i. Átha Clíath[26]

Le himeacht aimsire is minice a nasctar an dá ainm, *Áth Cliath* agus *Duibhlinn*, le chéile. Faightear *Áth Cliath* mar cháilitheoir ar *Duibhlinn* ó thráth go chéile, cuirim i gcás in *Cogad Gaedel re Gallaib*:

(29) Tancatar iar sain cóic loṅga ⁊ tri fichit co Dublind Atha Cli*ath*.[27]

Ach ba ghnáthaí gur san ord eile a chuirtí an dá ainm as a chéile, faoi mar a chífear thíos. Nó, féadtar an dá cheann a lua:

(30) Rumoldus, epscop Duibhlinne, da ngoirther Ath Cliath.[28]

Uaireanta eile, cé nach mbeadh lua sonrach ach ar ainm amháin, féadann an comhthéacs a léiriú go cinnte go raibh eolas ar an ainm eile:

(31) Et ipse sanctus Garbanus prope ciuitatem Ath Cliath habitabat, que est in aquilonali Laginensium plaga, super fretum maris possita. Et illud scotice dicitur [Duibh Linn], quod sonat latine nigra terma; et ipsa ciuitas 'potens' et belligera est, in qua semper habitant viri asperrimi in preliis, et peritissimi in classibus.[29]

[Agus bhíodh cónaí ar Gharbhán naofa féin in aice le cathair Átha Cliath, atá i gceantar thuaidh na Laighneach, suite ar inbhear mara. Agus an rud a thugtar air sa Ghaeilge [Duibh Linn], ciallaíonn sé linn dhubh sa Laidin; agus is cathair 'thréan' throdach í, a gcónaíonn ann de shíor fir atá an-gharbh i gcathanna, agus an-oilte i gcabhlaigh.]

I ndánta de chuid an dinnseanchais faightear ceangal uaime idir dhuine de thaoisigh na nGall agus *Áth Cliath*:

(32) Amlaib Atha Cliath cétaig
ro gab rigi i mBeind Étair[30]

[Amhlaoibh Átha Cliath na gcéadta
a ghabh flaitheas i mBinn Éadair]

chomh maith le tagairt don dá áit a roinn an tír ina dhá leath:

(33) o Áth Chliath i nHerut uill.
cosin nÁth Cl*iath* i Cualaind.[31]

[ó Áth Cliath in Airiú fairsing
go dtí an tÁth Cliath i gCualainn.]

Mínítear bunús *Duibhlinn* i bhfoirm phróis:

(34) Un*de* Dublind[32]

agus arís i bhfoirm véarsaíochta.[33]

I dtaobh *Áth Cliath*, tarraingítear a sheanchas anuas ar an tslí seo a leanas:

(35) Ath Clíath fégaid lib colléic.
a thuir imthéit Gaedel gnath.
cia laech cia laiches rod mbrat
dorat a ainm forsin n-áth.[34]

[Féachaigí romhaibh Áth Cliath tamall.
A thúir, a chosnaíodh an Gael de ghnáth,
cén laoch, cén laoch mná a scrios thú,
a thug a (h)ainm ar an áth?]

Is follas, áfach, ó na ceisteanna a éilíonn faisnéis sa dán seo go raibh idir chliatha agus linn ar aigne an fhile:

(36) Cia sáer ro fích in cleith.
inna meit dosfuc sin n-ath
cade in chlíath is ingnad lind.
meraid *in* lind co tí bráth[35]

[Cén saor a d'fhigh an chliath?
Dá mhéad í, chuir sé í san áth.
Cad í an chliath is ionadh linn?
Mairfidh sí sa linn go dtiocfaidh an breithiúnas.]

Faightear *Áth Cliath* agus *Duibhlinn* taobh le taobh i bhfilíocht na scol. Cuirim i gcás, luaitear 'Turcuill, Íomhair, agus Amhláoimh' i ndán dar tús *Ceannaigh duain t'athar, a Aonghas* a chuireann an t-eagarthóir, Osborn Bergin, síos do *c.* 1250 A.D., luaitear iad mar:

(37) damhradh Átha coillghil Clíath.[36]

Trí chéad caoga éigin bliain níos déanaí samhlaítear comharba leis an taoiseach céanna, Sémas Mac Aonghuis, samhlaítear é le háiteanna difriúla in Éirinn. Orthu seo tá *Duibhlinn*:

(38) a eó Duibhlinni[37]

Maíonn Seithfín Mór i ndán ón 15ú céad go dtriallfaidh a laoch, an Calbhach, chomh fada le príomhláthair na nGall:

(39) co hÁth Cliath, ní cúairt can chennseal,
do-sía cúairt ón Chalbhach.[38]

Féach leis na tagairtí ag Eoghan Ruadh Mac an Bhaird, sa dán dar tús *Dána an turas trialltar sonn*, a cumadh *c.* 1603:

(40) Atáid re a ucht a n-Áth Clíath[39]

(41) cath Duibhlinne[40]

chomh maith le:

(42) i nÁth Clíath a ccomhdhálaibh[41]

Tá éagsúlacht go leor le tabhairt faoi deara in *Leabhar Branach*, mar a ndéantar cur síos ar an íde choscrach a imríodh ar chuid de thaoisigh na nGael in *Áth Cliath*:

(43) mo sciath a ttráth a t*h*urb*h*uidh
a nÁth Cliath 'na cheathrumhnaibh.[42]

(44) A cholann do-chím gan cheann,
sibh d'fhaiscin do shearg mo bhríogh
rannta ar sparraibh a nÁth Cliath;
d'éigsi Banbha bhias a dhíoth.[43]

(45) Ceathra boill brisde na ruag
do-*chon*narc uaim a nÁth Cliath[44]

Is sa díolaim chéanna a fhaightear comhfhoirm shuaithinseach den dá logainm atá faoi chaibidil san alt seo:

(46) im D*h*uibhlinn Cliach mbraonuigh mbinn[45]

Chomh maith leis an bhfoirm seo, faightear *Baile Átha Cliath* mar mhalairt ar *Áth Cliath* sa scéal taitneamhach crosántachta faoin gceannaí neamhthuisceanach ón bPáil a d'fhéach le dán athláimhe a dhíol i Sligeach:

(47) Agus is saobh an siobhal do-rinne ceannuighe críonna do c*h*eannuighthibh Bhaile Átha Cliath ar ndul go Sligeach d*h*ó d'iarraidh fiach do bhí aige ar Ó gConchubhair Sligigh ... táinig go hÁth Cliath tar ais.[46]

Ar ndóigh, is prós atá i gceist le sampla 47. Tá éagsúlacht leaganacha le fáil in *Poems on the Butlers* leis:

(48) O Chuan Iorruis na sreabh sithe
go Baile Cliath chatha Gall[47]

(49) Níl meadh d'Éamonn ó Bhinn Éadair
go rinn Bhéarra bhóchnamhuil,
ná ó Dhuibhlinn d'f*h*ior a innmhe
go Linn Luimnigh leórthairnigh.[48]

Is é an scéal céanna ó thaobh na héagsúlachta é sa díolaim, *Poems on the O'Reillys*:

> (50) Mac Con O Cleirigh cc in uair do bhí sé a láimh a ccaislén in ríogh a mBaile Átha Clíath.[49]

> (51) Nó as tu an deidgheal o Dhuibhlinn[50]

> (52) A ghrain do ghabh gu Duibhlinn[51]

> (53) dha bhreac lúidh láir na linne
> a láimh a nDúin Dhuibhlinne.[52]

Tharlódh gurbh é an uaim faoi dear cuid den rath a bhí ar an gceangal idir *dún* agus *Duibhlinn*, mar baineadh feidhm as an bhfrása roimhe sin leis:

> (54) Secht ṁbliadna doib ni feidm fand
> i n-ardrigi na Herend
> i nn-abdaini cacha cilli
> do geintib duin Dublinni[53]

BAILE ÁTHA CLIATH

Is faoin mbliain 1368 a thagtar ar *Baile* mar réimír le *Áth Cliath* den chéad uair in AU, i dtreo is gurb é *Átha* foirm an tuisil ghinidigh de *Áth* a thagann i gceist ina dhiaidh:

> (55) o baile Atha-cliath co baile Atha-Luain.[54]

Is é an leagan *Áth Cliath* is coitianta ar fad in *Annála Connacht*. Is faoin mbliain 1464 a chastar ar an léitheoir an t-aon sampla amháin de *Áth Cliath Duibhlinne* atá sna hAnnála seo:

> (56) do dul co hAth Cliath Dublinne[55]

Faoin mbliain 1513 a fhaightear *Baile Átha Cliath* den chéad uair san fhoinse chéanna:

> (57) et a adhnocal a Tempall Crist a mBaile Atha Cliath[56]

Ach le himeacht aimsire baineadh earraíocht as an leagan nua i gcás an Ardeaspaig, fiú amháin (1534):

(58) et Airdespoc Baile Atha Cli*ath* do marb*ad* aran coc*ad*-sin[57]

Tá sé le fáil arís ceithre bliana níos déanaí:

(59) et an Bachall Isu do bi a mBaile Atha Cli*ath*[58]

Go deimhin, níl de thagairtí d'ainm na príomhchathrach sa 16ú céad ach *Baile Átha Cliath*, is é sin samplaí 57-9. *Áth Cliath* a bhí i gceist in *Annála Connacht* go dtí sin, fág as sampla 56.

Is é *Baile Átha Cliath* an leagan ba choitianta ag lucht labhartha na Gaeilge ag deireadh an 16ú céad, de réir fhianaise Richard Stanihurst agus ainmneacha éagsúla a bhaile dhúchais á gcur trí chéile go ceanúil aige:

(60) Dublin, the beautie and eye of Irelande, hath beene named by *Ptolomie*, in auncient time, Eblana. Some terme it Dublina, others Dublinia, many write it Dublinum, auctours of better skill name it Dublinium. The Irish call it Ballee er Cleagh, that is, a towne planted vpon hurdelles ... there arriued in Ireland three noble Easterlings that were brethren, *Auellanus*, *Sitaracus*, and *Yuorus*. *Auellanus* beyng the eldest brother, builded Dublin, *Sitaracus* Waterforde, and *Yourus* Limmerick ... This Citie ... is commonly called the Irishe or yong London. The seate of this citie is of all sides pleasant, comfortable, and wholsome. If you would trauerse hils, they are not farre of. If champion ground, it lyeth of all partes; if you be delited with freshwater, the famous riuer called the Liffie ... runneth fast by. If you wil take the view of the sea, it is at hande.[59]

Díol suime ann féin is ea an fhorbairt a tháinig ar *Duibhlinn* nuair a glacadh isteach sa Bhéarla é. Ar feadh na gcéadta bliain *Divelin* a bhí mar ainm Béarla ar an gcathair, cuirim i gcás:

(61) the Citizens of Divelin[60]

Maíonn P. W. Joyce:

(62) *Duibh-linn* is sounded *Duvlin* or *Divlin*, and it was undoubtedly so pronounced down to a comparatively recent period by speakers of both English and Irish; for in old English writings, as well as on Danish coins, we find the name written *Divlin*, *Dyflin*, &c., and even yet the Welsh call it *Dulin*. The present name has been formed by the restoration of the aspired *b*.[61]

Suimiúil go leor, is é an leagan *Baile Átha Cliath* is mó a tharraing clódóirí chucu féin ar chlúdaigh agus ar leathanaigh theidil a gcuid foilseachán. Sin mar a bhí i gcás an chéad saothair riamh a cuireadh i gcló sa chathair, an dán le Pilib Bocht Ó hUiginn dar tús *Tuar ferge foighide dhe*:

(63) [Atá so ar na chur a bprionnda, lé maighisdir Seon uisér a mbailé athá clíath ós cionn an droichid] 1571[62]

Is mar seo a bhí ar an gcéad leabhar:

(64) Do buaileadh so á gcló ghaoidheilge, a mbaile Atha clíath, ar chosdas mhaighisdir Sheón uiser aldarman, ós chionn an dhroichid, an 20.lá do Iuín.1571. Maille lé prímhgiléid na mór ríoghna. 1571.[63]

Tugtar faoi deara, áfach, gurbh í an fhoirm bhunaidh *Áth Cliath* a tharraing údair ARÉ chucu féin agus cur síos á dhéanamh acu ar phléasc a tharla i Sráid an Fhíona (Winetavern Street) sa chathair sa bhliain 1597. Tagairt luath d'ainm sráide sa Ghaeilge atá anseo, ar ndóigh:

(65) Ceithre bhairille, 7 secht ffichit bairille púdair do thecht on mbainrioghain go hath cliath hi mí márta do shaighidh a muinntire. Iar ccor an phúdair hi ttír ro tairrngeadh é co sráid an fhíona

> co mbaoí uile in aen ionadh ar gach taebh don tsraid, 7 do dheachaidh aoibhel teineadh isin bpúdar ... 7 cumhdaighthe croinn na sráitte da ffothaibh fulaing ... ós ceand an bhaile ... don chathraigh ... Nír bo hí an tsráid sin amhain ro diothaiccheadh don cur sin, acht an cheathraimhe fa neasa di don chathraigh chedna.[64]

PÁTRÚIN ÚSÁIDE

Is sa 17ú céad a chastar an leagan *Baile Átha Cliath* ar léitheoirí san fhilíocht, cuirim i gcás:

(66) Do bhris sé brú an Mhúraigh bhréagaigh,
Baile Átha Cliath do iadh an tréinfhear.
Leis do sgiúrsadh an chúnntae chéadna
's an Mhidhe mhealltach Ghallda Ghaolach.[65]

Ach *Duibhlinn* a fhaightear i ndán eile sa chnuasach céanna:

(67) 's ón lá briseadh i nDuibhlinn a dtréine
's do bhádar 'na sodar ó Life go Léithghlinn,
ní raibh mo shúil i rún le Gaeulaibh.[66]

Áth Cliath is coitianta i ndánta Dháibhidh Uí Bhruadair, cé go bhfuil *Duibhlinn* le fáil iontu leis, féach na samplaí seo thíos (68-71) a baineadh as dán amháin dá chuid, mar atá, an ceann dar tús *Mairg cine do chaill Eoghan*:

(68) Oidheadh Eoghain i n-Áth Cliath[67]

(69) éag dósan fá theorannaibh Átha Cliath.[68]

Baintear feidhm as tagairt fhileata indíreach don áth seo, á lua le Amhlaoibh éigin (féach na sleachta 22 agus 33 leis):

(70) i n-áth Amhlaoibh ardleasaigh[69]

(71) San mbliadhain roimh ocht is ocht
teastaigh an t-uasal éadtrocht
    i ndáil ós Duibhlinn Life
    láimh re duinchill díslighthe.[70]

Tá amhras ar an eagarthóir gurbh é Dáibhidh Ua Bruadair a chum an dán a bhfuil an tagairt seo a leanas do *Baile Átha Cliath* le léamh ann:

(72) i mBaile Átha Cliat[h] gan rian na luighe san bhfeart.[71]

Maireann *Áth Cliath* go láidir i bhfoinsí na haoise dár gcionn. Mar shampla, faightear na solaoidí seo a leanas i bhfilíocht a chum Seán na Ráithíneach as Carraig na bhFear, Co. Chorcaí:

(73) idir Bhéarra is Muigh Eala agus tarsna go hÁth Cliath síos[72]

(74) ó dligheadh dhuitse an mhíorbhurra i nÁtha Cliath[73]

Tagann *Baile Átha Cliath* i gceist go rialta leis, bíodh sé i nóta teidil ar nós:

(75) An tan tug Eoghan Mac Suibhne leabhar urnaighthe ó Bhaile Átha Cliath chugham saor[74]

nó san fhilíocht féin:

(76) ó bhronnais dam leabhar, 's a thabhairt ó Bhaile Áth Cliath chugham.[75]

(77) is fáilte agus míle dho aníos ó Bhaile Átha Cliath[76]

Faightear *Baile Átha Cliath* agus *Áth Cliath* araon sna téacsanna próis agus i nótaí pearsanta na scríobhaithe, cuirim i gcás an dá shampla seo a leanas:

(78) i. ⁊ sg*r*iobhthar anso i maill friomsa, Aodh ó Dal*aigh*, an taon*madh* lá fiothchad do mi Ienar*edh* an*no* Dom. 1725 a *m*Baille Atha Cliath.[77]

(79) Sosdui*m* a ttigh Phatt*r*ic úi M*ur*ch*adha* aníu an seag*ht* lá 20 do mhi Octob*ur* 1727 laimh re Cúan Bhinet*eir* mhic Seinlaoi, ⁊ aig Rinn na Céibhe a ccath*ar* Atha Clíath. E. ó Dal*aigh*.[78]

Tugtar faoi deara go bhfuil idir *Áth(a) Cliath* agus *Baile Átha Cliath* le fáil sa téacs dar teideal *A Genealogical History of the O'Reillys* a bhreac Eóghan Ó Raghallaigh san 18ú céad agus a bhfuil cuid de shaothar a scríobh an Dochtúir Tomas Mc Siomuinn roimhe cuimsithe ann:

(80) (do basaig*head*h in Atha Clíath ...) ... i nAth Clíath[79]

(81) Maiseadh is éuchtach an gníomh do rinne, an uair rug ocht mbratacha .xxt. marcshluaigh go Bothar na cCloch ag doras Bhaile Atha Cliath. go mbéigín don Ghiúisdís Conn Bacach Ó Néill do chur chuige as a ghéibhnios.[80]

(82) 7 rugadh ceangailte go hÁth Cliath é[81]

(83) ó gheata Cheanandais go geata Bhaile Atha Cliath.[82]

Díol suime is ea an t-ainm sráide Gaeilge *Bóthar na gCloch* ar *Stoneybatter* i sliocht (81).

Seo tuilleadh samplaí den éagsúlacht a chleacht na scríobhaithe a bhí i mbun pinn sa chathair san 18ú céad:

(84) Agso leabhar Bhriain Mhéic Dhomhnaill ar na sgríobhadh le Tadhg Ua Duinnín, le deifir agas le drochghléas, a mBaile Átha Cliath annsa bhliaghuin daois an Tighearna 1705.[83]

(85) Ar tteacht Chathail Oig Ui Chonchubhair Dhuinn mar aon re na dhearbhrathair go hAthclíath dfoghluim adhluighean scolardha na Mat[h]ematics san bliadhuin 1727 d'failte Tadhg Ua Neachtuin roimhe mar so.[84]

(86) Gen. Paidric Phleamonn inn Ath Cliath do réir Cathail Ui Loinín.[85]

(87) Ar na scríobhadh as sean leabhar mhamrom san bhliadhuin 1723 Aug. 17 le Tadhg mhac Seaain Ui Neachtuin an Áth Clíath.[86]

Ba é *Áth Cliath*, más ea, a thugadh Tadhg Ó Neachtain ar a chathair dhúchais de ghnáth. Leagan an ghinidigh atá le fáil coitianta sa saothar tíreolaíochta a scríobh sé, *Eólas ar an Domhan* (c. 1721 a mhaítear ar an leathanach teidil, ach féach lua ar 1723 ar lch 11):

(88) Contae Atha Clíath
Atha Clíath[87]

(89) bu Cotoilicibh dílis íad go beith do Sheorsa Brún (a Lunduin) re hordughadh na Saxon 'na áird-easbog a nAtha Clíath[88]

(90) fuaireadair ón bPapa ceathra phailia, a haon do Atha Cliath, a haon do Thuaim, a haon do Chaisiol, ⁊ a háon do Ard Mhacha ...[89]

(91) Ca líon colaistidh a nEirinn?

A haon a nAtha Cliath, do-roinne do Mhainistir na Naomh, re ordughadh Bhainrighan Isebeala, ⁊ goirthear anois Colaiste na Trionóide dhi.[90]

Féach leis an sliocht seo a leanas as an marbhna a chum Tadhg ar bhás a athar, Seán:

(92) Och, a Áth na gCliath, cé cliarach taoi do cheall,
cá bard díobh fial ag riaradh Gaoidhilge fann?[91]

Castar an frása céanna ar an léitheoir sa dán cáiliúil a chum Tadhg ar aos léinn na príomhchathrach:

(93) Áth na Gcliath[92]

(94) Sloinfead scothadh na Gaoidhilge grinn
dá raibhe rém rae i Nduibhlinn[93]

Ar an gcuma chéanna faightear *Áth Cliath* i dtuairisc níos déanaí ó Thadhg Ó Neachtain:

(95) 1742. In Ath Clíath san tSraid Ard do leagadh toigh chum a aththogbail ⁊ bhus do admad ba déantadh, do tosaidh san bhlíadhuin 1411 ionas

go raibh na sheasamh 331 bliadhuin gusan am far leagadh é, a laimh re teampol San Micael ata an teagh ceadna greamuidh dhe.[94]

Ní miste sampla a bhí ag a athair, Seán, sa dán dar teideal 'Cath Bearna Chroise Brighde' a thabhairt anseo leis:

(96) ... ag Bearn[a] Croise Brighide os cionn Tabhlachtadh a gContae Atha Cliath.[95]

Duibhlinn a úsáideann Máire Ní Reachtagáin, bean Thaidhg Uí Neachtain sa dán dar tús:

(97) Failteadh romhat go Duibhlinn daoineach[96]

Seo an áit a dtugann sí *cathair an Bhearladh bhinn* air leis. Is sa dán céanna a fhaightear an comhleagan suaithinseach den dá ainm atá faoi chaibidil sa staidéar seo, gan aon fhoirm ar leith den tuiseal ginideach ag *Duibhlinn*:

(98) go hÁth ionmhuin Duibhlinn daoineach[97]

Macalla de (97) atá le fáil ag Seán Ó Baotháin i ndán ón tréimhse chéanna:

(99) Dia do bheathadh go daoineach Duibhlinn[98]

Tá anáil liteartha le brath ar úsáid dhá ainm na cathrach sa sliocht inspéise a bhreac an tArdeaspag Seán Mac an tSaoir ar lámhscríbhinní a óige nuair a dhein Ardeaspag de, cuirim i gcás:

(100) An leabhar Urnaighthe so, no scríobhadh an aois a óige le Seaan MacantSaor, atá anois na Ardepscop Athacliath, Dubhlinne, et Priomhaidh Ereann; agas ro coisreagadh don tSuídh sin an treas lá don mhí mheodhain Shamhradh, Domhnach Cincighese, MDCCLXX.[99]

Tá a fhios againn gur chuir an Dr Mac an tSaoir an leagan Gaeilge de na paidreacha in *Ordo administrandi sacramenta* ... (1776) faoi bhráid a charad, an scoláire iomráiteach Charles O'Conor, sular foilsíodh iad. Is suimiúil a thabhairt faoi deara, más ea, gurbh é an leagan liteartha céanna d'ainm na príomhchathrach atá le fáil aigesean:

(101) In Áth Cliath Duibhlinne dham aniú Dia Sathairn
Iul .xi. 1778 ...[100]

Leagan neamhchoitianta de *Baile Átha Cliath* a úsáideann an file as Contae an Chláir, Tomás Ó Míocháin:

(102) ... i mórdháil na hÉireann i mBéal Átha Cliath[101]

Tá cosúlacht go leor idir seo agus an leagan lámhscríbhinne atá laistiar den sliocht seo a leanas ó lár an 19ú haois:

(103) Do chum Seaghan O Dála,
i mBaile Átha Cliath[102]

Nascadh idir *Baile Átha Cliath* agus *Duibhlinn* a fhaightear ar chlúdaigh dhá shaothar a foilsíodh sa 19ú haois:

(104) CRIOCH DEIGHEANACH
DON DUINE
DAN DIADHA
A mbaile Atha-cliath Duibhlinne, san bhliadhain
d'aois ar Ttighearna

1818[103]

(105) Duanaire
na nuadh-ghaedhilge
e.d. Mc cliabhair [eag.]
An dara clódh
Air n-a chur i g-clódh le Dollard,
I sráid na Bainríoghna Muire
i m-Bl'áth'cliath-Duibhlinne.
1888

Leaganacha neamhchaighdeánacha de *Baile Átha Cliath* a fheictear sa dá shampla seo thíos:

(106) AN
TEAGASG CRIOSDUIGH
Clodh-buailté a m-baile-a-cliath,
re M. GOODWIN & Co.
29, Denmark-street,

——

1837

(107) 17 Sráid Carlisle, B. C. Deiscirt, Baile-Ath-Cliath[104]

Is inspéise an iarracht ar ghiorrúchán ar *Baile Átha Cliath* a roghnaíodh i gcás eile:

(108) 17 Sraid Charlisle, B. A. Cliath.[105]

Gnáthleagan na clódóireachta a tharraing an tArdeaspag Seághan Mac Hale chuige féin, áfach:

(109) Torus na Croiche
Aístríghthe
le
Seaghan Mac Hale
Ardeasbog Thuama
A m-Baile Atha-cliath;
Clobhuailte le Seamus O Duibhthe,
7, Caladh Ualainghtin,
1855

Is é is dóichí gurbh é an clódóir faoi dear na gnéithe neamhchoitianta atá le feiceáil in

(110) A m-bháile Atha-clíath

faoi mar a clóbhuaileadh an t-ionad foilsithe ar leathanach teidil *AN T'ÍLIAD, An Chéad Leabhar* (1846) leis an údar céanna.

CONCLÚID

Léiríonn na foinsí éagsúla a ceadaíodh sa staidéar seo a dhaingne a bhí an dá logainm *Áth Cliath* agus *Duibhlinn* fréamhaithe sa traidisiún dúchais i bhfad siar. B'fhíor é seo go háirithe i gcás *Áth Cliath*, ainm a thagadh i gceist go minic, bíodh lua á dhéanamh ar dhá thaobh na hÉireann (thoir – thiar), ar an bhfearann oirthearach a shín ón Life go dtí an Ailbhine, nó ar cheann de phríomhionaid ríoga na hÉireann. Suíomh eaglasta a bhí ag *Duibhlinn* i dtosach báire. Dealraíonn sé gur ann a bhí croílár an chéad áitribh ag na Gaill. Is é seo an t-ainm ba mhinice úsáid acu féin, gur fhág *Dublin* i mBéarla an lae inniu againn. I gcás na nGael agus na Gaeilge, éiríodh as aon éagsúlacht tagartha a dhein idirdhealú idir *Áth Cliath* agus *Duibhlinn* faoi lár an 9ú céad. Bhíodh *Áth Cliath* agus *Duibhlinn* ag déanamh uainíochta ar a chéile de réir mar a d'oir do na filí, pé acu a bhí siad faoi anáil na huaime is na meadarachta, nó nach raibh. Ba rímhinic a bhaintí úsáid as logainm nua comhdhéanta den dá logainm aonair – *Áth Cliath Duibhlinne* go háirithe. Tá an tábhacht mhór a bhain leis an ionad lonnaíochta a bhí i gceist le *Áth Cliath* is le *Duibhlinn* le tuiscint ó iomadúlacht na dtagairtí dóibh, ní amháin i dtuairiscí na n-annála, ach sna ságaí dúchasacha, sa dinnseanchas agus i bhfilíocht na scol. Ón 14ú céad ar aghaidh bhíodh *Baile Átha Cliath* in úsáid taobh le taobh le *Áth Cliath*, go háirithe mar ionad foilsithe saothar clóbhuailte. Faoi mar a chonacthas thuas, is iomaí claochló a d'imigh ar litriú na n-eilimintí *Baile* agus *Áth* san 18ú céad agus sa 19ú céad. Go deimhin, leanadh den phróiseas athraithe faoi mar is léir ar

(111) Ba dheacair an fhírinne sin a chur ina luí ar mhuintir B*h*'l'áth Cliath.[106]

Agus d'airigh an t-údar

(112) baile Bhleá Cliath (.i. baile Bhaile Átha Cliath)

i mbéal seanmhná i nGaeltacht Chorca Dhuibhne, agus é i dteannta an Ollaimh Breandán Ó Madagáin ag tús na seachtóidí – *Dublin rissa ratter baile Bhleá Cliath*, más ea.

1 Pléitear comhdhéanamh fisiciúil na cathrach in H. B. Clarke, 'The Topographical Development of Early Medieval Dublin', *Journal of the Royal Society of Antiquaries of Ireland* 107 (1977), 29-51.

2 M. A. O'Brien, eag., *Corpus Genealogiarum Hiberniae*, I, Dublin 1976, 3.

3 A. Orr Anderson agus Marjorie Ogilvie Anderson, eag., *Adomnan's Life of Columba*, London 1961, 332. Idir na blianta 688 agus 692 a cumadh formhór an téacs seo dar leis na heagarthóirí, 5.

4 *ARÉ*, *s.a.* 1052.

5 O'Brien, *Corpus Genealogiarum*, 206.

6 *Ibid.*, 207.

7 *AU*, *s.a.* 770.

8 D. Greene, eag., *Fingal Rónáin and Other Stories*, Dublin 1975, ll. 107-12.

9 D. Greene, 'Fingal Rónáin', in M. Dillon, eag., *Irish Sagas*, Cork 1968, 165. Is dóigh leis an eagarthóir gur go luath sa 10ú céad a cumadh an téacs, *Fingal Rónáin and Other Stories*, 2.

10 Greene, *Fingal Rónáin and Other Stories*, 6, fonóta 2.

11 Eleanor Knott, eag., *Togail Bruidne Da Derga*, Dublin 1963, §13. Tá an leagan Nua-Ghaeilge bunaithe ar na foirmeacha *fanacbasa* agus *cluichiu* i Leabhar Buí Leacáin.

12 *Ibid.*, §104.

13 Féach na samplaí in E. Hogan, *Onomasticon Goedelicum*, Dublin 1910, 55-6.

14 *RC* 15 (1894), 455.

15 *RC* 16 (1895), 136-7.

16 *AU*, *s.a.* 790.

17 *ARÉ*, *s.a.* 650.

18 *Ibid.*, *s.a.* 836.

19 *Ibid.*, *s.a.* 840.

20 *Ibid.*, *s.a.* 849.

21 'Personal Names as an Indicator of Relations between Native Irish and Settlers in the Viking Period', in J. Bradley, eag., *Settlement and Society in Medieval Ireland*, Kilkenny 1988, 79-88; 87-8.

22 K. Meyer, eag., *Bruchstücke der älteren Lyrik Irlands*, I, Berlin 1919, 13.

23 Anne O'Sullivan, eag., *The Book of Leinster*,VI, Dublin 1983, ll. 44262-5.

24 R. I. Best agus M. A. O'Brien, eag., *The Book of Leinster*, II, Dublin 1956, ll. 12403-4.

25 Cecile O'Rahilly, eag., *The Stowe Version of Táin Bó Cuailnge*, Dublin 1961, ll. 2701-4.

26 K. Meyer, *The Triads of Ireland*, Todd Lecture Series 13, Dublin 1906, 6, tré uimhir 50. Tugtar faoi deara an tagairt do *Áth Cliath* i dtré uimhir 48 ar an leathanach céanna: *Trí hátha Hérenn: Áth Clíath, Áth Lúain, Áth Caille.*

27 R. I. Best agus M. A. O'Brien, eag., *The Book of Leinster*, V, Dublin 1967, l. 39400.

28 J. O'Donovan, J. H. Todd, agus W. Reeves, eag., *The Martyrology of Donegal*, Dublin 1864, 184.

29 C. Plummer, eag., *Vita Sancti Coemgeni* in *Vitae Sanctorum Hiberniae*, I, Oxford 1910, 249, § 29.

30 R. I. Best agus M. A. O'Brien, eag., *The Book of Leinster*, III, Dublin 1957, ll. 21409-10.

31 Best agus O'Brien, *The Book of Leinster*, IV, ll. 25887-8.

32 Best agus O'Brien, *The Book of Leinster*, III, l. 21151.

33 Best agus O'Brien, *The Book of Leinster*, IV, ll. 26100-24.

34 *Ibid.*, ll. 26366-9.

35 *Ibid.*, ll. 26382-5.

36 O. Bergin, *Irish Bardic Poetry*, Dublin 1970, dán 45: 28d.

37 *Ibid.*, dán 43: 31b.

38 *Ibid.*, dán 40: ll. 29-30.

39 *Ibid.*, dán 2: 5a.

40 *Ibid.*, dán 2: 13b.

41 *Ibid.*, dán 2: 20b.

42 S. Mac Airt, eag., *Leabhar Branach. The Book of the O'Byrnes*, Dublin 1944, ll. 3976-7; Domhnall Mac Eochadha a chum.

43 *Ibid.*, ll. 4022-5; Aonghas Ó Dálaigh a chum.

44 *Ibid.*, ll. 4046-7; Aonghas Ó Dálaigh a chum.

45 *Ibid.*, l. 4928; Cúchonnacht Ó Dálaigh a chum. Pléann an t-eagarthóir an fhoirm seo ar lch 388, á rá:

> *Dhuibhlinn Cliach*: unidentified. Probably emend to *Duibhlinn Cliath* (*cf.* the spelling *an Trach Mhór* for *an tSrath Mhór*, art. I, Appendix B), a poetical hybrid of *Duibhlinn* and *Áth Cliath*, 'Dublin'.

46 *Ibid.*, 215; Domhnall Carrach Mac Eochaidh a chum.

47 J. Carney, eag., *Poems on the Butlers of Ormond, Cahir, and Dunboyne (A.D. 1400-1650)*, Dublin 1945, ll. 1319-20. Ach tugtar léamh na lámhscríbhinne faoi deara: *co Baile Atha Cliath*.

48 *Ibid.* ll. 2249-52.

49 J. Carney, eag., *Poems on the O'Reillys*, Dublin 1950, 14; ceannteideal a ghabhann le dán IV, dar tús *Cionnus do mholfuinn mac ríogh*.

50 *Ibid.*, l. 2297; Fearghal Óg mac Fearghail a chum.

51 *Ibid.*, l. 2489.

52 *Ibid.*, ll. 2763-4.

53 Best agus O'Brien, *The Book of Leinster*, V, ll. 39373-6, *Cogad Gaedel re Gallaib*.

54 B. Mac Carthy, eag., *Annala Uladh. Annals of Ulster*, II, Dublin 1893, *s. a.* 1368.

55 A. M. Freeman, eag., *Annála Connacht. The Annals of Connacht (A.D. 1224-1544)*, Dublin 1970, *s.a.* 1464.24.

56 *Ibid.*, s.a. 1513.8.

57 *Ibid.*, s.a. 1534.6.

58 *Ibid.*, s.a. 1538.6.

59 L. Miller agus Eileen Power, eag., *Holinshed's Irish Chronicle*, Dublin 1979, 39.

60 E. Campion, *A Historie of Ireland, Written in the Yeare 1571*, in J. Ware, eag., *Ancient Irish Histories*, I, Dublin 1808, 124.

61 P. W. Joyce, *The Origin and History of Irish Names of Places*, I, Dublin 1869, 363.

62 B. Ó Cuív, eag., *Aibidil Gaoidheilge & Caiticiosma. Seaán Ó Cearnaigh's Irish Primer of Religion published in 1571*, Dublin 1994; *separatum*.

63 *Ibid.*, 50.

64 *ARÉ*, s.a. 1597, lch 2012.

65 Cecile O'Rahilly, eag., *Five Seventeenth-Century Political Poems*, Dublin 1952, 24, 'An Síogaí Rómhánach', ll. 152-5. Féach leis: 'Ó Bhaile Átha Luain do fuair sé géilleadh', l. 174 ar lch 25 den saothar céanna.

66 *Ibid.*, 46, 'Aiste Dháibhí Cúndún', ll. 249-51.

67 J. C. Mac Erlean, eag., *Duanaire Dháibhidh Uí Bhruadair. The Poems of David Ó Bruadair*, III, Comann na Sgríbheann Gaedhilge 18, London 1917, 50, rann xvi.a.

68 *Ibid.*, 58, rann xxxv.d.

69 *Ibid.*, 48, rann xii.b. Is é aistriúchán an eagarthóra ná *at Ath Amhlaoibh's high noble fort*, agus míníonn lch 49, fonóta 4, gur tagairt do *Áth Cliath* atá in *Áth Amhlaoibh*, gurbh amhlaidh a bhí Amhlaoibh mar ainm ar roinnt ríthe Danmhargacha a bhí ar an gcathair.

70 *Ibid.*, 56, rann xxxii.

71 *Ibid.*, 60, rann ii.d, an dán dar tosach *Atá san bhfeart so.*

72 Torna, eag., *Seán na Ráithíneach,* Baile Átha Cliath 1954, dán 137, l. 6; *háith Cliaith* atá i lámhscríbhinn an údair féin, áfach.

73 *Ibid.*, dán 132, l. 24; Seán Ó Briain cct; 'i nÁtha .i. i nAth [recte nÁth], ar scáth an tomhais' an fhoirm seo, faoi mar a mhaíonn an t-eagarthóir ar lch 417.

74 *Ibid.*, 192, dán 107; *Áth* sa lámhscríbhinn.

75 *Ibid.*, dán 107, 4; *Bhleáth Cliath* atá le léamh, dar leis an bhfear eagair i bhfonóta 4 ar lch 192.

76 *Ibid.*, dán 128, 4; *Bhleáth Cliath*, atá le léamh, dar leis an bhfear eagair i bhfonóta 5 ar lch 237.

77 C. Plummer, eag., *Bethada Náem nÉrenn. Lives of Irish Saints*, I, Oxford 1922, 155; teideal, *Betha Caoimhghin III.*

78 *Ibid.*, 167, i lámhscríbhinn T, *Betha Caoimhghin III*; léigh: a ccathair.

79 J. Carney, eag., Cavan 1959, 36, § 12.

80 *Ibid.*, 39, § 16.

81 *Ibid.*, 68, § 42.

82 *Ibid.*, 71, § 44.

[83] Ls RIA 1381 = 23 0 72, 1; T. Ó Concheanainn, *Catalogue of Irish Manuscripts in the Royal Irish Academy*, Fasciculus 28, Dublin 1970, 3539.

[84] *Ibid.*, 3614, Ls RIA 1404 = 24 P 41, (a), 115.

[85] *Ibid.*, 3619, Ls RIA 1404 = 24 P 41, (b), 141.

[86] *Ibid.*, 3621, Ls RIA 1404 = 24 P 41, (c), 84.

[87] Meadhbh Ní Chléirigh, eag., *Eólas ar an Domhan*, Baile Átha Cliath 1944, 8.

[88] *Ibid.*, 9.

[89] *Ibid.*, 10.

[90] *Ibid.*, 10.

[91] C. Ó Háinle, eag., 'Ar Bhás Sheáin Uí Neachtain', *Éigse* 19 (1982-3), 384-94, 387, rann 9a-b.

[92] T. F. O'Rahilly, eag., 'Irish Scholars in Dublin in the Early Eighteenth Century', *Gadelica* 1 (1913), 156-62, 158, rann 6c.

[93] *Ibid.*, rann 1a-b.

[94] Nessa Ní Shéaghdha, eag., *Catalogue of Irish Manuscripts in the National Library of Ireland.* Fasciculus 4, Dublin 1977, 70; G 135, 5, Tadhg Ó Neachtuin a scríobh 1739-52.

[95] N. J. A. Williams, eag., 'Cath Bearna Chroise Brighde', *ZCP* 38 (1981), 269-337, 271, § 3.

[96] T. Ó Cléirigh, eag., 'Leaves from a Dublin Manuscript', *Éigse* 1 (1939), 196-209; 202, l. 1.

[97] *Ibid.*, 202, l. 12.

[98] *Ibid.*, 206, l. 2.

[99] G. Slevin, *Reportorium Novum* 1 (1955), grianghraf ar aghaidh 236.

[100] C. G. Buttimer, '*Cogadh Sagsana Nuadh Sonn*: Reporting the American Revolution', *Studia Hibernica* 28 (1994), 63-101, 78.

[101] D. Ó Muirithe, eag., *Tomás Ó Míocháin: Filíocht*, Baile Átha Cliath 1988, 33.

[102] Litir ó Michl. Mc Carthy le dán dar tús *Ar Bhás Thomáis Dáibhis* in Torna, 'Congantóirí Sheáin Uí Dhálaigh', *Éigse* 3.1 (1941), 8-20; 8; ls: *m-Beal aithe.*

[103] Is ó chlúdaigh/leathanaigh theidil leabhar i seilbh mo charad Pádraic Ó Táilliúir a tógadh na samplaí 104-6, 109.

[104] = 17 Carlisle Street, South Circular Road / S.C. Road, Dublin; P. Ó Macháin, *Catalogue of Irish Manuscripts in Mount Melleray Abbey, Co. Waterford*, Dublin 1991, 67; 27 Aibreán 1885; tugtar faoi deara an leagan giorraithe den sráidainm sa Ghaeilge, a fhreagraíonn d'ord an Bhéarla ach a ghiorraíonn míreanna difriúla.

[105] = 17 Carlisle St., S.C.R., Dublin; *Ibid.*, 68; 25 Lúnasa 1886.

[106] An tAthair Peadar Ua Laoghaire, in P. Ó Fiannachta, 'Ag Cogarnaíl le Cara', *Irisleabhar Mhá Nuad* 1991, 105-20; 114.

Dánta as Clann Ua gCorra / Eachtra Chlainne Ua gCorra

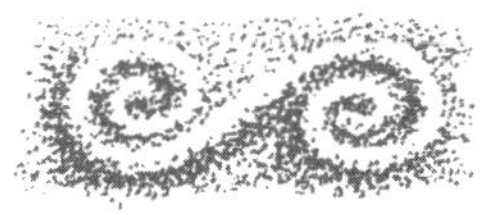

SÉAMUS MAC MATHÚNA

Tá an chóip is sine den téacs *Immram Curaig Ua Corra* ar fáil i Leabhar Fhear Maighe (F), lámhscríbhinn de chuid an 15ú haois.[1] Chuir Whitley Stokes in eagar é níos mó ná céad bliain ó shin agus d'aistrigh sé go Béarla chomh maith é. Sholáthair A. G. van Hamel téacs normálta sa bhliain 1941.[2] Bhí codanna de F nach raibh inléite cheana féin in aimsir Stokes agus bhain sé féin agus van Hamel úsáid as cóip ba nua-aimseartha den téacs leis na bearnaí a líonadh. Tá sin ar marthain i lámhscríbhinn de chuid Acadamh Ríoga na hÉireann, mar atá, RIA 23 M 50 (M). Is é Seán Ó Murchadha na Ráithíneach a rinne an chóip seo i 1744.[3]

Prós amháin atá in F agus M. Maireann leagan nua-aimseartha eile a bhfuil idir phrós agus fhilíocht ann (UC 3) i lámhscríbhinní éagsúla de chuid an 18ú agus an 19ú haois.[4] Seo iad na cinn is tábhachtaí:

(i) N — RIA 23 N 15, lgh 1-20. Lámhscríbhinn de chuid an 18ú agus an 19ú haois (1760-1816) is ea N agus ba é Mícheál mac Pheadair Uí Longáin a chóipeáil UC 3 inti. Tá an téacs easnamhach ag an tús. Tosaíonn sé leis an chéad dán *Atá piast in ifreann na ndos*. Tá an chéad leathanach an-doiléir agus doiligh a léamh.

(ii) E — RIA E v 5, lgh 1-78. Pól Ó Longáin a chóipeáil an téacs seo de UC 3 i 1819.

(iii) A — RIA 24 A 3, lgh 175-216. Seosamh Ó Longáin a rinne an chóip seo sa 19ú haois. Fágann sé cuid mhór véarsaí ar lár.

(iv) B Maigh Nuad B 16, lgh 1-110. Scríobhadh sa 19ú céad é; mar a chéile le A thuas.

Tá cosúlachtaí móra idir na leaganacha éagsúla den téacs ach níl siad mar an gcéanna go hiomlán agus níl siad ag brath ar a chéile. Bíodh go bhfuil prós M agus prós UC 3 an-ghar dá chéile is féidir a áitiú nach bhfuil UC 3 bunaithe ar M go díreach ach go dtéann siad beirt siar go dtí an fhoinse chéanna. Is léir chomh maith go raibh cóip eile ar fáil ag údar UC 3 a bhí gar go maith do F.[5]

Leagan an-spéisiúil is ea UC 3 ar go leor cúiseanna. Tá flúirse filíochta ann, aon dán is tríocha san iomlán. Cuid díobh seo, tá siad snoite le chéile go gleoite; cuid eile acu, níl siad ró-iontach. Is breá amach an fhoinse é UC 3 freisin ar Ghaeilge Chorcaí san ochtú haois déag.[6]

Níor aistríodh UC 3 go Béarla ná go Gaeilge an lae inniu fós. Tá Béarla á chur agam air faoi láthair mar aon le heagrán úr normálta den téacs. Tá sé de phléisiúr agam cuid den obair seo a thairiscint don Ollamh Breandán Ó Madagáin, scoláire a bhfuil cur amach nach beag aige ar shaíocht na Gaeilge sa tréimhse inar peannaíodh cuid de na lámhscríbhinní seo.

MODH EAGARTHÓIREACHTA

Sa mhéid go bhfuil eagrán dioplómaitiúil den téacs ar fáil cheana féin, is é a chuirim romham a dhéanamh anseo eagrán a sholáthar a bheas níos oiriúnaí do léitheoirí Ghaeilge an lae inniu. Chuige sin, b'éigean leasuithe éagsúla a dhéanamh ar théacs na lámhscríbhinní. Níor mhian liom, ar ndóigh, an fhilíocht a chur as a riocht agus dá bhrí sin cloíodh leis an litriú clasaiceach go minic.[7] Seo thíos cuid de na leasuithe is tábhachtaí a cuireadh i bhfeidhm:

(i) *cc-* agus *tt-* > *gc-* agus *dt-* i gcásanna a mbíonn urú riachtanach, m.sh., *na ccéad* > *na gcéad* 1:1; *ár ttíre* > *ár dtíre* 3:2.

(ii) *t*(*t*) > *d* ag deireadh focail, m.sh., *gheobhat*(*t*) > *gheobhad* 5:3 (?).

(iii) Litriú stairiúil: -*l*(-), -*n*(-), -*r*(-) singil nó dúbailte de ghnáth de réir na staire, m.sh., *míorbhuille* > *míorbhuile* 4:1; *cannaigh* > *canaidh* 1:4: *tona* > *tonna* 5:1; *Ua gCora* > *Ua gCorra* 3:1.

(iv) *th* caol > *ch* caol, m.sh., *cluithe* > *cluiche* 8:6.

(v) -*gh* > -*dh*, m.sh., *fiaghnaise* > *fiadhnaise* 1:2, 4; *cannaigh* > *canaidh* 1:4.

(vi) -*dh* á chur isteach ag deireadh ainmfhocal agus ainmneacha briathartha, m.sh., *do thaga* > *do thagadh* 3:4; *ag móra* > *ag móradh* 4:1; *dá sriana* > *dá srianadh* 5:1; *coga* > *cogadh* 8:2.

(vii) *fp*- > *ph*, m.sh., *fport* > *phort* 3:1, 4.

(viii) Scríobhtar *ar* nuair is *ar/air* atá sna lámhscríbhinní, m.sh., 1:2, 3; 2:2 *etc.*

(ix) Cuirtear isteach síntí fada easnamhacha agus fágtar ar lár iad nuair nach bhfaightear i gcaighdeán an lae inniu iad, m.sh., *áirdrigh* > *airdrí* 2:2; *cóimhdhíne* > *coimhdhíne* 3:2.8

(x) Déantar idirdhealú idir *de* agus *do*, m.sh., *do réir* > *de réir* 4:2; *díbh* > *daoibh* 1:5.

(xi) *leam/liom* > *liom*, m.sh., 1:5.

(xii) Scríobhtar *rí* in áit *rígh*, *ní* in áit *nídh*, m.sh., *rígh* > *rí* 1:2; *ríthigh* 1:3; *ní* 2:2.

(xiii) *u*(*i*) > *a*(*i*) i siollaí aiceanta, m.sh., *ghluis* > *ghlais* 2:1; *ccuim* > *gcaim* 3:1.

(xiv) *u*(*i*) > *a*(*i*) i siollaí dúnta neamhaiceanta, m.sh., *feabhus* > *feabhas* 2:1; *cinneamhuinn* > *cinneamhain* 3:1; *anfuidh* > *anfaidh* 3.1.

(xv) *i* > *e* ag deireadh focail, m.sh., *soillsi* > *soilse* 6:2; *loingsi* > *loingse* 6:4.

(xvi) *é* > *éa*, m.sh., *én* > *éan* 1:2; *ég* > *éag* 7:2.

(xvii) An t-alt *in* > *an* 5:1.

(xviii) Fágtar gutaí cúnta breise ar lár, m.sh., *rachadaois* > *rachdaois* 1:1; *gasaradh* > *gasradh* 8:4; *muirinn* > *muirn* 8:5.

(xix) *ar*, *nar* > *ár*, *nár* 3:1; *bhúr*> *bhur* 7:3.

(xx) *ai* > *aoi*, m.sh., *cathair* > *cathaoir* 1:3; *cain* > *ca*(*o*)*in* 1:5.

(xxi) -*d* > -*t*, m.sh., *cuaird* > *cuairt* 3:1.

TÉACSANNA AGUS AISTRIÚCHÁIN

1

1 Atá piast in ifreann na ndos
go n-iomad ceann agus cos,
síol Ádhaimh na gcéad ro-ghin,
do rachdaois d'éag re a feicsin.

2 Ad-chonarc éan b'álainn dath
i bhfiadhnaise Rí na Rath,
gan dul soir ná siar ar snámh,
gan dul síos ná suas ar seachrán.

3 Ad-chonarc an Coimhdhe mór
i gcathaoir airgid is óir;
ad-chonarc mo bhreith ar Nimh
do dhéicsin rí 'na ríthigh.

4 Mícheál do bhí i riocht an eoin
chanas canamhain ima cheol
i bhfiadhnaise Rí Nimhe:
canaidh fíor gach fáistine.

5 Atá liom comhairle cha(o)in
daoibh, a Ua gCorra crábhaidh:
troma bhur ngairm, garbh bhur ngail
um an bhfís chruaidh ad-chonarc.

1 There is a beast in brambly hell
with many heads and legs,
the seed of Adam of the hundreds of mighty
generations would die on seeing it.

2 *I saw a beautifully-coloured bird*
in the presence of the king of graces,
it was not hovering to and fro
or straying up and down.

3 *I saw the great Lord*
in a chair of silver and gold;
I saw myself being uplifted to heaven
to see the king in his palace.

4 *It was Michael in the shape of the bird*
who sings a musical chant
in the presence of the king of heaven:
he sings the truth of every prophecy.

5 *I have good advice*
for you, O holy Uí Chorra:
burdens are calling you, harsh will be your fury
on account of the stern vision I have seen (?).

2

1 Is maith ritheas an ghrian ghlan
ó airdrí nimhe is talmhan,
ó théid isan mhuir ghoirm ghlais,
iongnadh a fheabhas ritheas.

2 Iongnadh an ní fá ndeire:
oighre ar uisce tana
is an mhuir mhór gan oighre;
fearta an Choimhdhe fá deara.

3 Cía hiongnadh gach ní díobh sin,
a fhir fuil dár n-agallaimh,
ná an sruth taobhsholas glas,
iongnadh a fheabhas ritheas.

1 *Excellent how the bright sun courses*
from the king of heaven and earth
and goes into the blue-grey sea,
a wonder how perfectly it travels.

2 *A marvel to top everything:*
ice on shallow water
when the mighty sea is without ice;
it is the works of the Lord that has caused it.

3 *What is more wondrous than each of these things,*
O man who is addressing us,
than the blue bright-sided current,
wondrous how perfectly it courses.

3

1 Tiagam naonmhar 'nár n-aoidhibh
Ua gCorra ar cuairt crábhaidh;
scuiream d'olc ár gcinneamhain gcaim
fá phort íodhain an anfaidh.

2 Tiagam ar rannaibh le ár dtreoir
go bhfeithear insi an aigeoin;
seolam ó thráigh ár dtíre
go ro-bháidh ár gcoimhdhíne.

3 Fágbham ár dtír 's ár dtalamh
ar grá Rí Nimhe neamhdhaibh;
tiagam gan roighne fá réidh
dár n-oilithre in idirchéin.

4 Ó ro chumhdaighsium ár gcill,
fágbham gan fuireach Éirinn;
a lucht do thagadh go teann,
ón phort gan anadh tiagam.

1 *Let the nine of us go as guests*
of Uí Chorra on a journey of devotion;
let us desist from the evil of our wicked destiny
for the pure haven of the stormy sea.

2 *Let us go to regions with our guide*
that we may see the islands of the ocean;
let us sail from our country's strand
with the great affection of our companions.

3 *Let us leave our country and our land*
for the love of the heavenly king;
let us go prepared without delay
on our pilgrimage in distant parts.

4 *Since we have built our churches,*
let us leave Ireland forthwith;
O people who would resolutely come,
let us go without delay from this place.

4

1 Réidhidh, a Dhé, an séadsa siar
tar muir na fairrge in imchian,
chugat, a mhic mhór Mhuire,
ag móradh do mhíorbhuile.

2 Nocha do ghoin ná toghail
tiagmaoid go tír an toraidh,
ach dod thoighidh, a Dhé dhil,
de réir creidimh is crábhaidh.

3 Coisc dínn do phiasta borba
's do thonna tréana tolga,
go dtugair ní dúinn dár dtigh,
ba dú do ríocht réidh[t]idh (?)

1 *Make ready, O God, this road ahead*
across the sea and far away,
coming to you, O great son of Mary,
praising your miracle.

2 *Not to wound or destroy*
do we go to the fruitful land,
but to seek you, O beloved God,
in accordance with faith and devotion.

3 *Hold back from us your fierce beasts*
and your strong furious waves,
that you may give us something for our house,
it were fitting that your kingdom be prepared (?)

5

1 Ua gCorra anocht ar an muir,
na tonna ag teacht ina bhfail,
an gábhadh rod-fia na fir,
Dia de nimh dá shrianadh soir.

2 A Íosa áin ainglidhe,
a fhir do dheilbh gach scéala,
an curachsa Ua gCorra,
saor liom is iad Ua gCorra.

3 Éire íodhain ainglidhe
a deisceabail re tonnaibh innte
gheobhad foghlaidhe dearbh

1 *Uí Chorra on the sea tonight,*
the waves coming alongside them,
the danger in which the men will be,
may God of heaven hold it back.

2 *O glorious angelic Jesus,*
O man who has fashioned everything,
deliver this coracle of the Uí Chorra
with me and the Uí Chorra.

3 *Pure angelic Ireland*
her disciples on the waves ... ?

6

1 Inis iongnadh oileán mara
dia dus-rala,
a Dhé na slógh cía fo deara
brón is dubha?

2 Do mba ciamhre gan tuirse
is déara soilse,
níor scar re caoi sluagh na hinse,
truagh a dtoirse.

3 Fiafraighidh díobh ciodh 'ma duadh
gol muadh,
mór a méad i ngach ród,
ciodh 'ma gcaoid?

4 'Na heirgein choíche ná cluinse,'
ar an fear fionnsa,
'ní bhídh sona lucht ár loingse
ar ucht na hinse.'

1 *A wondrous isle is the island in the sea*
to which they came,
O God of Hosts, what has caused
this sorrow and grief?

2 *Despondency without respite*
and bright tears,
the people of the island did not cease to cry,
sad their sorrow.

3 *He enquires of them the reason of their affliction*
and dejected crying,
great their number on every road,
why are they crying?

4. *'May you never again hear the ...'*
said the fair man,
'the people of our boat will not be happy
on this island.'

7

1 'Cía um, iar sin. Ua gCorra
uas grianaibh glastonna,
innsigh dhamh ar Dhia do nimh,
créad do-bheir sibh go ciamhair?'

2 'A eoin úd ar an gcurach
's é do-bheir sinn go dubhach:
crosán beag do bhí 'nár bhfail
ros-tairig éag in aithrigh.'

3 'Is mise bhur gcrosán cóir,
mé tháinig i riocht an eóin,
anoise tigim go nimh,
sibhse ní bhiaidh go ciamhair.'

1 *'Why then, Uí Chorra,*
on the blue-grey waves of the sea,
tell me for God in heaven's sake
what it is that makes you sad?'

2 *'O yonder bird on the coracle,*
this is what makes us sad:
we had with us a little jester
whom death found in penitence.'

3 *'I am your good jester,*
I have come in the shape of a bird,
I am going to heaven now
and you will not be sad.'

8

1 Is naomhtha nua an inis ghlan,
ní port ná baile biodhbhadh,
ní scéal cinnte ro chleacht dhamh:
nocha tearc innte iongnadh.

2 Oileán gan cogadh gan cath
ar ná bíd daoine dubhach,
gan brón gan biodhbha go bráth,
ach díona na slógh subhach.

3 Ceithre dronga ar na hailibh
do-chím féin na himdheadhail,
drong fial gan mheirg gan mheabhail
nár thriall feall ná imdheabhaidh.

4 Gasradh giolla ar a mbí bladh
is innte thall do tógbhadh,
slógh gan léan nach milleann modh,
fóná filleann féar fódmhar.

5 Fíor a maise go muirn mhóir,
ní holc agus ní héagóir,
do-bheir rabhra, gnáth an ghlóir,
meidhre for cách i gcéadóir.

6 Drong mór do fhionnliath a bhfolt,
bíd dá tadhall gach tromdhacht,
na sruithe ar ná saoilim smacht,
aoibhinn cluiche chonarc.

7 Ceithre hoireachta áille,
lucht crábhaidh gach ríoghdháile,
iongnadh dul gacha dáimhe,
leis nach sámh ach síorgháire.

8 Luidh uainne d'fhaghbháil a fhis,
cathlámh ro sair bhinnis (?)
an giolla lag ro ba leis,
is do staon sé uainn san inis.

1 *Fair and saintly is the pure island*
no haven or homestead for enemies;
I have not been accustomed to definite truth (?):
there is no scarcity of wonders therein.

2 *An island without war or battle*
in which people are not wretched,
no sadness or criminals forever more
but rather races of happy people.

3 *Four groups beside the fences,*
I can see the divisions myself;
a generous band without decay or deceit
who never engaged in either treachery or dissension.

4 *A group of boys of good renown*
were in it there arranged,
a band without sorrow who do not violate honour,
under whom the soddy grass does not bend.

5 *They are truly beautiful and very gay,*
neither evil nor unjust,
I will give notice: there is a constant chatter,
everyone is joyful there together.

6 *A large group whose hair was grey-white*
going about there with great dignity,
I do not think the elders are under any form of subjection;
I saw a lovely game being played there.

7 *Four beautiful assemblies,*
each kingly gathering pious,
wonderful the manner of each company,
who are not at rest but continually laughing.

8 *One of our company went to find out about it*
the poor lad ...
stayed away from us on the island.

NÓTAÍ[9]

1

Óglachas ar Dheibhidhe. 8x + 7x + 7y + 7y+i; 7x + 7x + 7y + 8y; 7x + 7x + 7y + 7y+i; 7x + 7x + 7y + 7y+i; 7x + 7x+i + 7y + 7y+i. Uaim coitianta; comhardadh déanach slán de ghnáth ach amháin uaithne in 3ab (*mór:óir*), 4ab (*eoin:ceol*). B'fhéidir gur chóir *ad-chonairc* a léamh in 5d (E agus A), rud a dhéanfadh comhardadh slán le *gail* i líne c. Cuid mhór rímeanna guilbhneacha ann. Comhardadh inmheánach sa chéad rann (*céad:éag*). Siolla sa bhreis in 1:1 agus 2:4.

1:2 *b'álainn dath*: bh'álainn dhaith A; d'áluinn dath E. Níl léamh N soiléir ach is é 'dhath' an chuid deiridh de. Lean mé E in *FW* ach le 'dhath' seachas 'dath'.

1:3b *gcathaoir*: ccathaír A; ccathair N. Leantar N in *FW* ach is fearr A anseo gan amhras.

1:3d *'na ríthigh* : na rígthig A; na ríghthigh ghil N, E. B'fhéidir gur chóir N, E a leanstan bíodh go mbeadh siolla de bharraíocht sa líne.

1:4 *canamhain*: canuin N; cannuin E; a rúin A *sic leg.*?

1:5a *cha(o)in*: chain A; chian N, E.

1:5b *daoibh*: díbh, lámhscríbhinní.

1:5c Ní hionann an chiall anseo (má tá an t-aistriúchán ceart) agus sa phrós: 'Agus as í mo chómhairle dhibhsi', ar Lochán, 'bhúr ngaisge a threigen agus Dia do leanmhuin budheasta' (M §10/14). Níl an chuid seo den phrós le fáil in UC 3.

1:5d *um an bhfís*: um an bhfios A. Tá an chuma ar A gur glacadh leis gurb é focal atá anseo ná 'fios' *occult knowledge, revelation*. Níl léamh N soiléir agus tá léamh E truaillithe, *uamhan bros*. Athraím go *fís* mar atá sa phrós in F agus M: gu tarfas fis amra do (F §13) ... atconnarcsa aislingi granda (F §10/14); adchonnarcsa aislingthe ghranna agus fis fíoruathmhar (M §14). Níl síneadh fada ar an 'i' de *fís* i gceachtar den dá lámhscríbhinn, rud a chuir ar an fhile a cheapadh, is dócha, gur *fios* a bhí ann. Níl sé le fáil i bprós UC 3.

2

Óglachas ar Dheibhidhe. 7x + 7x+i +7y + 7y+i; 7x + 7x + 7y + 7y; 7x + 7x+ii + 7y +7y+i. Uaim coitianta. Comhardadh déanach i rann 2 guilbhneach. Cuid mhór den chomhardadh déanach, níl sé slán agus níl aon rímeannna inmheánacha ann.

2:3a-c *Cia biongnadh gach ní díobh sin ... ná an sruth taobhsholas glas.* Tá an chomhréir anseo cineál ait. De réir an phróis níl aon rud is iontaí ná an t-oighre a bheith ar an uisce tana nuair nach bhfuil aon oighre ar an fharraige: '7 ca inganta ni,' ar siat, 'anas an fairrce cein egreadh 7 egreadh ar gach usci ele?' (F §32); 'ga iongantada ní ar thalamh,' ol siad, 'ionnus an fhairge gan oighredh agus oighreadh ar gach n-uisge eile' (M §20). Dealraíonn sé gur chuir an file an cónasc 'ná' (prós 'anas/ionnus') san áit chontráilte. Aistrím 'iongnadh' anseo amhail is dá mba rud é gur foirm chomparáideach a bheadh ann.

3

Óglachas ar Dheibhidhe. 7x + 7x + 7y + 7y+i; 7x + 7x+i + 7y + 7y + i; 7x + 7x + 7y + 7y + ii; 7x + 7x+ i + 7y + 7y + i. Uaim coitianta. Comhardadh déanach Rinn agus Airdrinn den chuid is mó ach amháin 1ab, 3ab. Comhardadh déanach briste go minic. Comhardadh inmheánach coitianta go maith sa dara leathrann i ngach rann – 1 *olc:port*; 2 *tráigh:báidh*; 4 *tagadh:anadh*.

3:1c *ár*: ar N, E, A.

ár gcinneamhain gcaim: tabhair faoi deara an t-urú neamhstairiúil ar an aidiacht i ndiaidh an ghinidigh.

3:1d *anfaidh*: tríshiollach in N agus E – 'anafadh'.

3:2a *le ár*: 'lér' tar éis bá.
3:4a *ó ro chumhdaighsium* : 1 iolra aimsir chaite fhoirfe den bhriathar simplí 'cumhdaighidh' (Sean-Ghaeilge 'con-utaing'), 'tógann, caomhnaíonn, cosnaíonn, cumhdaíonn'. Freagraíonn sé don phrós: '7 o ro chumhdaigsium cill don Coimdid' (F §39); 'oro chumhdaighsiom cill don Choimhdhe' (M §23).

3:4c-d *lucht:port*: iarracht ar chomhardadh inmheánach.

4

Óglachas ar Dheibhidhe. 7x + 7x+1 + 7y + 7y+1; 7x + 7x + 7y + 7y+1; 7x + 7x + 7y + 7y+1. Uaim coitianta. Tá bá idir *Dé* agus *an* sa chéad líne de rann 1 in N agus E. Dhá shiolla sa chéad fhocal *Réidhidh* sna lámhscríbhinní seo; siolla amháin in A, *Réidh*. Sa dara rann tá comhardadh briste idir na focail dhéanacha.

4:1d *ag*: ad, sna lámhscríbhinní.

4:1d *míorbhuile*: míorbhuille, sna lámhscríbhinní.

4:2a *toghail*: tiaghuil N, E, A. Glacaim leis anseo gurb é atá ann an t-ainm briathartha de 'do-fich' sa chiall 'ionsaíonn, loiteann' *etc.* D'fhéadfadh sé fosta gurb é 'dígail' atá ann, ainm briathartha de chuid 'do-fich' sa chiall 'díoltas', *etc.*

4:2c *toighidh*: glacaim leis gurb é atá anseo an tuiseal tabharthach de 'toiched, taigid', ainm briathartha an bhriathair 'do-saig' a chiallaíonn 'cuartaíonn, téann sa tóir ar', *etc.*

5

Óglachas ar Dheibhidhe. 7x + 7x + 7y + 7y; 7x + 7x+1 + 7y + 7y. Beagán uaime. Comhardadh déanach briste. Comhardadh inmheánach in easnamh. Rímeanna guilbhneacha go príomha.

5:1c *an gábhadh rod-fia na fir*: Glacaim leis gurb é atá anseo foirm shioctha den struchtúr briathar substainteach (aimsir fháistineach sa chás seo) agus forainm iontáite chun an tabharthach agus úinéireacht a chur in iúl.

5:2d *saor liom*: mar an gcéanna le 'saor mé'?

5:3c Tá an chuma air go bhfuil an chuid seo den téacs truaillithe.

6

Filíocht aiceanta atá sa dán seo. Dhá aiceann sa fhrása go hiondúil, le dhá fhrása i línte a agus c, ceann amháin i línte b agus d. I rann 2, dealraíonn sé go bhfuil frása amháin le dhá aiceann sa chéad líne. Caithfear *cia* (1c), *ciodh* (3a) agus *gach* (3c) a léamh le haiceann chun cloí leis an dá aiceann i ngach frása.

6:2a *Do mba*: do madh N.

6:3a *Fiafraighidh*: fiadhfruidhe N. Glacaim leis gurb é 3ú pearsa uatha aimsir láithreach atá ann den bhriathar 'fíafroighidh'.

6:3a *duadh*: dtuad N, dtuadh E. Nua-Ghaeilge 'dua'.
6:3b *muadh*: ma ud N, E, A. Féach *DIL* *s.v.* muad 1 (b), *moody, dejected*?

6:4a *beirgein*: ? Ní thuigim an focal seo. Tá an 'n' deiridh doiléir in N agus E.

7

Óglachas ar Dheibhidhe. 7x + 6x + 1 + 7y + 7y + 1; 7x + 7x + 1 + 7y + 7y + 1; 7x + 7x + 7y + 7y +1. Uaim anois is arís. Comhardadh déanach briste de ghnáth. Comhardadh inmheánach in easnamh.

7:2d *ros-tairig*: 3 uatha aimsir chaite mar aon le forainm iontáite sioctha ón bhriathar 'do-airicc' *gets, finds*, (nó 'do-fairget' <*to-ro-ad-guid *offers*).

8

Óglachas ar Dheibhidhe. Uaim réasúnta coitianta tríd síos. Comhardadh déanach slán 1, 2ab, 3cd, 4ab, 5, 6cd, 7cd. Dealraíonn sé go bhfuil líne 8b truaillithe agus nach bhfuil an comhardadh déanach sa dara leathrann slán. Tá sampla nó dhó ann de chomhardadh briste déanach – 2cd, 3ab, 4cd (léigh *fódmhor* b'fhéidir), 6ab, 7ab.

Comhardadh inmheánach slán i gcuid mhór rannta. Féach 1 *cleacht:tearc, cinnte:innte*, 2 *brón:slógh*, 4 *léan:féar, milleann:filleann*, 5 *gnáth:cách*, 6 *sruithe:cluiche, saoilim:aoibhinn*; briste in 2 *biodhbha:díona* (léigh 'bíodhbha' mar atá i gcuid de na lámhscríbhinní, *i(o)dh* > *í(o)* – fad cúitimh), 3 *fial:triall*; 5 *rabhra:meidhre*.

8:2d *díona*: féach *DIL* faoi 'díne' *a generation, age; race, tribe etc.* Is cosúil gur imir 'díon' le 'n' leathan (*protection*) tionchar ar an fhocal seo

8:3d *imdheabhaidh*: *sic leg.*, chan 'imdheabh*ail*'' mar atá in *FW*.

8:4d *filleann*: fillin N; fillir E. Is dócha gur fearr an léamh seo ná 'fil an' (*FW*). Déanann sé comhardadh le 'milleann' i líne c.

8:8b *cathlámh ro sair bhinnis*: sic N. Is cosúil go bhfuil an líne seo agus cuid de líne d truaillithe.

[1] Acadamh Ríoga na hÉireann, 23 E 29, lgh 169-77. Féach T. F. O'Rahilly, *et al.*, *Catalogue of Irish Manuscripts in the Royal Irish Academy*, XXV, 3091-125; 3113-4, Dublin 1940.

[2] W. Stokes, 'The Voyage of the Húi Corra', *RC* 14 (1893), 22-69; A. G. van Hamel, *Immrama*, Dublin 1941, 99-111; 139-41.

[3] In eagar ag S. Mac Mathúna, '*Clann Ua gCorra*: The modernised prose and poetic version of *Immram Curaig Ua Corra*', in S. Mac Mathúna agus A. Ó Corráin, eag., *Miscellanea Celtica in Memoriam Heinrich Wagner*. Acta Universitatis Upsaliensis, Studia Celtica Upsaliensia 2, Uppsala 1997, 71-138 (*FW* thíos).

[4] *Ibid*. Tá an t-eagrán seo bunaithe ar N agus E. Féach freisin C. Mac an Bháird agus A. Ó C., 'Eachtra Chlainne Ua gCorra', *Irisleabhar Muighe Nuadhad* (1912), 91-106, atá bunaithe ar N agus ar lámhscríbhinn i Maigh Nuad, mar atá, 3 D 7 (Murphy 23), lgh 361-96. De réir mar is féidir liom a dhéanamh amach, is ionann an chóip seo agus B thuas.

[5] I dtaca leis an ghaol idir na lámhscríbhinní, féach Mac Mathúna, *FW*, 75-9.

[6] *Ibid*., 121 ar lean.

[7] Féach, m. sh., *fiadhnaise* 1:2, 4; *cinneamhain* 3:1; *tráigh:báidh* 3:2.

[8] Féach *FW*, 121 agus *passim*, maidir le tábhacht na síntí fada ó thaobh na canúna de.

[9] Baineann na tagairtí do phrós F agus M leis na paragraif in eagráin Stokes, 'The Voyage of the Húi Corra', agus Mhic Mhathúna *FW*, faoi seach.

Tá mé buíoch de mo chomhghleacaithe Micheál Ó Murchú agus Gregory Toner agus d'eagarthóirí na féilscríbhinne as an alt seo a léamh agus moltaí a dhéanamh ina thaobh. Mé féin amháin is ciontaí le cá bith laigí atá ann.

'ó mháigh na saoréigse tar sionainn na sreabh'

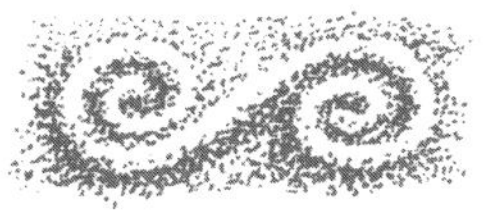

ÉILÍS NÍ DHEÁ

Cé gurb é an contae an t-aonad atá in úsáid coitianta le haghaidh scaipeadh na lámhscríbhinní a thaighde, ní aonad sásúil amach is amach é i gcónaí mar is minic a chuireann sé srian ar an scoláire.

Ba é Eoghan Ó Súilleabháin a dúirt an méid sin agus is é is déanaí a bhfuil scagadh léannta déanta aige ar a bhfuil tagtha anuas chugainn de lámhscríbhinní ar bhonn contae.[1] Ba é Breandán Ó Madagáin a bhí i dtús cadhnaíochta i scagadh seo na scríobhaithe ón 18ú agus ón 19ú haois agus a gcuid scríbhinní nuair a d'fhoilsigh sé *An Ghaeilge i Luimneach 1700-1900* sa bhliain 1974.[2] Leanadh den obair fhiúntach seo leis an ngrinnstaidéar críochnúil a deineadh sa leabhar *Scríobhaithe Chorcaí*.[3] Tá tráchtas neamhfhoilsithe scríofa ar scríobhaithe Cho. Thiobraid Árann,[4] chomh maith le cuntas ar scríobhaithe Cho. Chill Chainnigh[5] agus ar scríobhaithe a bhí ag saothrú i gCo. na Gaillimhe.[6] Cúis áthais dom gur iarradh orm cloch a leagadh ar fhéilscríbhinn Bhreandáin Uí Mhadagáin ós rud é gurbh é a chéadspreag mé agus a chéadstiúraigh mo chuid oibre ar scríobhaithe an Chláir. Ní fada, más ea, go mbeidh ar fáil grinnphictiúr de ghné ar leith de shaothrú an léinn Ghaelaigh i gCúige Mumhan ar fad, geall leis, i rith an ochtú agus an naoú céad déag.

Ní beag an tábhacht a bhaineann leis an staidéar logánta ar na contaetha éagsúla mar is tríd seo a fhaightear léargais nua ar díol spéise iad don staraí, don oideachasóir, don antraipeolaí, agus gan amhras, don Ghaeilgeoir féin. Ach mar a luadh i dtús na haiste seo, ní féidir cloí i gcónaí le teorainn an chontae nuair atáthar ag iarraidh traidisiún na scríobhaithe a rianadh mar ba dhaoine siúlacha iad lucht scríofa lámhscríbhinní na linne seo agus bhí cúis mhaith leis seo ar ndóigh –

lean an scríobhaí an pátrún. Muna raibh pátrún ann, lean an scríobhaí an obair, pé acu mar theagascóir i dteaghlach saibhir nó mar mhúinteoir i scoil scairte nó mar sclábhaí feirme. Lasmuigh ar fad de chúrsaí cothabhála, ba mhinic caidreamh is comhar idir scríobhaí anseo agus graifneoir ansiúd, ba mhinic leabhar ar iasacht nó dán á roinnt. Ní fearr sampla de seo ná an iliomad sínithe Ciarraíocha a fhaightear ar lámhscríbhinní a scríobhadh in iarthar an Chláir ar bhruach na Sionainne. Ba mhó go mór, áfach, an ghluaiseacht i dtreo na gealchathrach .i. cathair Luimnigh. Is den mhórthábhacht an tso-ghluaiseacht seo nuair a fhéachtar ar scaipeadh na litríochta sa tréimhse seo a mheas. Is é is mian liom a dheánamh san aiste seo ná spléachadh éigin a thabhairt ar an gcaidreamh a bhí idir muintir an Chláir agus muintir Luimnigh le linn do na graifneoirí seo a bheith i mbarr a réime.

Is fada leathan na tagairtí sna lámhscríbhinní a léiríonn an chumarsáid a bhí idir scríobhaithe an Chláir agus scríobhaithe Luimnigh, agus go deimhin, an chumarsáid a bhí idir na filí chomh maith. Ba sna blianta 1773-4 a scríobhadh lámhscríbhinn Egerton 150 atá anois ar caomhnú i Leabharlann na Breataine. Scríobhadh í seo i gcomhair Sheáin Uí Mhaoldomhnaigh a raibh cónaí air i Sráid an Chaisleáin i Luimneach. Cnuasach ilghnéitheach d'aistí éagsúla, idir phrós is fhilíocht, atá inti agus ba iad na scríobhaithe a chuir iad sin le chéile ná Seón Lloyd, Aindrias Mac Mathghamhna, Diarmuid Ó Maolchaoine agus Séamus Bonnbhíol. Nuair a thagair Breandán Ó Madagáin don chomhluadar 'oilte seo a thaithíodh tigh Sheáin an aimsir sin' agus don chuideachta 'léannta a bhíodh acu le chéile ann,'[7] leag sé a mhéar ar phointe ríthábhachtach .i. nár bhac ar bith abhainn na Sionainne ar scaipeadh litríocht an Chláir san 18ú haois. Is fada athmhachnamh déanta ar thuiscint Dhomhnaill Uí Chorcara gur bhain Co. an Chláir ó cheart le Cúige Chonnacht ó thaobh na litríochta de. Níl aon fhianaise ar an tuairim sin le fáil nuair a scrúdaítear na lámhscríbhinní a tháinig slán sa Chlár. Tá go leor fianaise, áfach, go raibh Luimneach ina cheanncheathrú ar imeachtaí liteartha na linne. Fillimis ar an sampla atá idir lámha, mar atá, 'comhluadar léannta' Sheáin Uí Mhaoldomhnaigh. Is sampla an-bhreá é Seón Lloyd de scríobhaí go dteipeann ar imlíne an chontae nuair a fhéachtar ar a shaol nó nuair a fhéachtar lena shaothar a mheas. Dearbhaíonn Maurice Lenihan gur i Luimneach a rugadh é[8] agus ní fios go cruinn cathain a chuir sé faoi i gCo. an Chláir; is ann a bhí sé sa bhliain 1780 nuair a d'fhoilsigh sé *A Short Tour*.[9] Cuireadh athchló ar an leabhar seo in Cambridge sa bhliain 1893 agus sa réamhrá atá leis an eagrán seo tugann an t-eagarthóir, Henry Henn, cuntas ar shaol an údair:

> John Lloyd was born and educated in the County of Limerick. At the age of thirty years he migrated into Clare, and settling at Furroor in the parish of Dunaha ... he opened a Hedge School, which he conducted for eight or nine years. At the end of that time he moved to Kilrush, where he became indebted to publicans, and soon afterwards to Kilmihil ... Lloyd proceeded to Ennis, and became intimate with Thomas Meehan, a respectable schoolmaster in that town ... Leaving Ennis he betook himself to Tulla ... in 1780, when his book was published, Lloyd was living at Toureen; and as his dead body was found by the roadside a quarter of a mile from that place, it may be inferred that he continued to live there until his death, the date of which is uncertain.[10]

Tá an t-ádh linn cuntas réasúnta cruinn a bheith againn ar shaol Lloyd ach ar fhianaise na lámhscríbhinní a tháinig anuas chugainn óna láimh,[11] bhí Lloyd ní ba shiúlaí ná mar a léiríonn Henn. Bhí Corcaigh bainte amach aige faoin mbliain 1775 mar a raibh sé ag obair do chlódóir. B'ann a bhí sé nuair a scríobh sé an lámhscríbhinn atá i seilbh an Ollaimh Pádraig Ó Riain a bhfuil an dáta 11 Iúil 1775 léi. Tá lámhscríbhinn eile againn uaidh, Coláiste Cholmáin P.B. 9, a scríobh sé do Sheán Ua Callanáin i gCorcaigh agus na dátaí 24 Iúil 1775 agus 20 Deireadh Fómhair 1775 léi. Tá idir fhilíocht agus phrós sa dá lámhscríbhinn seo.

Ach thar áit ar bith eile, bhí teagmháil ag Lloyd le haos léinn

Luimnigh. Is léir ó lámhscríbhinn Sheáin Uí Mhaoldomhnaigh go raibh caidreamh aige leis an mbeirt Luimníoch, Aindrias Mac Mathghamhna[12] agus Séamus Bonnbhíol.[13] I mí Lúnasa 1778, d'éirigh idir Lloyd agus an bheirt seo i ngeall ar rud éigin a scríobh siad faoi. Tá tuairisc an achrainn ríofa i lámhscríbhinn i gcnuasach Thorna, T 12(b), a thosaíonn ar lch 21 le gearán ar James Bonfield agus Andrew Mac Mahon *two Gentlemen of the Poetical world* dar tús: *Limerick Aug. 27th 1778[.] Dear Sir[,] Yesterday morning a particular friend has furnished me with an open and unexpected Declaration of War ...* Chuig Seán Ó Maoldomhnaigh a cuireadh an gearán agus ina dhiaidh sin, tá dhá dhán de chuid Lloyd, an chéad cheann a thosaíonn *A Heamuis binnibhric fhilte bhig Bhóinbhfiol bhain* agus an dara ceann chuig Aindrias Mac Mathghamhna, *A chaimearthuig chung do hionnsgna is tair sas taom.* Leanann freagra na beirte chuig Lloyd ar lgh 23 agus 24. Pé ní é, dob é a dheireadh ná gur fhág Lloyd Luimneach agus gur tháinig sé chun cónaithe in Inis mar a raibh a chara, an file, Tomás Ó Míocháin. Chuaigh Ó Míocháin i mbun pinn agus bhreac sé dán 'chum Seáin Shultmhar Shoineanta Uí Mhaoldomhnaigh' ag iarraidh air:

> Goib na mbard mbearrtha is na mbacaibh siúil
> Goin is gláimh áir agus aithris neamhchlúmhal
> Scoirse, a Sheáin, láithreach im ainm go humhal,
> Is i gcúrsa grá cairdeasa ceangail an triúr.[14]

D'fhan Lloyd in Inis, áfach, ag múineadh i scoil Uí Mhíocháin, b'fhéidir, agus mar is eol dúinn bhí dea-thoradh ar an gcaidreamh seo le foilsiú *A Short Tour.* Maireann blúire eile lámhscríbhinne a scríobh Lloyd 'a Lóim na nEach san mhí Abráin aois an Tiaghurna 1773' .i. C25(a) i Maigh Nuad.

Má chuaigh Seón Lloyd i dtreo an Chláir, bhí scríobhaí eile ag obair do Sheán Ó Maoldomhnaigh a bhí tagtha an treo eile agus b'in é an Cláiríneach, Diarmuid Ó Maolchaoine. Seo mar a chuir Ó Maolchaoine síos air féin i gcolafan ar dhuilleog 340 de Egerton 150:

> Ar na sgriobhadh le ceartbhreathamh ughdar agus ardmhaighistir gach foghlaimadh agus gach teangthadh dar cume ar talamh riamh acht amhain sodar no roince .i. Díarmuid uasal buacach búanbheartach Ó Mulcaoine ó iarthar na haban lamh re hAbhain Ó Gearne ... 1773.[15]

Sa chlár a dhein Eoghan Ó Comhraí de Egerton 120 (a ghraf Ó Maolchaoine sa bhliain 1773), thagair sé dó mar *a schoolmaster and Irish scribe in the County of Clare* ... agus mhaígh sé go raibh aithne aige air, más fíor. Tá áirithe agamsa c. dosaen lámhscríbhinn atá tagtha slán ó láimh Uí Mhaolchaoine. De réir fhianaise na lámhscríbhinní uaidh a mhaireann, is sampla maith eile é de scríobhaí nach féidir a theorannú ar bhonn contae. An lámhscríbhinn is luaithe óna láimh, ná Ls. 3 atá anois ar caomhnú i gColáiste Naomh Mel i Longfort. Is é an dáta 15 Bealtaine 1764 an dáta is luaithe a thugann sé inti sin agus 14 Meitheamh 1766 an dáta cruinn is déanaí. Scríobh sé an lámhscríbhinn seo chum úsáide a charruid ionmhuin .i. Conchubhar O Caoil' [Cornelius Quill]. Ní luaitear log ach faoi mar a deirtear i gclár na lámhscríbhinne 'is léir gur i gContae Luimnigh a scríobh sé'.16 Saothar mór ilchineálach atá anseo ina bhfuil aistí fhilí Luimnigh, mar shampla, Seán Ó Tuama, Séamus Mac Coitir, Tadhg Gaelach Ó Súilleabháin etc., agus scéalta chomh maith. Luann sé lámhscríbhinn a scríobh Aogán Ó Raithile sa bhliain 1712 mar fhoinse. Cheannaigh Donnchadh Ó Floinn an lámhscríbhinn sa bhliain 1809 agus ráinig sí i seilbh 'Seaghan Bhindele ag Caislean Bel-aidhir a cCorcadh' in 1847.

Tá dhá lámhscríbhinn eile uaidh agus an dáta 1765 leo, RIA 23 L 14 agus Ls. 12051 M (1) in Liverpool City Museum. Scríobh sé an dá lámhscríbhinn sin i gcomhair Dhomhnaill Mhic Carrtha agus tá saothar fhilí Luimnigh le fáil go tiubh sa dara ceann, mar shampla, dánta le Séamus Ó Glíosáin agus le Domhnall Ó Briain. Díol spéise ar chóipeáil Diarmuid Ó Maolchaoine (agus go deimhin, scríobhaithe eile ón gClár) de dhánta Thaidhg Ghaelaigh, ach go háirithe a luathdhánta. Faoin mbliain 1766, bhí Ó Maolchaoine ar ais i gCo. an Chláir mar is i gCaisleán Hannraoi a bhí sé nuair a bhreac sé RIA 23 L 24, ach bhí sé ag scríobh an t-am seo don fhile Luimníoch thuasluaite, Aindrias Mac Mathghamhna. Thug sé tamall de bhlianta ag cur an chnuasaigh seo d'Aindrias le chéile (1766-9) agus bhí sé ag tarraingt as pé lámhscríbhinní a raibh fáil aige féin orthu, mar shampla, luann sé lámhscríbhinn a bhreac Aindrias Mac Cruitín agus ceann eile a scríobh Tadhg Ó Raghailligh sa bhliain 1727 mar eiseamláirí.

Ní i gcónaí a fhágann Ó Maolchaoine leid againn i dtaobh a ionad scríofa nó cé dó a raibh sé ag scríobh ach tá freagra ar an dara pointe le fáil i lámhscríbhinn leis i leabharlann na hOllscoile, Cambridge, Add. 619. Cóip de *Forus Feasa ar Éirinn* atá inti seo a dhein sé sa bhliain 1770 do shagart paróiste an Chaisleáin Nua Thiar, Revd. Morgan O'Brien ... *a celebrated Irish preacher*.[17] Sa bhliain 1771 ghraf sé an chéad lámhscríbhinn do Sheán Ó Maoldomhnaigh, lámhscríbhinn nach maireann ach athchóip di anois, Ls. G 407 sa Leabharlann Náisiúnta. Ní foláir faoin am sin nó bhí cead isteach ag Ó Maolchaoine i 'gcomhluadar oilte' Shráid An Chaisleáin as ar tháinig Egerton 150 ar ball.

Bhí Cláiríneach eile ag saothrú na Gaeilge sna blianta sin agus bíodh nár scríobh sé aon chuid de Egerton 150, is cinnte go raibh aithne mhaith air i dtigh Uí Mhaoldomhnaigh.[18] Táim ag tagairt do Thomás Ó Míocháin a bhí ina fhile, ina mhúinteoir scoile agus ina scríobhaí. Ba dhlúthchairde iad Tomás Ó Míocháin agus Seón Lloyd. Saolaíodh Ó Míocháin in Ardsolus láimh le hInis i gCo. an Chláir. Tá seans linn go bhfuil roinnt mhór eolais againn ar shaol an Mhíochánaigh[19] agus is amhlaidh atá toisc go raibh de nós aige oscailt a scoile matamaitice (in Inis) a fhógairt gan teip sna páipéir nuachta áitiúla a bhí díreach tagtha ar an bhfód ag an am.[120] Ina theannta sin, ba é a d'fhág againn an cuntas ar an gcúirt éigse a tionóladh in 'Innis Chluanramhad' i dtigh Thoiréalaigh Uí Bhriain, mí Aibreáin 1780.

Is spéisiúil an ní é gur bhraith sé go mb'éigean dó rialacha na cúirte a scríobh síos – b'fhéidir gur beag taithí a bhí ag a chomhfhilí ar chúirt dá leithéid, rud nárbh fhíor, is léir, i gcás an Mhíochánaigh féin. Cá bhfuair sé a thaithí féin? I gCúige Mumhan, ní foláir. Bhí Ó Míocháin tar éis roinnt taistil a dhéanamh sna seascaidí dála a lán dá chomhbhádóirí a bhí ag iarraidh taithí teagaisc a fháil agus beagán maoine a bhailiú le go mbeidís in acmhainn scoil dá gcuid féin a oscailt ar ball.

Níorbh ait linn go mbeadh eolas aige ar chúirt Sheáin Chláraigh i Ráth Luirc ná ar Sheán Ó Tuama i gCromadh. Nuair a thug Tadhg Gaelach a chúl le 'baoise an tsaoil' agus é ag tabhairt droim le Corcaigh agus a aghaidh ar Dhún Garbhán taca an ama 1767, ba é an Míochánach an t-aon fhile amháin a rinne an ócáid a cheiliúradh i bhfoirm véarsaíochta, go bhfios dúinn.[21] Ghairm Pádraig Mac Giobúin cúirt éigse le chéile i nGarrán an Ridire láimh le Baile an Mhistéalaigh ar 20 Meán Fómhair 1773 agus chuir barántas amach ar bheirt bháillí san Inis a ghoid lámhscríbhinn(í) an Mhíochánaigh de bhrí nár dhíol sé a chuid cánach, dar leo. Tráthúil go leor, is in Egerton 150, agus cuid de scríofa i láimh a chara, Seón Lloyd, a fhaightear an barántas sin a seoladh amach chuig 'Contae Luimnigh mar aon le Contae an Chláir agus mórchuaird Éireann uile':

> *Whereas* ghlacas
> faisnéis dhearbh
>   ar mhionna an Bhíobla,
> Ó Shéamas Ó Gealbháin,
> fear tagartha cruachás
>   Thomáis Uí Mhíocháin,
> Go dtug dís danardha,
> duairc dubh damanta
>   dána diablaí,
> Táir dhó is tarcaisne
> tré cháin ceannaithe
>   crágach ciarbhuí.[22]

Ní dócha go bhféadfaí teacht ar eiseamláirí níos fearr ná an triúr fear léinn atá luaite agam chun a léiriú nár bhac ar bith abhainn na

Sionainne ar an gcaidreamh idir muintir an Chláir agus muintir Luimnigh nó go deimhin mhuintir Chorcaí féin, in Éirinn an ochtú céad déag. Is deas gur in onóir an Luimnígh atá an Cláiríneach mná ag ríomhadh cuid bheag de scéal an Chláir agus Luimnigh agus go raibh saorchead Phádraig Uí Chonaill againn i gcónaí:

> Teach flatha nó taoisigh dhíbh 'na stadfaidh ar cuaird,
> Go geanamhail bíodh gach saoi le taise is le trua,
> Cum fairsinge bídh agus dí agus leapa chum suain
> Dom' gharbhfhear Ghaolach ghrinn gan ghangaid gan ghruaim.[23]

---

1 E. Ó Súilleabháin, 'Scríobhaithe Phort Láirge' in W. Nolan agus T. P. Power, eag., *Waterford: History and Society*, Dublin 1992, 265-307.

2 B. Ó Madagáin, *An Ghaeilge i Luimneach*, Baile Átha Cliath 1974.

3 B. Ó Conchúir, *Scríobhaithe Chorcaí 1700-1850*, Baile Átha Cliath 1982.

4 D. Ó Duibhir, *Lámhscríbhinní Gaeilge Chontae Thiobraid Árann 1700-1900*, tráchtas M. Ed. neamhfhoilsithe, Ollscoil na hÉireann, Gaillimh 1982.

5 É. Ó hÓgáin, 'Scríobhaithe Lámhscríbhinní i gCill Chainnigh 1700-1870', in W. Nolan agus K. Whelan, eag., *Kilkenny: History and Society*, Dublin 1990, 405-36.

6 W. Mahon, 'Scríobhaithe Lámhscríbhinní Gaeilge i nGaillimh 1700-1900', in G. Moran, eag., *Galway: History and Society*, Dublin 1996, 623-50.

7 Ó Madagáin, *An Ghaeilge i Luimneach*, 27.

8 M. Lenihan, *Limerick Its History and Antiquities, Ecclesiastical, Civil and Military from the Earliest Ages*, [1866], athchló, Corcaigh 1991, 759.

9 J. Lloyd, *A Short Tour: or An Impartial and Accurate Description of the County of Clare, with some Particular and Historical Observations*, Ennis 1780; athchló ar eagrán 1893 foilsithe ag Ballinakella Press, Whitegate 1986, faoin teideal *Lloyd's Tour of Clare*.

10 *Ibid.*, Preface.

[11] Tá síniú Lloyd le feiscint sna lámhscríbhinní seo a leanas: Coláiste Phádraig, Maigh Nuad, C 25(a); Leabharlann na Breataine, Egerton 150 (cuid) ; lámhscríbhinn i seilbh an Ollaimh Pádraig Ó Riain, Corcaigh (a bhfuil mionscannán di i Leabharlann Náisiúnta na hÉireann); Coláiste Cholmáin, Mainistir Fhear Maí, P.B. 9; RIA 23 C 55, lgh 342-4; Leabharlann Náisiúnta na hÉireann, G 136, lgh 55-62. Do b'fhéidir gur leis chomh maith cuid de lámhscríbhinn A 33 i Leabharlann na bProinsiasach fara lámhscríbhinn 23 P 13 in Acadamh Ríoga na hÉireann agus duilleog i lámhscríbhinn C74 (g) i gColáiste Phádraig, Maigh Nuad.

[12] Féach, Ó Madagáin, *An Ghaeilge i Luimneach*, 26, 27, 63, 74.

[13] *Ibid.*, 26, 27, 31, 63.

[14] Tá an dán seo ar lch 26 de T12(b) agus é in eagar in D. Ó Muirithe, *Tomás Ó Míocháin: Filíocht*, Baile Átha Cliath 1988, 51.

[15] R. Flower, *Catalogue of Irish Manuscripts in the British Museum*, II, London 1926, 407.

[16] P. Ó Fiannachta, *Clár Lámhscríbhinní Gaeilge: Leabharlanna na Cléire agus Mionchnuasaigh*, Baile Átha Cliath 1980, 48.

[17] I gcomhair chlár na lámhscríbhinne seo, féach P. de Brún agus Máire Herbert, *Catalogue of Irish Manuscripts in Cambridge Libraries*, Cambridge 1986, 3-4.

[18] Scríobh Séamus Bonnbhíol dán 'ar an masladh fuair Tomas suairc Ó Miochain ... ó dhis baillidhe' tráth ar goideadh a chuid scríbhinní uaidh, féach Egerton 150, fóilió 339 b.

[19] Féach T. Ó Rathaile, 'Notes on the Poets of Clare', *An Claidheamh Soluis*, Lúnasa 1917, 14, agus Ó Muirithe, *Tomás Ó Míocháin*, 7-9.

[20] Féach B. Ó Dálaigh, 'Tomás Ó Míocháin and The Ennis School of Gaelic Poetry', *Dal gCais* 11 (1993), 55-73.

[21] Dán dar tús, *Is lúfar lánghlic léadmhar*, i gcló in Ó Muirithe, *Tomás Ó Míocháin*, 37-43.

[22] P. Ó Fiannachta, *An Barántas*, Má Nuad 1978, 166-7.

[23] *Ibid.*, 113.

Caoineadh ón Ochtú hAois Déag: Téacs agus Comhthéacs

MÁIRÍN NÍ DHONNCHADHA

Caoineadh nár foilsíodh cheana a mba mhaith liom a chur i láthair anseo in onóir don Ollamh Breandán Ó Madagáin, i ngeall ar an tsuim atá curtha aige riamh i ngnéithe éagsúla ealaíon na caointeoireachta, idir ghuthaíocht, chomhthéacs an tórraimh, agus athléirithe scríofa.[1] Ní mhaireann i gcás caoineadh ar bith ach cuid an-bheag den eolas a theastódh chun an cúlra as ar eascair sé a imlíniú, pointe atá léirithe go maith ag daoine romham.[2] Sa chás a bheidh á phlé anso, tá an freagra ar cheist an-bhunúsach ar fad ar iarraidh, is é sin, cathain go díreach a d'éag an té atá á chaoineadh, Traolach Láidir Ó Briain. Dealraíonn dom gur sa tríú ceathrú den 18ú haois a fuair sé bás, faoi mar a áiteod thíos. Ar an láimh eile, níl amhras ar bith faoin ndúthaigh lenar bhain an Traolach so: an dúthaigh úd lastuaidh de na Gaibhlte agus de Ghleann Eatharlaí atá ar an dá thaobh den dteorainn idir Cho. Thiobraid Árann agus Cho. Luimnigh. Is é Co. Luimnigh contae dúchais an Ollaimh Ó Madagáin, agus tá leabhar scríofa aige ar a oidhreacht Ghaeilge.[3] Ar chúpla cúis, mar sin, tá súil agam go mbraithfidh sé an téacs so oiriúnach le bheith istigh ina fhéilscríbhinn.

Tá na scórtha caointe ann le filí neamhghairmiúla, idir fhir is mhná, nár cuireadh in eagar go fóill. (Seachnaím ciallú cúng neamhstairiúil a dhéanamh ar an bhfocal 'caoineadh' san aiste seo.[4]) Le déanaí, d'áitigh scoláire amháin nár chóir géilleadh do théiseanna maidir le foirm agus le feidhm chaointe scríofa agus chaointe béil go dtí go mbeidh siad profa i gceart, rud nach dtarlóidh nó go mbeidh tuilleadh caointe i gcló agus pléite ag daoine.[5] Tá súil agam go gcuideoidh an soláthar so leis an athscrúdú is gá a dhéanamh.

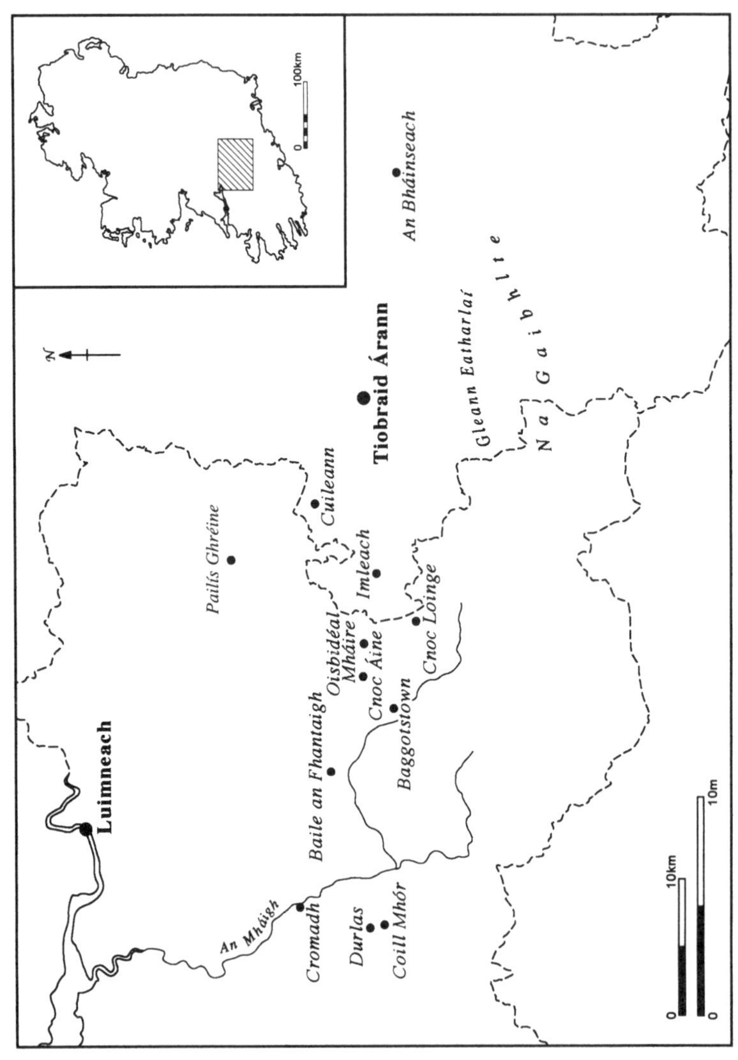

Dúthaigh an chaointe

Ní heol dom ach aon chóip amháin a bheith ann den gcaoineadh, cóip atá ar lgh 187-8 de Lámhscríbhinn Uimhir 4543 i Leabharlann Huntington i San Marino i gCalifornia. Filíocht na Mumhan is mó atá sa lámhscríbhinn mhór seo (674 leathanach), ach tá dánta inti a bhaineann le cúigí eile, go speisialta dánta siollacha. Dealraíonn gur scríobhaí amháin a dhein an t-iomlán, fear darbh ainm Tadhg Ó Conaill, sa bhliain 1827.[6] Níl clár céadlínte ar fáil go fóill ach don 341 leathanach tosaigh.[7]

SLIOCHT THRAOLAIGH UÍ BHRIAIN

Cé go bhfuil roinnt tagairtí do dhaoine den ainm Traolach (nó Traolach Láidir) Ó Briain sna lámhscríbhinní Gaeilge, níor éirigh liom aon duine díobh a cheangal go lánchinnte le pearsa an chaointe.[8] Ach munar féidir a insint go cruinn cérbh é, deinim amach gur féidir a rá cér díobh é. Ar fhianaise na logainmneacha sa chaoineadh tá sé geall le bheith cinnte gur bhain sé leis an mbrainse úd de shliocht Bhriain Bhóirimhe a dtugtaí Mic Bhriain Chuanach orthu sa tréimhse i ndiaidh theacht na Normannach. Is ó Bhrian mac Murchadha na nEach a sloinneadh iad so; cailleadh dearthháir leis an mBrian so, fear darbh ainm Diarmaid, sa bhliain 1220.[9] Sula dtáinig Mic Bhriain chun cinn, is faoi Uí Chuanach a bhí an dúthaigh a shíneann ón áit a bhfuil Pailís Ghréine inniu (Co. Luimnigh) go dtí an taobh thoir den mBáinsigh (Co. Thiobraid Árann) agus b'é Cuilleann an dúnphort ba mhó tábhacht ag Uí Chuanach sa dúthaigh sin; tugtar Cuilleann Ó gCuanach ar an mbaile sin fós.[10] Chuaigh Uí Chuanach ar gcúl ach ghlean a n-ainm don ndream nua, Mic Bhriain. Thosnaigh Mic Bhriain Chuanach ar an sloinneadh 'Ó Briain' a úsáid san 18ú haois. Fuair duine díobh seilbh ar chaisleán na Báinsí *jure uxoris*, nuair a phós sé Eileanór, iníon leis an gCaiptín Éamonn Buitléar (a cailleadh sa bhliain 1707 nó 1708), am éigin sa dara ceathrú den 18ú haois.[11] Ón uair gurb í an Bháinseach an chéad áit a luaitear sa chaoineadh (líne 2), tharlódh go raibh gaol gairid ag Traolach Ó Briain le muintir an tí sin. Má bhí, is má bhí an tigh sin ina seilbh ón dara ceathrú den 18ú haois i leith, tá *terminus post quem* againn don gcaoineadh – *c.*1750. Chífimid thíos go bhfuil cúiseanna eile ann lena chur i gcás gur tamall de bhlianta ina dhiaidh sin arís a cumadh an caoineadh.

T—L AGUS B—ER, TIONSCANTÓIRÍ AN FHEILLBHIRT, MÁS FÍOR

Tugtar le fios sa chaoineadh nach bás le hadhairt a fuair Traolach ach gur dúnmharaíodh é. Dhein an bhean chaointe liamhaintí ar dhaoine éagsúla maidir leis an mbeart a dhéanamh (línte 10–13; 27–31) ach fuair sí beirt ar leith ciontach sa ghníomh a thionscnamh, má thuigim i gceart a bhfuil á rá, agus shloinn sí iad san (línte 18-26). Dealraíonn gurbh ón mbeirt seo a bhí 'dailtíní sráide/ag tuilleamh a bpá' ar Thraolach Ó Briain a mharú (línte 13–4). Ar an ndrochuair, níor bhreac ár scríobhaí ach na litreacha tosaigh agus deiridh de na sloinnte sin: 'T—l agus B—er' (líne 19). Mheasas ar dtúis nárbh fhiú bheith ag iarraidh an bheirt seo a aimsiú i gcáipéisí staire agus liteartha an 18ú haois – go mb'ionann é agus snáthaid a chuardach i gcoca féir. Ach maith mar a tharla, ba mhéar ar eolas í an mheadaracht. As na sloinnte go léir i leabhair na saineolaithe sin ar shloinnte, Patrick Woulffe agus Edward MacLysaght, dár thús B- agus dár chríoch -er,[12] níor réitigh ach dhá cheann díobh ó thaobh amais de leis na focail sa troigh dheireanach den mír seo den gcaoineadh (*i.e.* le 'reamhar ghoirt', 'ciontach', 'clann díbh', agus araile), agus sin iad na sloinnte 'Bou(r)ch(i)er' agus 'Bowler'. I gcás 'Bou(r)ch(i)er', is í an fhoirm mhalartach 'Boucher' atá i gceist agam. Litriú an-choitianta inniu ar an ainm is ea 'Boucher', agus do b'ea le fada.[13] Is é a bheidh in úsáid agam san aiste seo ach amháin nuair is gá tagairt do dhaoine ar leithligh den sliocht atá luaite in Burke, *Landed Gentry of Ireland*, áit a n-úsáidtear an fhoirm 'Bourchier'.[14] Tá roinnt foirmeacha malartacha ag an sloinneadh Bowler ('le Fougheler' an bunús atá leis)[15]. Fós, is rí-thearc duine den sloinneadh sin a bhí le fáil lasmuigh de Chiarraí san 18ú haois. Ina theannta sin, ba dhóigh le duine go mbeadh an leagan gaelaithe a bhí comónta faoin dtráth san – Bóighléir, Búighléir – in úsáid i gcaoineadh Gaeilge, ach ní réitíonn na foirmeacha sin leis an dtroigh dheireanach. I mbeagán focal, níl fianaise ar bith ann – nó agamsa ach go háirithe – lena áiteamh gurb é seo an sloinneadh atá i gceist. Ní hionann cás don sloinneadh Boucher. Ní hamháin go bhfuil an fhoirm seo sásúil ó thaobh na meadarachta de, ach bhí muintir Boucher gualainn ar ghualainn leis na móruaisle Protastúnacha ba thábhachtmhaire i ndúthaigh Thraolaigh Uí Bhriain – an saghas dreama a mbíonn caint mhallaithe fúthu go minic i gcaointe na línte gearra ón 18ú haois. Chomh maith leis sin, tuigtear dom – faoi mar a áiteod thíos – go mba mhóruasal Protastúnach eile é 'T—l' a bhain leis an ndúthaigh cheannann chéanna le muintir Boucher.

Fuair sinsear mhuintir Boucher, John Bourchier, seilbh ar eastát Baggotstown, atá díreach ó dheas ó Chnoc Áine, nuair a coigistíodh é ar Thomas Baggot sa bhliain 1651. Bhí Baggotstown agus eastáit eile i gCo. Chorcaí i seilbh a mhic sin ar ball, John Bourchier eile, a saolaíodh sa bhliain 1664. Nuair a fuair seisean bás sa bhliain 1744, tháinig eastát 'Baggotstown' go dtína mhac féin, John Bourchier eile. Fuair a mhac siúd, James John (a dtugann dáta a phósta sa bhliain 1766 tuairim éigin dúinn den uair ar saolaíodh é), an t-eastát le hoidhreacht ina dhiaidh sin. Mar gheall ar a chóngaraí is atá Baggotstown d'Oisbidéal Mháire, mar ar 'leagadh ar lár' Traolach Láidir Ó Briain (líne 11), tuairimím gurb é an John Bourchier deireanach seo nó, neachtar acu, a mhac, James John Bourchier, an 'B—-er' atá luaite sa chaoineadh.[16]

Tá cás an ainm 'T—-l' níos casta, cé go ndealraíonn sé níos simplí ar an gcéad fhéachaint. Níl ach trí féidearthachtaí ann, má tá ár mbrath ar leabhartha na saineolaithe úd atá luaite cheana agam, Woulffe agus MacLysaght. Sin iad: Ó Tuathail (leis na malairtí Toole, Toal, Tohill, Twohill, agus Towell); Tyrrel(l); agus Tuthill.[17] Bhain an sloinneadh Ó Tuathail le Co. Dhoire ó cheart agus, cé go raibh brainsí den ainm scaipithe go dtí Co. Chorcaí agus Co. Phort Láirge agus áiteanna eile, ní léir dom aon cheangal le Co. Luimnigh um an am so.[18] Ina theannta sin, ba dheacair a chreidiúint go luafaí agus go mallachtófaí, san aon abairt amháin, duine de bhunadh Gaelach agus móruasal Protastúnach de bhunadh céimiúil ar nós Boucher. Tuairimím, mar sin, gur féidir an sloinneadh Ó Tuathail a fhágaint as an áireamh.

An dara rogha, más ea: Tyrrel(l). Tá castacht bhreise ag baint leis an ainm seo. Ait le rá, tagann barántas a cuireadh amach in ainm Sheáin Uí Thuama *To all high and petty constables and especially to James Tyrrel and his Assistants* díreach roimh ár gcaoineadh-na sa lámhscríbhinn (ar leathanaigh 186-7). Is é Seán Ó Tuama Chromadh an tSubhachais an Tuamach atá i gceist ar ndóigh.[19] Níl Oispidéal Mháire mar ar maraíodh Traolach Ó Briain ach timpeall is deich míle soir ó dheas ó Chromadh, agus is giorra fós é do Bhaile an Fhantaigh, áit a mbíodh an dara cúirt éigse ag filí na Máighe, sa tslí nárbh ait le duine an Tuamach agus an bhean chaointe a bheith ag trácht ar an bhfear céanna, nó ar bheirt Tirialach a raibh gaol gairid acu le chéile.[20] Is gá an cheist a chur, más ea: an dtarlódh gurb é ainm an James Tyrrel so atá folaithe ag scríobhaí an chaointe sa bhfoirm 'T—-l'? Bhain an sloinneadh Tyrrel(l) le comharsanacht Cho. na hIarmhí ó cheart, ach is léir ón mbarántas dá dtagraim go raibh ar a laghad aon duine amháin den sloinneadh bainteach le Co. Luimnigh.[21] Bhí an sloinneadh le fáil i dtailte na mBuitléarach sa Trian Meánach i dTiobraid Árann chomh maith.[22] Ba mhíniú é ar ghiorracht an chaointe agus an bharántais dá chéile sa lámhscríbhinn iad araon a bheith ag tagairt don nduine céanna, is é sin, do James Tyrrel, nó do bheirt den sloinneadh céanna sin ar aon tslí. Ach ina ainneoin sin is uile, creidim go bhfuil ábhar againn lena cheapadh *nach* é an James Tyrrel atá luaite sa bharántas, ná Tirialach eile a bhí gaolmhar leis ach an oiread, atá i gceist sa chaoineadh, ach duine den dtríú sloinneadh – Tuthill. Baineann an míniú le feidhmiú an chórais dlí.

San 18ú haois, an contae, an bharúntacht, nó, ar an gcuid is lú, an leathbharúntacht na haonaid riaracháin a bhíodh faoi na hardchonstáblaí nó na *high constables*. Ba lú na haonaid a bhíodh faoi na *petty constables*. Tréimhse bliana a bhíodh ag an dá shaghas oifigeach (cosúil leis na sirriaim), agus ní gheibhidís aon phá.[23] Bhí stádas an chonstábla agus an ardchonstábla i bhfad níos ísle ná an stádas a bhí ag giúistís, méara baile, sirriam nó ardsirriam chontae. Is fuirist é seo a fheiscint ach féachaint ar mhaoin na ndaoine a cheaptaí chun na n-oifigí éagsúla so. Agus an méid sin tuigthe, ní féidir a shamhlú go luafaí go fiú an t-ardchonstábla san aon abairt amháin le móruasal ar nós duine de chlann Boucher. Mar a chonaiceamar, tugtar le fios sa bharántas Béarla go mba *high constable* nó *petty constable* é James Tyrrel.

Gan amhras, is gá a chur i suim go mb'fhéidir nach raibh sna teidil seo a tugtar do James Tyrrel *and his Assistants* ach ficsean liteartha, teidil bhréige a mba cheart a thuiscint mar chiúta den mbarántas liteartha, ar aon dul le teidil ar nós '(ard)sirriam', 'uachtarán', agus araile, a mbaineadh údair na mbarántas leas astu agus iad ag caint ar a gcomhghleacaithe Caitliceacha. Ba theidil bhréige iad seo nuair a thagraítí do Chaitlicigh iad sa mhéid go raibh crosta ar Chaitlicigh ón mbliain 1715 i leith aon cheann de na hoifigí seo a bheith acu.[24] Ach ar ndóigh, dá mba Chaitliceach é James Tyrrel ba lú fós an dóchúlacht a bhí ann go luafaí é i gcomhluadar Boucher éigin. Táim sásta, más ea, go gcaithfear dul i muinín an tríú féidearthacht, is é sin, gur duine den sloinneadh Tuthill atá i gceist sa chaoineadh.

Ar an ndea-uair, bhí an sloinneadh seo bainteach go speisialta le Co. Luimnigh, cé go raibh sé le fáil i gcontaetha eile chomh maith.[25] Tháinig Christopher Tuthill (a saolaíodh sa bhliain 1650 agus a fuair bás sa bhliain 1712) go hÉirinn as Somerset sa bhliain 1685, agus fuair sé féin, agus a shliocht ina dhiaidh, eastáit fhairsinge ar léas i gCo. Luimnigh thart ar an gCoill Mhór agus Durlas (feic mapa ar lch 184).[26] Bhí beirt mhac aige, John a saolaíodh sa bhliain 1686, agus George a saolaíodh sa bhliain 1693. Fuair an chlann mhac a bhí ag John bás sula rabhadar meánaosta. Bhí rith níos faide ag clann George: bhí an mac a tháinig in oidhreacht air, John Tuthill a saolaíodh sa bhliain 1744, ina Ardsirriam ar Cho. Luimnigh sa bhliain 1774, agus ní bhfuair sé bás go dtí an bhliain 1814. Lá níos faide anonn, sa bhliain 1823, bhí an oifig chéanna ag mac leis siúd, George Tuthill; saolaíodh eisean sa bhliain 1771.[27] Tuigtear dom uaidh seo go léir go raibh muintir Tuthill inchomórtais le muintir Boucher i gcúrsaí céimiúlachta. Más ea, deinim amach go bhfuil dóchúlacht láidir ann gurb iad seo an dá shloinne atá i gceist sa chaoineadh. Agus bíodh go bhfuil éiginnteacht bhreise ag baint leis na hindibhidí, léimse ar na dátaí breithe, báis, agus araile ag muintir Boucher agus Tuthill sa dara leath den 18ú haois go bhfuil dóchúlacht mhaith ann gurb iad James John Bourchier (a phós sa bhliain 1766) agus John Tuthill (an fear a bhí ina Ardsirriam ar Cho. Luimnigh sa bhliain 1774) an bheirt fhear d'áirithe atá i gceist. Ag féachaint ar an bh*floruit* atá acu araon, mholfainnse dáta *c.* 1760–80 a chur leis an gcaoineadh. Ar aon nós, ba dhaoine cumhachtacha iad so a mbeadh mórán cairde sa chúirt acu (gan ach an chiall litriúil a thagairt don nath sin). Córas eile ar fad a thug cead aighnis don gcaointeoir.

AN BHEAN CHAOINTE AGUS AN GUTH BAINEANN

Leagtar an caoineadh ar bhean gan ainm sa cheannscríbhinn a ghabhann leis: 'Banaltra Thoirdhealbhaicc ui briain, *alias* láidir'. An féidir glacadh leis gurb í seo a chum? De ghrá na símplíochta, labhras go dtí seo amhail is go mb'fhéidir, ach teastaíonn plé níos mine anois. Ceist eile fós: ar tháinig ann don gcaoineadh atá againn anois laistigh den dtraidisiún béil nó laistigh den dtraidisiún scríofa? Tá cuid de na freagraí ab fhéidir a thabhairt ar na ceisteanna seo fite fuaite ina chéile.

Ba dhóigh le duine ar línte 65–85 go raibh caidreamh leanúnach ag an gcainteoir ar an mBrianach agus fáilte roimpi i dtigh a mháthar. Mar sin féin, caidreamh an íochtaráin ghrámhair ar an máistir atá i gceist. Ní bheadh sé seo bunoscionn le céim na banaltran. Is leis an gcaointeoireacht ó bhéal (go speisialta caointe na línte gearra) is mó a samhlaítear cúrsaí teaghlachais agus tís mar théamaí – ní nach ionadh, nuair is iad daoine muinteartha an mhairbh nó lucht aitheantais an teaghlaigh a bhíodh ina bun de ghnáth. Bíodh go bhfuil an t-urlabhraí sa chás so eolgaiseach ar shaol gnó Thraolaigh Uí Bhriain agus ar an ngréasán a cheanglaíonn móruaisle an chontae leis na 'dailtíní sráide' a mharaigh é, más fíor, fós is mar dhuine atá bainteach leis an dteaghlach a labhrann sí. Dar liom nach dtuigfeadh ach daoine áirithe cúinsí agus impleachtaí a creachta mar a mhíníonn sí sa chaoineadh iad,[28] agus sin iad na daoine a bhfuil dlúthbhaint acu leis an dteaghlach céanna. Ní léir dom go bhfuil sí dealaithe ar chor ar bith ó bhrí phearsanta a bháis. Is é atá i gceist agam ná nach bhfuil an t-oibiachtú a dhéanfadh saothar lánsothuigthe d'aicme chultúrtha ar leith as an gcaoineadh – aicme atá snaidhmthe le chéile ag na tuiscintí *cultúrtha* a roinneann siad le chéile, seachas gaol nó dámh, atá i gceist agam – ní léir dom go bhfuil an t-oibiachtú sin le fáil sa chaoineadh. Fágann san nach aon ionadh é go bhfuil an tagairt bheacht a bhí i gceist i gcuid de na línte caillte nó doiléir anois. Sampla maith de seo is ea na línte a bhaineann le 'Séamas Rua na gcapall' (línte 33–8): tá an éifeacht a bhaineann leis an ainmniúchán caillte orainn inniu, agus samhlaím nach mbeadh éifeacht leis in aimsir an chaointe féin ach dóibh siúd a raibh aithne nó clostrácht acu ar Shéamus Rua. Sampla eile is ea na línte ar 'striapaigh an phóirse' a bhíodh ag deochadh is ag pógadh an Bhrianaigh is 'ag cur na ngiobal' ina phóca (línte 39-52).

Léim orthu seo go léir nach raibh sé i gceist go scaoilfí an caoineadh go dtí pobal anaithnid, neamhtheoranta mar atá tarlaithe anois – mar a tharlaíonn le téacsanna foilsithe i gcoitinne. Creidim gur cumadh *an leagan tionscantach* dá bhfuil againn anois ó bhéal agus go raibh aithne ag an mbean chaointe ar a lucht éisteachta, fiú muna raibh san aithne sin i gcás daoine áirithe ach an mhearaithne a bhain leis an ócáid ar dhein sí a dreas caointeoireachta.

Nílim á rá gurbh in go cinnte ócáid an tórraimh; samhlaím gur mó caoineadh a deineadh a aithris don gcéad uair tamall i ndiaidh an tórraimh, agus tá caointe ann a dtugann an pheirspictíocht ama atá iontu é seo le fios. Agus go fiú na caointe ina labhartar amhail is go bhfuil an té atá á chaoineadh iontu nuabhásaithe, samhlaím gur aithrisíodh cuid díobh sin don gcéad uair tamall i ndiaidh eachtra an bháis. I bhfoclaibh eile, táim á rá go mba thróp é labhairt amhail is go raibh an bás tarlaithe le deireannas agus a ghoimh fós an-bheo – ach gur féidir go mbeadh an pheirspictíocht ama seo trína chéile le peirspictíochtaí ama eile san aon chaoineadh amháin, léamh a d'fhuasclódh cuid de na fadhbanna a bhaineann le léirmhíniú caointe áirithe.[29] Ach chomh maith le bheith ina thróp ceapadóireachta, ba phléisiúr é, nó ar a laghad ar bith ba fhaoiseamh é, ag daoine an dólás goimheach agus mothúcháin eile a bhain le bás a bhí tarlaithe fadó riamh a mharthain agus a thabhairt chun cuimhne athuair:*cf.* cuntas cáiliúil Synge ar shochraid in Inis Meáin Árann.[30] Ní foláir, leis, nó b'fhiú le daoine eile éisteacht chruinn a thabhairt don dara nó don tríú uair don méid a dúirt daoine muinteartha an mhairbh i dtús báire faid a bhíodar ag gol os cionn an choirp. Mar a deir Seán Ó Tuama: 'Ní haon iontas é gur ar startha dá gcaointe sin is mó a chuimhnigh daoine: is iad is treise dólás, is iad is treise filíocht'.[31]

An bhean chaointe a raibh aithne aici ar a raibh i láthair, bheadh sí ag léamh ar feadh an ama ar an dtionchar a bhí ag a cuid focal ar na héisteoirí, agus orthu siúd a dtabharfaí cuntas chucu ar ball. B'fhéidir léi a aithint orthu (go pointe áirithe ar aon tslí) cad a thuigeadar is cad nár thuigeadar. Gan dabht, tá 'eagarthóireacht' déanta ó shin ar na línte a dúrathas an chéad lá, sa tslí go bhfuil siad curtha ós ar gcomhair inniu ar an ndul céanna le téacs liteartha. Ní féidir céimeanna éagsúla an phróisis eagarthóireachta a aithint anois, ní lú ná mar is féidir a thaispeáint cé na línte a bhaineann leis an mbean chaointe agus cé na línte a bhaineann leis na haithriseoirí nó leis 'na heagarthóirí' a tháinig ina diaidh. Ach ní téacs liteartha é seo ó bhonn, dar liom: creidim gurb é atá againn ná an iarmairt ar dhreas caointeoireachta a deineadh ó bhéal do lucht éisteachta ar leith, agus nár chóir ionadh ar bith a bheith orainn go dtéann iomlán na brí atá le línte áirithe amú orainn. Cé nach féidir liom a thaispeáint go bhfuil oiread is aon líne amháin de seo ina thras-scríobh dílis ar rud a dúrathas ó bhéal, táim sásta a rá go bhfuil *gaol* ag an dtéacs scríofa atá tagtha anuas chugainn le dreas caointeoireachta a deineadh ó bhéal ar ócáid(í) ar leith.

I leabhar áititheach, conspóideach a scríobh Breandán Ó Buachalla le déanaí, dúirt sé: 'Ní mór ... dar liom, diúltú don áiteamh ... gur "oral genre" é an caoine. Ní thuigimse, is ní léir dom, cén bonn – bonn teoiriciúil nó bonn feidhmiúil – ar ar féidir áiteamh mar sin a dhéanamh ... '[32] Géillim don Ollamh Ó Buachalla nuair a deir sé go raibh breall orthu siúd a dheineadh ionannú *dlúth* nó *iomlán* idir an téacs scríofa de chaoineadh agus an méid a dúrathas (agus a tharla) agus an duine marbh á chaoineadh. Aontaím leis chomh maith nuair a chuireann sé suas de 'dhá mhíthuiscint bhunúsacha' atá le brath, dar leis agus dar le scoláirí eile, ar an léamh a dhein A. B. Lord agus M. Parry ar litríocht eipiciúil na Slavach, agus a chuaigh i bhfeidhm go mór ar obair a deineadh ina dhiaidh sin ar an litríocht bhéil Éireannach: '(i) gur féidir idirdhealú dénártha a dhéanamh idir an chumadóireacht bhéil agus an chumadóireacht scríofa; (ii) nach bhfuil ach an t-aon teicníc chumadóireachta sa litríocht bhéil ann, mar atá, "composition during oral performance" '.[33] Ach ón uair gur dóigh leis gur míthuiscint a bhí i bpointe (i) thuas, agus ag cur san áireamh go ndeir sé féin gur 'tharraing an caoine as béarlagair agus as gothaí na caointeoireachta', ní fheicim ach gur conclúid mhíloighciúil amach is amach aige an chonclúid seo a dtagann sí uirthi ar deireadh: 'Sa tslí chéanna ar féidir, agus ar gá, idirdhealú iomlán a dhéanamh idir an seánra liteartha is laoi fiannaíochta ann agus an caitheamh aimsire is seilg ann, ní mór, mar an gcéanna, idirdhealú a dhéanamh idir an caoine agus an chaointeoireacht: seánra liteartha is ea an caoine, riotuál poiblí is ea – dob ea – an chaointeoireacht'.[34] Lasmuigh ar fad den éagoibhneas idir 'laoi:seilg' ar thaobh amháin agus 'caoineadh:caointeoireacht' ar an taobh eile, ní fheicim nach féidir a chur i gcás go mba athléiriú[35] *ar chuid* den riotuál poiblí é an téacs de chaoineadh *ar uairibh*.

Fearann leabhar Uí Bhuachalla cogadh ar ar 'an tsintéis anabaidh' agus ar an 'aiste cheannasach' nach gceistítear.[36] Ar ndóigh, is cuireadh oscailte uaidh é seo lena théis féin a cheistiú agus ní leasc liom dá chionn san a rá go bhfuilim go mór in amhras uirthi. An chúis a bhfuil an cheist á tarraingt anuas anso agam ná nach féidir neamhaird a dhéanamh di agus an chreidiúnacht atá dlite dár gcolafón á meas. Ní éilímse fianaise a thabharfadh léiriú lánchruinn ar dhreas caointeoireachta faoi mar a ghuthaigh duine é – roimh aimsir na sorcóirí céaracha. Is é atá uaim a dhéanamh ná *téacs* a mheas mar fhianaise ar dhreas caointeoireachta, agus glacaim leis gur taobh le fianaise easnamhach – agus le dóigh – atáim. Is é atá *á chur i gcás agam* gur deineadh an leagan tionscantach den gcaoineadh so ó bhéal. Anuas air sin, cuiream i gcás gur bean a dhein, is é sin le rá, gur féidir glacadh lena bhfuil ráite sa cheannscríbhinn. Ar dtúis, is leis na mná is mó a bhaineann gnás na caointeoireachta béil. Is leo is mó a samhlaítear ráitis feargacha *ad hominem* nó *ad feminam* i gcaointe chomh maith.

D'éiligh Angela Bourke aitheantas cuí don gcaoineadh mar mheán chun mothúcháin fheargacha ban i leith na bhfear a chur treasna. D'áitigh sí go cumasach go mbíodh na mná, minic go leor, ag caoineadh *more in anger than in sorrow*.[37] Chuir sí spéis ar leith i gceisneamh ban ar fhearaibh a raibh gaol fola nó gaol pósta acu leo:

> Using traditional formulas about stingy husbands, niggardly in-laws, and domestic violence, lament poets passed a rhetoric of resistance along in the tradition, even if in their own productions they discreetly hedged those formulas with negatives and excuses ...[38]

Ach, faoi mar a dúirt sí, nuair a bhíodh *safe target* ag an mbean chaointe, is é sin le rá, fear a thuill faobhar neamaolaithe a feirge, níor leasc léi é sin a dhíriú air:

> Sometimes anger is directed at a safe target. A well-known feature of lament poetry is the eloquent cursing of enemies or people defined for the time being as enemies. Eileen O'Connell, in her lament for her husband Art O'Leary, is thus free to express uninhibited anger at the spy who betrayed him.[39]

Ach ar ndóigh, labhraíodh mná caointe go feargach ar mhná chomh maith. Lasmuigh ar fad den mallachtú ar na striapaigh sa chaoineadh so thíos, tá an chaint ar Mháire Ní Dhuinnlé i gcaoineadh an Athar Nioclás Mac an tSíthigh, nó an chaint ag Eibhlín Dubh Ní Chonaill ar dheirfiúr Airt.[40] B'urlabhraí í an bhean chaointe ar son slándáil an teaghlaigh agus bhí a dála féin snaidhmthe i ndála an fhir mhairbh. Cárbh ionadh go ndíreodh sí a fraoch ar dhuine ar bith a dhéanfadh aimhleas an teaghlaigh.

Is gá aghaidh a thabhairt ar cheist eile fós: an dtarlódh nach bhfuil sa bhean chaointe seo ach carachtar ficseanúil – carachtar dí-ainm, baineann, *ficseanúil*? Go teoiriciúil, tharlódh. Go deimhin, deineann Breandán Ó Buachalla amach go mb'fhéidir nach raibh sa bhean chaointe i gcoitinne ach tróp liteartha:

> ... faoi mar a tharraing an barántas liteartha as béarlagair agus as gothaí na cúirte, tharraing an caoine as béarlagair agus as gothaí na caointeoireachta. B'fhéidir go míníonn sin gur ar mhná amháin a leagtar na caointe, mná anaithnid, gan stádas de ghnáth; mná nach leagtar aon fhilíocht eile orthu. Eisceacht í Eibhlín Dubh sa mhéid gur bhean uasal aitheantúil í, murab ionann is na mná eile a leagtar na caointe orthu, ach ise féin is file í 'nár labhair ach an t-aon uair amháin' ...[41]

Tá 'eisceachtaí' eile ann, áfach – 'caointeoirí' a bhfuil breis agus aon dreas véarsaíochta amháin uathu ar fáil fós: 'caointeoirí' cosúil le Caitlín Dubh a chum do Bhrianaigh an Chláir *c.* 1620 (a bhfuil cúig caointe léi tagtha anuas chugainn), nó Máire Ní Reachtagáin (a fuair bás 1733), nó Máire Nic a' Liondain (*fl.* 1750), nó Máire Ní Dhonnagáin (*fl.* 1760), nó Máire Bhuí Ní Laoghaire (a fuair bás *c.* 1849).[42] Dá raghaimis chomh fada le hAlbain ba liosta le n-áireamh na mná, ó Aithbhreac inghean Coirceadail (*fl.* 1470) i leith go dtí Màiri Mhòr nan Òran (1821-98), a bhfuil breis agus saothar amháin leo tagtha anuas chugainn.[43] Cinnte, is ann don tróp liteartha den mbean chaointe – a híomhá agus íomhá na mná sí agus íomhá na geilte ag leá ina chéile.[44] Ach d'eascair an tróp as an saol réadúil, agus is gá bheith san airdeall ar an ndifríocht eatarthu. Creidim go bhfuil banaltra Thoirdhealbhaigh Uí Bhriain mar phearsa stairiúil slán go dtí seo. Bheadh fonn orm fós, áfach, idirdhealú a dhéanamh idir an bhean a raibh aithne uirthi mar fhile agus an bhean chaointe: feic thíos.

Níorbh aon ionadh é dá léireodh canúint bhanaltra Thoirdhealbhaigh Uí Bhriain gur bhain sí leis an ndúthaigh chéanna leis siúd. Bhí canúint dheisceart Luimnigh agus Thiobraid Árann níos gaire i ngaol do chanúint Bhaile Mhac Óda agus Shliabh gCua ná do chanúintí Iarthar Mhúscraí, iarthar Chorcaí, agus Chiarraí.[45] Is fíor go bhfuil líon beag tréithe canúnacha a bhaineann le Gaeilge Urmhumhan le brath ar an gcaoineadh (*cf.* Nótaí Téacsúla thíos). Ach níl dóthain fianaise ann chun *a chruthú* gur bhain an t-urlabhraí le dúthaigh Thraolaigh, ní nach ionadh nuair nach bhfuil ann ach 94 línte gearra. Is é an rud atá tábhachtach ná nach bhfuil fianaise dá mhalairt againn. Glacaim leis, mar sin, gur dócha gur bhain sí leis an taobh tíre seo. Is féidir talamh slán a dhéanamh de nach bhfuil línte an chaointe díreach mar a d'aithris sí iad an chéad lá, ach glacaim leis gurb athléiriú de shaghas éigin iad ar an méid a dúirt sí ó bhéal an uair úd. Má ba dhuine ón ndúthaigh a chéadbhreac síos na línte (nó má dhein a leithéid iad a aithris os ard do scríbhneoir maith Gaeilge), d'fhéadfadh an chanúint a bheith cuíosach cruinn. Ar ndóigh, caithfear glacadh leis gur dócha go dtiocfadh athruithe eile isteach de réir mar a bheifí ag athchóipeáil an bhunleagain; cuimhnímis gur taobh le lámhscríbhinn a scríobhadh in 1827 atáimid anois.

LÉASPAIRTÍ AR AN GCÚLRA EACNAMAÍOCH

Dhein na Péindlithe 'proifisiúin' áirithe a bhain leis an arm, leis an rialtas agus leis an ndlí a thoirmeasc ar Éireannaigh nach raibh sásta claonadh leis an Eaglais Bhunaithe. Is mó Caitliceach a d'athraigh a chreideamh ar feadh tamaill – leithéid Phiarais Mhic Gearailt mar shampla – chun teacht i dtír ar na gairmeacha measúla seo, gairmeacha ar bhain stádas i bhfad níos airde leo ná mar a bhí ag an dtráchtáil. Is léir go mba scorn le Caitlicigh ardaicmeacha gairmeacha áirithe a bhain le tráchtáil a chleachtadh, in ainneoin na gconstaicí a bhain leis na 'proifisiúin'. Bhí an bhríbhéireacht ina measc. Is mar seo, mar shampla, a labhair Tadhg Ó Duinnín, a bhí tráth dá shaol ina fhile gairmiúil ag na Carthaigh:

Mo cheárd ó mheath le malairt dlighe i nÉirinn,
Mo chrádh go rach gan stad le bríbhéireacht.

Sa bhfreagra a thug Eoghan Ó Caoimh air, tugtar le fios gur beag ceird is uirísle ná sin, seachas an obair timpeall ar bhainne, b'fhéidir.

A Thaidhg, ó bhraithim go rachair le bríbhéireacht,
Raghadsa sealad ag bearradh gach cíléara.[46]

Is díol suime é a bhfuil ráite inár gcaoineadh faoi cheird eile a bhaineann le deoch, an stiléireacht. Cé go mbítear ag súil leis go molfaí go crannaibh gach a mbaineann leis an marbhán agus go gcáinfí go díocasach gach a mbaineann lena naimhde, tá níos mó ná so i gceist nuair a deintear codarsnacht sa chaoineadh idir 'mac mic phoitín an tarra', a raibh lámh aige i mbás Thraolaigh más fíor, agus máthair Thraolaigh a bhí go sochma ag baile 'is a steilingí ag lúbadh / is a bairillí ag cúradh' (línte 80–1). Ba ghnó príobháideach riamh é 'poitín' a dhéanamh, mar is léir ó shainmhiniú Fhoclóir an Duinnínigh: 'poitín: *a small pot; whiskey made in private stills*'. Ní hamháin go raibh sé príobháideach, áfach, bhí sé neamhdhlisteanach. Níorbh ionann é agus an stiléireacht a deintí os comhair an tsaoil agus a mbíodh ceadúnas faighte chuici.

Dhein an staraí sóisialta, K. H. Connell, cíoradh cumasach ar ghnó na stiléireachta in Éirinn san 18ú haois.[47] Faoi mar a léirigh seisean, cé go raibh an t-éileamh ar phoitín in airde láin ag deireadh na haoise sin, bhí an t-éileamh ar 'pharlaimint' (fuisce a deineadh go dlisteanach) méadaithe as cuimse chomh maith, ar chúpla cúis: an fás sa daonra, an méadú in ioncam so-chaite, níos mó eornan agus coirce a bheith á gcur agus, thar aon ní eile, an stiléireacht dhlisteanach a bheith saor ó shraith agus í sochrach i dtéarmaí eacnamaíochta, rud nach mbíodh fíor ach nuair a bhíodh sí ar bun ar mhórscála.[48] Sa bhliain 1779, mar shampla, theastaigh stil a dtoillfeadh 200 galún inti le go bhfaigheadh duine ceadúnas stiléireachta, agus idir 1804 agus 1806, ní bhíodh ceadúnas le fáil gan stil a dtoillfeadh 500 galún inti.[49] Is léir gur theastaigh caipiteal mór agus lucht oibre ón té ar mhian leis bheith i mbun stiléireachta – an saghas duine a mbeadh 'dailtíní sráide ... ag tuilleamh a bpá' air (línte 13–4). Agus cárbh ionadh an bhríbhéireacht a bheith ar bun ag a leithéid mar ghnó breise, in éineacht leis an stiléireacht, rud a mhíneodh an tagairt do na 'bairilllí ag cúradh' thíos (líne 81). As copar nó stán a deintí an stil cheart. Is mó saghas leastair a ndeintí áis de don stil phoitín áfach. Mar a dúirt K. H. Connell – agus é ag scríobh sa bhliain 1968:

> Today – as no doubt in the past – makeshift apparatus is sometimes used for distilling. Empty tar-barrels, milk-churns, oil-drums, and potato-pots have all been pressed into service ...[50]

Ritheann sé liom go mb'fhéidir go bhfuil sé á thabhairt le fios sa chaoineadh, sna focail 'mac mic phoitín an tarra', go raibh 'an mac' a bhí ag déanamh an phoitín seo taobh le bairille tarra mar stil, rud a chiallódh nach raibh puinn fáltais aige (ar ndóigh, b'fhéidir na focail a chiallú chomh maith mar thagairt don mblas a bhí ar an ól).

Tugann Connell cuntas ar shuirbhé a deineadh sa bhliain 1836 ar an stiléireacht neamhdhlisteanach ar fud na tíre, agus is díol suime é go léiríonn an suirbhé seo nár bhain an gnó neamhdhlisteanach ach ar éigean le Co. Luimnigh. Stiléirí 'móra' dlisteanacha a bhí chun cinn sa chontae so:

> ... while illicit distillation was common in the seaboard counties from Clare north and west to Derry, there was little south of a line drawn from the mouth of the Shannon, through Limerick, to Newry. Other evidence shows that in the previous and

> following two or three decades poteen-making was also very largely confined to these same counties' area.[51]

Más ea, ba mhó ba dhíol tarcaisne é an stiléir poitín, agus an té a bhí inchurtha le stiléir poitín, i gCo. Luimnigh ná i gcontaetha níos sia siar agus níos sia ó thuaidh ná é.

Tá faobhar ar gach focal ag an mbean chaointe agus í ag caint ar 'stríopach an phóirse', ar a hiníon, agus ar an 'stríopach ab óige' (línte 39–52).[52] Braithim gurb é atá á thabhairt le fios aici sa líne 'ag cur na ngiobal id' phóca' (líne 43), gur dhein 'máthair' na complachta so tréaniarracht ar Thraolach Uasal a lot i súilibh an tsaoil tríd an bhfianaise seo ar a ceird a fhágaint aige. Tugann sí le fios nach raibh baint ná páirt ag Traolach Ó Briain leis na mná so, ach go mb'fhéidir go raibh sé ró-shochaideartha leo dá leas féin.

Ba de nádúr na mban caointe bheith ag cur aighnis – ar an mbás go speisialta, ach thógaidís aighneas le feiniméin eile agus le daoine chomh maith. Má dheineadh na filí aitheanta a bhíodh ag gabháil don bhfilíocht de shíor is de ghnáth buanú agus athléiriú ar an ídé-eolaíocht a bhí in uachtar sa saol Gaelach, samhlaítear dioscúrsa freasúrach leo siúd nach n-ardaíodh a nguth ach amháin ar ócáid thurraingeach an bháis. Chuireadh lucht caointe ceisteanna crua: ní minic a bhíodh 'Dé bheatha grásta Dé' á rá acu, mar shampla. *Inter alia* cheistídís údarás, cliarlathas, clú, dlisteanacht, forlámhas na bhfear, iompar ban. Bhíodh an tslí a bhfógraídís uathu gnéithe míthaitneamhacha den saol neartaithe ag an ndearbhú a dheinidís ar ghnéithe eile. Ba ghnách níos mó ná aghaidh amháin a bheith ar an scéal a d'insíodh an bhean chaointe (nó an fear caointe). Ar an ábhar so, is minic a thugann dreas caointeoireacha léargas gléineach ar an dteannas faoin ndromchla, i saol an teaghlaigh nó sa tsochaí i gcoitinne. Tá mórán de nochtaithe sa chaoineadh so: idir Caitlicigh agus Protastúnaigh (ag cur i gcás go bhfuil aithniúint cheart déanta ar 'T—l agus B—er'), idir údarás sinseartha na nGael agus údarás 'bhodaigh na dúiche', idir lucht déanta parlaiminte agus lucht déanta poitín, idir mná 'córa' agus stríopaigh, idir na huaisle agus na fola ísle. Luífeadh sé le réasún go mbeadh an teannas idir cuid mhaith de na grúpaí seo níos géire ná riamh fad a bhí na Péindlithe i bhfeidhm, nó go fiú fós ar na leabhair mar a bhí cuid mhaith díobh go deireadh an 18ú haois.

AN TEAGRÁN

Tá litriú na lámhscríbhinne tabhartha chun rialtachta agam de réir nóis an lae inniu ach amháin nuair is léir ar fhianaise na lámhscríbhinne go dteastaíonn litriú stairiúil ó thaobh meadarachta nó deilbhíochta, nó go bhfuil fuaimniú canúnach á chur in úil (mar a mheasaim); úsáidtear litriú stairiúil don ainm 'Toirdhealbhach' chomh maith. Tá plé ar na cásanna so, agus ar phointí eile, sna Nótaí Téacsúla. Tá na léamha a thugann léargas ar fhoirmeacha nó ar chanúint an scríobhaí/údair sa Ghléas Téacsúil. Tá na logainmneacha go léir atá luaite sa chaoineadh, seachas aon cheann amháin nárbh fhéidir liom a aimsiú ar léarscáil 6" de chuid an tSuirbhé Ordanáis (Port na Má), léirithe ar an mapa ar lch 184 thuas. Mise a dhealaigh na línte ó chéile agus a sholáthraigh an phoncaíocht.

Banaltra Thoirdhealbhaigh Uí Bhriain *Alias* Láidir

M'fhada-chreach chráite
's do bhí do ghaol san mBáinsigh,
's i dTiubraid Árann,
i nEatharla Dháson,
is in Imligh an bháire,
i gCuilleann 'tá lámh leis,
's i gCnoc Loinge na mbánta,
i bPort na Má thiar,
i mullach Cnuic Áine,
's in Óispidéal Mháire
mar ar leagadh ar lár tu

i ndoras na ceártan
le dailtíní sráide
do bhí ag tuilleamh a bpá ort
is nár fhága siad go bráth é
a Thoirdhealbhaigh Ó!
Uch! uch! agus ó go dubhach!

Is mo chreach fhada reamhar ghoirt
a T—-l 's a B—-er
más sibhse is ciontach
nár bheire bean clann díbh,
nár bheire bó gamhain díbh,
nár thige gort geamhair díbh,
nár bheirig an tSamhain oraibh
ná an tEarrach ina dheaghaidh sin,
a Thoirdhealbhaigh Ó!

Mo chreach ghéar is mo ghreadadh
tu a chailleamhain le mac mic phoitín an tarra,
le dailtíní na sní d'aisceadh,
is le dailtíní na léadhb do lascadh,
is le dailtín ná déar a ainm
mar nach feas cé hé a athair,
is le mac Shéamais Rua na gcapall,
go n-imthíg íde air is measa
ná mar d'imigh ar a athair,
's é sin, a chrochadh ar lár na faiche,
agus ceathrú dhe do chur ar gach sparra,
a Thoirdhealbhaigh Ó!

M'fhada-chreach bhrónach
cá raibh do ghaol nó do chóngas?
le striapach an phóirse
do bhíodh ad dheochadh is ad phógadh
is ag cur na ngiobal id' phóca,
go bhfeice mé spórt uirthi,

a hiníon ar an mbóthar
's a siolán faoina scórnaigh
ní áirím an striapach dob óige
do bhíodh i gcochall a cóta,
ina bonn ar bóthar
ag bailiú na tórach
chum tusa do leonadh
a Thoirdhealbhaigh Ó!

M'fhada-chreach thúirseach
's is deas a thiocfadh súd duit –
hata trí gcúinge
is peiribhic phúdair
is fuip bhreá lúbach
ar ghillín tsúgach
is claíomh breá cúil tharat
ag buain trí gcúrsa
as bhodaigh na dúiche
go gcaithfidís umhladh
duitse gan chúinse
a Thoirdhealbhaigh Ó!

Nár bheannaíthear dhuit a fhaiche an aonaigh
is créad chuige a mbeannóinn féin duit
is feabhas an stóir a chaill mé inné ionat,
m'easnamh lem' shaogal,
teinneas mo chéinn is
treighid mo chléibh tu,
m'fhiabhras ná féadfad a réiteach,
is mo niosgóid ná cneasóch lem' ré thu
a Thoirdhealbhaigh Ó!

M'fhada-chreach thúirseach,
corraigh is múiscil,
oscail do shúile
is tair abhaile liomsa

go dtí do bhaile dúchais
mar a bhfuil do mhúdar
is a steilingí ag lúbadh
is a bairillí ag cúradh
a ba boga ag búthraigh,
's a searracha ag súgradh
ar maidin laoi samhraidh
a Thoirdhealbhaigh Ó!

Mo chreach fhada is mo chiach,
a dhalta dhil 's a chiall,
ná faiceann tú chughat aniar
do bhráthair is do chliamhain
Toirdhealbhach Ó Briain,
ceann urra na gcliar
do bhí ar an gcnoc so thiar
go moch ag múiscilt an fhia
a Thoirdhealbhaigh Ó!

GLÉAS

2] san mbáinsicc; 6] ccuillionn; 8] a bport na Mágh; 9] a mullach chnuic Áine; 10] a noisbeaidéal Mháire; 12] na cceardchan ; 15] is nár fhághaid síad; 18] reamhar; 20] cion*n*tach; 21, 22] bheireadh; 23] thigeadh; 24] nár bheiridh an tsamhuin; 25] na dheadhaig; 26] thoirdhealbhaicc; 28] tu chaileamhuin; 28] sníghe d'aisge; 30] na lédhab do lasga; 31] déar ainm; 32] he Athair; 34] go nimthíghidh aoíde; 35] air Athair; 40] chómhgus; 42] ad dheocha is ad phóga; 44] go bhfeicid mé; 45] a hinchin; 46] 'sa siolán faoí na sgórnuig; 49] na bon*n* air bóthar; 51] chum; 53] thúirseach; 55] hata ttrí ccuinge; 57] whip; 58] air ghillin t'súgach; 59] thort; 60] ag búain ttrí ccúrsa; 61] as bhodaicc; 65] fhatha an aonaicc; 66] cr7; 68] shaogal; 69] tein*n*ios mo chéinn; 71] fiadfiad; 72] niosgóid ... rae; 74] thúirseach; 75] coruig is múisgil; 78] go ttígh; 79] mhúghdar; 80–1] is steillingídhe ... is a bairilídhe; 82] a badh boga búthraig; 84] air maidin laoí samhruig; 87] faicion*n*; 89] chliabhain; 93] go much a muisgilt.

NÓTAÍ TÉACSÚLA

2 *san mBáinsigh* Tugann litriú na lámscríbhinne le fios gur *–g* (díshéimhithe) atá i ndeireadh an ainm seo, rud atá rialta i gcanúintí na Mumhan do *–dh* nó *–gh* caol deiridh, *cf.* S. Ua Súilleabháin, 'Gaeilge na Mumhan', *SnaG*, 479-538; 485 (§2.17). Is amhlaidh atá sna cásanna seo a leanas chomh maith: *Thoirdhealbhaigh* passim; *dheaghaidh* 25; *d'imigh* 35; *scórnaigh* 46; *bhodaigh* 61; *aonaigh* 65; *corraigh* 75; *búthraigh* 82; *samhraidh* 84.

3 *i dTiubraid* Déantar *u* de *io* (< *i*) roimh an gconsan *–b* sa Mhumhain, *cf.* Ua Súilleabháin, 'Gaeilge na Mumhan', *SnaG*, 482 (§ 2.7).

4 *i nEatharla Dháson* An Coirnéal Séamas Dáson a cailleadh 1737/8 atá i gceist, ní foláir. Chum Seán Clárach Mac Domhnaill aoir fhíochmhar ar an bhfear, *cf.* 'Taiscighidh, a chlocha, fá choigilt i gcoimeád chriaidh', in P. Ua Duinnín, eag., *Amhráin Sheaghháin Chláraigh Mhic Dhomhnaill*, Baile Átha Cliath 1902, 51–3. Deir an Domhnallach gurbh í Eatharlach 'talamh dúchais' Dháson agus tugann sé le fios go raibh ceann d'árais na mBrianach ina sheilbh – Caisleán Eatharlaí, b'fhéidir:

> Dob' fhairsing a chostas i solas-bhrugh cheann-árd Bhriain,
> Ba dhaingean a dhoras 'a dhoicheall istigh fán iadhadh,
> I nEatharla fhosaigh, i n-oscuil idir dhá shliabh,
> Gur cheangail an gorta don phobul dá gcur fá riaghail.' *(Ibid., 52).*

5 *i nImligh an bháire* Ní léir ar litriú na lámhscríbhinne go bhfuil *–g* caol i ndeireadh *i nImligh*. *Cp. i nEatharla Dháson* in 3, agus feic an nóta ar *san mBáinsigh* in 2 thuas.

8 *i bPort na Má thiar* Níor éirigh liom an áit seo a aimsiú le haon chinnteacht. Ón uair go bhfuil sí 'thiar' ó na háiteanna eile atá luaite, seans gur chóir bheith á lorg ar bhruach (*i.e.* port) na Máighe, an abhainn a éiríonn i dtuaisceart Cho. Chorcaí, tamaillín ó thuaidh ó Ráth Luirc, agus a shníomhann léi ó thuaidh trí Bhrú Rí (? *alias* Dún Eochair Máighe: feic J. H. Todd, eag., *Cogadh Gaecheal re Gallaibh*, London 1867, cxxviii, clx) agus Chromadh. Sa bhliain 1692, caitheadh an file Eoghan Ó Caoimh amach as gabhaltás a bhí aige i bPort na Má (feic S. H. O'Grady,

Catalogue of Irish Manuscripts in the British Library, I, London 1926, 528). Níl an áit sin aimsithe le cinnteacht ach oiread, go bhfios dom. Ón uair go raibh cónaí ar Ó Caoimh ar ball i nDún ar Aill, áit nach bhfuil an fhaid sin ó dheas ón áit a n-éiríonn an Mháigh, tharlódh gurb ionann an 'Port na Má' as ar caitheadh amach eisean agus an 'Port na Má' atá luaite inár gcaoineadhna. Ach níl sa mhéid sin ach buille faoi thuairim; mar aon rud amháin, 'Port na *Mágh*' an litriú atá inár lámhscríbhinn. *Cp*. B. Ó Conchúir, *Scríobhaithe Chorcaí*, Baile Átha Cliath 1982, 35, áit a dtuairimíonn an t-údar san go mb'fhéidir gur i gCiarraí a bhí an áit as ar caitheadh amach Eoghan Ó Caoimh.

10 *Óispidéal Mháire* Chuir Geoffrey de Marisco teach ar bun do Ridirí d'Ord Naoimh Eoin Baiste (*Knights Hospitallers*) san áit seo roimh 1215 agus is uaidh a ainmníodh an baile. An Mhaighdean Mhuire an 'Máire' atá i gceist.

18 *reamhar* Tá claonadh ag roinnt cainteoirí sna Déise *r* caol a dhéanamh de *r* tosaigh mar shéimhiú: *cf*. R. B. Breatnach, *The Irish of Ring*, Baile Átha Cliath 1947, 143 (§ 549). Tá fianaise ar a leithéid chéanna i gCo. an Chláir, i gCorca Dhuibhne agus i Múscraí: *cf*. L. P. Ó Murchú, *Cúirt an Mheon-Oíche*, Baile Átha Cliath 1982, 69; Ua Súilleabháin, 'Gaeilge na Mumhan', *SnaG*, 489 (§ 2.28).

22 *i.e*. 'Nár aibí gort geamhair dibh' (*May no field of corn-grass ripen for you*).

24 *Nár bheirig an tSamhain* Léim ar litriú na lámhscríbhinne (*bheiridh*) go bhfuil fuaim *–g caol* sa bhriathar (roimh ghuta. *Cp*. 34 *Go n-imthíg*). *Cf*. M. Sheehan, *Seanchaint na nDéise*, Baile Átha Cliath 1944, 137: 'nár stopaig ár ndítheall é'; '*nár dh'imíg [imthighidh] uainn ach é*'. Faightear *–g caol* go fiú roimh chonsain ar uairibh: *cf*. Breatnach, *The Irish of Ring*, 108-9: 'Go stadaidh do chuid fola' [gə stadig′ də xid′ folə]

28 *a chailliúin* Cé gur minic a chuirtear *t* tar éis *l* i ndeireadh focail, go háirithe ainm briathartha, i gcanúintí na Mumhan, dealraíonn ón lámhscríbhinn gur chóir an fhoirm stairiúil a choimeád anseo. *Cp*. 'mar do bhí an botún, / 'na chomhair sa chinniúin, / níor bhac sé an

tairgsin', Ó Fiannachta, *An Barántas*, 92 (barántas as Port Láirge (*cf. ibid.*, 13) a luaitear sna lámhscríbhinní le file darbh ainm Dónall Mac Cathail, 1780); 'ag leanúin friotal na deise' (*ibid.*, 226, as lámhscríbhinn i mBailiúchán an Fhirtéirigh i gColáiste na hOllscoile, Baile Átha Cliath); 'i ndlí is i dtuigsin' (*ibid.*, 60, i mbarántas ó Cho. Chiarraí, den dáta 1785); 'ar rochtain a dhúna ... Gan scíos an éin so d'fhuadachain' (*ibid.*, 124, sa bharántas *Whereas Aenéas fáithchliste* le hAogán Ó Rathaille); ' ... do scrios agus do ruagan ó intinnibh na n-uaisle ... D'éis sruthfheachain amasach neamheolach do thabhairt ... ' (*ibid*, 51, i mbarántas ó Cho. Luimnigh); 'Bíon Punch is fíon dá dtraochan / re chéile agas díolan beóir [*leg.* 'díol den bheoir'] (B. O'Looney, eag., *A Collection of Poems Written on Different Occasions by the Clare Bards*, Dublin 1863, 20); 'Abair leis, cuireach sé giolla dhom fhéuchain, / is go deimhin níor mhisde dhá dtigeadh sé féin ann' (B. Ó Cuív, 'Deascán ó Chúige Mumhan', *Béaloideas* 22 (1953 [1954]), 102–11 ag 108. As lámhscríbhinn a scríobh Mícheál Ó hAnnracháin ó Chill Rois i gCo. an Chláir sa bhliain 1876).

29 *dailtíní na sní d'aisceadh* Dhein tuiseal ainmneach de chlaontuiseal áinsíoch/tabharthach an *á*-thamhain seo, *sned*, *i.e. snid(h)*: *cf.* R. B. Breatnach, *Seanchaint na nDéise*, II, Baile Átha Cliath 1961, 366 '*snidh* [ʃnʹɪgʹ]'. An ginideach stairiúil atá anseo, *i.e. snid(h)e* [ʃnʹiː].

30 *léadhb* D'oirfeadh ceachtar den dá phríomh-bhrí atá le *leadhb* anso: 'straoill de bhean', nó 'leadhb leathair, fuip'. Tá síneadh fada ar an bhfocal sa lámhscríbhinn.

34 *Go n-imthig* Feic nóta ar 'Nár bheirig' i líne 24 thuas.

36 *ar lár na faiche* Bhí faiche (*fair green*) i mórán de na bailte thart ar Oispidéal Mháire 'mar ar leagadh ar lár' Toirdhealbhach Ó Briain, sa tslí nach féidir a dhéanamh amach cén fhaiche a bhfuil an bhean chaointe ag tagairt di anseo.

46 *siolán* Tá samplaí den mhalairt seo ar 'sealán' le fáil sa Mhumhain: *cf.* 'Atá rian an tsioláin i n-a phíobán' (P. Ua Duinnín, eag., *Filidhe na Máighe*, Baile Átha Cliath 1906, 125); 'Siolán is croch árd lá gaoithe amuigh' (Ó Donnchadha, *Dánta Sheáin na Ráithíneach*, 126).

49 *ina bonn ar bóthar i.e.* ina bonnaire, nó ina teachtaire, agus rún aici scéitheadh ar Thoirdhealbhach Ó Briain.

55 *hata trí gcúinge* San áit a mbíonn *nn* caol i ndeireadh focail nó idir ghutaí fuaimnítear *ng* i Múscraí agus as sin soir go dtí na Déise, agus bhíodh an fhuaim chéanna le fáil chomh maith in oirthuaisceart an Chláir agus chomh fada siar le Cloich na Coillte; *cf.* Ua Súilleabháin, 'Gaeilge na Mumhan', *SnaG*, 488 (§ 2.27). *Cp.* líne 80: 'steilingí'. Ach *cp.* líne 69 thíos mar a bhfuil an *–nn* stairiúil: 'teinneas mo chéinn'.

60 *ag buain trí gcúrsa* Feic an nóta ar *a chailliúin* (líne 28). Ní féidir a rá le cinnteacht gurb é an litriú stairiúil atá anseo in 'buain' nuair atá an focal ina dhiaidh ag tosnú le *t–*.

61 *as bhodaigh* Nuair nach bhfuiltear ag tagairt do rud ginearálta, séimhítear túschonsan ainmfhocail i ndiaidh *as* i gcanúintí éagsúla de chuid na Mumhan, m.sh. sna Déise: D. Ó hAirt, *Díolaim Dhéiseach*, Baile Átha Cliath 1988, 9, *s.v.* 'as': 'Tháinig sé anuas as bhun an bhóithrín. Amach as ché Helvic', *etc.*; 'amach as phríosún Luimnigh', Ua Súilleabháin, 'Gaeilge na Mumhan', 503 *SnaG*, (§6.2).

65 *a fhaiche an aonaigh* Feic nóta ar líne 36 thuas.

69–70 Tharraing Brian Ó Cuív aird ar chúplaí áirithe i gCúirt an Mheán-Oíche inar bheite an siolla neamhaiceanta ag tús an dara líne a áireamh mar chuid den troigh dheireanach sa chéad líne, mar shampla:

> Scriosadh an tír is níl 'na ndiaidh
> In ionad na luibheanna acht flíoch is fiaile.

(feic 'Metre and Phonology in *Cúirt an Mheán-Oíche*' in A. Ahlqvist agus Věra Čapková, eag., *Dán do Oide. Essays in memory of Conn R. Ó Cléirigh*, Dublin 1997, 465-76 ag 470). Tuigtear dom gur chóir an *is* i ndiaidh an fhocail 'chéinn' a áireamh amhlaidh. Smaoineodh duine ar aon líne amháin (le ceithre troithe) a dhéanamh as 'teinneas mo chéinn is treighid mo chléibh tu', b'fhéidir, murach go dtugann síneadh fada na lámhscríbhinne ar an bhfocal 'chéinn' le fios go bhfuil guta an fhocail sin ag réiteach le 'aonaigh', 'féin duit', *etc.*, seachas leis an défhogar sa bhfocal 'treighid'.

Maidir leis an *-nn* sa bhfocal 'chéinn', b'fhéidir gur chóir dúinn é seo a thagairt don scríobhaí, Tadhg Ó Conaill, ón uair go bhfuil *-ng* sna foirmeacha 'cúinge' agus 'steilingí' : feic nóta ar líne 55.

74 *múiscil* Tá *-sc-* caol san ainm briathartha i líne 94 chomh maith.

79 *do mhúdar* Tá 'múdar' agus 'fádar' araon le fáil i bhfilíocht an 18ú haois, agus b'fhéidir gur chóir caitheamh leo mar iasachtaí gaelaithe seachas mar fhocail Bhéarla. *E.g.* 'Mo mhallachtsa dom mhúdar a cheangail mé le stúmpa' (E. Ó hAnluain, eag., *Seón Ó hUaithnín*, Baile Átha Cliath 1973, 54); ''s dá dtabhairt dá fádar' (: sásamh. As Ó Fiannachta, *An Barántas*, 58); 'Do rith le scanradh/trí dhrochiompar/a chríon*father*' (: mBlarnain. As Ó Fiannachta, *ibid.*, 149); 'Is cailín de shleachtaibh duairc mé 'tá ar fualang tré *Father*' (: Sátan. As 'Cúirt an Ghrinn Seo Ormond', in eagar ag P. Ó Macháin in J. Flood agus P. Flood, *Kilcash 1190–1801*, Dublin 1999, 99–104; 99).

80 *steilingí* Feic nóta ar *hata trí gcúinge* i líne 55 thuas.

91 *do bhráthair is do chliamhain ... Toirdhealbhach Ó Briain* Níor éirigh liom a dhéanamh amach cé atá i gceist anseo.

[1] Feic R. Baumgarten, 'Clár Saothair Bhreandáin Uí Mhadagáin' san fhéilscríbhinn seo. Táim an-bhuíoch do na daoine seo a leanas a phléigh gnéithe éagsúla den gcaoineadh liom: an tOllamh Pádraig de Brún, an Dr James Kelly, Liam Ó Muirthile, an Dr Seán Ua Súilleabháin, agus go speisialta, an Dr Aoibheann Nic Dhonnchadha.

[2] Baineann an plé cuid mhaith le caointe a cumadh ó bhéal agus a chuaigh isteach sa traidisiún liteartha ina dhiaidh sin. Ar an ngné seo feic go speisialta S. Ó Coileáin, 'The Irish Lament: An Oral Genre', *Studia Hibernica* 24 (1984–8), 97–117; Angela Bourke, 'Performing – not Writing', *Graph* 11 (Geimhreadh 1991–2), 28–31; B. Ó Buachalla, *An Caoine agus an Chaointeoireacht*, Baile Átha Cliath 1998.

[3] *An Ghaeilge i Luimneach 1700–1900*, Baile Átha Cliath 1974.

[4] Le tamall, tá sé de nós ag daoine áirithe an focal 'caoineadh' a thagairt don saothar *ex tempore* amháin, agus ag daoine eile é a thagairt don saothar scríofa amháin. Is toisc go rabhthas ag iarraidh na difríochtaí idir an dá réimse a shoiléiriú a tháinig an dá húsáid chúngaithe chun cinn. Is é oighear an scéil go ndeinid an scéal níos doiléire – cuimsíonn 'caoineadh' an dá réimse sa traidisiún.

[5] Ó Buachalla, *An Caoine agus an Chaointeoireacht*, *passim*. Deineann an t-údar so ciallú cúngaithe eile dá chuid féin ar an bhfocal 'caoineadh': 'Ar mhaithe le soiléire is beachtas téarmaíochta, tá idirdhealú ortagrafach déanta agam idir *caoine* (seánra), agus *caoineadh* (meadaracht)' (lch 90). Anuas air sin, dealaíonn sé *caoine* agus *cumadóireacht bhéil* ó chéile tríd síos sa leabhar so, amhail is gur chiallaigh caoine 'saothar scríofa'.

[6] M. Dillon, 'An Irish Manuscript in the Henry E. Huntington Library', *Éigse* 1 (1939), 285–303.

[7] *Ibid.*

[7] *Ibid.*

[8] Chum file darbh ainm Domhnall (mac Cinnéide) Ó Briain caoineadh ar fhear darbh ainm Traolach Láidir Ó Briain 'ó shleasaibh Cnuic Ghréine' (mar a deir sé sa chaoineadh, a thosnaíonn 'Goirim-se Críost dod' dhíon is dod' chaomhna'. Tá a lán cóipeanna de seo sna lámhscríbhinní). Tá Cnoc Gréine (Cnoc Phailís Ghréine) *c.* 2 mhíle siar ó Longfort i mbarúntacht Chuanach. B'as Imleach don bhfile seo, chuaigh sé le sagartóireacht san ord Doiminiceánach, agus bhí caidreamh aige ar Liam Inglis i dteach na nDoiminiceánach i gCorcaigh *c.* 1760 (*cf.* C. Mhág Craith, *Dán na mBráthar Mionúr*, I-II, Baile Átha Cliath 1967, 1980, II, 313). Faoi mar a fheicimid thíos, b'as comharsanacht Chnoic Ghréine d'fhear ár gcaointe chomh maith, agus dealraíonn go bhfuair sé bás sa tríú ceathrú den 18ú haois. B'fhéidir gurb ionann é agus an té atá á chaoineadh ag Domhnall thuas. Agus b'fhéidir freisin gurb ionann é agus an 'Toirdhealbhach Ó Briain' atá luaite i mbarántas a thosnaíonn leis na focail '*Contae Luimnigh agus Chorcaí etc*', é dátaithe 'October 1776' agus é eisithe

in ainm an fhile Seán Cúndún; éilítear ann go dtabharfaí an 'coirpeach' agus a chomhluadar go Caiseal. (*Cf.* P. Ó Fiannachta, *An Barántas*, Má Nuad 1978, 201-3.) Chífimid thíos nach mbeadh líomatáiste ginearálta Chaisil ná an dáta so bunoscionn leis na sonraí a chuirtear i gcás thíos do Thraolach ár gcaointe.

[9] T. Ó Donnchadha, *An Leabhar Muimhneach*, Baile Átha Cliath 1940, 357; ARÉ, s.a. 1220. Ríomhann Mic Bhriain Eatharlaigh a sliocht siar go Brian mac Murchadha na nEach chomh maith.

[10] Tá plé ar choigríocha Ó gCuanach in St. J. D. Seymour, *The Diocese of Emly*, Dublin 1913, 28–9; 36–9. Tá cuntas gearr ar an dtionchar a bhí ag Mic Bhriain ar stair oirthear Luimnigh i dtréimhse níos déanaí in P. J. Flynn, *The Book of the Galtees and the Golden Vein. A Border history of Tipperary, Limerick and Cork*, Dublin 1926, 25 agus in P. J. O'Connor, *Exploring Limerick's Past. An Historical Geography of Urban Development in County and City,* Cork 1987, 24.

[11] Lord Dunboyne, 'The Family of O'Brien Butler (1763–1954)', *The Irish Genealogist* 8 (1990-3), 74-8; 74.

[12] *I.e.* Badger, Barbour, Bolger (Bulger), Bon(n)ar (Bon(n)er), Bourchier (Bouchier, Boucher), Bowler (Bouler), Broder(ick), Butler, agus Buttimer.

[13] E. MacLysaght, *Irish Families*: Their Names, Arms and Origins, Dublin 1957, 209. (Ainm Angla-Normannach é. Litríonn cuid den sloinneadh é mar 'Butcher'.)

[14] Sir B. Burke, *The Landed Gentry of Ireland*, London 1912.

[15] *Cf.* MacLysaght, *Supplement to Irish Families*, Dublin 1964, 20.

[16] Tá na sonraí seo tógtha as an iontráil ar 'Bourchier of Baggotstown' in Burke, *The Landed Gentry of Ireland*, 63–4.

[17] MacLysaght, *Irish Families*; E. MacLysaght, *More Irish Families*, Galway 1960; E. MacLysaght, *Supplement to Irish Families*, Dublin 1964.

[18] MacLysaght, *Supplement to Irish Families*, 147.

[19] Tá an barántas so á réiteach don gcló agam.

[20] Tá scrúdú as an nua ar na cúirteanna éigse seo, agus ar chúirteanna na Mumhan i gcoitinne, déanta ag B. Ó Conchúir in alt an-tábhachtach, 'Na Cúirteanna Éigse i gCúige Mumhan', in Pádraigín Riggs, B. Ó Conchúir agus S. Ó Coileáin, eag., *Saoi na hÉigse. Aistí in Ómós do Sheán Ó Tuama*, Baile Átha Cliath 2000, 55-81.

[21] *Cf.* McLysaght, *More Irish Families*, 234-5: Very shortly after the invasion of 1170 the Anglo-Norman family of Terrell or Tirrell … came to Ireland, obtaining a grant of the greater part of the barony of Fertullagh in Westmeath as well as the lordship of Castleknock in Co. Dublin. There or thereabouts they have remained since … While not becoming hibernicized so completely as other Norman families more remote from the Pale, they were typical of the 'Old English' Catholic families which in

the seventeenth century were identified with the Confederation of Kilkenny, opposition to the Cromwellian régime, and later support of the Jacobite cause.

22 Feic W. Smyth, 'Property, Patronage and Population – Reconstructing the Human Geography of Mid-Seventeenth Century County Tipperary', in W. Nolan, eag., *Tipperary: History and Society*, Dublin 1985, 104-138; 114.

23 Feic Maureen Wall, *The Penal Laws, 1691-1760*, Dundalk 1976, 24-5.

24 *Cf.* Wall, *The Penal Laws, 1691-1760*, 25.

25 McLysaght, *Supplement to Irish Families*, 149: *Tuthill is an English toponymic, quite distinct from Tohill ... It first appears in Ireland in the army of the 1640s. Families of the name acquired property in Co. Limerick and several other parts of the country under the land settlement of the Cromwellian and Restoration periods: they retained their place among the landed gentry during the three following centuries.*

26 Feic Burke, *The Landed Gentry of Ireland*, 706-8.

27 Feic P. Fitzgerald agus J. J. McGregor, *The History, Topography, and Antiquities of the County and City of Limerick*, II, London 1827, li, lii (mar a bhfuil liosta d'ardsirriaim Cho. Luimnigh); Burke, *Landed Gentry*, 706-8.

28 Is tabhartha faoi ndeara go bhfuil an focal 'creach' i líne tosaigh seacht gcinn de na hocht sleachta.

29 Pléann Breandán Ó Buachalla peirspictíocht ama 'Caoineadh Airt Uí Laoghaire' ina leabhar *An Caoine agus an Chaointeoireacht*, 20-27. Léann cuid mhaith tráchtairí ar an gcaoineadh so, dar leis, (i) 'gur ar ócáidí difriúla a cumadh é: tar éis mharú Airt, le linn a thórraimh, le linn a shochraide, le linn agus i ndiaidh a adhlactha' (20), agus (ii) go raibh daoine eile seachas Eibhlín Dubh Ní Chonaill – m.sh., deirfiúr Airt, athair Airt – ag caint i gcuid de na línte. An phríomhsprioc atá aige féin sa chuid seo dá leabhar ná a thaispeáint go mba *théacs liteartha* é an caoineadh so a chum údar *aonraic*. B'ionann agus 'fianaise' dá mhalairt (i) agus (ii) – dá mbeidís fíor. Maidir le ceist an ama de, tuairimíonn sé féin 'nach de réir na croineolaíochta "nádúrtha" ... a réalaítear an insint in "Caoine Airt Uí Laoire", ach go luaimneach neamhleanúnach ... Tá an t-inseoir mar a bheadh sí lasmuigh den choincheap teibí a dtugaimidne "am" air: tá sí, ar shlí, neamhspleách ar am; ar a laghad níl sí faoi chuing aige ... Tá an insint tógtha ar pheirspictíocht ama a chuimsíonn caite/láithreach/fáistineach in éineacht agus is í an dí-aimsearthacht sin faoi deara cuid mhaith an mianach eiliminteach aircipíteach a bhraithimse sa dán' (24-5). Áitíonn sé nach bhfuil ach aon ghuth amháin le clos, 'guth uathúil an inseora mná' (18). Ag caint ar athrá sna téacsanna éagsúla, deir sé: ' ... is léir, dar liom, nach le hathrá atáimid ag plé i bhformhór na samplaí sin ach le malairtí; véarsaí nó línte malartacha is ea an chuid is mó acu agus níl le déanamh ag eagarthóir le léamha malartacha, pé acu moirféimeanna, focail, línte nó véarsaí atá i gceist, ach rogha a dhéanamh

eatarthu. Dá gcuirfí an mhodheolaíocht sin i bhfeidhm ar an téacs thiocfaí ar eagrán níos fuinte ná aon eagrán go dtí seo; bua mór eile a leanfadh sin nach mbeadh aon ghá a thuilleadh ag aon tráchtaire guth a thabhairt do na púcaí liteartha sin, deirfiúr agus athair Airt' (19-20).

[30] J. M. Synge, *The Aran Islands*, in eag. ag R. Skelton, Oxford 1971, an chéad chló 1907, 143–4:

> ... they had come to bury a young man who had died in his first manhood ... Then the men began their work, clearing off stones and thin layers of earth, and breaking up an old coffin that was in the place into which the new one had to be lowered. When a number of blackened boards and pieces of bone had been thrown up with the clay, a skull was lifted out, and placed upon a gravestone. Immediately the old woman, the mother of the dead man, took it up in her hands, and carried it away by herself. Then she sat down and put it in her lap–it was the skull of her own mother–and began keening and shrieking over it with the wildest lamentation ... the old woman got up and came back to the coffin, and began to beat on it, holding the skull in her left hand. This last moment was the most terrible of all. The young women were nearly lying among the stones, worn out with the passion of grief, yet raising themselves every few moments to beat with magnificient gestures on the boards of the coffin. The young men were worn out also, and their voices cracked continually in the wail of the keen.

In áit eile, cuireann Synge síos ar bhás seanmhná cheithre scór bliain agus, cé go n-áiríonn sé nach raibh an briseadh croí céanna á leanúint seo, ná baol air, deir sé:

> While the grave was being opened the women sat down among the flat tombstones, and began the wild keen, or crying for the dead. Each old woman, as she took her turn in the leading recitative, seemed possessed for the moment with *a profound ecstasy of grief*, swaying to and from, and bending her forehead to the stone before her, while she called out to the dead with a perpetually recurring chant of sobs ... When the coffin was in the grave, and the thunder had rolled away across the hills of Clare, the keen broke out again more *passionately* than before. *Ibid.*, 37-8 (liomsa an cló iodálach).

[31] *Caoineadh Airt Uí Laoghaire*, Baile Átha Cliath, 1961, 21.

[32] *An Caoine agus an Chaointeoireacht*, 50. Feic fonóta 5 thuas ar an bhfoirm 'caoine'.

[33] *Ibid.*, 35.

[34] *Ibid.*, 52.

[35] Tá glactha ag an gCoiste Téarmaíochta leis an bhfocal so sa chiall *representation*.

[36] *An Caoine agus an Chaointeoireacht*, 4.

[37] Angela Bourke, 'More in Anger than in Sorrow: Irish Women's Lament poetry', in Joan Newlon Radner, eag., *Feminist Messages. Coding in women's folk culture*, Urbana agus Chicago 1993, 160–82.

[38] *Ibid.*, 173.

[39] *Ibid.*, 172.

[40] Feic 'A Athair Niocláis mo chás id luí thú', *Feasta* (Feabhra 1956), 2, agus *The Garda Review* (Aibreán 1934), 561–2 don gcaoineadh ar Nioclás Mac an tSíthigh (táim an-bhuíoch don Ollamh Pádraig de Brún a thug na tagairtí seo agus mórán tagairtí eile do chaointe éagsúla dom). Feic Ó Tuama, *Caoineadh Airt Uí Laoghaire*, 36, 38, 41–3 agus 84 do línte a chuirtear i mbéal deirféar Airt.

[41] *An Caoine agus an Chaointeoireacht*, 52.

[42] Feic Angela Bourke, Siobhán Kilfeather, Maria Luddy, Margaret MacCurtain, Gerardine Meaney, Máirín Ní Dhonnchadha, Mary O'Dowd, Clare Wills, eag., *The Field Day Anthology of Irish Writing*, IV–V, Cork 2002, IV, 288–90, 399–402, 424–7, agus 436–40 (in Máirín Nic Eoin, eag., 'Sovereignty and Politics, c. 1300–1900', Máirín Ní Dhonnchadha eag., 'Courts and Coteries II, c. 1500–1800').

[43] Tugann Anne C. Frater cuntas an-suimiúil ar litríocht na mban in Albain ina caibidil, 'The Gaelic tradition up to 1750', in D. Gifford agus Dorothy McMillan, eag. *A History of Scottish Women's Writing*, Edinburgh 1997. Feic chomh maith an réamhrá ag eagarthóirí an bhailiucháin, *ibid.*, ix-xxiii.

[44] Feic Angela Partridge, 'Wild Men and Wailing Women', *Éigse* 18 (1980), 25–37.

[45] Feic M. Ó Siadhail, *Modern Irish: Grammatical Structure and Dialectal Variation*, Dublin 1989, 5. Cúpla céad blian ó shin, thagraítí an t-ainm 'Sliabh gCua' don *entire mountain mass stretching from eastern boundaries of Co. Cork to mid-Waterford, comprising the Knockmealdown, Monavullagh and Comeragh mountains*; *cf.* An tAthair Columcille, 'Where Was Sliabh gCua?' *Decies. The Journal of the Old Waterford Society*, 46 (Fómhar 1992), 5–9; 9. Má ba aon dúthaigh amháin í seo ó thaobh na Gaeilge de, ní raibh idir í agus dúthaigh Thraolaigh Uí Bhriain ach na Gaibhlte. Tá gearrchuntas ar na príomhfhoinsí do Ghaeilge Thiobraid Árann in D. Ó hÓgáin, eag., *Duanaire Thiobraid Árann*, Baile Átha Cliath 1981, 9, fonóta 2.

[46] Feic T. Ó Donnchadha, eag., *Dánta Sheáin na Ráithíneach*, Baile Átha Cliath 1907, xxi.

[47] K. H. Connell, *Irish Peasant Society. Four historical essays,* Oxford, 1968, 1–50.

[48] *Ibid.*, 1-50 *passim.*

[49] *Ibid.*, 36-7.

[50] *Ibid.*, 8.

[51] *Ibid.*, 31; agus tabhair faoi ndeara: ... *into the present century, as the industry has decayed, it has only occasionally been detected beyond this area.* (*Ibid.*, 32.)

[52] Tá mórán eolais ar an stríopachas in Éirinn san 18ú haois le fáil in Bourke *et al.*, *The Field Day Anthology of Irish Writing*, IV agus V. Feic go sonrach an dá roinn seo: Siobhán Kilfeather, eag., 'Sexuality', IV, agus Maria Luddy, eag., 'Women In Irish Society 1200–2000, V.

'D'imigh an Ghaeilge agus tháinig an tae...'

Scéal, scéalaithe agus amhránaithe Shliabh Muire

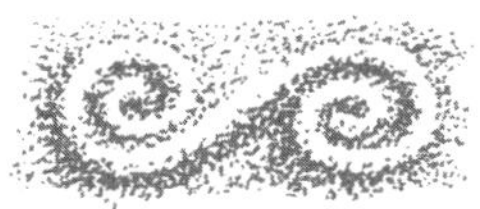

BAIRBRE NÍ FHLOINN

I

Nuair a dhéantar trácht ar oidhreacht na Gaeilge, is iad ceantair an chósta agus na sléibhte thiar is túisce a thagann chun cuimhne, seachas machairí réidhe agus cnoca beaga míne lár tíre, nó ceantar na Sionainne agus na gcraobh-aibhneacha a bhaineann léi. Ach ní mar a síltear a bítear i gcónaí, agus tá sé i gceist ag an alt seo díriú ar cheantar beag cúng nach bhfuil ach roinnt bheag mílte ó Bhaile Átha Luain i lár tíre, a bhféadfaí a rá faoi go raibh saibhreas na Gaeilge agus a traidisiúin bhéil le haimsiú ann chomh mór agus a bhí riamh i mórán áit thiar.

Le tuairim níos cruinne a fháil faoi shuíomh na háite seo go díreach, ní fhéadfaí ionad níos fearr a roghnú ná an bóthar a théann ó bhaile Ros Comáin go dtí an Caisleán Riabhach. Ag taisteal siar duit ar an mbóthar seo, téann tú thar thobar Naomh Pádraig ar thaobh an bhóthair ar chnoc an Uaráin, áit atá ar cheann de na suímh is mó le rá a cheanglaítear leis an naomh i gCúige Chonnacht. Taobh thiar den tobar, casann an bóthar go tobann ar clé, agus díreach ina dhiaidh sin nochtar réimse leathan tíre ag síneadh amach uait ar thaobh do láimhe clé. Seo iad machairí fairsinge iarthar Ros Comáin agus oirthear na Gaillimhe, ceantar mór beithíoch agus caorach le fada an lá. Ag breathnú uait ar an radharc seo, feicfidh tú píosa tíre atá beagáinín níos airde ná an ceantar máguaird agus é ag sá suas as an tírdhreach mín, réidh, roinnt mílte siar. (Ní féidir an t-ardán seo a mheascadh le ceann ar bith eile, ar ndóigh, mar níl a leithéid ann!) Sa lá atá inniu ann, is é an t-ainm atá ag muintir na háite ar an ardán seo ná 'Mount Mary'. Ach ba é 'Sliabh Muire' an seanainm a bhí air.[1]

Tá Sliabh Muire suite cúpla míle ar thaobh na Gaillimhe den tSuca, an abhainn a ritheann cuid den bhealach idir Co. na Gaillimhe agus Co. Ros Comáin sula sroicheann sí an tSionainn ag Droichead na Sionainne. Tá cuid de Shliabh Muire i bparóiste Chill Bheagnait, atá i leathbharúntacht Bhéal Átha Mó in oirthuaisceart an chontae, agus an chuid eile den pharóiste agus den bharúntacht suite i gCo. Ros Comáin. Is é na Creaga an sráidbhaile is gaire dó – luann Raiftearaí an dá áit in 'Fiach Sheáin Bhradaigh': 'Síos trí Shliabh Muire is as sin do na Creaga'.[2] Tá an baile beag seo cúpla míle síos an bóthar ó Shliabh Muire, agus tá baile Ros Comáin timpeall is seacht míle soir. Is i ndeoise Ail Finn atá paróiste Chill Bheagnait, agus is i dtreo Ros Comáin a bhreathnaíonn muintir na háite ar chuid mhaith bealaí, ó thaobh cúrsaí sóisialta, cumarsáide agus eile de. Mar sin, d'fhéadfá a rá gur meascán croschineálach an áit, idir an dá chontae. Díreach trasna na tíre, tá Sliabh Muire thart ar scór míle ón gcnocán beag sin taobh amuigh de Bhaile Átha Luain a dtugtar 'The Hill of Berries' i mBéarla air, agus a ndeirtear faoi, i dtraidisiún béil an cheantair sin, gurb é fíor-cheartlár na hÉireann é.[4]

II

Murab ionann agus iarthar tíre, tá traidisiún agus cultúr cheantar an tSuca uilig fréamhaithe go daingean sa talamh amháin, i gcúrsaí feirmeoireachta, gan an fharraige a bheith san áireamh, ar ndóigh. Ceantar de bhailte beaga margaidh é, a bhfuil cuid den talamh go han-mhaith ann, agus méid áirithe de shaibhreas an tsaoil le sonrú ann dá réir sin. Ceantar sách coimeádach é freisin, atá níos dúnta isteach ann féin ar bhealaí áirithe ná mar atá an domhan atá níos faide siar ná é. Cuid den chúis leis seo, is dóigh, nach raibh an tarraingt chéanna riamh ag oirthear na Gaillimhe ná ag Ros Comáin ar thurasóirí agus ar chuairteoirí agus a bhí ag an gceantar thiar, ainneoin gur ceantar fíorálainn é an dúiche thoir ar a bealach féin. Ceantar níos rúnda mar sin é ná iarthar an chontae, a bhfuil sé róéasca neamhaird a dhéanamh de amanna, ach a bhfuil pearsantacht láidir dá chuid féin aige ina dhiaidh sin.

Tá na céadta leathanach d'ábhar i gcartlann Roinn Bhéaloideas Éireann, in Ollscoil na hÉireann i mBaile Átha Cliath, ó an-chuid áiteacha sa dúiche seo iarthar lár tíre, i mBéarla agus i nGaeilge. Tá idir scéalta, amhráin agus gach uile chineál seanchais ann, ó Áth Eascrach go dtí an Caisleán Riabhach go dtí an Creagán, agus ó Ghleann na Madadh go dtí Lios Lachna. Tá, mar shampla, cur síos spéisiúil ón áit dheireanach seo ar an gcaoineadh traidisiúnta (i nGaeilge) á chleachtadh mar ghléas aoire ar ócáid amháin i Chester Shasana, nuair a bhí spailpíní Éireannacha ag obair d'fheirmeoir 'crua santach' ann, a bhfuair duine leis bás.[4] I measc an ábhair seo freisin, tá scéilíní beaga a léiríonn an cineál caidrimh agus an choimhlint chairdiúil a bhí idir an dá chontae. Mar shampla de seo, féach an cur síos ar chomórtas amhránaíochta a thit amach uair amháin ag bainis nuair a phós fear as Ros Comáin cailín as oirthear na Gaillimhe (Gaillimh a ghnóthaigh an comórtas!),[5] nó an chaoi a mbíodh muintir Ros Comáin ag magadh faoi mhuintir na Gaillimhe ag cur snasa ar a gcuid bróg (ar na bairbíní amháin!).[6] I measc na ndaoine a rinne sárobair ó thaobh béaloideas a bhailiú ins an cheantar seo thar na blianta, bhí an tAth. Eric Mac Fhinn, Séamas Ó Dúshláine, Séamus Ó Dómhnaill, Gearóid Ó Maoilmhichíl, Éamonn Ó Tuathail, Fionán Mac Coluim, Ciarán Bairéad agus Leo Corduff.

Breac-Ghaeltacht a bhí sa cheantar seo uilig go dtí cúpla glúin ó shin, ar ndóigh. I ndaonáireamh na bliana 1891, tugtar an t-eolas go raibh Gaeilge ag 50%-80% den phobal i gcuid mhór d'oirthear na Gaillimhe, agus chuir lucht na Gaeilge agus lucht teangeolaíochta spéis sa cheantar dá réir sin, ó thús an chéid seo ar aghaidh.[8] Ina measc siúd, bhí, mar shampla, Wilhelm Doegen, Heinrich Wagner agus Tomás de Bhaldraithe, chomh maith leis na daoine thuasluaite. Ins an chomhthéacs seo, ní ceart ach an oiread dearmad a dhéanamh ar an obair fhiúntach a rinne beirt fhear uaisle a tháinig roimh Bhreandán Ó Madagáin in Ollscoil na hÉireann, Gaillimh. Ba iad sin, ar ndóigh, Tomás Ó Máille agus Tomás S. Ó Máille, a bhí ina n-ollúna le Gaeilge i nGaillimh. Rinne an bheirt acu seo an-ábhar béaloidis agus teangeolaíochta a bhailiú i Sliabh Muire, agus d'fhoilsigh siad cuid dá raibh faighte acu ann.[8] D'éirigh leo taifeadtaí luachmhara fuaime a dhéanamh sa cheantar chomh maith.[9]

Ach ó thaobh an bhéaloidis de, i ndeireadh an lae is gléas cultúir agus cumarsáide atá i dteanga ar bith. I nGaeltacht bheag Shliabh Muire, go háirithe, ní hamháin go raibh an Ghaeilge ann, ach ba léir go raibh an-saibhreas traidisiúin bhéil ann chomh maith. Bhí sé seo fíor ní hamháin ó thaobh seanchais agus scéalta de, ach ó thaobh cúrsaí amhránaíochta agus amhráin a chumadh chomh maith.

III

Tugtar Sliabh Muire ar an ardán beag tíre seo uilig, cé go bhfuil roinnt bailte fearainn éagsúla ann, seachas baile fearainn Shliabh Muire féin. Áit stairiúil é an Sliabh, a bhfuil tábhacht faoi leith leis. Ar nós an-chuid foirgneamh nádúir eile ar fud na tíre a bhfuil cuma roinnt neamhchoitianta nó suntasach orthu, luaitear Sliabh Muire leis na Fianna i bhfinscéal áitiúil.[10] Bhí sean-mhainistir Dhoiminiceach sa cheantar tráth, nach bhfuil mórán fágtha de sa lá atá inniu ann seachas an t-ainm, Talamh na mBráthar, san áit a raibh sé. Deirtear linn freisin go ndeachaigh Dónall Cam Ó Súilleabháin Béarra thar Shliabh Muire agus é ar a theitheadh tar éis chath Chionn tSáile, agus tá roinnt scéalta agus seanchais i dtraidisiún béil an cheantair faoin eachtra mí-ámharach úd.[11]

Áit ard, oscailte é an Sliabh, ar neart portaigh agus ar bheagán seanchrann agus foscaidh, agus tá sé deacair gan é a shamhlú seasca bliain ó shin mar oileáinín beag Gaeilge i mórmhuir an Bhéarla thart timpeall air. Ag breathnú air don chéad uair, is léir go bhfuil talamh na háite cuid mhaith níos boichte ná machairí na hísiltíre mórthimpeall. Sa lá atá inniu ann, tá na crainn tagtha go dtí Sliabh

Muire, i bhfoirm foraoisí agus cur nua de chuid an Stáit, faoi mar atá tarlaithe freisin in an-chuid áiteacha eile nach bhfuil an talamh rómhaith iontu. I ngeall ar an nganntanas tithe, b'fhéidir, tá atmaisféar roinnt bheag iargúlta faoin áit, neamhchosúil ar fad le hithreacha agus páirceanna glasa na gCreaga agus Thobar na Croise,[12] nach bhfuil ach píosa beag síos an bóthar uaidh. Ag an am céanna, ní gá a rá go bhfuil áilleacht dá cuid féin ag baint leis an iargúltacht seo. Nuair a thug mé cuairt ar an áit le gairid, taobh amuigh de chorrtheach ní raibh le feiceáil ach dhá asal bhreaca, agus cúpla gasúr gealgháireach ag imirt ar an mbóthar gan bhaol, gan chontúirt. Anseo is ansiúd, tá fógraí beaga mar threoir ar 'Bhealach na Suca' nó 'The Suck Valley Way', turas atá leagtha amach ag eagras pobail an cheantair agus é dírithe go speisialta ar shiúlóidí. Téann an Bealach thar dhroim Shliabh Muire agus ar aghaidh, agus déantar iarracht aird an tsiúlóidí a dhíriú ar oidhreacht agus ar dhúlra na háite. Ar cheann de na háiteacha a dtéann an tsiúlóid thairis ar thaobh Shliabh Muire, tá baile fearainn a dtugtar Camdhoire air – agus seo é an áit a raibh cónaí ar an gcuid is mó de Ghaeilgeoirí deireanacha an tSléibhe.[13]

IV

I measc na nGaeilgeoirí sin bhí Domhnall Ó Dálaigh agus a bhean, Áine, Séamus Ó Dubhda, Neilí Ní Lócháin, Pádraig Ó Dubhda agus Pádraig ('Haverty') Ó Ceallaigh. Ach bhí beirt fhear ann go háirithe, a raibh saibhreas faoi leith acu. Ba iad seo Tomás Ó Lócháin (deartháir le Neilí Ní Lócháin thuas), a dtugadh muintir na háite Tom Mhatt air, agus Éamonn Mac Thaidhg, nó Ned McKeague. Tá na daoine seo ar fad ar shlí na fírinne anois, beannacht Dé lena n-anam. Bailíodh méid áirithe ábhair – seanchas den chuid is mó – ó chuid de na daoine thuasluaite (féach Aguisín I), ach scéal eile ar fad a bhí ann maidir le Tom Mhatt agus Éamonn Mac Thaidhg. Tá breis agus trí chéad leathanach d'ábhar ó Tom

Mhatt i mbailiúchán Roinn Bhéaloideas Éireann, agus breis agus céad go leith leathanach ó Éamonn Mac Thaidhg. Is éard atá i gceist agam a dhéanamh anseo cur síos gearr a thabhairt ar an ábhar luachmhar seo, agus cúpla sampla de a chur i láthair, lena bhlas a léiriú.

Mhair Éamonn Mac Thaidhg píosa maith níos faide ná a chomhscéalaí mór ó Chamdhoire. Rugadh é sa bhliain 1866, agus ba bheag nach raibh an céad bainte amach aige nuair a cailleadh é in 1960. Sna blianta 1954 agus 1955, tháinig Leo Corduff agus Ciarán Bairéad go dtí Camdhoire, le hábhar a bhailiú ann (féach Aguisín I). Bhí an bheirt acu ag obair le Coimisiún Béaloideasa Éireann ag an am. Faoi mar ba nós ag bailitheoirí lánaimseartha an Choimisiúin uilig, scríobhadh Ciarán Bairéad cín lae go rialta, ag cur síos ar a chuid oibre. Ins an chín lae seo, tugann sé ardmholadh d'Éamonn Mac Thaidhg mar scéalaí, cé go ndeirtear linn freisin nár thaitnigh an gléas taifeadta leis an seanchaí ar chor ar bith, agus gur mhol sé don Bhairéadach é 'a chur sa b*pawn* i mBaile Átha Cliath' nuair a rachadh sé ann![14] Ag pointe eile, tá an cuntas beag spéisiúil seo tugtha sa dialann:

> D'inis sé [*i.e.*, Éamonn Mac Thaidhg] inniu gur óna sheanmháthair a chuala sé cuid mhaith de na scéalta atá aige – bhí go leor acu aici. Nuair a bhíodh a athair agus a mháthair imithe ar an margadh, nó ag obair amuigh sna goirt nó ar an móin, bhíodh na páistí faoi chúram na seanmháthar, agus bhíodh sí ag inseacht scéalta daofa le(n) iad a choinneáil istigh sa teach thart uirthi, le faitíos dá rachadh siad amach go dtuitfeadh siad i bpoll móna. Nuair a bheadh an scéal críochnaithe ansin, agus iad ar tí rith amach arís, ghlaodh sí orthu le scéal eile a chloisteáil, agus b'fhéidir go mbeadh sé ródheireanach acu le dul amach nuair a bheadh an scéal sin inste, nó go mbeadh an t-athair agus an mháthair ar fáil, mar bhí cuid de na scéalta an-fhada.

> Rud eile a dúirt sé ar chuir mé spéis ann, go mbíodh na seandaoine ag inseacht na scéalta mar chosaint ar pheaca. Bhíodh na daoine ag éisteacht leis na scéalta seo san oíche, agus lá arna mháireach ansin, nuair a bheadh siad ag obair ins na goirt, bheadh siad ag smaointiú ar na scéalta seo, agus ní bheadh aon fhuinneamh acu a bheith ag smaointiú ar pheaca. Sin rud nár chuala mé ariamh ag aon duine eile.[15]

Tá muid faoi chomaoin ag comhghleacaí Chiaráin Bairéad, Leo Corduff, as na taifeadtaí fuaime a rinne sé i gCamdhoire ag an am, a bhfuil caighdeán níos fearr acu ná na taifeadtaí a rinneadh níos luaithe leis na seanghléasanna, ar ndóigh. Agus mé ag caint le Leo seal beag sular cailleadh é faoi na cuairteanna seo ar Shliabh Muire, dúirt sé gur chuir sé ionadh mór air chomh líofa agus chomh beo agus a bhí an Ghaeilge ag Éamonn Mac Thaidhg ag an am, agus an teanga imithe as an gcomharsanacht ar fad díreach thart timpeall air.

Bhailigh Ciarán Bairéad agus Leo Corduff timpeall deich gcinn de sheanscéalta móra fada ó Éamonn Mac Thaidhg, agus is ionann na scéalta seo agus breis agus céad go leith leathanach lámhscríbhinní.[16] Scéalta idirnáisiúnta iad den chuid is mó. Ar nós Tom Mhatt agus gach uile sheanscéalaí eile, fear iltíreach a bhí in Éamonn Mac Thaidhg go bunúsach, ó thaobh stór scéalta agus seanchais de. Comrádaithe é féin agus Shakespeare maidir le scéalta, mar shampla, sa mhéid agus go raibh leagan deas ag Éamonn Mac Thaidhg den seanscéal idirnáisiúnta 'Smachtú na mná mínáirí',[17] ar ar bhunaigh Shakespeare an dráma cáiliúil *The Taming of the Shrew*. Is é an teideal a bhí ag Éamonn ar a leagan siúd, 'Suaimhniú na Mná Doicheallaí'.[18] Bhí scéalta Fiannaíochta ag Éamonn Mac Thaidhg freisin, ar ndóigh, chomh maith le scéalta faoin nGobán Saor agus laochra móra eile.

V

Má bhí sárscéalta ag Éamonn Mac Thaidhg, d'fhéadfá an rud ceannann céanna a rá faoin bhfear eile thuasluaite – is é sin, Tomás Ó Lócháin, a rugadh tús na bliana 1864. I rith na dtríochaidí, agus go dtí go bhfuair sé bás i 1942, bhain Tom Mhatt roinnt cáilíochta amach dó féin i measc lucht na Gaeilge.[19] Mar a léirítear sna hAguisíní thíos, tháinig cuid mhaith daoine éagsúla chuige, idir scoláirí agus eile, ag bailiú scéalta agus amhrán agus téarmaíochta uaidh – agus iad uilig i nGaeilge, ar ndóigh. Ba léir go raibh sé fíorfhlaithiúil lena chuid ama agus eolais, agus go raibh bród faoi leith air as a chuid Gaeilge.

Foilsíodh scéalta, amhráin, cuntais agus píosaí seanchais ó Tom Mhatt i gcuid de na hirisí Gaeilge agus béaloidis a bhí ann ag an am, agus scríobh an tAth. Eric Mac Fhinn píosa fada faoi, a foilsíodh san iris *Béaloideas*, nuair a cailleadh é (féach Aguisín I). Bhí clú agus cáil ar Tom Mhatt i ngeall ar a chuid amhrán, agus ba léir gur foinse thábhachtach amhrán i nGaeilge ón taobh seo tíre ab ea é. Tá sé luaite go minic, ar ndóigh, i leabhar Phroinnsias Ní Dhorchaí faoi amhráin oirthear agus deisceart na Gaillimhe, *Clár Amhrán an Achréidh*.[20]

I measc an ábhair a thug Tom Mhatt uaidh, tá bailiúchán faoi leith a rinne Gearóid Ó Maoilmhichíl leis, a bhfuil idir amhráin, scéalta agus seanchas ann. Mac léinn iarchéime le Gaeilge i nGaillimh ab ea Gearóid, agus rinne sé obair le Tom Mhatt agus le Gaeilgeoirí eile i gCamdhoire ag an am (féach Aguisín I). Ábhar den scoth atá sa bhailiúchán seo, agus nótaí eolasacha scríofa tríd síos ag an mbailitheoir, maidir le cúrsaí teangeolaíochta agus eile.[21] I measc an ábhair, tá timpeall leathdhosaen amhrán a chum Tom Mhatt féin. Tá suntas faoi leith ag baint leis na hamhráin nuachumtha seo, sa mhéid go léiríonn siad cé chomh beo, bríomhar agus a bhí an Ghaeilge agus an traidisiún cumadóireachta ins an áit ag an am. Amhráin éadroma iad na hamhráin nuachumtha seo, agus cuid díobh sách fada, le deich nó dhá véarsa déag iontu. Dar le Gearóid Ó

Maoilmhichíl, bhí sé mar nós ag Tom Mhatt amhrán nua a fhoghlaim ó ghasúir scoile na háite, mar shampla, agus focail dá chuid féin a chumadh dó, a mbeadh ainmneacha áitiúla luaite ann, le spraoi.[22]

Amhráin as an nua ar fad iad cuid eile de na hamhráin a chum Tom Mhatt, agus is minic gur faoi mhuintir na háite agus eachtraí áitiúla iad.[23] Mar atá a fhios againn, tá tábhacht faoi leith ag baint lena leithéid ó thaobh stair shóisialta de. Tugtar léiriú úr dúinn, ar ndóigh, i gcás cúpla ceann de na hamhráin seo, sa mhéid go ndéanann siad cur síos ar an mbailitheoir/scoláire ó thaobh an fhaisnéiseora/seanchaí/amhránaí de, seachas an bealach eile thart, mar is iondúla! I gceann amháin de na hamhráin seo, mar shampla, déantar cur síos ar thuras go Gaillimh a rinne Tom Mhatt nuair a bhí an tOll. T. Ó Máille ag iarraidh air taifeadadh fuaime a dhéanamh san Ollscoil i nGaillimh. Is léir ón amhrán gur thaitnigh an obair ar fad go mór le Tom, agus gur bhain sé fíorshult as an lá:

> Mo bheannacht go deo thú, don Athair Brian,
> Agus beannacht mo shinsir a bhfuil beo acu ar an saol,
> Ní fhágfainn an Camdhoire, óró, go deo,
> Is ní fheicfinn Gaillimh le mo ló.[24]

Rinne Gearóid Ó Maoilmhichíl an t-amhrán seo a leanas a thaifeadadh ó Tom Mhatt mí Iúil, 1936, agus deir Gearóid linn i nóta go raibh Tom Mhatt tar éis an t-amhrán a chumadh níos luaithe an bhliain chéanna. Tugtar 'Amhrán an Bhóthair' air, rud atá fós mar théama ag lucht cumtha amhrán i nGaeilge sa lá atá inniu ann! Ach níl mórán faoi bhóithre in amhrán Tom Mhatt ina dhiaidh sin. Go bunúsach, is éard atá ann amhrán magaidh, agus é ag cáineadh mhuintir na siopaí agus an tsaoil nua i gcoitinne. Dírítear aird go háirithe ar an nós nua náireach seo atá faighte ag mná a gcuid ama uilig a chaitheamh ag ól tae! Ag an am céanna, agus mar a tharlaíonn go minic i gcás amhrán magúil, d'fhéadfadh sé go bhfuil idir mhagadh agus dáiríre ann, agus gur agóid ina bhealach féin é an t-amhrán in aghaidh éagóir an ghaimbíneachais.

Ar ndóigh, is as véarsa deireanach an amhráin teideal an ailt seo. Is deas a thabhairt faoi deara go bhfuil nóta ag Gearóid Ó Maoilmhichíl leis an líne seo, ag míniú nach *i ngeall* ar an tae a d'imigh an Ghaeilge, ach gur tharla sé gur thosaigh an tae ag éirí coitianta thart faoin am céanna ar thosaigh an Ghaeilge ag éirí ní ba neamhchoitianta!

Amhrán an Bhóthair

Inseoidh mé scéal daoibh agus tá a fhios agaibh é,
Go bhfuil muid ag iarraidh an bhóthair le sé bliana déag,
Ní raibh Haverty[25] sásta go bhfaigheadh sé ocht déag,
Agus meireach an tAthair Brian,[26] ní dhéanfaí choíche é.

Maise, thoisigh an bóthar ar d[h]eireadh an *July*,
Agus tá a fhios ag an saol gurb shin mí na mine buí,[27]
Dheamhan punta siúcra ná leathphunta tae
Gheobhainnse i siopa go bhfuair mé mo phé.[28]

Ghabh mé isteach chuig an siopa nuair a híocadh mé féin,
Agus tuilleadh mór airgid a d'iarr sé orm péin,
'Dheamhan pingin agamsa', arsa mé, 'ná ní bhfaighinn é.'
'Cuirfidh mise próis chugat is íocfaidh tú mé!'

Tharraing mé abhaile agus mé brónach go leor,
Is mé ag cuimhneamh cé bhfaighinn tada dhó,
Chuaigh mé ar an aonach agus dhíol mé mo bhó,
Agus cúig p[h]unt is deich a thug mise dhó.

Dhá bhfeicfeá fear an tsiopa is a phinn ina chluais,
Ina sheasamh ag an doras ag féachaint síos agus suas,
Dhá ndíolfadh fear bocht a chaora ná a bhó,
Bheadh sé á fhaire go bhfaigheadh sé punta ná dhó.

Tá súil le Mac Dé agam go ndéanfaidh an *Government* dlí,
A choinneos na siopaí dhúinne síos,
Mura ndéanfaidh siad sin dúinn ní sheasfaimid é,
Ag íoc deich bpingin an punt ar an [m]bagún is é bréan.

Go ruaige Mac Dé iad amach as an tír,
Sin é mo ghuíse i ndeireadh mo shaoil,
Níor rug mé ar aon phingin ó rugadh mé beo
Nach dtug mé don tsiopa agus bhéarfad go deo.

Ar an seantsaol ní raibh tada den tsórt,
Bhí gach uile fhear ag teacht suas ar fhataí is ar fheoil,
Dheamhan caint ar bith, maise, a bhí ar aon tae,
Agus bhí muineál ar gach uile fhear chomh dearg le sméar.

Ach d'imigh an Ghaeilge agus tháinig an tae,
Rud a d'fhága mná beaga againn ar fud an tsaoil,[29]
Amuigh ins an oíche agus ina gcodladh san lá,
Is nach mór an cás peaca é sin do na mná![30]

I measc na n-amhrán eile a bhí ag Tom Mhatt, bhí meascán d'amhráin ghrá agus amhráin ghrinn, den chuid is mó. Amhráin cuíosach coitianta san iarthar iad cuid de na hamhráin a bhí aige – leithéid 'Péarla Deas an tSléibhe Bháin' agus 'Ar Thaobh Charraig na Báine' *etc.*, cé go raibh leagan dá chuid féin díobh uilig ag Tom, ar ndóigh. Amhráin níos neamhchoitianta cuid eile d'amhráin Tom, leithéid 'An Beairtín Luachra', mar shampla, nach bhfuil sé cinnte faoi ar amhrán nuachumtha de chuid Tom féin é, nó nach ea. Amhrán séimh, rómánsúil é, nach mbristear croí ná gealltanas ar bith ann. Is é an véarsa deireanach dó:

Maise, bheirimse buíochas, ó, do Mhac Dé,
Go bhfuil grá mo chroí agam ar m'urlár féin,
D'fhéach sí anall orm agus d'fháisc a béal,
'Ba thú mo mhian ó rugadh mé!'[31]

Amhráin 'i bpáirt' cuid de ha hamhráin a bhí ag Tom Mhatt, a bhfuil comhrá mar chuid den téacs, tréith atá láidir go maith i dtraidisiún amhránaíochta na tíre seo, i mBéarla agus i nGaeilge. Ceann acu seo, mar shampla, 'An Rascal Gréasaí agus a Mhála Bróg' atá roinnt neamhchoitianta, de réir cosúlachta, cé go bhfuil leagan de ó áit eile in oirthear na Gaillimhe aimsithe ag Proinnsias Ní Dhorchaí.[32] Ar nós cuid eile d'amhráin Tom Mhatt, mar a fheictear sna samplaí thíos, tá curfá beo, meidhreach leis an amhrán seo nach bhfuil aon fhocail chearta ann ach siollaí gan chéill, agus go bhféadfaí port béil a dhéanamh as go héasca.

Ón gcineál stór amhrán a bhí ag Tom Mhatt, thuigfeá go mba fhear gealgháireach a bhí ann, agus tá sé seo le feiceáil freisin ins an dá amhrán seo a leanas. Amhráin ghrá, ghreannmhara an péire acu, a bhfuil caismirt mhagaidh i gceist leis an gcéad cheann. D'fhéadfá a rá faoin dá amhrán nach pictiúr rósciamhach de mhná atá iontu, ach ag an am céanna gur daoine neamhspleácha, láidre iad na mná atá i gceist – daoine dá gcuid féin amach is amach, nár chuala riamh faoi mhná a bheith faoi chois, de réir cosúlachta!

Bhailigh an tAth. Eric Mac Fhinn an chéad amhrán seo ó Tom Mhatt in 1936. I nóta leis an amhrán, deirtear linn go ndúirt Tom Mhatt gur fhoghlaim sé an t-amhrán ó haicléir, agus go mb'as Cúige Uladh an t-amhrán ó thús.[33]

An tAonach

Muise, an gcloiseann sibh mise, a bhuachaillí,[34]
Má théann sibh chun an aonaigh,
Déanaigí bhur ngnaithe in am
Is ná fanaigí leis an oíche,
Ná téigí i ngort ná in aicearra,
Ná thart le bruach na díogann,[35]
Nó cuirfear i dteannta sibh
Mar a cuireadh mo mhnaoise.

Curfá
Whack falda dúra lúra lúral,
Whack falda dúra laidh dó,
Whack falda damhsa lúra lúral,
Whack falda dúra laidh dó.[36]

Is nach maith an gabha i mbaile mé,
Dheamhan níos fearr in Éirinn,
Chuirfinn crú ar chapall, muise,
Dhéanfainn feac nó céachta.
Dhá mbeadh m'inneoin agamsa
Is na buachaillí i dteannta a chéile,
Chloisfí i gConamara mé
Ag stialladh bonn ó chéile.[37]

Curfá
Whack falda dúra lúra lúral etc.

D'éirigh mise ar maidin
Agus chuir mé orm mo chuid éadaigh,
Tharraing mé go Conamara, muis,
Ag tarraingt ar an aonach.
Casadh cailín deas orm,
Óra, i mbéal an aonaigh,
D'imigh muid an aicearra
Agus chaith mé léi an oíche.

Curfá
Whack falda dúra lúra lúral etc.

Nuair a d'éirigh mise ar maidin
Agus chuir mé orm mo chuid éadaigh,
Chuartaigh mé mo thaisce a bhí
Fuáilte i mbinn mo léine.[38]

Bhí pingin le haghaidh tobac agam,
Agus leithphingin le haghaidh píopa,
Is, a mhic na dílis garranta,[39]
Nárbh olc a chaith mé m'oíche.

Curfá
Whack falda dúra lúra lúral etc.

Muise, a bhuachaillí mo thírese,
Déanaigí mo chomhairle
Má théann go Conamara, muise,
Coinnigí an bóthar.
Ná téigí i ngort ná in aicearra,
Ná i ndáil leis na mná óga,
Nó fágfaidh siad faon, folamh sibh
Mar a d'fhága siad ár gcomharsa.

Curfá
Whack falda dúra lúra lúral etc.[40]

Ar an gcaoi chéanna atá an t-amhrán seo a leanas, mórán, ó thaobh atmaisféir agus gealgháireachta de, cé go bhfuil an t-ábhar éagsúil. Bhailigh Gearóid Ó Maoilmhichíl an t-amhrán seo ó Tom Mhatt sa bhliain 1935.

A Ghearrchaile Bhuí

Muise, seacht míle goirim, a ghearrchaile bhuí,
A bhfuil a croí agus a hanam ag gáire,
A brágha gheal mar bhláth na n-úll,
Agus d'éalaigh sí liom óna máthair.

Curfá
Dee ooral la looral, la looral la loo,
Dee ooral la looral, la looral la loo,

Dee ooral la looral, la looral la loo,[41]
Tá mise ag séideadh le gáire.

Muise, i gCathair na Mart a dhearc mé í,
Agus shíl mé anuraidh nach scarfadh liom choíche,
Ach nuair a fuair sí mé folamh, d'iontaigh sí an tslí
Agus d'imigh sí uaim go Tigh Ghamhna.[42]

Curfá
Dee ooral la looral, la looral la loo,
Dee ooral la looral, la looral la loo,
Dee ooral la looral, la looral la loo,
Ó, d'imigh uaim údar mo gháire.

Muise, d'éirigh mé maidin, is ní raibh duine agam féin
A chóireodh mo leaba nó a dhéanfadh braon tae,
Rug mé ar mo mhaide agus d'imigh mé féin,
Agus ghabh mise isteach go Tigh Ghamhna.

Curfá
Dee ooral la looral, la looral la loo,
Dee ooral la looral, la looral la loo,
Dee ooral la looral, la looral la loo,
Ó, chaill mise údar mo gháire.

Nuair a ghabh mise isteach bhí sise istigh romham,
Bhí gloine ina dorn, agus fear léi ag ól,
Taram uait abhaile, ó mhuise, a stór,
Agus cuirfidh mé clóca ort amárach.'[43]

Curfá
Dee ooral la looral, la looral la loo,
Dee ooral la looral, la looral la loo,
Dee ooral la looral, la looral la loo,
Ní dhéanfaidh mé choíche aon gháire.

Muise, d'ardaigh sí an lámh,[44] agus bhuail sí mé féin,
Bhris sí mo shrón, agus d'at sí mo bhéal,
'Téirigh abhaile, a sheanduine bhréan,
Nó maróidh mé istigh ins an áit thú!'

Curfá
Dee ooral la looral, la looral la loo,
Dee ooral la looral, la looral la loo,
Dee ooral la looral, la looral la loo,
Ó, d'imigh uaim údar mo gháire.

Ghabh mise amach agus mé brónach go leor,
Bhí mo shrón briste is mo lipín an-mhór,
Muise, bheirim mo mhallacht do chuile bhean óg
Dá bhfuil, muise, thart ins an áit seo.

Curfá
Dee ooral la looral, la looral la loo,
Dee ooral la looral, la looral la loo,
Dee ooral la looral, la looral la loo,
Nach mise a chaill údar mo gháire.

Muise, bhí mé istigh agus gan duine agam féin,
Mo thaobh ar an stól agus mé ag cuimhneamh ar an saol,
Nuair a bhuail sí isteach chugam ar bhuille an am dinnéir,
Agus rinne mé smíde beag gáire.

Curfá
Dee ooral la looral, la looral la loo,
Dee ooral la looral, la looral la loo,
Dee ooral la looral, la looral la loo,
Toiseoidh mé aríst, ó, ag gáire.

Muise, bhain sí di an seál agus thoisigh sí féin,
Rinne sí cáca agus cupán maith tae,

Bhain sí díom póg is chuir lámh faoi mo mhuineál,
'Agus ní fhágfaidh mé arís, ó, go brách thú!'

Curfá
Dee ooral la looral, la looral la loo,
Dee ooral la looral, la looral la loo,
Dee ooral la looral, la looral la loo,
Toiseoidh mé aríst, ó, ag gáire.[45]

Murab ionann agus na cinn thuasluaite, bhí amhráin eile ag Tom Mhatt a bhain le heachtraí stairiúla. Ceann acu seo an t-amhrán seo a leanas, a bhaineann le haimsir Chogadh na Talún agus na Ribíneach. Ní haon ionadh go raibh an t-amhrán seo ag fear mór amhrán ar nós Tom, ar ndóigh, mar deirtear linn go raibh gaol ag muintir Tom féin leis an bhfear a luaitear san amhrán.[46] Cinnire Ribíneach a bhí ann, a crochadh sa bhliain 1820.[47]

Ned Mór Ó Lócháin

Tráthnóna Dé Céadaoin bhí mé i mo luí ar mo leaba,
Chonaic mé an tsráid seo lán den Arm Dearg,
D'ith mé agus d'ól mé agus d'éirigh mé i mo sheasamh,
Agus shiúil mé trí mhíle gan snáithe bríste nó hata.

Ó a Bhéal Átha na Sluaighe cuirim ruaig ort agus deacair,[48]
Agus mallacht mo dhá pháiste agus a máthair faoi leatrom,
Sula buaileadh orm an clúr[49] gránna a thug náire mór orm
agus scannal,
Is ná is mise [?] a mharaigh an Brúnach[50] go bhfaighfidh
mé áras sna Flaithis.

A chomharsana dílse, ná bígí go brách ar meisce,
Is ná piocaigí droch-chomhluadar, m'ochón, mar a phioc mise,

Is dá mbeadh sibh chomh cneasta leis na hainglibh atá sna Flaithis,
Bheadh siad do bhur bpréachadh le leabhair (mhóra) thiar i nGaillimh.

Is iomaí lá aerach a chaith mé ar aonach Mhaigh Locha,
Gan tuilleamaí agam ar aon fhear a d'iompar riamh maide,
Tá *brat-strings*[51] ar chaon taobh díom agus Counsellor Cannon,[52]
Agus na Giblins ar an *greentable*[53] ag mionnú na n-éitheach le mé a chrochadh.

A chomharsana dílse, tugaigí an troscán seo libh abhaile,
Mo stocaí, mo bhróga, mo chóta mór agus mo charabhata,
Tugaigí scéala chuig mo mháthair atá ina luí (ar an leaba),
Go bhfuil an róipín caol cnáibe ag dul in áit mo charabhata.[54]

VI

Níorbh fhear mór amhrán amháin a bhí i Tom Mhatt. Bhí neart seanchais aige freisin, faoi stair a cheantair féin agus faoi na daoine a bhí ann. Bhí rannta, seanráitis agus seanchas faoi chúrsaí oibre agus spailpíneachta aige,[55] chomh maith le stairsheanchas. Bhí scéalta aige faoi na Lochlannaigh, faoi chúrsaí bainise agus báis, faoin *cake-dance* a bhíodh ann Domhnach Cásca, faoi Naomh Pádraig, agus faoi an-chuid rudaí eile. Bhí an t-uafás seanscéalta fada aige agus scéalta Fiannaíochta ina measc. Bhí scéalta idirnáisiúnta den scoth aige chomh maith, agus leaganacha breátha díobh sin.[56]

Le scéal gearr a dhéanamh de, cruthaíonn an t-ábhar a bailíodh ó Tom Mhatt agus ó Éamonn Mac Thaidhg, agus ó dhaoine eile i nGaeltacht bheag Shliabh Muire, go raibh teacht ann ar thraidisiún béil den scoth, ó thaobh saibhris agus éagsúlachta de. Traidisiún é seo, ar ndóigh, a théann chomh fada soir leis an India agus chomh fada siar leis an Mheánaois. Chuir an traidisiún seo faoi, tráth, ar chnocán beag ar theorainn Cho. na Gaillimhe agus Cho. Ros Comáin, áit ar cuireadh fáilte roimhe agus ar tugadh aire mhaith dó go dtí ár linn féin, a bhuíochas de na daoine thuasluaite. Ní gá a rá go bhfuil ábhar taighde anseo do dhuine ar bith ar spéis leis nó léi an taobh seo tíre, agus an oidhreacht a bhaineann leis.

Fágfaimid an focal deireanach ag Tom Mhatt, le cúpla líne as seanráiteas atá feiliúnach i gcomhthéacs na féilscríbhinne seo i láthair:

> Sliocht agus sleacht go raibh ar do shliocht,
> Siúd ort agus goirim do shláinte.[57]

AGUISÍN I

Is éard atá san Aguisín seo liosta de na foinsí éagsúla, i Roinn Bhéaloideas Éireann agus i roinnt áitcacha eile, a bhfuil ábhar i nGaeilge iontu ó mhuintir Shliabh Muire. Níl an liosta seo iomlán, ach clúdaíonn sé cuid de na foinsí is tábhachtaí.

DOMHNALL Ó DÁLAIGH

CBÉ 1375:351-8. T. S. Ó Máille a bhailigh, 1948. I gcló aige in 'Seanchas Shlia' Muire', *Béaloideas* 20 (1950), 177-82.
CBÉ 1762:156-9. G. Ó Maoilmhichíl a bhailigh, 1945-50.
Cúig cinn d'fhiteáin i mbailiúchán Ollscoil na hÉireann, Gaillimh. T. S. Ó Máille a bhailigh, 1947. (Tá cóip de na fiteáin seo i gcartlann fuaime Roinn Bhéaloideas Éireann.)
T. S. Ó Máille, 'Liosta Focal as Oirthear na Gaillimhe', *Béaloideas* 23 (1954), 230-6.
LASID, I, xii *etc.*

ÁINE BEAN DHOMHNAILL UÍ DHÁLAIGH

CBÉ 1375:362-3. T. S. Ó Máille a bhailigh, 1948. I gcló aige in 'Seanchas Shlia' Muire', *Béaloideas* 20, 185-6.
Ó Máille, 'Liosta Focal as Oirthear na Gaillimhe', *Béaloideas* 23, 230-6.
LASID, I, xii *etc.*

SÉAMUS Ó DUBHDA

CBÉ 1762:160-78. G. Ó Maoilmhichíl a bhailigh, 1945-8.
Ó Máille, 'Liosta Focal as Oirthear na Gaillimhe', *Béaloideas* 23, 230-6.

NEILÍ NÍ LÓCHÁIN

CBÉ 378:80-2; CBÉ 441:298-300; CBÉ 561:383-93. An tAth. P. E. Mac Fhinn a bhailigh, 1936-8.

PÁDRAIG Ó DUBHDA

Sé cinn d'fhiteáin i mbailiúchán Ollscoil na hÉireann, Gallimh. T. S. Ó Máille a bhailigh, 1947. (Tá cóip de na fiteáin seo i gcartlann fuaime Roinn Bhéaloideas Éireann.)

ÉAMONN MAC THAIDHG

CBÉ 1375:358-62. T. S. Ó Máille a bhailigh, 1948. I gcló aige in 'Seanchas Shlia' Muire', *Béaloideas* 20, 182-5.
CBÉ 1402:61-105, 247, 284-314; CBÉ 1425:38-115, 247-56. C. Bairéad a bhailigh, 1954-5.
CBÉ 1384:512-20; CBÉ 1443:7-17, 27-8, 222-5, 296-300, 304, 370-1. Cuntais chín lae C. Bairéad, 1954-5.
CBÉ 1762:159. G. Ó Maoilmhichíl a bhailigh, 1952.
Aon cheann déag d'fhiteáin i mbailiúchán Ollscoil na hÉireann, Gallimh. T. S. Ó Máille a bhailigh, 1947. (Tá cóip de na fiteáin seo i gcartlann fuaime Roinn Bhéaloideas Éireann.)
Roinn Bhéaloideas Éireann Téip 1593b-1602a, M.1093-1105a i gcartlann fuaime na Roinne. L. Corduff agus C. Bairéad a bhailigh, 1954.
Ó Máille, 'Liosta Focal as Oirthear na Gaillimhe', *Béaloideas* 23, 230-6.
LASID, I, xii *etc.*

TOMÁS Ó LÓCHÁIN (TOM MHATT)

CBÉ 79:506-35. M. Ó Catháin a bhailigh, 1933.
CBÉ 208:121-9, 191-3, 516-22; CBÉ 226:4, 66-70, 133-7, 143-9; CBÉ 378:76-90; CBÉ 400:88-9; CBÉ 441:298-315; CBÉ 494:374-86; CBÉ 561:337-83; CBÉ 708: 433-45; CBÉ 1144:3. An tAth. P. E. Mac Fhinn a bhailigh, 1935-41.
CBÉ 695:201-51, 264-9; CBÉ 708:427, 471-5. S. Mac Gabhann a bhailigh, 1937-40.
CBÉ 1762:100-59, 179-95. G. Ó Maoilmhichíl a bhailigh, 1932-40
Ábhar i measc pháipéar Éamoinn Uí Thuathail i Roinn Bhéaloideas Éireann, nach bhfuil aon mhionchlárú déanta ar an gcuid is mó de, ach gur léir go bhfuil idir scéalta, fhocail, théarmaíocht, sheanchas *etc.* ann (féach fonóta 56 thuas). Thángthas ar dhá leabhar nótaí den chineál seo ábhair, de chuid Éamoinn Uí Thuathail, i measc pháipéar Fhionáin Mhic Coluim i Roinn Bhéaloideas Éireann. Tá roinnt ábhair sna páipéir seo ó dhaoine eile i gceantar Shliabh Muire chomh maith.

Taifeadadh fuaime in Acadamh Ríoga na hÉireann, Baile Átha Cliath. W. Doegen a bhailigh, 1930. (Tá cóip de na fiteáin seo i gcartlann fuaime Roinn Bhéaloideas Éireann.)
Taifeadadh fuaime i mbailiúchán Ollscoil na hÉireann, Gallimh. T. Ó Máille a bhailigh, c. 1930.
É. Ó Tuathail, 'Murchadh: Sgéal ó Oirthear na Gaillimhe', *Béaloideas* 4 (1934), 151-4.
An tAth. P. E. Mac Fhinn, 'In Memoriam: Tomás Ó Lócháin (Tam Mhatt)', *Béaloideas* 12 (1942), 216-9.
I rith na dtríochaidí, agus go dtí go bhfuair Tomás Ó Lócháin bás in 1942, bhí scéalta agus cuntais uaidh i bhfoilseacháin éagsúla, ina measc: *Ar Aghaidh*; *Gearrbhaile*; *An t-Éireannach*; *Irisleabhar Ollscoil na Gaillimhe*.

AGUISÍN II

Liosta aibítreach de na hamhráin a taifeadadh ó Thomás Ó Lócháin (Tom Mhatt) atá i mbailiúcháin lámhscríbhinní Roinn Bhéaloideas Éireann. Gearóid Ó Maoilmhichíl agus an tAth. Eric Mac Fhinn ba mhó a bhailigh amhráin uaidh. Tá ainm an bhailitheora agus bliain an bhailithe tugtha thíos. Mé féin a chuir teideal ar chúpla ceann de na hamhráin nach raibh teideal orthu cheana féin, agus tá siad seo idir lúibíní cearnógacha.

Amhrán an Bhóthair	CBÉ 1762:129-31 G. Ó Maoilmhichíl 1936
Aonach, An t- (Amhrán Mhártain Greene)	CBÉ 226:143-9 An tAth. P. E. Mac Fhinn 1936 CBÉ 1762:135-7 G. Ó Maoilmhichíl 1936
Ar Thaobh Charraig na Báine (An Treabhadóir)	CBÉ 208:121-9 An tAth. P. E. Mac Fhinn 1935 CBÉ 226:66-70 An tAth. P. E. Mac Fhinn 1936 CBÉ 1762: 142-3 G. Ó Maoilmhichíl 1936
Beairtín Luachra, An	CBÉ 1762:144-6 G. Ó Maoilmhichíl 1938
B(h)ean Uasal, An	CBÉ 1762: 147-8 G. Ó Maoilmhichíl 1938
[Bí liom bí] (rann)	CBÉ 441:301 An tAth. P. E. Mac Fhinn 1936

Brón ar mo Mhuintir	CBÉ 441: 313-5 An tAth. P. E. Mac Fhinn 1936
Ceannaí Ó Néill Mé	CBÉ 561:337-41 An tAth. P. E. Mac Fhinn 1937 CBÉ 695:212-3 S. Mac Gabhann 1939 CBÉ 1762: 148-9 G. Ó Maoilmhichíl 1938
Dá Shaol, An	CBÉ 1762:126-9 G. Ó Maoilmhichíl 1934
Ghearrchaile Bhuí, A	CBÉ 1762:137-9 G. Ó Maoilmhichíl 1936
[Hín bín bobaró] (rann)	CBÉ 441:301 An tAth. P. E. Mac Fhinn 1936
Leoraithe, Na	CBÉ 1762:124-6 G. Ó Maoilmhichíl 1934
Lúrabóg Lárabóg (rann)	CBÉ 695:267 S. Mac Gabhann 1940
Máirín Ní Ghibealláin	CBÉ 1762:133-5 G. Ó Maoilmhichíl 1936
Marcus agus an Muileann: (rann)	CBÉ 378:82 An tAth. P. E. Mac Fhinn 1936
Mo Thuras go Gaillimh	CBÉ 1762:120-2 G. Ó Maoilmhichíl 1933
Múirnín na Gruaige Báine	CBÉ 561:363-5, 373 An tAth. P. E. Mac Fhinn 1937 CBÉ 1762:143-4 G. Ó Maoilmhichíl 1937
[Muise nach iad na Sasanaigh a chríochnaigh an saol]	CBÉ 695:265-6 S. Mac Gabhann 1940
Ned Mór Ó Lócháin	CBÉ 1762:123-4 G. Ó Maoilmhichíl 1933

Péarla Deas an tSléibhe Bháin	CBÉ 1762:140-1 G. Ó Maoilmhichíl 1936
(Ar Thaobh na Carraige Báine)	CBÉ 494:374-7 An tAth. P. E. Mac Fhinn 1936
Peata Bhéal Átha Ghártha	CBÉ 1762: 131-3 G. Ó Maoilmhichíl 1936
Rascal Gréasaí agus a Mhála Bróg, An	CBÉ 1762: 151-2 G. Ó Maoilmhichíl 1938
Róisín Dubh	CBÉ 695:230-1, 243 S. Mac Gabhann 1939
Saighdiúirín Singil	CBÉ 378:76-80 An tAth. P. E. Mac Fhinn 1936
Saighead Ó Néill	CBÉ 561:369-71 An tAth. P. E. Mac Fhinn 1937 CBÉ 695:201-2 S. Mac Gabhann 1939 CBÉ 1762: 150-1 G. Ó Maoilmhichíl 1938
Seanduine Dóite, An	CBÉ 208:516-22 An tAth. P. E. Mac Fhinn 1935 CBÉ 400:88-9 An tAth. P. E. Mac Fhinn 1936
Sláinte an Bhraonánaigh	CBÉ 695:229-30 S. Mac Gabhann 1940
Táilliúir Aerach, An	CBÉ 1762:146-7 G. Ó Maoilmhichíl 1938
Véarsaí ilghnéitheacha	CBÉ 708:471-5 S. Mac Gabhann 1937-8, *per* An tAth. P. E. Mac Fhinn. CBÉ 1762:101-3, 113-4, G. Ó Maoilmhichíl 1932-40.

Ba mhaith liom buíochas a ghlacadh le roinnt daoine as a gcúnamh leis an alt seo. Tá, ina measc, Anna Bale, Roinn Bhéaloideas Éireann, Ollscoil na hÉireann, Baile Átha Cliath; an Dr. Cáit Ní Dhomhnaill, Scoil na Gaeilge, Ollscoil na hÉireann, Gaillimh; Pádraig Ó Cearbhaill, An Oifig Logainmneacha, Baile Átha Cliath; Fiona Hanly, Laurence Kilcommins agus Matt McDonagh ar na Creaga, Co. na Gaillimhe. Mo bhuíochas freisin leis an Oll. Séamas Ó Catháin, Ceann Roinn Bhéaloideas Éireann, as cead a thabhairt dom úsáid a bhaint san alt seo as ábhar i mbailiúcháin na Roinne. Focal buíochais go speisialta leis an Dr. Ríonach uí Ógáin, Roinn Bhéaloideas Éireann, agus le Gearóid Ó Maoilmhichíl (féach fonóta 21 thíos), iar-oirGhaillimheach i mBaile Átha Cliath, as a gcabhair uilig.

1 Ba cheart gur 'Mount Murray' an leagan Béarla ar an ainm Sliabh Muire, seachas 'Mount Mary', ar ndóigh, mar deirtear linn gur ón treibh ársa ar tugadh 'Síol Muireadhaigh' orthu a tháinig an t-ainm ar an gcéad dul síos. Ba iad a sliocht siúd a bhí i réim sa dúiche roimh theacht na Normannach sa dóú céad déag. Féach E. MacLysaght, *Irish Families, Their Names, Arms and Origins*, Dublin 1957, 236-7; Rev. P. Woulfe, *Sloinnte Gaedheal is Gall. Irish Names and Surnames*, Dublin 1923, 621, 693 *etc.*; *Ros Comáin* (ní luaitear údar), Baile Átha Cliath 1938.

2 C. Ó Coigligh, *Raiftearaí, Amhráin agus Dánta*, Baile Átha Cliath 1987, 126. Tá nóta ag an Ath. Eric Mac Fhinn faoi fhoirm an logainm dheireanaigh seo in CBÉ 561:389. Is é an rud is mó atá le rá faoi na Creaga, is dóigh, gurb ann a thug Parnell a óráid dheireanach.

3 Mar a dúirt Éamonn Ó Tuathail faoi Shliabh Muire: ...*one of the most eastern districts in Connacht in which there are native Irish speakers* ('Murchadh', *Béaloideas* 4 [1934], 154).

4 CBÉ 1271:302. Is éard a bhí na fir ag rá: 'Ochón ó, agus ochón aile [*sic*], san áit a bhfuil sé anois, gur gearr go mbeidh an chuid eile'. Sampla maith é seo, ar ndóigh, den chódteachtaireacht, agus den chaoi ar féidir leis an lucht 'íseal' leas a bhaint as an magadh mar ghléas leis an lámh in uachtar a fháil, ar bhealach, ar an lucht 'uasal'.

5 CBÉ 1573:77-8.

6 CBÉ 1573:576.

7 Le hachoimre a fháil ar an staidéar atá déanta ar chanúint na dúiche seo, féach R. Ó hUiginn, 'Gaeilge Chonnacht' in *SnaG*, 539-609. Féach, mar shampla, nótaí a bhaineann le Sliabh Muire in E. Ó Tuathail, 'Miscellanea' agus 'On the Irish Sibilants', *Éigse* 1 (1939-40), 33, 283-4 faoi seach.

8 Féach, mar shampla, T. Ó Máille, *Urlabhraidheacht agus Graiméar na Gaedhilge*, I, Baile Átha Cliath 1927. T. S. Ó Máille, 'Seanchas Shlia' Muire', *Béaloideas* 20 (1950), 177-87; 'Liosta Focal as Oirthear na Gaillimhe', *Béaloideas* 23 (1954), 230-6. Rinne an bheirt acu obair i nGaeltachtaí agus i mBreac-Ghaeltachtaí eile i gCúige Chonnacht freisin, ar ndóigh.

9 Féach, mar shampla, R. Ó hUiginn, 'Tomás Ó Máille', *Scoláirí Gaeilge*.

Léachtaí Cholm Cille 27 (1997), 83-122; 115. Féach Aguisín I chomh maith.

10 CBÉS 15:235-7.

11 Féach, mar shampla, CBÉ S 15:130-1; CBÉ 1868:120-9.

12 Tá an logainm seo le fáil i leabhar nótaí de chuid Éamoinn Uí Thuathail atá i gcartlann Roinn Bhéaloideas Éireann (féach Aguisín I, faoi ainm Thomáis Uí Lócháin). Is é Crosswell ainm na háite i mBéarla.

13 Tá an chuma air nach bhfuil an oiread sin eolais sa lá atá inniu ann ag cuid mhór de mhuintir an cheantair i gcoitinne faoi Ghaeltacht Shliabh Muire. Léiriú é seo, is dóigh, ar cé chomh leochaileach agus atá teanga, nuair a imíonn sí le sruth.

14 CBÉ 1384:514-7. Féach freisin Aguisín 1, áit a bhfuil tagairtí do dhialanna eile de chuid Chiaráin Bairéad, ina bhfuil cur síos ar Chamdhoire agus na daoine ann.

15 CBÉ 1443:297-9. Tá roinnt obair chaighdeánaithe déanta agam ar ábhar as na lámhscríbhinní a thugtar san alt seo, maidir le litriú *etc.*, ar son na soléiteachta.

16 Tá na scéalta uilig chomh fada sin, ar ndóigh, nach féidir ceann a chur i láthair in alt mar seo.

17 A. Aarne agus S. Thompson, *The Types of the Folktale*, Helsinki 1973, uimh. 901.

18 CBÉ 1425:108-15.

19 Fógraíodh a bhás i nuachtán náisiúnta, *The Irish Press*, mar 'Death of Noted Co. Galway Seanachie [*sic*]' (29.8.1942), áit a raibh píosa gearr ag cur síos air.

20 Baile Átha Cliath 1974. Tá Tom Mhatt ar dhuine de na daoine is mó a bhfuil amhráin dá gcuid luaite sa leabhar seo, ar ndóigh, agus fós níl ach an tríú cuid dá chuid amhrán tugtha i gcuntas ann. Tháinig na hamhráin bhreise chun solais nuair a bhí an saothar foilsithe.

21 CBÉ 1762:99-195. Tá mé thar a bheith buíoch de Ghearóid as agallamh a rinne sé liom ar an 15ú Meitheamh, 1998, agus as an gcúnamh agus an tacaíocht ar fad a thug sé dom leis an alt seo. Ba é Gearóid a leag béim ar chomh bródúil as a chuid Gaeilge agus a bhí Tom Mhatt, mar shampla, sa chomhrá seo liom. Tá Gearóid féin ag obair faoi láthair ar an ábhar a bhailigh sé i nGaeilge in oirthear na Gaillimhe, agus tuairimí an-spéisiúla aige faoi Ghaeilge an cheantair i gcoitinne, agus faoi Ghaeilge Chamdhoire go háirithe, ó thaobh na canúineolaíochta de.

22 Féach, mar shampla, CBÉ 1762:131-4.

23 Sa chomhthéacs seo, tá obair déanta ag Ríonach uí Ógáin ar amhráin a cumadh le blianta beaga anuas in iarthar Chonamara. Go minic, is faoi dhaoine agus eachtraí áitiúla na hamhráin seo chomh maith. Léiríonn an Dr uí Ógáin an leanúnachas atá ann idir na hamhráin nuachumtha seo, agus seanamhráin ón traidisiún béil, féach ' "Camden Town go Ros a Mhíl" – Athrú ar ghnéithe de thraidisiún amhránaíochta Chonamara', in

F. Vallely *et al.*, eag., *Crosbhealach an Cheoil, The Crossroads Conference 1996*, Dublin 1999, 219-26.

24 CBÉ 1762:120-2. Is é ainm an amhráin seo 'Mo Thuras go Gaillimh'. Maidir leis an Athair Brian, ba é sin an Canónach Brian Ó Críocháin, a bhí i bparóiste Chill Bheagnait. Ba eisean a 'tháinig ar' Tom Mhatt ar an gcéad dul síos, agus a chuir lucht na Gaeilge ar an eolas faoi. Bhí an-spéis ag an gCanónach i gcúrsaí na Gaeilge *etc.*, agus luaitear go minic é in an-chuid tuairiscí agus cuntas a scríobhadh faoi Ghaeilge Shliabh Muire.

25 Seo é an Pádraig Ó Ceallaigh, 'Haverty', atá luaite thuas agam ar lch 225.

26 Féach fonóta 24, thuas.

27 Tá nóta ag Gearóid Ó Maoilmhichíl (GÓM uaidh seo amach sna nótaí) anseo ag rá '*July* na mine buí – an mhí ghortach'. Seo i ngeall ar nach mbíodh na fataí nua ar fáil fós, agus cinn na bliana roimhe sin beagnach ídithe.

28 Tá an focal Béarla, *pay*, idir lúibíní ag GÓM tar éis an fhocail seo.

29 Deirtear linn i nóta de chuid GÓM anseo go bhfuil an fhuaim 'é' sa bhfocal seo.

30 CBÉ 1762:129-31.

31 CBÉ 1762:144-6. Rinne GÓM an t-amhrán seo a thaifeadadh ó Tom Mhatt mí Iúil, 1938. Chomh fada agus atá mé in ann a dhéanamh amach, níl i gcoitinne idir an t-amhrán seo agus 'An Binsín Luachra' ach go bhfuil an dá theideal roinnt cosúil le chéile.

32 CBÉ 1762:52-3. Ní Dhorchaí, *Clár Amhrán an Achréidh*, 149, uimh. 4.

33 CBÉ 226:147. Ins an nóta céanna, deirtear linn gur 'fear de na Cuagáin' ab ea an haicléir seo. Ach bhailigh GÓM an t-amhrán céanna ó Tom Mhatt (CBÉ 1762:135-7), áit a ndeir sé gur 'Mártain Greene' a bhí ar an haicléir, agus gur duine de na haicléirí lín as Cúige Uladh a bhí ann, a bhíodh ag dul tríd an tír fadó, ag déanamh a gcuid oibre. 'Amhrán Mhártain Greene' an t-ainm atá ar an amhrán seo i mbailiúchán GÓM.

34 Cé gur 'a chailíní' atá ag an Ath. Eric Mac Fhinn anseo, is éard atá i mbailiúchán GÓM ná 'a bhuachaillí' (CBÉ 1762:135). Sílim gur féidir linn glacadh leis go bhfuil an dara leagan seo ceart, mar ní bheadh an chéad leagan ag teacht ar chor ar bith le ciall an amhráin nó fiú le ciall an véarsa.

35 'Díogan' an leagan den fhocal seo atá ag GÓM ina bhailiúchán siúd, agus nóta aige leis ag rá gur ginideach neamhghnách atá ann (CBÉ 1762:135).

36 D'fhág mé 'focail' an churfá díreach mar a scríobh an tAth. Eric Mac Fhinn iad, seachas iad a bhriseadh suas roinnt, ar son soléiteachta. Tá difríochtaí idir an curfá a thóg GÓM ó Tom Mhatt agus an curfá mar atá sé anseo, cé gur siollaí gan chéill atá sa dá leagan.

37 Tá malairt leagain den líne seo ag GÓM: 'Ag déanamh soc [*sic*] do chéachta'. Deir GÓM gur 'cosúil gur véarsa strae nó véarsa breise é seo' (CBÉ 1762:135).

38 Tá nóta ag GÓM anseo ag rá gur 'iomaí fear a chodlódh ina chraiceann, agus a léine a chaitheamh ag cois na leapa' (CBÉ 1762:136).

[39] Is éard atá ag GÓM anseo 'a mhic na ndílis gcaranta', agus nóta aige leis ag rá gur dóigh gur leagan den fhocal 'carántach' atá ann (CBÉ 1762:136).

[40] CBÉ 226:143-7.

[41] Faoi mar a rinne mé leis an amhrán deireanach, d'fhág mé 'focail' an churfá díreach mar a scríobh an bailitheoir iad, seachas iad a bhriseadh suas roinnt, ar son na soléiteachta.

[42] Tá nóta ag GÓM anseo ag rá gur cosúil gur teach leanna nó síbín é seo.

[43] Tá malairt leagain den líne seo tugtha sa lámhscríbhinn: 'Agus ceannóidh mé clóca dhuit amárach'.

[44] Tá 'nó dorn' scríofa idir lúibíní sa lámhscríbhinn anseo.

[45] CBÉ 1762:137-9. Tá nóta ag GÓM leis an amhrán seo, ag rá gur as Co. Mhaigh Eo an t-amhrán, agus go raibh 'port croíúil leis ag Tom, mar "The Galbally Farmer" '. Ag deireadh an amhráin, tá nóta eile aige ag rá gurb í ciall an amhráin go raibh bean óg pósta ar fhear a bhí níos sine ná í. Iarrann sí air clóca a cheannacht di, agus imíonn sí uaidh nuair a dhiúltaíonn sé í. Géilleann sé di ansin, agus filleann sí air ar deireadh.

[46] Féach CBÉ 378:86.

[47] Mar eolas ar an eachtra seo, féach S. Mac Giollarnáth, 'Seanchas Fola', *Béaloideas* 17 (1947), 113-30. Tá an tagairt seo tugtha sna nótaí don amhrán atá scríofa ag GÓM, chomh maith le tagairt d'alt le M. Ó Dóláin, 'The Hanging of Neddy Lohan', sa *Connacht Tribune*, 1.1.1966. Tá píosa den amhrán tugtha san alt thuasluaite in *Béaloideas*, agus tá leaganacha eile de faighte ag Ríonach uí Ógáin (Ní Fhlathartaigh), sna lámhscríbhinní i Roinn Bhéaloideas Éireann ó bharúntacht Bhaile na hInse, in iarthar na Gaillimhe, agus curtha san áireamh aici ina leabhar *Clár Amhrán Bhaile na hInse*, Baile Átha Cliath 1976, faoin uimhir 238.

[48] Níl an líne seo sothuigthe, dar le GÓM.

[49] Deir GÓM i nóta leis an bhfocal seo nach bhfuil a fhios aige cén chiall atá leis. Tá na focail 'A Bhúircín ghránna' i leagan eile den amhrán seo (CBÉ 236:52-4), áit a ndeirtear go raibh baint ag an mBúrcach seo leis an scéal chomh maith. Bailíodh an dara leagan seo in iarthar na Gaillimhe (féach fonóta 47 thuas). Seans go mb'fhéidir gur truailliú ar an ainm 'Búrcach' atá againn sa 'clúr' anseo.

[50] Maraíodh an Brúnach seo de dhearmad, in áit an fhir a raibh sé i gceist ag na Ribínigh é a mharú. Deir GÓM linn gur dea-thiarna talún a bhí sa mBrúnach.

[51] Níl míniú an fhocail seo soiléir.

[52] An dlíodóir a bhí ag Ned Mór, dar le GÓM.

[53] Glacaim leis gur tagairt é seo do bhord i seomra na cúirte.

[54] CBÉ 1762:123-4. Tá malairt leagain de na línte deiridh tugtha sa lámhscríbhinn:

> Anois, ó tá mé réidh libh agus nach bhfuil goir agam dhul abhaile,
> Tugaigí mo bheannacht chuig Síol Éabha agus ná casaidh an éagóir seo le mo leanbh.

[55] Deirtear linn gur fhoghlaim Tom Mhatt a chuid Béarla agus é ag obair mar spailpín i Sasana le linn a óige (féach an tAth. Eric Mac Fhinn, 'In Memoriam: Tomás Ó Lócháin (Tam Mhatt)', *Béaloideas* 12 [1942], 216-9).

[56] Rinne Éamonn Ó Tuathail liosta de na scéalta a bhí bailithe aige ó Tom Mhatt – trí cinn is fiche díobh ar fad a bhí ann, agus iad scríofa amach in dhá chóipleabhar déag aige. Tá na cóipleabhair seo, chomh maith le nótaí eile ó Shliabh Muire, i measc pháipéar Éamoinn Uí Thuathail i Roinn Bhéaloideas Éireann. Féach Aguisín 1, faoi ainm Thomáis Uí Lócháin.

[57] CBÉ 695:221

Snáithín san uige: 'Loisc agus léig a luaith le sruth'

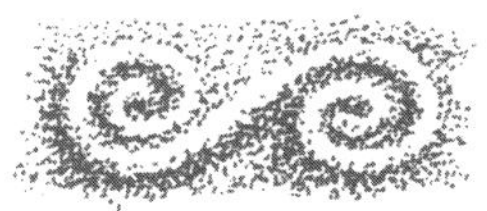

MÁIRTÍN Ó BRIAIN

I

Is in ómós do Bhreandán Ó Madagáin ar mór aige i gcónaí an oidhreacht choiteann a d'fhan ag Gaeil Éireann agus Alban a scrúdaítear snáithe beag amháin in uige na hoidhreachta sin san aiste seo. Nath nó foirmle uamach arb é a éirim duine nó ainmhí a loscadh agus a luaith a ligean le huisce atá sa snáithe seo a bhfuil fianaise mhaith air i bhfoinsí Gaeilge as gach aon taobh de Shruth na Maoile. Scrúdaítear fianaise na hAlban i dtús báire de bhrí gur féidir dátaí réasúnta cruinn a lua leis na solaoidí de ón tír thall.

II

Trí cinn de sholaoidí atá aimsithe agam i bhfoinsí Albanacha. Tá ceann acu i ndán a cumadh do dhuine de chinn urra na gCaimbéalach. Bhí Giolla Easpaig Mac Cailéin [Archibald Campbell], Dara hIarla Oirear Gael ó 1493 go 1513, ar dhuine de mhaithe móra na ríochta le linn do Shéamas IV a bheith ina rí ar Albain (1488-1513). Ba dhream iad na Caimbéalaigh a raibh leathbhróg Ghaelach agus leathbhróg Ghallda orthu sa tréimhse seo agus iad ar a gcompord ina gcaisleáin sa Ghaeltacht agus i gcúirt an rí sa Ghalltacht i nDún Éideann. Chum athair Ghiolla Easpaig, Cailéin, an Chéad Iarla, dánta i nGaeilge agus bhí bua na filíochta ag daoine muintreacha eile leis idir fhir agus mhná agus bhí tóir ag na filí ar a gcuid pátrúntachta dá réir.[1]

Ar cheann de na dánta a cumadh do Ghiolla Easpaig tá 'Ar sliocht Gaodhal ó Ghort Gréag'.[2] Ach an oiread le háiteanna go leor eile ag tús an séú haois déag bhí an saol corrach go maith in Albain agus tugtar léargas ar fónamh dúinn ar fhíochmhaireacht na linne sin sa déantús seo. Saighdtear Giolla Easpaig le léirscrios a dhéanamh ar na Gaill ann. Níor leor leis an bhfile go maródh Giolla Easpaig iad, b'áil leis go loiscfí iad agus gach ar bhain leo agus go ligfí a luaith le huisce.

Na fréamha ó bhfuilid ag fás,
díthigh iad, mór a bhforfhás,
nach faighthear Gall beó dot éis,
ná Gaillseach ann ré *h-aisnéis*.

Loisg a mbantracht nach maith mín,
loisg a gclannmhaicne ainmhín,
is loisg a dtighe dubha,
is coisg dhínn a n-anghutha.

Léig le h-uisge a luaithre sin,
i ndiaidh loisgthe dá dtaisibh;
ná déan teóchroidhe a beó Gall,
a eó bheóghoine anbhfann.

The roots from which they grow, destroy them; overgreat is their increase; so that after thee no Saxon be left in life, nor Saxon woman to be mentioned.

Burn their womenfolk ungentle, burn their ungentle children; and burn their black houses, and rid us of the reproach of them.

Send their ashes down the stream, after burning of their bodies; show no pity for living Saxon, thou vigorous salmon dealing mortal wounds.[3]

Níor tháinig ainm údar an dáin anuas chugainn agus níl d'fhianaise againn ar an déantús féin ach cóip aonraic neamhiomlán de atá i Leabhar Dhéan an Leasa Mhóir, lámhscríbhinn cháiliúil a cuireadh i dtoll a chéile sa chéad leath den séú haois déag. Chuaigh scríobhaithe na lámhscríbhinne seo, Sior Séamas Mac Greagair agus dearthair leis, Donnchadh, i muinín córas ortagrafaíochta a bhí bunaithe ar litriú Bhéarla na hAlban a linne féin. Chuir W. J. Watson eagar i ngnáthlitriú na Gaeilge Clasaicí ar dhíolaim de dhánta inti a bhain le hAlbain agus is éard a deir sé faoin gceann atá faoi chaibidil againn:

> This spirited poem, as Dr M'Lauchlan correctly stated, is addressed to Archibald Earl of Argyll, Chancellor of Scotland, who was killed at Flodden. It is to all appearance a *Brosnachadh Catha*, incitement to battle, against the English and must have been composed very soon before the Earl set out on that fatal expedition, which left Edinburgh in August 1513.[4]

Is cosúil go bhfuil aos léinn na hAlban ar aon mhéin le Watson faoin gcúlra seo. Tá, mar shampla, an dán pléite, agus cuid mhaith de aistrithe go Béarla, ag Derick Thomson sa chuntas atá tugtha aige ar thraidisiún na filíochta Gaeilge in Albain in *An Introduction to Gaelic Poetry*.[5] Is éard a deir sé faoi:

> An anonymous poem, addressed to the Earl of Argyll on the eve of Flodden, in 1513, is another excellent example of the *brosnachadh*, this time in the larger context of Scoto-English affairs. Campbell is here addressed as the champion of the Scots against the English, and the Campbells found themselves on this occasion, uncharacteristically, on the losing side. The poem is one of the most remarkable examples extant of pre-Flodden nationalism.[6]

Bhí nimh san fheoil ag na hAlbanaigh dá gcomharsana ó dheas díobh le fada an lá roimhe sin agus ba mhinic iad féin agus na Sasanaigh in árach a chéile. Ba chomhghuaillithe iad na hAlbanaigh agus na Francaigh an tráth údan agus thapaigh Séamas IV an deis le ruathar a thabhairt faoi Shasana i mí Lúnasa na bliana 1513 nuair a bhí Anraí VIII, rí Shasana, as baile ar thóir na glóire míleata sa Fhrainc.[7] D'íoc an Stíobhartach an téiléireacht ar an 9ú lá de Mheán Fómhair. Fágadh é féin agus na mílte eile Albanach in éineacht leis sínte mín marbh ar bhlár an chatha ag Flodden, Northumberland, Sasana.[8] Ach an oiread leis an rí, níor éalaigh Giolla Easpaig Mac Cailéin ina bheatha ón sléacht cinniúnach sin.

Thiocfadh go bhfuil an ceart acu siúd a mhaíos gur sampla breá de *pre-Flodden nationalism* é an déantús seo a cumadh, dar leo, nuair a bhí Giolla Easpaig agus na hAlbanaigh ag téisclim chun cogaidh i gcoinne na Sasanach. Chítear domsa, áfach, gur féidir tátal eile a bhaint as fianaise an dáin agus cúlra atá in uireasa cosúlachta go mór leis an gceann a bhfuil glacadh anois leis a lua leis. Ní dóigh liom gurbh é leas an stáit Albanaigh a bhí i gceist ag an bhfile agus, dar liomsa, níl aon rian de 'náisiúnachas' Albanach le sonrú ar an dán – má bhí a leithéid de choincheap agus náisiún Albanach i measc na nGael sa tréimhse sin. Tá sé an-suntasach nach bhfuil tagairt do Shasana, ná do rí na tíre sin sa dán. Os a choinne sin, luaitear Éire ann agus moltar do Ghiolla Easpaig agus do Ghaeil na hAlban aithris a dhéanamh ar Ghaeil na hÉireann agus troid a dhéanamh ar son a 'n-athardha' (rann 3f). Ní hí ríocht na Alban uilig atá i gceist leis an 'athardha' seo, chomh fada le mo bharúil, ach Tiarnas Inse Ghall, an chuid sin de Ghaeltacht na hAlban a bhí geall le bheith neamhspleách go hiomlán ar na húdaráis i nGalltacht na hAlban go dtí achar gearr roimhe sin. Cé gur mhaígh Watson sa nóta thuasluaite leis go raibh an file ag gríosadh an Chaimbéalaigh le troid i gcoinne na Sasanach (*fight against the English*), ní luaitear an focal 'Sasanach' sa téacs ar chor ar bith. Tugtar Gaill ar na naimhde ann, ach ní Sasanaigh iad na Gaill seo, dar liom, ach Albanaigh. Roinn dhá chine ríocht na hAlban sa tréimhse seo – na Gaeil agus na Gaill.[9] Gaill ab ea na Stíobhartaigh, ríthe na hAlban, agus ba sa Ghalltacht a bhí Dún Éideann, port oireachais na ríochta. Bhí na Gaill seo ar a ndícheall le fada ag iarraidh an ceann is fearr a fháil ar na Gaeil. Ghéaraigh ar a n-iarrachtaí ag deireadh an cúigiú haois déag nuair a d'fhéach siad le Clann Domhnaill Inse Ghall agus a lucht leanúna a chur faoi mheirse. D'eascair, dar liom, díocas an té a chum 'Ar sliocht Gaodhal ó Ghort Gréag' as an gcoimhlint seo agus as na himeachtaí ba chionsiocair le turnamh Thiarnas Inse Ghall. Tá lorg na n-imeachtaí seo le sonrú freisin ar roinnt dánta eile i Leabhar Dhéan an Leasa Mhóir.

Ba é Eoin mac Alastair Mhic Dhomhnaill, taoiseach Chlainne Domhnaill, rí deireanach Inse Ghall.[10] Ba aige a bhí Iarlacht Rois in iarthuaisceart mhórthír na hAlban freisin. Bhí uisce faoi thalamh ar bun aige le Edward IV Plantagenet, rí Shasana (1461-1470 agus arís ó 1471-1483), i gcoinne rí na hAlban ón mbliain 1462 ar aghaidh, ach nuair a d'fheil sé do na Sasanaigh síocháin a dhéanamh leis na hAlbanaigh sa bhliain 1474 foilsíodh téarmaí an chonartha rúnda. Bhain parlaimint na hAlban Tiarnas Inse Ghall agus Iarlacht Rois d'Eoin dá bharr, ach bhronn an pharlaimint an Tiarnas ar ais air an bhliain dár gcionn. D'aontaigh an pharlaimint chéanna leis gurbh é Aonghas Óg, mac leis, oidhre dlisteaneach Eoin agus meastar gur pósadh Aonghas Óg agus iníon le Cailéin Mac Cailéin, Iarla Oirear Gael, thart ar an am sin.[11] D'éirigh idir Eoin agus Aonghas Óg uair éigin ina dhiaidh sin faoi chúrsaí sa Tiarnas agus faoin gcaoi ar baineadh Iarlacht Rois de Chlann Domhnaill. Thug Aonghas Óg ruathar faoi Ros sa bhliain 1481 agus d'éirigh leis urlámhas a fháil ar Inbhirnis agus ar an gceantar máguaird san iarlacht. Fuair sé an ceann is fearr ar a athair uair éigin thart ar an am sin i gcath mara a troideadh sa chaolas idir Muile agus Ard na Murchan. Thacaigh uaisle an Tiarnais le hEoin – ina measc an Caimbéalach – ach chuidigh Clann Domhnaill le hAonghas. Bhí ag éirí thar cionn le hAonghas, ach d'fheallmharaigh Diarmaid Ó Cairbre, cruitire Éireannach, in Inbhirnis é sa bhliain 1490.[12] Bhain an pharlaimint an teideal Tiarna Inse Ghall d'Eoin Mac Domhnaill trí bliana ina dhiaidh sin agus cuireadh an tiarnas ar ceal go dlíthiúil. Mhair Eoin Mac Domhnaill ar feadh deich mbliana ina dhiaidh ina phinsinéir ag Seámas IV. Bhásaigh sé i dteach lóistín i nDún Dé in Eanáir na bliana 1503.

Tugtar léargas dúinn i roinnt dánta i Leabhar Dhéan an Leasa

Mhóir ar an gcaoi ar ghoill bás Aonghasa Óig agus turnamh Chlann Domhnaill ar na filí thall. Nuair a cuireadh Diarmaid Ó Cairbre chun báis labhair Déan Chnóideoirt go searbhasach leis an gcloigeann dícheannta i gceann de dhánta an duanaire.[13] 'Ní haoibhneas gan Chlainn Domhnaill' a dúirt file eile, Giolla Coluim Mac an Ollaimh, i ndán leis faoi thurnamh Chlann Domhnaill.[14] Bhí údar maith ag Giolla Coluim Aonghas Óg a chaoineadh freisin, arae bhí sé i dtuilleamaí a fhéile mar is léir ó dhéantús eile leis.[15] Chum sé marbhna nuair a maraíodh é freisin. Bhíodh, mar atá ráite agam thuas, Aonghas Óg agus a athair in árach a chéile faoi chúrsaí an Tiarnais agus is tráthúil gur leagan den scéal faoin gcaoi ar mharaigh Cú Chulainn a mhac Conlaoch atá in uirscéal an mharbhna seo.[16]

Cibé cén t-údar a bhí leis, is furasta a aithne ó roinnt de na dánta sa duanaire go raibh spéis mhór ag teaglamaithe Leabhair Dhéan an Leasa Mhóir sna himeachtaí ba chionsiocair le turnamh Thiarnas Inse Ghall. Bhí toise comhaimseartha leis na dánta seo freisin, arae a chomhuain is a bhí an lámhscríbhinn seo á cur i dtoll a chéile idir 1512 agus 1542 bhí na Domhnallaigh agus a gcomhghuaillithe sa tiarnas fós ag cur go láidir i gcoinne iarrachtaí ríthe na hAlban agus a lucht leanúna sa Ghalltacht iad a chur faoi chois. D'éirigh siad amach ar a laghad sé nó seacht d'uaireanta sa leathchéad bliain i ndiaidh 1493 ag féachaint le cearta Chlann Domhnaill a chosaint.[17]

Bhí Torcull Mac Leoid, taoiseach Leodhais, ar dhuine de na taoisigh a d'éirigh amach ar son Chlann Domhnaill. Moltar Mac Leoid agus a bhean Caitríona Ní Mheic Cailéin i ndán i Leabhar Dhéan an Leasa Mhóir.[18] Ba dheirfiúr le Giolla Easpaig, Iarla Oirear Gael, í Caitríona agus bhí, mar atá ráite thuas, deirfiúr léi pósta le hAonghas Óg Mac Domhnaill. D'fhág Aonghas oidhre óg ina dhiaidh, mar atá Domhnall Dubh. Fuadaíodh máthair Dhomhnaill Dhuibh as Íle i ndiaidh bhás a fir chéile agus is cosúil gur rugadh an mac nuair a bhí sí i mbraighdeanas i gcaisleán de chuid a hathar, Iarla Oirear Gael, ar Inis Chonnaill, Loch Aobha.[19] Ba ann a tógadh Domhnall Dubh go dtí gur fhuascail Domhnallaigh Ghlinne Comhan le 'himeartas Féinne' as an ngéibheann é sa bhliain 1501 nuair a bhí sé aon bhliain déag d'aois.[20] Tugadh an malrach óg go dtí Leodhas.[21] Dhiúltaigh Mac Leoid é a thabhairt ar láimh do Shéamas IV agus dá bharr sin fógraíodh taoiseach Leodhais ina mheirleach an bhliain dár gcionn. Bhí sé ina chogadh dearg faoin mbliain 1503 idir lucht leanúna Dhomhnaill Dhuibh agus lucht leanúna an rí. Ceapadh Alexander Gordon, Iarla Huntley, ina cheannaire ar fhórsaí an rí agus thug sé ruathar siar faoi na Gaeil. Bhí a chonách sin air, arae d'ionsaigh Mac Leoid agus Lachlann Mac Gille Eathain, taoiseach Dhubhairt, dúiche Huntley i mBáideanach faoi Nollaig na bliana sin – *burning and looting* mar a tuairiscíodh fúthu i gcáipéis chomhaimseartha stáit de chuid na hAlban.[22] Chinn ar fheachtas míleata Huntley agus b'éigean don rí dhá fheachtas eile a chur ar bun sular gabhadh Domhnall Dubh uair éigin sa bhliain 1506.[23]

D'fhéadfadh sé go raibh Giolla Easpaig i gcás idir dhá chomhairle agus go raibh a dhílseacht don rí sa Ghalltacht ag teacht salach ar a dhílseacht dá chliamhain Torcull Mac Leoid agus do Dhomhnall Dubh, mac a dheirfíre. Is é seo an comhthéacs a shamhlaím le 'Ar sliocht Gaodhal ó Ghort Gréag'. Thuig údar an dáin nár leor Giolla Easpaig a mholadh agus a ghríosadh le fogha a thabhairt faoi na Gaill, arae bhagair sé ar an iarla sa chéad rann sa dán go n-aorfaí é mura ndéanfadh sé a leithéid. Is cosúil go raibh amhras ar Shéamas IV freisin faoi dhílseacht Ghiolla Easpaig sa tréimhse seo.[24] Ach má bhí, ba ghearr é, mar in ainneoin bhagairt an aortha sa dán thug sé an chluas bhodhar don fhile, arae ba é bara a leasa a bhí faoin gCaimbéalach agus faoin mbliain 1506 bhí gean ag an rí arís air. D'fhágfadh sin go mb'fhéidir gur cumadh 'Ar sliocht Gaodhal ó Ghort Gréag' le Mac Cailéin a mhealladh nó a bhrú ar thaobh Dhomhnaill Óig am éigin idir 1501 agus 1505. Cuireadh an-bhéim ar loscadh sa dán agus b'fhéidir, dá bhrí sin, gur cumadh é roimh dheireadh na bliana 1503 nuair a loisc Mac Leoid agus Mac Gille Eathain dúiche Huntley Báideanach.

Cé gur dlúthchuid de chúrsaí cogaíochta riamh anall é an loscadh, is léir, áfach, ó fhriotail an dáin gur bhain an file earraíocht mhaith as nath seanbhunaithe nuair a mhol sé do Ghiolla Easpaig na

Gaill agus gach ar bhain leo a loscadh agus a luaith a ligean le huisce. Ní miste, ag an bpointe seo, aird a dhíriú ar an athrá uamach atá sa dara rann sa sliocht thuas as an dán [loisg... loisg... loisg] agus ar an uaim atá idir an briathar ag tús an tríú rann [Léig] agus an cuspóir atá aige [luaithre]. Is tréith shuntasach í uaim den chineál seo sa nath seo.

Is follas go raibh eolas réasúnta maith ar an nath seo in Albain sa tréimhse atá faoi chaibidil againn, arae cuireadh cor ann i ndán eile atá i Leabhar Dheán an Leasa Mhóir. In 'Beannaigh do theaghlach a Thríonóid', dán a chum Giolla Chríost Táilliúr uair éigin sa gcúigiú haois déag, iarrtar ar Dhia 'conairt chursata chuiléan' a scrios.[25] Phléigh W. J. Watson cúlra an dáin agus ní hé an t-abhras céanna a bhain sé féin agus scoláirí eile as:

> The view of W. F. Skene and also of M'Lauchlan was that the poem refers to the capture of the murderers of James I. by Robert Reoch *(Riabhach)* Duncanson *(Mac Dhonnchaidh)* of Struan and John Gorm Steward ... The whole tenor of the poem, however, is against this view; the reference is clearly to four-legged wolves which killed the stock.[26]

Cibé ar bith cén sórt madraí a bhí i gceist ag Giolla Chríost, más ceanna daonna nó allta iad, d'iarr sé ar Dhia iad a loscadh i rann 5 agus luaith a 'gcorp cnámhach' a chur i gConghail i rann 10.

> An lucht cogaidh ar cloinn Ádhaimh,
> do fríoth Luicifeir 'na lúib:
> ná léig fois na díon don droing-se,
> loisg, a Rí na soillse súd.
>
> Athair Chríost, déan sneachta seachainn
> ó Loch Abar go Rinn Friú;
> luaith i gConghail dá gcorp cnámhach;
> oircheas olc do rádha riú.

Those who make war on Adam's children, along with them Lucifer was found; do Thou grant that rabble no rest nor shelter, burn them, Thou King of yonder light.

Father of Christ, send snow along from Lachaber to Renfrew; let there be ashes in Connel from their bony bodies, to speak ill of them is meet.[27]

Bhí údar maith ag Giolla Chríost a iarraidh go gcuirfí an luaith i gConghail, arae tá sruth láidir san áit seo mar is léir ó thagairt Watson dó:

> *An Chonghail* ("the dog-fight") is the powerful current of Connel, at the mouth of Loch Etive, distinguished from other currents of the same name as *An Chonghail Latharnach*, Connel of Larne.[28]

Mhair an nath uamach seo ar feadh na gcéadta bliain in iarthar na hAlban. Bhain Seumas Mac 'Ille-Sheathanaigh earraíocht as in 'Oran do dh'Fhiunnla Marsanta' sa naoú haois déag. Ba as an taobh céanna tíre le Giolla Easpaig Mac Cailéin don fhile seo, ach mhair sé trí chéad bliain ina dhiaidh. Tá 'Oran do dh'Fhiunnla Marsanta' ar cheann de na téacsanna atá i gcnuasach mór amhrán agus dánta béil a bhailigh Páruig Mac an Tuairneir [Peter Turner]. Foilsíodh an bailiúchán i nDún Éideann sa bhliain 1813.[29] Thagair Hector MacLean don fhile seo agus don amhrán atá i gceist mar seo a leanas:

> John Shaw, Loch Nell's bard, was born in 1758, and died 1828. Among his songs is one to Fionnla Marsanta, Finlay the merchant, who seems to have had some antiquarian taste and who dug up some old Druidical burying place, Carn nan Druidhneach, the Druid's Cairn. Of this act the poet expresses his disapprobation, and denounces Finlay for his conduct in very bitter words ...[30]

Cáineadh Fiunnla san amhrán i mbruadar, nó aisling, a chonaic an file. D'inis guth an bhruadair dó faoin ngníomh gránna a rinne

Fiunnla. Réab sé áit a raibh daoine curtha le fada roimhe sin agus scaip sé a gcnámha. Bhagair an guth díoltas ar Fhiunnla mar seo a leanas:

'S cha d' theid a chorp fhein gu dilinn,
Thiolacadh an aite gràsmhor,
'S ann theid a losgadh mur iobairt,
Air a dhiteadh leis na faidhean,
Theid a luath chuir le abhuinn,
'N aite nach fhaighear gu brath i,
'S cha 'n fhaigh e ach rud a thoill e,
Chionn gu 'n d' rinn e gnothuch graineil.[31]

[Ní chuirfear a chorp féin go brách in áit bheannaithe; loscfar é mar íobairt tar éis do na fáithe é a dhaoradh; cuirfear a luaith le habhainn san áit nach bhfaighfear go brách í; agus ní bhfaighidh sé ach an rud a thuill sé cionn is go ndearna sé rud gránna.]

III

Is sine go mór roinnt de na solaoidí den nath seo as Éirinn ná na cinn as Albain atá luaite go nuige seo agus arís is sainchuid díobh an uaim atá iontu. Faoi mar a mhol Giolla Chríost Táilliúr leas a bhaint as an ngnás seo le madraí allta a dhíothú, moltar a leithéid a dhéanamh i bhfoinse dlí abhus le madraí contúirteacha de chineál eile. Tá an confadh ina ábhar mór imní fós lenár linn féin ar Mhór-roinn na hEorpa, gan trácht ar áiteanna eile ar fud na Cruinne, agus ní haon iontas é go ndéanfaí gach uile iarracht sa seanreacht in Éirinn cú nó gadhar a raibh an tinneas marfach tógálach seo air a léirscrios nuair a bhí an galar sin sa tír seo.[32] Tá fianaise i dtráchtaireacht ar théacs féineachais ar an gcaoi ar cheart caitheamh lena leithéid sin de chú. Luaitear é sa phlé ar ghníomhaíochtaí contúirteacha ainmhithe ar fhan a n-úinéirí saor ó phionós an dlí ach iad a fhógairt go poiblí (escaire). Níorbh fholáir do dhuine, mar shampla, a raibh cú baineann a bhí faoi adhall aige, nó bó fhiáin aige, iad a fhógairt do na ceithre chomharsa ba chóngaraí dó. Níor leor a leithéid a dhéanamh, áfach, i gcás an chú chonfaidh:

> IN cu confaid, cun am*al* tarba a hescaire co ndentar a marb*ad*, 7 ce marbt*air* muna loisct*er*, 7 ce loist*ir* mana cuirt*er* a luaith re sruth.[33]

> [An cú confaidh, níl tairbhe ina fhógairt go poiblí amhlaidh sin nó go ndéantar é a mharú, agus fiú má mharaítear é níl tairbhe ann mura loisctear é, agus fiú má loisctear é, níl tairbhe ann mura gcuirtear a luaith le sruth.]

Baintear casadh breá as cúrsaí an ghnáis seo in eachtra in *Immram Curaig Maíle Dúin*, téacs a luaitear dáta cumtha san ochtú nó sa naoú haois leis.[34] Ach an oiread leis an tsolaoid a scrúdaíodh díreach roimhe seo, luaitear ainmhí sa cheann seo, ach murab ionann agus an cú confaidh, feidhmíonn an t-ainmhí sa chás seo i ról an dóiteora. Ní gnáthainmhí ach an oiread é, mar is éard atá ann cat sí. Ní hionann an dóiteoir agus an té a scaipeas an luaith sa chás seo.

Insítear san eachtra atá faoi chaibidil againn gur tháinig Máel Dúin agus a chomhbhádóirí ocracha i dtír in oileán a raibh tithe bána ann. Chuadar isteach sa teach ba mhó acu, teach a bhí lán le seoda breátha. Bhí béile mór réitithe ann rompu, ach ní raibh feiceáil ar dhuine ar bith san áit. Ní raibh rompu ach cat beag a bhí ag spraoi i lár an tí. Nuair a bhí a gcuid caite ag na curachóirí ghoid duine acu ceann de na seoda a bhí ann ar neamhchead do Mháel Dúin, ach mar a thuairiscítear sa leagan den téacs i Leabhar na hUidhre:

> Dolluid in cat ina ndíaid 7 lebling trít am*al* saigit tentidi 7 loiscthi combu lúathred. 7 luid arísi co rrabi fora úaitni. Ro áilgenaig iar*om* Máel Duin cona bríathraib in cat. 7 sudigestár in muince ina inad 7 glanais a luathred di lár ind lis 7 fochairt i n-alt in maro.[35]

> [Tháinig an cat ina ndiaidh agus léim sí tríd ar nós scal tintrí agus loisceann sé é go raibh sé ina luaithreach agus chuaigh sé ar ais arís ar a uaithne. Shuaimhnigh Mael Dúin an cat lena bhriathra agus leag sé an mhuince ar ais ina hionad agus ghlan sé an luaithreach de lár an leasa agus chaith sé i (?) ndoimhneacht na farraige é.]

Tá roinnt deacrachta ag baint le cuid den abairt deiridh sa sliocht thuas. Nuair a chuir Whitley Stokes an scéal seo in eagar in 1888 bhunaigh sé a eagrán ar théacs Leabhar na hUidhre agus d'aistrigh sé an abairt mar seo a leanas:

> Then Maelduin soothed the cat with his words, and set the necklace in its place, and cleansed the ashes from the floor of the enclosure, and cast them on the shore of the sea.[36]

Chuir A. G. van Hamel an téacs in eagar leathchéad bliain ina dhiaidh sin arís. Is eagrán leasaithe é seo a bunaíodh ar fhianaise an téacs i Leabhar Buí Leacáin. Is éard atá aige '... glanais a lluaithred di lár ind liss ⁊ fachairt isa n-all mara.'[37] D'aistrigh Kenneth Jackson *Immram Curaig Maíle Dúin* go Béarla agus is cosúil gurb é téacs van Hamel a bhí roimhe nuair a bhí sé ag plé leis an abairt seo.

> Mael Dúin soothed the cat with his words, and set the collar in the same place, and cleaned the ashes from the middle of the courtyard and threw them over the sea cliff.[38]

Chuir Hans Oskamp an téacs atá i Leabhar Buí Leacáin in eagar ina dhiaidh sin, ach is léir go raibh sé i gcleithiúnas Stokes nuair a d'aistrigh sé an chuid sin den abairt a bhfuil deacracht ag baint léi:

> ... glanais a nluaithred de lar an lis ⁊ focherd isa n-all mara
>
> *(he) cleansed the ashes from the floor of the enclosure and cast them on the shore of the sea.*[39]

Tugann an éagsúlacht san abairt seo le tuiscint nár léir i gcónaí do sheachadóirí uilig an téacs, ná do na scoláirí a chuir in eagar é, céard go baileach a bhí i gceist ag an údar san abairt seo. D'fhéadfadh sé nach raibh i gceist aige ach gur caitheadh an luaith ar an trá, faoi mar a thuig Stokes, agus Oskamp ina dhiaidh, agus gur dóigh go scaipfeadh an taoille tuile ina dhiaidh sin í. Ní shin an t-adhmad a bhain Jackson as an abairt seo agus tá ciall lena leagansan gur caitheadh an luaithreach le haill. Tá an t-aistriúchán agamsa, 'i ndoimhneacht na farraige' bunaithe ar *DIL*, áit a gciallaítear 'alt mara' san abairt atá faoi chaibidil mar '? *depths*.'[40] Sin an chiall freisin a bhain an té a rinne achoimre i ndán ar *Immram Curaig Maíle Dúin*, sa deichiú nó san aonú haois déag dar le van Hamel,[41] as an eachtra seo:

Tescaid a chliab ingne tenedh — in chait chuiscle
a corp cintach an duine truaig, — ba luaith loisce.

Rucadh ar cúl an muince mór, — dognid cairde,
focres a luaith — an duine truaigh
forsan fairrgge.

The fiery claw of the mysterious cat rent his body, the guilty body of the unfortunate man was burnt ash.
The large necklet was brought back, it created friendship [again], the ashes of the unfortunate man were cast into the ocean.[42]

Cibé cén chaoi ar féidir na focail dheiridh a chiallú go beacht, is follas go bhfuil iompar Mháel Dúin, agus iompar an chait, ag freagairt don mhodh scriosta atá faoi chaibidil againn anseo. Mar atá ráite cheana agam, feidhm an dóiteora atá ag an gcat sí agus chomhlíon Máel Dúin an chuid eile den ghnás a bhain leis na cúrsaí seo nuair a ghlac sé an cúram air féin luaith an ghadaí loiscthe a ligean le huisce na farraige.

Neach de chineál eile ar fad atá i gceist sa chéad solaoid eile, ach sa chás seo, murab ionann agus cás an chú chonfaidh, d'fhan dochar sa luaith. Tuairiscítear i laoi agus i scéal dinnseanchais go mba é an t-imoibriú a tharla idir an t-uisce agus an luaith nuair a caitheadh luaith Mhéiche san abhainn ba chionsiocair leis an ainm *Berba* a thabhairt ar an mBearú. Léitear i gceann de mhórleaganacha an Dinnseanchais [C] go raibh trí chroí i Méiche mac na Móríoghna agus go raibh cuma nathrach ar gach ceann acu.[43] Mura marófaí Méiche d'fhásfadh na nathracha ann agus mheathfadh rud ar bith a d'fhágfaidís beo in Éirinn. Mharaigh Mac Céacht i Maigh Méiche é agus loisc sé i Maigh Luathat é i ndiaidh a bháis. Chaith sé a luaith le sruth agus phlúch an luaith eas an tsrutha agus mharaigh sí gach rud a bhí ann agus bheirigh sí an sruth (*coro mberb*). Tuairiscítear i mórleagan B den Dinnseanchas gur loisc Mac Céacht na nathracha i Maigh Luadat agus gur chaith sé a luaith leis an sruth agus gur bheirigh sí an sruth (*coro mberb*) agus gur leáigh sí gach ainmhí a bhí ann.[44] De bhrí go bhfuil an scéal chomh gearr sin is fiú ceann de na leaganacha de a thabhairt ina iomláine anseo:

> Berba, cidh dia tá?
> Ni *ansa* .i. Berba his inti ro laitea na tri natracha batar a cridi[b] Meich[i] m*aic* na Morigna, iarna bass do M*ac* Céċht im-Maig Meichi. Mag Fertaigi da*no* ainm in maige sin pri*us*. Delba tri cenn natrach bátar for[s]na tri cridib batar im-Mechi ⁊ mina tairsedh a bas no oirbeordais na nath*racha* ina broind *con*a facbadais anmanna beo i nErind. Coron loisc Mac Cecht iarna mar*bad* i Maig Luadat, ⁊ coron la a luaith lasin sruth út corom-berb ⁊ coro dileag cach n-ainmidi do anmandaib bai inti. Conadh [de]sin ata Mag Lu[ad]at ⁊ Maig Méichi ⁊ Berba.
> Unde poeta *dixit*
>
> Cridi Meichi, cruaidh in cned,
> isin Berba ro baided:
> a luaith iarna loscud lib
> rocuir Mac Cecht cétguinigh.
>
> *Berba, into it were cast the three adders that abode in the hearts of Méche, son of the Morrígain, after his*

death by Mac Cecht in Mag Méchi (Mag Fertaigi, now was the name of that plain formerly). The shapes of three adders' heads were on the three hearts that were in Méche, and, unless his death had occurred, the adders would have grown in his breast till they would not have left an animal alive in Ireland. So after slaying him on Mag Luadat, Mac Cecht burnt them (the hearts) and cast their ashes with yon stream, and it boiled, and it dissolved every one of the animals that were therein. Wherefore thence are 'Mag Luadat', and 'Mag Méchi', and 'Berba'. Hence said the poet:

Méche's hearts, hard the wound,
Have been drowned in the Barrow;
Their ashes, after being burnt by you,
Mac Cecht, slayer of a hundred, cast in.[45]

Is díol suntais í an uaim sa chéad chuid den abairt leathdhéanach sa sliocht próis thuas (Coron **loisc** Mac Cecht iarna marbad i Maig Luadat, 7 coron **la** a **luaith** lasin sruth ...). Bhaintí úsáid as *-la* sa tSean-Ghaeilge mar bhreistamhan folíontach ag an mbriathar ilfhréamhach *fo-ceird* 'cuireann'.[46]

Luaitear an gnás seo roinnt uaireanta i dtéacsanna Fiannaíochta. Is sa saothar a dtugtar *An Agallamh Bheag* anois air atá an tsolaoid is sine dár aimsíos acu seo.[47] Meastar go bhfuil an téacs seo ar comhaois le *Acallamh na Senórach* agus gur cuireadh le chéile iad thart ar thús an tríú haois déag.[48] Cúrsaí Chaoilte agus Oisín agus na coda eile sin d'iarsma na Féinne a mhair go haimsir Phádraig is cás le húdair an dá shaothar seo ar mar a chéile ó thaobh stíle agus leagan amach de iad. Ní hionann iad, áfach, ó thaobh leagan amach tíreolaíochta de. Tá na seanfhondúirí suite in imill Shléibhe Fuaid in Oirialla i dtús *Acallamh na Senórach* ach is ag Sliabh gCrot sna Gaibhlte i gCúige Mumhan atá siad ag cur fúthu de réir thús an tsaothair eile. Insítear i dtús *An Agallamh Bheag* gur thug giolla Chaoilte tuairisc dó faoi dhream aisteach daoine a chonaic sé – na Táilginn – agus go bhfaca Caoilte deatach uaidh ina dhiaidh sin i gCuilleann Ó gCuanach. Bhí ionadh air tine a bheith ina leithéid sin d'áit mar nach raibh cónaí ar bith ann go bhfios dó. Chuir an méid a chonaic sé smúit ar a shúile. Thuig Oisín go maith cén sórt tine a bhí inti nuair a chonaic sé í. 'Tene na Tailgind sin, ar Oisin, ocus issí ruc do rosc uait, ocus atathar ica breith uaim-si, bhar Oisin.'[49] Is é Pádraig agus a lucht leanúna na Táilginn agus ba í an tine a las an naomh i gCuilleann Ó gCuanach ba chionsiocair le daille na seanóirí – míniú breá ar a ndaille. Leagtar laoi sa téacs ar Chaoilte faoi theacht na dTáilgeann agus faoin tine a las siad i gCuilleann Ó gCuanach. Bhuail taom feirge Oisín agus bheartaigh sé leas a bhaint as tine chun iad a scrios:

> In dil do berum fa dheoigh ar na Tailgend*aibh* tabram fa céadóir ocus lenaidh mhisi, a fhiru, ar se, ocus loiscfimmit na Tailgind, ocus leicfitear a luaith re sruth ...[50]
>
> [An bhail a chuirfimid ar na Táilginn faoi dheireadh, cuirimis orthu láithreach é agus leanaigí mise, a fheara, agus loiscfimid na Táilginn agus ligfear a luaith le sruth ...]

D'imigh Oisín agus ochtar eile in éineacht leis le fogha a thabhairt faoi Phádraig ach de bhrí nach iad cúrsaí Oisín, ach scéal Chaoilte, atá faoi chaibidil ag údar *An Agallamh Bheag* ní insítear dada faoi thoradh an ruathair seo ach amháin gur thairngir Caoilte go mbréagfadh Pádraig Oisín agus go dtabharfaí faoi chuing an bhaiste agus an chreidimh é.

Bhain an té a chuir leagan cumaisc de *Agallamh na Seanórach* le chéile, sa cheathrú nó sa chúigiú haois déag, earraíocht mhaith as leagan den *Agallamh Bheag* sa saothar aige.[51] D'fhigh sé tús an tsaothair ghearr seo go healaíonta le tús an tsaothair fhada. Seo an bhail a bhí faoi Oisín a chur ar Phádraig agus a lucht leanúna de bhrí gur bhain an tine a las siad an t-amharc de Chaoilte agus de féin:

> 'An díach agus an díol,' ar sé, 'do-bhéaram fá dheóigh ar na tollcheannuibh tabhram anoss orra é, .i. a

> losccadh go lán-athlomh ina tteine féin 7 a luaith do léigin le sruth.'[52]

Chuaigh Oisín faoi dhéin Phádraig, ach baintear casadh breá sa saothar seo as an mbagairt a rinne an seanfhéinní ar an naomh. Má bhí rún aige an naomh agus a mhuintir a loscadh ina dtine féin agus a luaith a ligean le sruth ba é bara a leasa a bhí faoi i ngan fhios dó, arae mhúch uisce coisricthe an bhaiste a chroith Pádraig orthu fíoch agus fearg Oisín agus an ochtair a bhí in éineacht leis sa chaoi nár mhian leo díth nó dochar a dhéanamh do na cléirigh. Ní miste aird a dhíriú arís ar an leas a bhaintear as caint uamach sa dá shliocht thuas ag tagairt don ghnás díothaithe seo: 'loiscfimit ... leicfiter ... luaith ... ' agus 'losccadh ... lán-athlomh ... luaith ... léigin ... '

Tá tagairt don ghnás seo freisin i laoi Fiannaíochta dar teideal 'Seilg Sléibhe gCrot'. Tá an déantús seo ar cheann de na laoithe Fiannaíochta a fhágtar ar Chaoilte agus tugann an teideal eile atá air, 'Seilg Muca Draoidheachta Aonghais an Bhrogha,' leide maith faoin ábhar atá ann.[53] D'éirigh idir Fionn agus Aonghas le linn fleá faoi cé acu ab fhearr, an cineál beatha a bhí ag na Tuatha Dé Danann sa bhruíon nó an cineál beatha a bhí ag na Fianna agus iad i mbun seilge. Mhaígh Aonghas ar Fhionn nach raibh maith ar bith le cúnna na Féinne agus d'fhreagair Fionn nach raibh muc ar bith ag na Tuatha Dé Danann nach bhféadfadh Bran ná Sceolainn a mharú. Dhealbhaigh Aonghas mac leis féin i riocht muice agus chuir sé an bhail chéanna ar roinnt dá mhuintir agus é d'aidhm aige a chruthú do na Fianna go gcuirfeadh sé muc mhór chucu a mharódh a gcuid con. Mharaigh Bran mac Aonghais agus é i riocht muice agus rinneadh sléacht ar na muca eile.[54] Bhí faoi Oscar ionsaí a dhéanamh ar an áit a raibh na Tuatha Dé Danann ach thuig Oisín nach raibh siad réidh fós leis na muca draíochta. Bhí an baol ann go n-athbheofaidís, mar sin mhol sé do na Fianna na muca a loscadh agus a luaith a chur le farraige:

> 'Badh chomhairle fir gan chéill,'
> do ráidh Oisín le Fionn féin,

'dá bhfágadh na muca mar sin,
do thiocfadh arís 'na mbeathaidh.'

'Déanaidh na muca do loscadh,
is badh móide bhur gcoscar,
agus loiscidh na muca dhe,
is cuiridh a luaith le fairrige.'[55]

Las na Fianna seacht dtine ach chinn orthu oiread agus muc amháin acu a loscadh, ach faoi mar ba dhual di bhí Bran in ann an cás a réiteach. D'aimsigh sí ábhar ceart tine i gcoill éigin, loisceadh na muca agus cuireadh a luaith le farraige:

Imthigheas Bran uainn amach,
go hathlamh is go heolach,
do bheir trí crainn léi 'na crobh,
ní feas cá coill ó dtugadh.

Do cuireadh na crainn fán teine,
is do ghabhsat mar an gcoinnill,
do loisceadh na muca de,
's do cuireadh a luaith le fairrige.[56]

IV

Tá na bealaí éagsúla dlíthiúla a luaitear san Fhéineachas le daoine a chur chun báis pléite ag Fergus Kelly in *A Guide to Early Irish Law* agus ó thaobh ábhair na haiste seo de is fiú a lua nach bhfuil an loscadh ar cheann acu.[57] Mar sin féin, is léir ó fhoinsí eile, beathaí naomh agus gnáthábhar liteartha, go bhfacthas do chumadóirí na litríochta agus an naomhsheanchais araon go bhféadfaí feidhm a bhaint as an loscadh mar bhealach le daoine a chur chun báis in Éirinn agus thar lear. Ba phionós iomchuí é, dar leo, na daoine a ciontaíodh, ar mhná go hiondúil iad, i gcoireanna áirithe, go háirithe coireanna drúise, a dhó ina mbeatha. Rinne J. R. Reinhard iniúchadh ar thagairtí do na cúrsaí seo i bhfoinsí Éireannacha agus eachtrannacha agus is é an tátal a bhain sé go raibh dul amú orthu siúd, Thurneysen ina measc, a shíl go mba nós dúchasach in Éirinn é coirpigh a loscadh, nós a bhí dar le roinnt acu ní ba shine ná na dlíthe féin.[58] Dar le Reinhard d'eascair an pionós adhaltranaigh a loscadh as an tionchar a bhí ag an mBíobla agus ag scríbhinní eaglasta ar eaglaisigh in Éirinn, arae tá tagairtí dá leithéid d'íde á tabhairt do lucht drúise sna foinsí seo.[59]

Cé nach bhfuil aon trácht faoin gcaoi a gcaití le luaith na ndaoine a loisctí sna foinsí a chíor Reinhard, tá sé ag luí le réasún go dtuigfí do dhaoine riamh anall go bhféadfaí úsáid a bhaint as uisce le cinntiú go ndíscaoilfí fuíoll an loiscthe go buan. Go deimhin féin, áirítear obair den chineál seo mar mhóitíf idirnáisiúnta – E431.9 *Ashes of dead thrown on water to prevent return* – san innéacs móitífeanna a chuir Stith Thompson i dtoll a chéile.[60] Ní thagraítear, áfach, ach do roinnt bheag solaoidí den chineál seo oibre san innéacs sin agus níl an t-ábhar atá pléite san aiste seo luaite ann.

Níl sé an-fhada ó shin ó tharla a leithéid, más fíor, i bPoblacht Dhaonlathach na Gearmáine, stát nach ann dó a thuilleadh. Tuairiscítear gur aimsigh na Rúisigh conablach Hitler agus conablaigh roinnt dá lucht leanúna nuair a ghabh siad Berlin agus gur athchuir siad go rúnda iad roinnt uaireanta go dtí gur cuireadh faoi dheireadh i ngan fhios iad i láthair rúnda i Magdeburg. Ar eagla go sceithfí an t-eolas uair éigin faoin adhlacadh aduain seo agus go ndéanfaí ionad oilithreachta den láthair, d'ordaigh na Rúisigh sa bhliain 1970 go gcartfaí na taisí aníos as an áit a raibh siad agus go loiscfí iad. Rinneadh sin agus caitheadh an luaith isteach i gceann d'fho-aibhneacha na hElbe.[61] Ní móide gur ag déanamh aithrise ar na Gaeil a bhí na Rúisigh nuair a rinne siad amhlaidh!

Ba mheasa go mór mar a caitheadh le San Siobhán d'Arc breis agus cúig chéad bliain roimhe sin sa Fhrainc. Dódh ina beatha i Rouen í ar an 30 Bealtaine 1430 agus cuireadh a luaith le sruth na Seine sa chaoi nach bhfeádfaí í a adhlacadh.[62] Is fiú a lua sa chomhthéacs seo nach bhfuil an drochíde a tugadh do Shan Siobhán chomh mór sin in uireasa cosúlachta leis an íde a tugadh do roinnt den phobal Críostaí i Lyon na Fraince nuair a cuireadh tuairim is leathchéad acu chun báis thart ar Lá Lúnasa sa bhliain 177 A.D.[63] B'eachtrannaigh go leor de na mairtírigh seo a raibh cónaí orthu i Lyon agus i Vienne agus ba mhó an bhaint a bhí acu le hEaglais an Oirthir ná le hEaglais na Róimhe. D'éirigh le duine de na Críostaithe a tháinig slán ón ngéarleanúint litir a scríobh i nGréigis faoi na cúrsaí seo agus í a sheoladh soir go dtí an Áise Bheag. Bhain Eusebius Caesarea earraíocht as an litir seo ina chuntas ar Mhairtírigh Lyon ina *Stair Eaglasta* (c. 325). Seo mar a thuairiscítear sa litir ar an gcaoi ar caitheadh le coirp na mairtíreach.

> Thus the bodies of the martyrs, after having being exposed and insulted in every way for six days, and afterwards burned and turned to ashes, were swept by the wicked into the river Rhone which flows near by, that not even a relic of them might still appear upon the earth. And this they did as though they could conquer God and take away their rebirth in order, as they said, 'that they might not even have any hope of resurrection, through trusting in which they have brought in strange and new worship and despised terrors, going readily and with joy to death; now let us see if they will rise again, and if their God be able to help them and to take them out of our hands.[64]

Is cosúil nár ghnás Rómhánach gan cead a thabhairt do ghaolta, nó do chairde, daoine a cuireadh chun báis na coirp a adhlacadh.[65] Munar nós Rómhánach é na coirp a loscadh agus an luaith a scaoileadh le sruth an bhféadfadh sé gur nós Ceilteach é? Cé gur focail de ghinealach maith Ceilteach iad 'loscadh' agus 'luaith',[66] níl aon fhianaise de leagan cainte a bhfuil na focail seo mar nath ann aimsithe agam i dteangacha Ceilteacha eile. D'fhéadfaí a áiteamh nach bhfuil sa mhéid a tharla i Lyon ach comhtharlúint. Bhí, mar sin féin, dé éigin fós sa Cheiltis sa dúiche thart ar Lyon agus Vienne sa dara leath den dara haois AD nuair a rinneadh an ghéarleanúint ar an bpobal Críostaí a bhí ag cur fúthu iontu, agus ní miste a lua, freisin, gur cuireadh roinnt de na mairtírigh chun báis san aimpitéatar le linn cluichí móra Lúnasa – féile mhór de bhunús Ceilteach. Freagraíonn dearcadh na bpágánach sa Ghaille sa leath deiridh den dara haois go maith don idé-eolaíocht a shainítear in amhrán Sheumuis Mhic 'Ille-Sheathanaigh faoi na cúrsaí seo: 'Theid a luath chuir le abhuinn,/'N aite nach fhaighear gu brath i ...' Nach tráthúil gur shíl Oisín, ar leibhéal na litríochta ar ndóigh, an drochíde chéanna a thabhairt do na Táilginn agus a tugadh go stairiúil do choirp na mairtíreach? Tugann caint Oisín in 'Seilg Sléibhe gCrot' léargas eile dúinn ar cheann d'fheidhmeanna an ghnáis freisin. Thuig sé go n-aiséireodh na muca draíochta muna ndóifí iad agus, dá bhrí sin, go gcaithfí a luaith a scaipeadh le huisce na farraige chun é sin a sheachaint.

V

Is cuid bhunaidh í an uaim i bhfoirmle an natha seo a mhair ó thréimhse na Sean-Ghaeilge i leith go dtí an naoú haois déag, ar a laghad. Cuireann an uaim seo (*loscadh/luaith/luaithred/léigean/* agus fiú *[conro]-la*) séala buan so-aitheanta ar an ngnás a pléadh san aiste seo, agus fiú munar féidir friotal na foirmle féin a rianadh siar chomh fada le fuineadh néal nóna Cheiltigh na Mór-roinne, is breá an snáithín í an fhoirmle féin in uige na hoidhreachta coitinne a shealbhaigh na Gaeil ar an dá thaobh de Shruth na Maoile ar feadh na gcianta.

[1] Maidir leis na Caimbéalaigh agus cúrsaí filíochta, féach na tagairtí ag M. Ó Mainnín, ' "The Same in Origin and in Blood": Bardic windows on the relationship between Irish and Scottish Gaels, *c.* 1200-1650', *Cambrian Medieval Celtic Studies* 38 (1999), 1-51; 33-4.

[2] Curtha in eagar agus aistrithe go Béarla ag W. J. Watson, *Scottish Verse from the Book of the Dean of Lismore,* Edinburgh 1937, 158-65, nótaí 290-1.

[3] Téacs agus aistriúchán, *ibid.*, 160-3, rainn 12-4.

[4] *Ibid.*, 290.

[5] *An Introduction to Gaelic Poetry*, London 1974, 31-3.

[6] *Ibid.*, 31.

[7] Tá cuntas ar ruathar tubaisteach Shéamais ar Shasana in N. Macdougall, *James IV*, Phantassie 1997, 264-81.

[8] Cuireadh suim mhór abhus in Éirinn i gcúrsaí Shéamais. Chaith, mar shampla, Aodh Dubh Ó Domhnaill ráithe ar cuairt aige an bhliain chéanna ar troideadh Cath Flodden. Chuir an Dálach ina luí ar an rí gan ionradh a dhéanamh ar Éirinn agus snaidhmeadh conradh cairdis eatarthu, féach Macdougall, *James IV*, 266-7, 279, fonóta 92. Tá tuairisc fhada ar Chath Flodden sna hannála, féach mar shampla, B. Mac Carthy, eag., *Annala Uladh. Annals of Ulster*, II, Dublin 1893, *s. a.* 1513. Más fíor, ba é Séamas IV an rí deiridh ar Albain a raibh Gaeilge aige, féach A. Andrews, *Kings and Queens of England and Scotland*, London 1976, 128; Macdougall, *James IV*, 283, 285.

[9] Bhí, ar ndóigh, pobail de bhunadh Lochlannach sna hoileáin ó thuaidh d'Albain sa tréimhse seo.

[10] Tá cuntas ar stair Thiarnas Inse Ghall agus a chuid tiarnaí – nó ríthe mar a thugtaí orthu i nGaeilge – ag J. W. M. Bannerman in K. A. Steer agus J. W. M. Bannerman, *Late Medieval Monumental Sculpture in the West Highlands*, Edinburgh 1977, 201-13; féach freisin, J. L. Roberts, *Lost Kingdoms: Celtic Scotland and the Middle Ages*, Edinburgh 1997, 175-216. Tá cáipéisí oifigiúla an tiarnais in eagar ag Jean Munroe agus R. W. Munroe, *Acts of the Lords of the Isles 1336-1493*, Edinburgh 1986.

[11] Máire a thugtar uirthi i bhfoinsí áirithe, féach Bannerman in Steer agus Bannerman, *Late Medieval Monumental Sculpture in the West Highlands*, 110; Roberts, *Lost Kingdoms*, 211; Isibéal (Isabella) atá uirthi i bhfoinsí eile, féach Monroe agus Monroe, *Acts of the Lords of the Isles*, 313.

[12] De réir mar a thuairisc Niall Mac Muireadhaigh dhá chéad bliain ina dhiaidh sin i Leabhar Chloinne Raghnaill, ghearr an cruitire muineál Aonghais Óig le scian fhada, féach A. MacBain agus J. Kennedy, (eag.), *Reliquiae Celticae*, II, Inverness 1892, 162.

[13] Watson, *Scottish Verse from the Book of the Dean of Lismore,* 96-9, nótaí 280.

[14] *Ibid.*, 90-5, nótaí 279. *Giolla Coluim was almost certainly a MacMhuirich* dar le Thomson, *An Introduction to Gaelic Poetry*, 50.

[15] Féach 'Mór an feidhm freagairt na bhfaighdheach' in Watson, *Scottish Verse from the Book of the Dean of Lismore,* 66-80, nótaí 272-7. Ghlac an t-eagarthóir leis gurbh é Aonghas atá á mholadh sa dán seo, féach 275. Tá an dán pléite ag Thomson, *An Introduction to Gaelic Poetry*, 50-1.

[16] Rinneadh dhá chuid den mharbhna sa lámhscríbhinn. Scríobhadh tús an mharbhna in áit ar leith inti agus an t-uirscéal in áit eile inti. Tá an marbhna gan an t-uirscéal in eagar in Watson, *Scottish Verse from the Book of the Dean of Lismore,* 82-89, nótaí 277-8, agus tá an t-uirscéal féin in eagar in N. Ross, *Heroic Poetry from the Book of the Dean of Lismore*, Edinburgh 1939, 168-75

[17] Seacht n-uaire dar le Bannerman, féach Steer agus Bannerman, *Late Medieval Monumental Sculpture in the West Highlands*, 210; sé huaire dar le Monroe agus Monroe, *Acts of the Lords of the Isles*, lxxii.

[18] Watson, *Scottish Verse from the Book of the Dean of Lismore,* 100-5, nótaí 281-2.

[19] Tá roinnt éiginnteachta ann faoin uair a rugadh Domhnall Dubh, féach Bannerman in Steer agus Bannerman, *Late Medieval Monumental Sculpture in the West Highlands*, 211; Monroe agus Monroe, *Acts of the Lords of the Isles*, 313-4.

[20] Niall Mac Mhuireadhaigh a thug 'nimertas féine 'ar an bhfuascailt seo, féach MacBain agus Kennedy, *Reliquiae Celticae*, II, 162.

[21] Maidir le cúlra staire na heachtra seo, féach Macdougall, *James IV*, 179-90. Maidir le Torcull Mac Leoid, féach Steer agus Bannerman, *Late Medieval Monumental Sculpture in the West Highlands*, 114 agus Monroe agus Monroe, *Acts of the Lords of the Isles*, 268.

[22] Macdougall, *James IV*, 181.

[23] Féach Bannerman, in Steer agus Bannerman, *Late Medieval Monumental Sculpture in the West Highlands*, 210.

[24] *Ibid.* 184.

[25] Watson, *Scottish Verse from the Book of the Dean of Lismore,* 176-9, nótaí 293-6.

[26] *Ibid.*, 294.

[27] Téacs agus aistriúchán, *ibid.*, 176-9.

[28] *Ibid.*, 292-3.

[29] P. Mac an Tuairneir, *Comhchruinneacha do dh'Orain Taghta, Gaidhealach*, Duneidionn, 1813, 261-4.

[30] 'Essay on Gaelic Poetry', in J. F. Campbell, *Popular Tales of the West Highlands*, IV, [eagrán nua] Paisley 1893, 147-97; 167.

[31] Mac an Tuairneir, *Comhchruinneacha do dh'Orain*, 263. Tá leagan den véarsa seo i litriú leasaithe ag Watson, *Scottish Verse from the Book of the Dean of Lismore,* 295.

[32] Tá an téarmaíocht agus an dlí a bhain le cúrsaí confaidh pléite in F. Kelly, *Early Irish Farming*, Dublin 1997, 215. Tugtar cuntas ar cé chomh fairsing agus a bhí an galar seo san ochtú agus sa naoú haois déag in B.

Griffin, '"Mad Dogs and Irishmen": Dogs and Rabies in the Eighteenth and Nineteenth Centuries', *Ulster Folklife* 40 (1994), 1-14.

33 D. A. Binchy, eag., *Corpus Iuris Hibernici*, I, Dublin 1978, 285; féach freisin T. O'Mahony agus A. G. Richey, eag., *Ancient Laws of Ireland*, III, Dublin 1873, 272-3.

34 A. G. van Hamel, *Immrama*, Dublin 1941, 24.

35 R.I. Best agus O. Bergin, eag., *Lebor na Huidre*, Dublin 1929, ll. 1721-5.

36 W. Stokes, 'The Voyage of Mael Duin', *RC* 9 (1888), 447-95; 479.

37 Van Hamel, *Immrama*, 35, ll. 315-6.

38 K. H. Jackson, *A Celtic Miscellany*, Harmondsworth 1971, 154-5.

39 H. P. A. Oskamp, *The Voyage of Máel Dúin*, Groningen 1970, 122 agus 123 faoi seach.

40 *DIL*, *s.v.*, 2 alt.

41 Van Hamel, *Immrama*, 24.

42 Oskamp, *The Voyage of Máel Dúin*, 122-5. Leagan Leabhar Buí Leacáin atá ag Oskamp. Ní hé baileach an rud céanna atá in eagrán van Hamel, arae in ionad na líne deiridh is éard atá aige: 'focress a luaith / in duini thruaig for fráech fairge' [... caitheadh luaith an truáin ar an bhfarraige mhór], van Hamel, *Immrama*, 60. Tá an téacs aige bunaithe ar an leagan i lámhscríbhinn Harleian 5280 atá in The British Library. Maidir le 'fráech farraige' féach *DIL*, *s.v.*, 1 fráech ... *hence in wide sense of an expanse, indefinite tract or distance ...*

43 Gabhaim buíochas leis an Ollamh Tomás Ó Con Cheanainn agus leis an Ollamh Liam Breatnach as an scéal seo faoi Mhéiche a mheabhrú dom. Cuireadh an dinnseanchas faoin mBearú ('Berba') atá i mórleaganacha éagsúla *Dindsenchas Érend* (A; B; C) in eagar sna foinsí seo a leanas: R. I. Best agus M. A. O'Brien, eag., *The Book of Leinster*, IV, Dublin 1965, 858 [= A]; R. I. Best agus M. A. O'Brien, eag., *The Book of Leinster*, III, Dublin 1957, 702 [= B]; W. Stokes, 'The Bodleian Dinnshenchas', *Folk-Lore* (1892), 483 [=B]; W. Stokes, 'The Prose Tales in the Rennes Dindshenchas', *RC* 14 (1894) 304 [= C]. Tá an laoi dhinnseanchais in eagar agus aistrithe ag E. Gwynn, *The Metrical Dindshenchas*, II, Dublin 1906, 62-3; féach freisin E. Gwynn, *The Metrical Dindshenchas*, V, Dublin 1935, 129-30 (*corrigenda*). Tá an gaol atá ag na mórleaganacha seo le chéile pléite ag T. Ó Concheanainn, 'The Three Forms of *Dinnshenchas Érenn*', *The Journal of Celtic Studies* 4 (1982), 102-31, 114-7.

44 Tugtar Dían Cécht ar Mhac Cécht sna leaganacha den laoi agus den phrós atá sa Leabhar Laighneach [A agus B], ach sa rann atá in éineacht leis an bprós [B] ann tugtar Mac Cecht air.

45 Téacs agus aistriúchán as W. Stokes, 'The Bodleian Dinnshenchas', *Folk-Lore*, 483.

46 Féach R. Thurneysen, *A Grammar of Old Irish*, Dublin 1946, 470 agus K. McCone, 'An tSean-Ghaeilge agus a Réamhstair', *SnaG*, 61-219; 184.

47 Níl ach cuid den saothar seo curtha in eagar fós, féach An Craoibhín, 'An

Agallamh Bheag', *Lia Fáil* 1 (1925), 79-107. Tá a chúlra agus an bhaint atá aige le leaganacha de *Agallamh na Seanórach* pléite in Nessa Ní Shéaghdha, eag., *Agallamh na Seanórach*, I, Baile Átha Cliath 1942, xv-xix; féach freisin M. Ó Briain, 'Some Material on Oisín in the Land of Youth', in D. Ó Corráin *et al*, eag., *Sages, Saints and Storytellers. Celtic studies in honour of Professor James Carney*, Maynooth 1989, 181-99; 185-7.

48 *From the evidence of the language, however, the Acallam is not to be dated earlier than c. 1200* a deir Brian Ó Cuív i nóta dá chuid in M. Dillon, eag,, *Stories from the Acallam*, Dublin 1970, 25. Maidir le dáta *An Agallamh Bheag*, féach Ní Shéaghdha, *Agallamh na Seanórach*, I, xix.

49 An Craoibhín, 'An Agallamh Bheag', *Lia Fáil*, 85. ['Sin tine na dTailgeann,' a deir Oisín, 'agus is í a bhain t'amharc díot agus táthar á bhaint díom.']

50 *Ibid.*, 88.

51 Nessa Ní Shéaghdha, eag., *Agallamh na Seanórach*, I-III, Baile Átha Cliath 1942-5. Tá an dátaíocht pléite ag Ní Shéaghdha, *Agallamh na Seanórach*, I, xxiv-xxxi.

52 *Ibid.*, 8

53 An Seabhac [P. Ó Siochfhradha], eag., *Laoithe na Féinne*, Baile Átha Cliath 1941, 113-7.

54 Is ceann de thréithe aduaine na Fiannaíochta nach léir i gcónaí an teorainn inti idir an t-ainmhí agus an duine. Rug deirfiúr le máthair Fhinn Bran agus Sceolainn, féach M. Ó Briain, 'The Conception and Death of Fionn mac Cumhaill's Canine Cousin', in A. Ahlqvist *et al.*, eag., *Celtica Helsingiensia. Proceedings from a symposium on Celtic Studies*, Commentationes Humanarum Litterarum 107 (1996), 179-202. Ba mhaith ab eol d'údar 'Seilg Sléibhe gCrot' freisin faoi dhúchas daonna Bhrain, arae thug sé 'mac Fheargusa Fholtfhinn' ar an gcú agus chas Aonghas leis gur chaith sé seacht mbliana aige ina theach á altram, féach An Seabhac, *Laoithe na Féinne*, 116-7. Go deimhin féin, ar cheann de théamaí na laoi seo tá an choimhlint go bás idir chomhaltaí, macasamhail na coimhlinte idir Cú Chulainn agus Fear Diadh ach na céilí comhraic a bheith i riocht ainmhithe.

55 An Seabhac, *Laoithe na Féinne*, 115-6, rainn 42-3.

56 *Ibid.*, 116, rainn 46-7.

57 F. Kelly, *A Guide to Early Irish Law*, Dublin 1988, 216-9.

58 J. R. Reinhard, 'Burning at the Stake in Mediaeval Law and Literature', *Speculum* 16 (1941), 186-209.

59 *Ibid.*, 209.

60 Táim an-bhuíoch de Phádraig Ó Héalaí as m'aird a tharraingt ar an mhóitíf seo. Féach S. Thompson, *Motif-Index of Folk-Literature*, III, athchló London 1966, 451.

61 Tá cuntas ar na cúrsaí seo ag B. Fallon i léirmheas leis ar leabhar le Ada Petrova agus P. Watson, *The Death of Hitler: The Final Words from Russia's*

Secret Archive, London 1995, féach *The Irish Times*, 10/6/1995, Weekend 8. Chuir an tOllamh Stefan Zimmer, Bonn, in iúl dom gur dódh corp Rudolf Hess i ndiaidh a bháis i bpríosún Spandau, Berlin, sa bhliain 1987 agus gur cuireadh a luaith le huisce.

62 Marina Warner, *Joan of Arc: The Image of Female Heroism*, Penguin 1981, 33.

63 W. H. C. Frend, *Martyrdom and Persecution in the Early Church: A Study of a Conflict from the Maccabees to Donatus*, Oxford 1965, 1-30.

64 K. Lake, eag. agus aist., *Eusebius: The Ecclesiastical History*, I, London 1965, 437.

65 Frend, *Martyrdom and Persecution in the Early Church*, 10.

66 Féach *Geiriadur Prifysgol Cymru*, Caerdydd 1968-87, *s.vv*. llosgaf, lludw.

Comhfhreagras sa Deibhidhe ón mBliain 1762

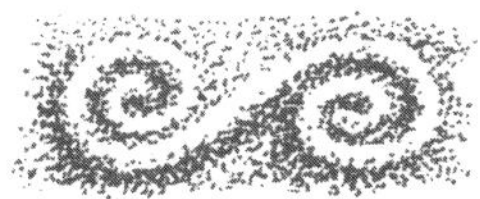

BREANDÁN Ó CONCHÚIR

B'iad Séamas (Beag) Mac Coitir agus Conchubhar (Bán) Ó Dála a chum agus a chuir na dánta so a leanas chun a chéile i gCo. Chorcaí i dtosach na bliana 1762. Ar Currach Diarmada, i ngiorracht trí mhíle slí do Chaisleán Ó Liatháin, in oirthear an chontae, is ea a bhí an Coitireach chun cónaithe. I mBaile Mhistéala, fiche éigin míle lastuaidh de sin, a chónaigh an Dálach.

Sa bhliain 1721, dar le Risteárd Ó Foghludha,[1] a saolaíodh Séamas Beag, mac do Shéamas (Mór) Mac Coitir, deartháir an fhile, Uilliam Rua (c. 1675-1738). Scríobhaí (a raibh teacht ar sheanlámhscríbhinní aige) agus file, leis, ab ea Séamas Mór,[2] agus más fíor gur in aontíos leis a bhí Uilliam Rua, fé mar a thuairimigh Ó Foghludha,[3] níorbh aon iontas é go dtabharfadh Séamas Beag ceird na filíochta leis chomh maith. Go deimhin féin, luann an file óg an chomaoin a chuir Uilliam Rua air, sa mharbhna a cheap sé dó sa bhliain 1738 : 'leannán m'anma d'altroim mé, mo chiach'.[4] Gan amhras, an cothú a d'oiriúnódh don bhfile óg, bhí fáil leis air lasmuigh den tigh, i gceantar dúchais na gCoitireach, i mbarúntacht an Bharraigh Mhóir, a bhí breac an uair sin le filí Gaeilge.[5] Sid í teistiméireacht Éamainn Uí Mhathúna, scríobhaí,[6] ar Shéamas Beag, uair éigin sna blianta 1778-99:

> Biodh a fhios agad, a léaghthoir ionmhuin, gur bé an duine uasalsa, Séamus Mac Coitir a cCaisleán Aoibh Liatháin, flath as foghlamtha san teanga Ghaoidheilge agus saoi re dán as fearr annos a Leath Mogha, no fós ba fhéidir a nÉirinn uile. Mór dán dearsgnaithe agus duain bhinn, mhilis, léigheanta, fhileamhail, dheighdhéanta, fhoghlamtha do cumadh leis an saoi róthréitheach oirdheircse bíodh nách fuil agamsa

> díobh annos acht na ranna réamhráidte .... Atá dóchas agam go bhfaghad na dhiaghsa tuille dá shaothar le cur san duanairesi.[7]

Is suarach a bhfuil ar eolas againn ar imeachtaí a shaoil, áfach, ach gur dóichí go raibh sé fostaithe, mar mhaor, ag Iarla an Bharraigh Mhóir, a bhí an uair sin chun cónaithe sa chaisleán i gCaisleán Ó Liatháin.[8] Is cinnte go raibh a leithéid sin de phost ag a mhac, Séamas, a d'éag sa bhliain 1786, in aois a ocht mbliana fichead.[9]

Teaghlach mór le rá mar lena spéis i léann agus i litríocht na Gaeilge ab ea muintir Dhála i mBaile Mhistéala sa dara leath den 18ú haois. As an bhfeirmeoireacht is ea a bhaineadar a mbeatha. B'é athair Chonchubhair Bháin (Conchubhar, leis) a thug an *Leabhar Breac*, a bhí i seilbh an teaghlaigh ag an am sin, ar iasacht don Easpag Seán Ó Briain, le linn dá fhoclóir Gaeilge-Béarla a bheith á chur le chéile aige siúd, saothar a bhí tabhartha chun críche fén mbliain 1762. Fén am gur fhill an leabhar ar mhuintir Dhála, tar éis bháis an easpaig sa bhliain 1769, bhí seanChonchubhar caillte, agus dá réir sin is é Conchubhar Bán a fuair é.[10]

Tar éis bháis a athar is ea a thosnaigh Conchubhar Bán ag cur spéise i gceart sna lámhscríbhinní. Thug sé iarracht ar chóip a dhéanamh den *Leabhar Breac*, ach chuaigh de dul thar an gceathrú leathanach, cheal taithí na hoibre sin (*being bred in the farming line, and taken up in that business*).[11] Níor tháinig aon mhaolú, áfach, ar an spéis a bhí i lámhscríbhinní aige, ná ar an gcion a bhi aige orthu. Sa bhliain 1789, thug sé le tuiscint, i litir dar dáta 3 Lúnasa a chuir sé go dtí Vallancey i mBaile Átha Cliath (a bhí tosnaithe an uair sin ar lámhscríbhinní Gaeilge a bhailiú ar fuaid na tíre d'fhonn a gcaomhnaithe), go raibh cnuasach maith lámhscríbhinní aige: *I am possessed with as much transcripts of that language as is sufficient to amuse me for my life.*[12] Beagán seachtainí roimis sin, i mí an Mheithimh, bhí a chuid lámhscríbhinní meamraim curtha go Baile Átha Cliath aige lena mhac, Conchubhar Óg: an *Leabhar Breac* go dtí Vallancey, a thug ansin go dtí Acadamh Ríoga na hÉireann é, agus dhá cheann eile go dtí an Chevalier O' Gorman, a raibh cóip de *Caithréim Thoirdhealbhaigh* i gceann acu, agus *Sanas Cormaic* agus *Beatha Cellaigh* sa cheann eile (ar chuid den *Leabhar Breac* í tráth). Trí ghiní a thug an tAcadamh dó ar an *Leabhar Breac*! Is le doicheall a scar sé leo, lena ndíol:

> I assure you, sir, it's perfect necessity should ever urge me to dispose of any of them (for many reasons). Was I in a capacity I should be deaf to the temptations of any value offered me on that head ... but Providence and the unforeseen vicissitudes of Life having immediately confined me to such narrow circumstances that I must necessarily part with these ...[13]

Aon duine amháin clainne, de dhealramh, a bhí ag Conchubhar Bán, sé sin Conchubhar Óg,[14] an té a chuir sé go Baile Átha Cliath, agus é fós gan puinn aoise aige,[15] leis na lámhscríbhinní sa bhliain 1789. An spéis a bhí ag a mhuintir roimis sna lámhscríbhinní, bhí sí leis ag Conchubhar Óg, mar is léir ar an gcaidreamh a bhí ag Mícheál Óg Ó Longáin air.[16] 'File go meillse meala' a thug an Longánach ar Chonchubhar Bán.[17] De bhreis ar an dán so aige, agus na véarsaí a sheol sé go dtí Peadar Ó Féichín,[18] tá glac bheag eile dánta tagtha anuas uaidh sna lámhscríbhinní.[19] Ní heol dúinn cathain a cailleadh Conchubhar Bán, ach is féidir a thuiscint ó aiste filíochta de chuid Mhíchíl Óig go raibh sé marbh fén mbliain 1794 ach go háirithe.[20]

Chonaiceamar thuas go raibh seanlámhscríbhinní sa tigh ag gach éinne den mbeirt fhile, agus is léir ón gcomhfhreagras anso go mbíodh filíocht na scol á léamh acu astu.[21] Ní amháin go mbaineann siad úsáid sa tsaothar so as leathrann de chuid an fhile, Fear Feasa Ó'n Cháinte (rr. 8, 26; féach nóta le rann 8 *a* thíos), ach cuid de na meafair a mbaineann siad úsáid astu, is dóichí ná go rabhadar buailte leo i saothar filí eile, mar shampla, meafar an eoin (rr. 2, 3, 4, 19; féach nóta le rann 4 *d* thíos), agus meafar an ghabha agus na ceárta (rr. 13-16, 28-9; féach nóta le rann 13 *bd* thíos).

Níl amhras, ach oiread, ná go bhfuil macalla láidir sa tsaothar, sa bhfoclóir agus sa téarmaíocht, ón aimsir a shamhlaítí an file ina leannán ag a phátrún: 'suirgheach' (1 *a*, 17 *d*), 'suirghe' (9 *c*, 11 *a*), 'seoid suirghe' (19 *a*), 'leannán' (33 *d*).[22]

Agus bhí eolas leis acu, de dhealramh (féach r. 6), ar nós cumadóireachta na bhfilí in Albain, fé mar a chuir Martin síos air:

> They shut their Doors and Windows for a Days time, and lie on their backs with a Stone upon their Belly, and Plads about their Heads, and their Eyes being cover'd they pump their Brains for Rhetorical Encomium or Panegyrick ...[23]

Is í an chóip is sine den gcomhfhreagras atá againn, go bhfios dom, ná an chóip a dhein Séamas Ó Conaire ó Chluain Uamha, uair éigin sna blianta 1773-4 (Egerton 141, f. 35) (S), as lámhscríbhinn Chonchubhair Bháin féin, b'fhéidir.[24] Ach is ar an gcóip a dhein Éamann Ó Mathúna ó Chaisleán Ó Liatháin (as lámhscríbhinn an Choitirigh, b'fhéidir,[25] agus ar fearr de chóip í) go luath ina dhiaidh sin, uair éigin sna blianta 1778-99 (Leabharlann Náisiúnta na hÉireann G 430, 83-7) (M), atá an t-eagrán so bunaithe. Tá ar a laghad cúig cinn de chóipeanna eile ar marthain, arbh iad na Longánaigh a dhein ceithre cinn díobh sa 19ú haois.[26]

De bhreis ar an bponcaíocht a shlachtú, na focail a dhealú ó chéile agus an t-urú, an uaschamóg, agus an fleiscín a thaispeáint de réir nóis an lae inniu, deineadh na leasuithe seo a leanas os íseal ar litriú na lámhscríbhinne (i gcás aon leasaithe eile a deineadh, tugtar an bunlitriú i measc na malairtí): an guta gearr neamhaiceanta > *a*(*i*) nó *e*(*a*) (e.g. luadhuil > *luaghail*, oidios > *oideas*, -si > *-se*); na sínte fada a chur isteach nó a fhágaint ar lár de réir nóis litrithe an lae inniu, ach gur fágadh *me*, *tu*, *do* fé mar atáid sa lámhscríbhinn (agus *cómhárda*, 20 *b*); na réamhfhocail air > *ar*, a(n) > *i*(*n*), agus am > *im*, ad > *id* (.i. réamhfhocal + aidiacht shealbhach); an chopail as > *is*; bh nó mh, dh nó gh a scríobh de réir nóis an lae inniu (e.g. diongmhála > *diongbhála*, thuaigh > *thuaidh*); nn > *n* de réir nóis an lae inniu (e.g. innsin > *insin*); sd, sg > *st*, *sc* (e.g. teisd > *teist*). Cuireadh isteach litreacha breise sa chló iodálach.

Táim buíoch den Ollamh Seán Ó Coileáin agus den Dr Pádraig Ó Macháin a léigh dréacht den téacs agus a réitigh dom deacrachtaí san aistriúchán.

Séamas Mac Coitir cct dá charaid ionmhain
Conchubhar Bán Ó Dála. Jany. 9th 1762

1 Bímse suirgheach le saoithibh,
a fhir adhnáir fhionndlaoithigh,
fá bhfuil m'aire is m'úidh oraibh,
gean mo chroidhe, *a* Chonchubhair.

2 Cloisim go bhfuil agaibh thuaidh
nead 'na ngoirthear an ghlanuaim;
a heoin ag eitil Bhanba
d'eitibh eoil a n-ealadhna.

1 *I am friendly towards poets, o very modest man of the fair locks, on account of which you have my attention and heed, my heart's affection, o Conchubhar.*

2 *I hear that you have, up north, a nest where perfect composition is hatched; its birds flying (throughout) Ireland on the knowledgeable wings of their art.*

Ceannscríbhinní: 'Séamus Mac Coitir cecinit dá c(h)ar(r)aid ion(n)mhuin Conchubhar Ó Dála an 9 m(h)adh lá don b(h)liadhuin 1762 (Jany. 9th 1762)' S M1 M2; 'Séamus Mac Coitir cct chuim Conchúbhair Uí Dhála an 9 la do Gheanair 1762' M3; 'Séamus Mac Coitir cc(t) da caruid ionmhuin .i. Concub(h)ar Ó D(h)ala' M4 P.

1 *c* muig(h) M S M1 M2 M3 M4 múigh P *c* oruibh M *d* a Chonchubhair S M1 M2 M3 P

2 *a* aguibh M *b* dá ngoirthear M3 ghlanuaibh M g(h)lanuaim S M1 M4 P ghlanuaimh M2 M3 *c* Bhanbha M1

3 Caidreamh ormsa gurbh áil libh,
Seaghán, mac Aodh, dá insin,
mar gurbh eon go n-eitib*h* dham
dárbh eol eitil mar iadsan.

4 Gidh eadh cheana, a ghruadh ghlan,
ní fhéadaimse éirg*h*e ó thalamh;
an luamhain ar ar léir me
is luaghail éin gan eite.

5 Ní thig liom labhra acht go lag,
ní thig ionsmadh na n-adhmad
gan oideas in alt don cheird,
gan noidfhios gart gan Gaedheilg.

3 Seán, son of Aodh, has been telling me that you would wish to be associated with me, as though (I) were a bird with wings who could fly like them.

4 However, o bright-cheeked one, I cannot rise from the ground; the flight by which I am recognised is the movement of a bird without a wing.

5 I am unable to speak but weakly; the construction of verse does not come without instruction in the way of the craft, without ample knowledge of contractions, without Irish.

3 *b* Seághan M mc Aoi M4
4 *a* ceadnna M
5 *d* gairt P Gaoidheilg S

6 Táim anois, is bocht an bhail,
sínte i gclais chumhang chonnail;
úir fám dhrom, cloch ar mo chorp,
och ! nocha trom gan tábhacht.

7 Le céasa*dh* mo chuirp mar sin,
cumaim dán deas ar uairibh;
slighe nach socair chum seoil,
fighe an fhocail dá aimhdheoin.

8 Cóir adubhairt Fear Feasa,
ós do b'eol a ilgheasa:
'nach fuil acht baois rig*he* ris
's nach slighe d'aois an ainbhfis'.

6 *I am now in a miserable state, stretched out in a narrow wretched trench, lying on earth with a stone on my body; alas! it is not a burden without importance.*

7 *With the torturing of my body, thus, I sometimes compose a goodly poem, weaving the word in spite of a way which is not easy for the loom.*

8 *Correctly did Fear Feasa speak, since it was he who was aware of its many constraints: 'that it is only folly to attempt it, and that it is not a (safe) way for ignorant ones.*

6 *d* nochan M3
7 *a* chéasa M *b* deas *ar lár* S *c* sochar M M3 socair S M1 M4 sochair M2 P
8 *b* bheól M beól LSS

9 Mar sin féin, ní fuláir liom,
mo dhán chuim cinn go gcuirfeam,
do mhian suirghe d'f*h*agháil uaibh,
budh gabháil oirne an athdhuain.

10 Níor chóir agall Uí Dhála
acht d'uaithneadhaibh órdhána;
gion gur don bhróin bhogarsa sibh
níor chóir t'agalls*a* acht d'uaithnibh.

11 Suirghe oraibh ó dh'iarraim,
a ghnúis gheal mar ghléniamhain*n*,
nocharbh iar*r*adh ar h'amhail
dá n*d*iar*r*ar acht d'ealadhain.

9 *Nevertheless, I believe, until I forward my poem, in order to receive affection from you, the original poem will (continue to) be an attack on me.*

10 *It were not right to address O' Daly except with rhymes of golden poetry; though you were not (one) of this threatening company, you should not be addressed except with rhymes.*

11 *Since it is affection that I seek of you, o fair face like a bright precious stone, nothing of what is (now) asked would be (ever) asked of your like, except by way of art.*

10 *b* orgána S *c* bhogársadh M bhogarsa ibh S bhogár(r)sa M2 M3 bhogarsadh M4 bhogarrsa P *d* tagall M M3 M4 tagallsa S M1 M2 P

11 *a* oruibh M dia(r)raim S M1 M2 P iaruim M3 *b* a gnuis gil M4 *c* noch ar bhairraid M4

12 Codla*dh* ar chearc*h*aill na héigse
dual duitse, a rosg róiréigse
do shíol nDála, buan a mbladh,
dual na dána do dhealbhadh.

13 Tu féin codhnach na ceirde,
gobha geal na Gaoidheilge;
gi bé ball na dtadhlann tu
is ann chomhnann an cheardcha.

14 Congaibh dúinn an teallach te,
ná léig as uainn an teine;
gaibh go fóill a faire ort
i ndóigh go bhfaighe furtacht.

12 To sleep on the bed of poetry is fitting for you, o very gentle-eyed one of the race of Daly of enduring fame, (for whom) it was fitting to compose poems.

13 You yourself are the master of the craft, the silversmith of Irish; wherever you visit, it is there the forge is.

14 Keep the hearth warm for us, do not allow the fire to become extinguished on us; undertake a while to keep watch over it, in the hope that you will receive help.

12 *c* buan an bladh S
13 *b* Gaédhilge M3 *d* cheárrdchu M
14 *a* cuinnimh M3 *d* ndóith M bhfuíghe M3

15 Is gearr anois, do dheoin Dé,
go mbia bladhm ag an aoinspré;
rotha, ailte, uird is bís,
clocha is builg mar bhídís.

16 Biaid an t-aos óg dá bhfaighre,
badh saothrach na seanghaibhne,
lán do loise, lán do chóir,
lán do mhaise 's do mhórghlóir.

17 A Chonchubhair bhoisgheal Bháin,
déanam cumann mar chompáin;
déin go muirneach, a mhín mhir,
ó bhím suirgheach le saoithibh.

15 *It will not be long now, by God's will, until the single spark becomes a flame; wheels, knives, heavy hammers and vice, stones and bellows as they used to be.*

16 *The young people will be tempering them, the old smiths will be busy, with great glow, with great propriety, with great lustre and great splendour.*

17 *O Conchubhar Bán of the white palm, let us establish a friendship as companions; do so with affection, o gentle joyous one, since I am friendly towards poets.*

15 *b* mbiadh M *c* rotha is ailte is úird S *an chéad dá* is *scriosta* M1 *d* is clocha S *an* is *scriosta* M1
16 *b* saorthach M1
17 *a* bhaisgil S bhoisghil M1 M2 M3 P *b* déangam M déangaim LSS

Conchubhar Ó Dála cct ag freagradh do
Shéamas Mac Coitir. Feb. 3 1762

18 Ionmhain liom saothar na suadh,
is mó ioná các*h* do *ch*aonduain,
a shaoi, lóichead seola ár sean,
comhad ceolm*h*ar ár sinsear.

19 Subhach sin do sheoid suirghe,
bíodh nár chuibhe coimhéirg*h*e
id ghríobh, leor do lúth, i le
chum eoin gan chlúmh gan chleite.

20 Teist mhic Aodh ar uaim dána,
cadad caoin is cómhárda,
ní bhfuil acht uaill, baothghlór bog,
suaill nach claochlódh dom *ch*aomhchorp.

18 Dear to me is the work of the poets; your fine poem is better than all others, o poet, guiding light of our elders, harmonious guardian of our ancestors.

19 Joyful is that, your token of love, though it were not proper, you being a powerful griffon, to come to do battle (with me), a bird without down or feather(s).

20 The testimony of Aodh's son on the composing of a poem, on pleasing cadad and comhardadh, is but arrogance, a foolish senseless voice, almost too much for my fair body to bear.

Ceannscríbhinní: Conchubhar Ó Dála cct dá char(r)aid rótha(i)r(r)(i)se Seamus mor M(h)ac Coitir gidh gairmt(h)ear beag an treas la dFabhra (Feby. 3rd) 1762' S M1 M2; 'Freagra Chonchúbhair Uí Dhála air Shéamas Mac Coitir. Fabhra an 3 la 1762' M3.

18 *a* linn LSS suaidh S M1 *b* sa chách S sa chách *ceartaithe go* ná chách M1 chaomhd(h)uain S M3 *c* a *ar lár* S

20 *d* chomhchorp S M1 M2

21 Aithne dam fuine*adh* na bhfear,
an dá Sheán 'sa sinsear;
budh searbh le hAodh sians na suadh,
beir raon a mhian ar ionnuadh.

22 Cumann cealgach Chlann Lóbais
do mhac Dáibhí deigheolais;
mar sin d'Aodh 's gach Aodh aca,
gach n-aon go claon cadarsna.

23 Gidh eadh, sibhse an breitheamh beacht,
taobhaim ar ionchaibh h'ansacht,
gach cneadh fhíochda im laoi leamhsa
d'íoca ar caoi cairdeasa.

21 *I am acquainted with the make-up (?) of the men, the two Seáns and their ancestors; the harmony of the poets was harsh in Aodh's ears; the range of his tastes affects (his) descendant.*

22 *The treacherous regard of Clann Lóbais for the learned son of David; thus it is with Aodh and every Aodh of them, each perverse and quarrelsome.*

23 *However, you are the excellent judge, I resort to the protection of your love, so that every gaping wound in my dull lay will be healed on the path of friendship.*

21 *b c* Seán M *c* re S M1 M2 siansa M3 *d* bheir M amhain S is ionnuadh M3
22 *a* Chlainn M3 *b* deagholuis S M1 M2 *c* mair sin M gach dAodh M
23 *c* liomhsa S *d* díocadh LSS

24 Itche is éigean dam d'iarra
ort, a chumainn chruithniamhdha:
an úir ler clitheadh do c*h*orp,
crithir dá clúid dom fhurtacht.

25 Fóir mar sin duine mar me
tá beo bocht in úir uaighe,
faoi ualach go hanbhfann docht,
nach tualang antrom d'éisteacht.

26 Go ccead díbh is d'F*h*ear Feasa,
bíodh gur adhbhar aincheasa,
cóir rig*h*e re rinn dána,
gion gur dlighe diongbhála.

24 *I have to make a request of you, my beloved one of bright form: that some of the covering of soil by which your body has been protected should help me.*

25 *Come, thus, to the assistance of one like me, miserably poor in the earth of a grave, weak and fastened under a load, unable to endure oppression.*

26 *With due respect to you and to Fear Feasa, though it is a vexatious matter, it is fitting to struggle with the rinn of poetry, though it be a duty without merit.*

24 *c* lear M re ar chlitheadh S M1 lear chlítheadh M3
d choímhdeacht S M1 M2 chúmhdocht M3
25 *a* mairsin M

27 Is uime deirim an rádh riot,
bun comhairle 'na críonnacht;
gach fánach oirbhre ar ngníomh ngus,
gnáthamh na hoibre an t-eolas.

28 Ná tagair liom teas teallaigh,
amháin acht sealbh seanbhuiligh
nach séid a fheidhm iorra eite,
siolla ná greidhm Gaoidheilge.

29 Dom leanmhain tráth le tréimhse
tá crotbhall eile oirnéise
nach coisc dochtúir ná lámh lonn,
gráin ar an mbutúr mbéalcham.

27 *The reason I make (this) utterance to you, is that the basis of advice is wisdom; every haphazard effort is a reproach after a worthwhile deed, practice makes perfect.*

28 *Do not mention to me the heat of (the) hearth, except for the possession of an old bellows whose effort does not blow as much as a feather, a syllable or mouthful of Irish.*

29 *There is another decrepit tool clinging to me for some time, which neither doctor nor strong hand checks - shame on the bent-edged paring-knife.*

27 *a* riot *ar lár* M3 *b* na M *c* oirbhire M3 air ghníomh g(h)us LSS *d* gnáithiomh M
28 *a* riom LSS *b* seanbhuilicc S M1 M2 seannbhuilig M3 *c* ioira M
29 *a* re S M1 *d* mbutúir S M1

30 Ós tu urradh na nduan ndeas,
gaibh sinne san ord n-éigeas;
gheobhair gach dualgas dlighthear
uaimse ar oideas ealadhan.

31 Tu an togha gan bhleid gan bhaois
tar lucht comtha san gcomhaois;
stiúir is seol na heagna,
ciste eoil is ilfhreagra.

32 I dtiobraid fromhtha na bhfios
fuairis folcadh is oideas,
faighre file is foghlaim,
oighre oilte na n-ollamhain.

30 *Since you are prince of the fine poems, admit me into the order of poets; you will receive every reward due from me for the teaching of (the) craft.*

31 *You are the choice, without flattery, without folly, above contemporary companions; guide and way of wisdom, a treasury of knowledge and of many answers.*

32 *In the tested well of the sciences you have got washing and instruction, a poet's tempering and learning, trained descendant of the ollaves.*

30 *c* gheabhair LSS dleaghthear M3

31 *d* i bhfreagra S

33 Sé Séamas, sochar na suadh,
Mac Coitir *saoi* na saordhuan;
gean mo chroidhe an beangán bil,
mar leannán linn budh ionmhain.

33 Séamas Mac Coitir, asset of the poets, is the master poet of the noble poems; my heart's affection, the illustrious scion, I would be glad (to have him) as lover.

33 *b* saoi na saordhuan LSS *d* lionán M.

NÓTAÍ TÉACSÚLA

3 *b* In aiste filíochta, de dhealramh (féach 9 *d*). Ní heol dom, áfach, cén aiste í, ná cérbh é an file, Seaghán, mac Aodh; *mac Aodh* = *mac Aodha*.

4 *d* *Cf.* an líne 'nó is luamhain eoin gan eitibh', L. McKenna, eag., *Iomarbhágh na bhFileadh*, II, CSG 20, London 1918, xxv 11.

5 *d* *gart* mar aidiacht anso, féach *DIL*, *s.v.* gart.

6 *Cf.* M. Martin, *A Description of the Western Islands of Scotland*; féach fonóta 23 thuas.

8 *a* Fear Feasa Ó'n Cháinte atá i gceist, sa dán aige 'Mór an feidhm deilbh an dána' : 'ní (fios) acht baos righe ris, / ní slighe d'aos an ainbhis'. Tá an dán in eagar ag L. Mac Kenna, 'Some Irish Bardic Poems', *Studies* 40 (1951), 93-6.

9 *d* *an athdhuain* : an dán a chum Seaghán, mac Aodh (3 *b*), is cosúil.

10 c *bhogarsa* = *bhagarsa*; filí a dheineadh an t-aor a bhagairt muna mbeadh fáil ar a mianta acu, is iad atá i gceist anso, is cosúil.

11 c *ambail* = *sambail* anso.

12 *b* *róiréigse* = *róiréidhse*, ach *róiréigse* ar mhaithe leis an airdrinn.

13 *bd* Mar leis an meafar so (féach leis rr. 14-6, 28-9) *cf.* na línte seo a leanas ag Eochaidh Ó hEódhasa as an dán dar tús *Mór an t-ainm ollamh flatha*: 'Ag gaibhnib glanta ár gcerdcha / fuaras faighredh drithlenta', in S. H. O'Grady, *Catalogue of Irish Manuscripts in the British Museum*, I, London 1926, 475.

d *chombnann* = *chombnaidheann*.

15 c Mar le *ailte* 'knives' féach *DIL*, *s.v.* ailt (2) agus Dinn, *s.v* .ailt.

16 *a* *dá bhfaighre* = *dá bhfaighreadh*, ach go n-oireann *bhfaighre* don rinn.

17 *a* Gan amhras b'fhéidir é a léamh mar seo: *A Chonchubhair bhoisgheal bháin*.

18 *b* Is fearr a d'oiriúnódh *chaonduan* don meadaracht anso.

c *seola*: leg. *seolta* (ginideach *seoladh*)?

19 *a* Mar le samplaí eile sa litríocht de *séad suirghe* féach *DIL*, *s.v.* sét (II).

20 *a* *mbic Aodh* = *mbic Aodha*.

b *cadad* 'delinition' (féach *IGT*, Introduction 49-52 *et passim*). *cómhárda* = *comhardadh*, ach *cómhárda* ar mhaithe leis an airdrinn.

c Mar le *bog* 'senseless', féach *DIL*, *s.v.* boc (1)

21 *b* *an dá Sheán*: duine acu Seaghán, mac Aodh (3 *b*, 20 *a*), ní foláir, pérbh é an dara duine acu.

d *ionnuadh* = *ionnua*, ach *ionnuadh* ar mhaithe leis an airdrinn.

22 *ab* N'fheadar an bhfuil ciall na línte seo sa tslánchruinne agam.

Clann Lóbais: na bodaigh thuatacha; *cf. Pairlement Chloinne Tomáis*.

mac Dáibhí: tagairt, b'fhéidir, do Mhuiris mac Dáibhí Dhuibh, a bhfuil an méid seo ráite ina thaobh i *Pairlement Chloinne Tomáis*:

> ⁊ do chuir sé leabhar feasach fíreolach amach air gheinealach ⁊ air ghníomharthuibh Chloinne Tomáis, ⁊ níor fhháguibh aon mhíthapa dá ndearnamuir riamh gan foillsiughadh oruinn; ⁊ mairfidh ar n-iomrádh a mbéaluibh suag agus daoine saoitheamhuil go bruinne an bhrátha ⁊ go foircheann an bheatha do thoisg an leabhair sin'. N. Williams, eag., *Pairlement Chloinne Tomáis*, Dublin 1981, ll. 855-61. (Táim buíoch do Phádraig Ó Macháin as an tagairt seo.)

23 *d* *d'íoca* = *d'íocadh*, ach *d'íoca* ar mhaithe leis an gcomhardadh.

24 *a* *d'iarra* = *d'iarraidh*, ach *d'iarra* ar mhaithe leis an rinn.

25 *d* *d'éisteacht*: 'to endure' ?

27 *c* *oirbhre* = *oirbhire*, ach *oirbhre* ar mhaithe leis an gcomhardadh.

ngus : bheifí ag súil anso le ginideach aitreabúideach, ach d'fhágfadh san an rinn lochtach.

d Féach T. F. O'Rahilly, *A Miscellany of Irish Proverbs*, Dublin 1922, 11 uimh. 40. Tá cuma an tseanfhocail, leis, ar líne *c*.

28 *b* *seanbhuiligh* = *seanbhuilg*, ach *seanbhuiligh* ar mhaithe leis an airdrinn.

c *iorra* = *arra* (féach *DIL*, *s.v.* arrae).

d *greidhm* = *greim*, ach *greidhm* ar son an chomhardaidh.

29 Caint mheafarach í seo, is dóigh liom, caint a shamhlófaí, de ghnáth, le seanduine (féach, leis, r. 28), ach níor sheanduine é Conchubhar Bán sa bhliain 1762. B'fhéidir go raibh a athair, seanChonchubhar, fós ina bheathaidh ag an am sin (féach thuas), ach tá fianaise an scríobhaí, Éamann Ó Mathúna, ó Chaisleán Ó Liatháin, againn (uair éigin sna blianta 1778-99, b'fhéidir), gurbh é Conchubhar Bán (agus nárbh é a athair) a scríobh an dán so (féach thuas an cheannscríbhinn aige ar an gcomhfhreagras).

32 *c* *faighre* = *faighreadh*, ach *faighre* ar son an chomhardaidh.

d *na n-ollamhain*: an fhoirm seo mar ghinideach iolra, ar mhaithe leis an airdrinn.

1 *Cois na Cora*, Baile Átha Cliath 1937, 10.

2 Mar lena shaothar mar scríobhaí, féach B. Ó Conchúir, *Scríobhaithe Chorcaí 1700-1850*, Baile Átha Cliath 1982, 23. Féach P. A. Breatnach, 'Dhá Dhuain Leanbaíochta', *Éigse* 22 (1987), 111-23; 'Togha na hÉigse 1700-1800, *Éigse* 27 (1993), 120-1, mar a bhfuil aistí filíochta dá chuid in eagar. Is deacair a rá cén méid dá shaothar filíochta (ná de shaothar Shéamais Bhig) atá ar marthain, ón uair go bhfuil saothar na gCoitireach ón aimsir sin (bhí beirt, mara raibh triúr, den ainm Séamas ann) sna lámhscríbhinní gan scagadh a bheith déanta fós air.

3 Ó Foghludha, *Cois na Cora*, 10.

4 *Ibid.*, 75.

5 *Ibid.*, 11.

6 'Oide léinn i gCaisleán Uí Liatháin' a thug a chara, Donncha Ó Floinn, ar an Mathúnach so sa bhliain 1814; Ó Conchúir, *Scríobhaithe Chorcaí*, 159.

7 Leabharlann Náisiúnta na hÉireann G 430, 66 (Nessa Ní Shéaghdha, *Catalogue of Irish Manuscripts in the National Library of Ireland*, Fasciculus ix, Dublin 1986, 85). Deinim talamh slán de, ar fhianaise na ndátaí, gurb é Séamas Beag, agus nach é a athair, Séamas Mór, atá i gceist.

8 Más é an 'James Cotter, junior, of Castlelyons' é atá luaite sa tuairisc ar thailte Iarla an Bharraigh Mhóir, ar *Cork Evening Post* na bliana 1768; féach L. Ó Buachalla, 'Tenant-Farmers of the Barrymore Estate, 1768', *Journal of the Cork Historical and Archaeological Society* 51 (1946), 40.

9 Féach Rev. E. Barry, 'Barrymore', *Journal of the Cork Historical and Archaeological Society* 8 (1902), 1-2; L. Ó Buachalla agus R. Henchion, 'Gravestones of Historical Interest at Britway, Co. Cork', *Journal of the Cork Historical and Archaeological Society* 68 (1963), 102-3.

10 Mar le Conchubhar Bán agus a mhuintir, agus an spéis a bhí acu i léann na Gaeilge, féach *Leabhar Breac*, Facsimile, Dublin 1876, Introduction, x-xiv, agus go háirithe litreacha Chonchubhair Bháin féin (xii, xiii); féach leis Ó Conchúir, *Scríobhaithe Chorcaí*, 58-9.

11 *Leabhar Breac*, xii.

12 *Ibid.*, xiii.

13 *Ibid.*, xii.

14 Nó sin é atá le tuiscint as an dán neamhfhoilsithe dar tosach *Ar aithris na sean romhainn*, a chuir Mícheál Óg Ó Longáin ag triall ar Chonchubhar Óg sa bhliain 1794. (Eagrán den dán ullamh agam féin.)

15 *my child* a thug sé ar an ócáid sin air; *Leabhar Breac*, xii.

16 Ó Conchúir, *Scríobhaithe Chorcaí*, 59.

17 Sa dán atá luaite i n. 14 thuas.

18 Féach T. F O'Rahilly, eag., *Búrdúin Bheaga*, Dublin 1925, 40. Féach leis Ó Conchúir, *Scríobhaithe Chorcaí*, 66-7.

19 Féach, mar shampla, Kathleen Mulchrone *et al.*, *Catalogue of Irish Manuscripts in the Royal Irish Academy*, Index II, Dublin 1958, 1055. Is

cosúil go bhfuil saothar de chuid a athar tagtha anuas leis, agus más ea is deacair saothar na beirte a dheighilt ó chéile.

20 An aiste atá luaite in n. 14 thuas.

21 Mar leis na déantúis acu féin thíos, is fearr an iarracht a thug an Coitireach uaidh.

22 Féach J. Carney, *The Irish Bardic Poet*, Dublin 1967; P. A. Breatnach, 'The Chief's Poet', *PRIA* 83 C (1983), 37-79.

23 M. Martin, *A Description of the Western Islands of Scotland*, London 1703, luaite ag O. Bergin, 'Bardic Poetry' [1912], in D. Greene agus F. Kelly, eag., O. Bergin, *Irish Bardic Poetry*, Dublin 1970, 8. Chuir Breandán Ó Madagáin ar ár súile dúinn (*Éigse* 14 (1972), 255) go bhfuil tagairt leis ag Seán Ó Tuama (an Ghrinn) don nós so i mbarántas dá chuid. (Mo bhuíochas do Phádraig Ó Macháin as an tagairt dhéanach so.)

24 Ní dhealaítear saothar na beirte (Séamas agus Donnchadh Ó Conaire) ó chéile sa chlár, R. Flower, *Catalogue of Irish Manuscripts in the British Museum*, II, London 1926, 230. Féach Ó Conchúir, *Scríobhaithe Chorcaí*, 50.

25 Féach thuas an teistiméireacht aige ar an gCoitireach.

26 Maigh Nuad B 3 (b), 35-8 (M1); RIA 23 E 15, 191-4 (M2), agus Maigh Nuad M 2, 141-5 (M3), agus Leabharlann Náisiúnta na hÉireann G 320, 17 (línte 1-60) (M4), a scríobh Mícheál Óg Ó Longáin; RIA F iii 2, 315-9 (línte 1-68) (P), a scríobh Peadar Ó Longáin.

an focal 'dírbheathaisnéis' agus téarmaí gaolmhara

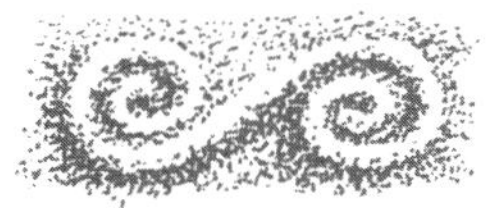

CATHAL Ó HÁINLE

Tá spéis á cur agam i ndírbheathaisnéisí na Gaeilge le tamall de bhlianta anuas agus tá roinnt aistí foilsithe agam ar ghnéithe díobh. Le linn dom bheith ag scríobh léacht ghinearálta ar an ábhar tuilleadh is ceithre bliana ó shin, mheasas gurbh fhiú dom scagadh éigin a dhéanamh ar na teidil a tugadh ar dhírbheathaisnéisí éagsúla Gaeilge agus ar na téarmaí a úsáideadh le tagairt a dhéanamh dóibh, féachaint an mbeadh aon léargas le fáil uathu sin ar thuiscintí na n-údar, na n-eagarthóirí is na bhfoilsitheoirí ar nádúr an chineál sin scríbhneoireachta. Ón uair go bhfacthas dom nár bhain an scagadh sin go dlúth le hábhar na léachta ar deireadh thiar, níor bhain mé úsáid as sa léacht féin ná sa leagan di a foilsíodh ina dhiaidh sin.[1] Sílim, áfach, gur díol suime an t-ábhar ó thaobh na foclóireachta de, mar, fiú murar féidir aon tuiscint aontaithe a bhaint as ar deireadh thiar i dtaobh nádúr na dírbheathaisnéise, léiríonn sé straitéisí éagsúla le déileáil lena leithéid de riachtanas foclóireachta agus cuid de na heaspaí a bhain leis na straitéisí sin.[2]

Ní mór a aithint nach í an tuiscint chéanna a bhí i gcónaí ann i dtaobh nádúr na dírbheathaisnéise. Tuigtear anois nach gá gur fíorstair bheatha an údair a bheadh sa dírbheathaisnéis, ach gurb é is príomhaidhm don dírbheathaisnéis tuiscint an údair air féin mar dhuine a nochtadh; níor caitheadh an lipéad *autobiography* i dtraipisí dá dhroim sin, áfach. Go dtí le glúin anuas, go teoiriciúil ach go háirithe, glacadh leis gurb é a bhí i gceist leis an dírbheathaisnéis cineál ar leith beathaisnéise, beathaisnéis phribhléideach a raibh sainúdaracht agus sainiontaofacht ag baint léi, mar go raibh iomlán na fírinne ina thaobh féin ar eolas ag an údar agus mar go raibh sé sásta an fhírinne sin a insint. An fhírinne stairiúil a bhí i gceist, ar ndóigh. An focal *confessio* a úsáidtear i dteidil dhírbheathaisnéisí Naomh Agaistín agus Naomh Pádraig, dá réir sin, tugann sé le tuiscint, más fíor, go raibh na húdair sin sásta lomchlár na fírinne a insint fúthu féin, fiú nuair a bhí an fhírinne sin searbh. Jean-Jacques Rousseau, a dtugtar athair na dírbheathaisnéise nua-aimseartha air, fógraíonn seisean, i bhfianaise an bhreithiúnais dheireanaigh agus i láthair Dé, gurb amhlaidh atá i gcás a dhírbheathaisnéise féin, *Les Confessions* (1781): 'Tá mé tar éis mé féin a thaispeáint mar a bhí mé.'[3]

Ar feadh i bhfad, dá bhrí sin, níor ceapadh gur ghá aon idirdhealú a dhéanamh idir an dá chineál beathaisnéise i dtaca leis an ainm a thabharfaí orthu, agus níor tháinig ann don téarma *autobiography* sa Bhéarla go dtí deireadh an 18ú céad. Sa bhliain 1797 thagair léirmheastóir don fhocal measctha *self-biography* a d'úsáid an t-ársaitheoir Isaac D'Israeli an bhliain roimhe sin, agus mhol *auto-biography*, siúd is gur bhraith sé gurbh fhéidir go mbeadh blas na saoithíneachta air sin.[4] Bhí Coleridge sásta i 1804 leas a bhaint as an bhfocal measctha, ach faoi 1809 bhí Robert Southey ag úsáid *auto-biography* gan aiféaltas.[5] Os a choinne sin thall, siúd is go raibh ard-spéis ag Samuel Johnson i ndírbheathaisnéisí, bhí sé sásta *biographies* a thabhairt orthu,[6] agus níl an focal *autobiography* san eagrán a d'fhoilsigh John Todd i 1818 d'fhoclóir Béarla Johnson. Ach de réir a chéile bhain *autobiography* an ceannsmacht amach: bhí an focal féin á úsáid ag Tomas Carlyle i 1828, agus díorthaíodh focail eile uaidh ceann i ndiaidh a chéile: *autobiographer* (1829), *autobiographical* (1831) agus *autobiographic* (1850).[7]

Maidir leis an nGaeilge, níl aon fhianaise ar aon iarracht le focal ar *autobiography* a sholáthar le linn an 19ú céad. Tá focail ag Edward O'Reilly in *An Irish-English Dictionary* (1817) ar *biographer* agus ar *biography* .i. 'beó-eachdaire' agus 'beó-eachdaireachd'. Freagraíonn an eilimint 'beó-' do *bio-*, ar ndóigh. Tá na focail 'eachdaire', 'eachdaireach', 'eachdaireachd' agus 'eachdairim' mínithe aige san fhoclóir mar *historian, historical, history/ chronology* agus *I chronicle* faoi seach, agus tá siad sin ar fad bunaithe, is léir, ar an bhfocal 'eachtra', *expedition, journey, voyage*, ina chiall aistrithe *tale, narrative, history*, bíodh is gur cheil O'Reilly an gaol eatarthu nuair a litrigh sé na focail úd le '-d-', áit ar litrigh sé 'eachtra' mar 'eachtradh'. Is é is dóichí gur mar ainmfhocal is ceart glacadh leis an gcéad eilimint i dtéarmaí seo O'Reilly, rud a d'fhágfadh gur *life historian* nó *life chronicler* an bhrí litriúil atá le 'beó-eachdaire', agus *life history* nó *life chronicle* an bhrí atá le 'beó-eachdaireachd'. Níl aon fhocal ag O'Reilly ar *autobiography*, áfach, toisc, is dócha, nach raibh an focal sin sa Bhéarla ach le tamall nuair a bhí an foclóir á chur i dtoll a chéile aige, agus nach mórán úsáide a bhí á baint as an bhfocal. Níl aon fhocal air sa dara heagrán den fhoclóir (1864), ach oiread. Lean T. O'Neill Lane sa dá eagrán (1904 agus 1922) de *English-Irish Dictionary* lorg Edward O'Reilly go dlúth i dtaca leis seo de: tugann sé 'beó-eachdaire' agus 'beó-eachdaireachd' ar *biographer* agus ar *biography* faoi seach,[8] agus níl aon fhocal aige ar *autobiography*. Níl aon fhianaise agam gur úsáideadh na téarmaí sin in aon fhoilseachán eile. Deacracht amháin a bhain leo is ea go bhféadfaí a cheapadh gurb í an aidiacht 'beo' atá sa chéad eilimint, seachas an t-ainmfhocal, rud a bhféadfadh iomrall tuisceana a theacht mar thoradh air .i. go gciallódh 'beó-eachdaire' *living historian* agus 'beó-eachdaireacht' *lively chronicle*, mar shampla.

Is í an chéad aiste dírbheathaisnéise Ghaeilge a foilsíodh ó thosach na hathbheochana an cuntas gearr a thug Aodh Ua Curnáin air féin i leabhrán dar teideal *An Ciarraidheach Gaodhalach ... Cúntas Gearr ar a Chúrsaibh óna Bhéal Féin* a d'fhoilsigh sé féin tuairim 1902-3,[9] ach is é *Mo Sgéal Féin* (1915) leis an Athair Peadar Ua Laoghaire an chéad dírbheathaisnéis Ghaeilge i bhfoirm leabhair. Is é bunbhrí an fhocail 'scéal' *story, narrative, narration*, ach ar ndóigh ní nochtann an focal sin le haon chruinneas cén cineál scéil atá i gceist, is é sin, an stair nó ficsean nó meascán den dá rud atá i 'scéal' an Athar Peadar. Ní féidir an focal 'scéal' a úsáid as féin le hidirdhealú a dhéanamh idir *biography* agus *autobiography*, ná fós le trácht a dhéanamh ar cheachtar den dá chineál sin scríbhneoireachta. Mar sin féin, ní foláir go raibh gnaoi ar an bhfocal ag eagarthóirí is foilsitheoirí na ndírbheathaisnéisí Gaeilge, mar úsáideadh é i dteidil is i bhfotheidil leabhar éagsúil: *An tOileánach* (1929) le Tomás Ó Criomhthain, ar tugadh mar thuairisc air i bhfoirm fotheidil 'scéal a bheathadh féin'; *Peig* (1936) le Peig Sayers, a bhfuil '.i. a scéal féin' mar ghluais ar an teideal sin;[10] *Sgéal mo Bheatha* (1940) le Domhnall Bán Ó Céileachair agus *Scéal Hiúdaí Sheáinín* (1940) le hAodh Ó Domhnaill. Ní foláir gur bhraith foilsitheoirí na linne sin, dála Mhuintir na Leabhar Gaeilge / Bhrún agus Nualláin, An Phreas Thalbóidigh / Chlólucht an Talbóidigh agus Oifig an tSoláthair, agus a n-eagarthóirí go raibh blas dílis dúchasach ar an bhfocal 'scéal'. Ar an gcaoi chéanna is leis an bhfocal 'seanchas' a thug Séamas Ó Grianna tuairisc ar an dá leabhar dírbheathaisnéise a scríobh seisean, *Nuair a Bhí Mé Óg* (1942) agus *Saol Corrach* (1945).[11] Bhí iarrachtaí éagsúla déanta ó lár na bhfichidí anuas le focal Gaeilge a chumadh a d'fhreagródh do *autobiography* ar shlí a thabharfadh amach na trí eilimint san fhocal sin, ach ní foláir nach raibh lucht na cúise sásta leis na hiarrachtaí sin. Tá fianaise ann gur dhiúltaigh L. Mc Cionnaith, S.J. [Lambert McKenna] d'iarracht amháin acu sin ar a laghad agus na frásaí 'mo bh[eatha]', 'cunntas mo bheathadh' agus 'mo scéal féin' á dtabhairt aige ar *autobiography* in *Foclóir Béarla agus Gaedhilge* (1935).[12] Ó leabhar an Athar Peadar Ua Laoghaire a fuair sé an tríú ceann acu sin, ní foláir. Is fada na focail *vita, life* agus 'beatha' féin á n-úsáid sa chiall aistrithe *biography*; tugann Pádraig Ua Duinnín *biography* mar mhíniú amháin ar 'beatha';[13] agus úsáideadh é i dteidil roinnt leabhar, mar shampla, *Beatha Dhomhnaill Uí Chonaill* (1936) le Domhnall Ó Súilleabháin agus *Beatha Pheig Sayers* (1970), ina bhfuil an dara cuntas ar bheatha Pheig a scríobh a mac, Mícheál Ó Gaoithín, síos uaithi. Níorbh fhéidir le McKenna an t-idirdhealú idir *biography* agus *autobiography* a chur amach ach trí bhíthin an aidiacht shealbhach a chur leis an bhfocal 'beatha' .i. *biography* 'a bheatha', 'cunntas a bheatha', *autobiography* 'mo bh[eatha]', 'cunntas mo bheathadh', agus is léir nárbh fhéidir na frásaí a úsáid ar an gcaoi sin le tagairt a dhéanamh do cheachtar den dá chineál sin saothair ná le trácht a dhéanamh orthu.[14]

Sa bhliain 1926 a rinneadh an chéad iarracht le *calque* ar an bhfocal *autobiography* a chumadh. D'fhoilsigh an tAthair Benedict aistriúchán ar *L'Histoire d'Une Ame* le Naomh Treasa Lisieux sa bhliain sin agus thug mar theideal air *Scéal Anama .i. Beathafhéinscríbhinn Naomh Treasa leis an Leanbh Íosa*. Is léir gur aistriúchán ar an teideal Fraincise is ea *Scéal Anama*, ach gur bhraith an t-aistritheoir gur ghá a chur in iúl ar shlí éigin gur dírbheathaisnéis ab ea é. Dá anásta é an focal 'beathafhéinscríbhinn' (i dtaca le foghraíocht de ar aon nós, ba dhóigh liom), tá sé de bhuntáistí ag baint leis an iarracht (i) gur focail dhúchasacha is ea na heilimintí ar fad san fhocal, agus (ii) go bhfreagraíonn siad go soiléir do bhunbhrí na bhfocal Gréigise ar a bhfuil an focal Béarla bunaithe. Os a choinne sin thall, ní fhreagraíonn ord na n-eilimintí d'ord na n-eilimintí san fhocal Béarla .i. 'beatha + féin + scríbhinn' seachas 'féin + beatha + scríbhinn'. Ní foláir gur cheap an tAthair Benedict gur mó a bhain an focal 'féin' le 'scríbhinn' ná le 'beatha'; ach fágann ord na n-eilimintí san fhocal Gaeilge nach bhfuil sé soiléir cé hé an duine a bhfuil cuntas á thabhairt ar a bheatha. Má chiallaíonn 'féinscríbhinn' *autograph* (< Gréigis *autographos* [*written with one's own hand, one's own writing*]), ní insíonn sé sin ach go bhfuil bunchóip an údair den scríbhinn i gceist, agus ní insíonn sé dada faoin ngaol a bhí idir an t-údar agus an té ar cuntas ar a bheatha atá sa scríbhinn. Ach is deacair a dhéanamh amach cén bhrí eile a d'fhéadfadh a bheith le 'féinscríbhinn' mar tá fadhb ag baint leis an gcaoi a bhfuil 'féin' á úsáid anseo freisin.

Bhain Edward O'Reilly (1817) leas as 'féin' leis na réimíreanna *auto-* (sa chiall 'neamhspleách') agus *self-* .i. an coincheap aisfhillteach a aistriú: 'féinghluasach' (*automatical*), 'féinghluasóir' (*an automaton*); 'féinfhios', 'féinfhiosrachd' [*sic*], 'féinfhiosrachadh' [*sic*][15] (*self-knowledge, consciousness, experience*), 'féinfhiosrach' [*sic*] (*conscious*); 'féinfhoghainteach', 'féinf[h]oghantas' (*self-sufficient, self-sufficiency*); 'féiniríosal', 'féiniríoslachd' (*condescending, condescension*); 'féinmhort' (*suicide*); 'féinspéis' (*self-conceit, self-love*), 'féinspéiseamhuil' (*selfish, self-conceited, coxcombical*). I gcás cúpla ceann de na focail sin ag O'Reilly ('féinfhios' *etc.*, 'féiniríosal', 'féinmhort', 'féinspéis'), ní léir dom go bhfuil an coincheap aisfhillteach á chur amach acu faoi mar a theastódh, agus sílim gurb é a dhála céanna é ag 'féinscríbhinn'.

Feictear dom go dteastódh foirm le ciall bhriathardha sa dara heilimint lena aghaidh sin.[16]

Cuireann 'féinscríbhinn' brí an Bhéarla *auto-graph* (< Gréigis *graphos*) amach ar shlí a thugann le tuiscint gurb í an bhrí thánaisteach atá leis an bhfocal 'beatha' .i. *an account of a life*, seachas an bhrí bhunúsach.

Ní heol dom gur ghlac aon duine leis an bhfocal sin a cheap an tAthair Benedict, rud nach gcuireann aon iontas orm. Sa bhliain 1930 d'fhoilsigh Coiste Téarmaíochta na Roinne Oideachais *Téarmaí Gramadaighe is Litríochta*, áit a bhfuil na focail 'beathaisnéis', *biography*, agus 'dírbheathaisnéis', *autobiography* den chéad uair. Saghas *calques* is ea an dá fhocal Gaeilge sin ar na focail Bhéarla.[17] I gcás 'dírbheathaisnéis' freagraíonn na trí eilimint ann (dír + beatha + faisnéis) ar chaoi éigin do na trí cinn san fhocal Béarla. Ní fhreagraíonn 'faisnéis', *report, information, narrative, act of relating, narrating*, le haon chruinneas do *–graphy* an Bhéarla (< Gréigis *graphia [that which is written, writing]*), mar go ndíríonn sé ar ábhar na scríbhinne seachas ar ghníomh an scríofa. Dá bharr sin, is léir gurb í príomhbhrí an fhocail 'beatha' atá i gceist anseo. Mar sin féin, tá 'beathaisnéis', *life narrative, narrative of a life*, cliste go leor mar aistriúchán ar *biography*, dar liom; go deimhin, d'fhéadfaí a áitiú go gcuireann sé amach an bhrí thraidisiúnta níos cruinne ná an focal Béarla/Gréigise. Úsáideadh an focal mar fho-theideal ar chlúdach deannaigh an leabhair *Art Ó Gríofa* (1953) le Seán Ó Lúing, agus tá sé le fáil sa 'Foclóirín' atá ag gabháil le *Gramadach na Gaeilge agus Litriú na Gaeilge: an Caighdeán Oifigiúil* (1958). Níl aon fhocal ar *autobiography* sa 'Foclóirín' sin, áfach; ach ní chiallaíonn sé sin rud ar bith mar nach 'chun feidhm foclóra a cuireadh an cnuasach focal' sin leis an leabhar úd ach 'chun rialacha na gramadaí agus an litrithe a léiriú.'[18]

Maidir le 'dír', aidiacht is ea é a bhfuil dhá bhrí léi (*DIL* s.v.): (a) *due, proper, fit, meet*, agus (b) *belonging to, appertaining to*. Is dóigh go gcuireann (b) amach cuid den bhrí atá ag teastáil anseo .i. *one's own*, ach ní chuireann sé amach an chiall aisfhillteach atá ag teastáil .i.

one's own [narrative] of one's own [life]. Níl aon fhianaise agam gur úsáideadh 'dír' mar seo sular úsáid an Coiste Téarmaíochta mar seo é, ná níl eolas ar bith i dtaifid an Choiste i dtaobh na slí ar thángthas ar an gcinneadh é a úsáid sa chás seo.[19]

Is cosúil go rabhthas ann a bhí míshásta leis an bhfocal sin 'dírbheathaisnéis', cé nár tugadh aon mhíniú ar údar na míshástachta. Níl ann ach gur ceapadh focail eile le cur ina áit i gcásanna áirithe. Is cinnte go raibh eolas ag an Athair Mac Cionnaith S.J. ar an leabhrán *Téarmaí Gramadaighe is Litríochta* ina bhfuil an focal le fáil den chéad uair. Déanann sé tagairt don leabhrán sin mar fhoinse i mbrollach *Foclóir Béarla agus Gaedhilge,*[20] ach, faoi mar atá luaite agam cheana, chloígh sé le leaganacha dúchasacha le *autobiography* a aistriú. Mar atá luaite agam cheana chomh maith, coiste de chuid na Roinne Oideachais ab ea an Coiste Téarmaíochta a chuir *Téarmaí Gramadaighe is Litríochta* amach, agus ba é an Roinn Oideachais a chuir Mac Cionnaith i mbun na hoibre a raibh *Foclóir Béarla agus Gaedhilge* mar thoradh uirthi.

Dhiúltaigh an Gúm, craobh eile den Roinn Oideachais, d'iarracht an Choiste Téarmaíochta freisin nuair a d'fhoilsigh sé aistriúchán Choilm Uí Ghaora ar *The Autobiography of a Super-tramp* le W. H. Davies i 1938 agus gur thug *Féin-scríbhinn Fíor-shreothaidhe* air. Is léir go bhfuil an focal 'féin-scríbhinn' á úsáid le *autobiography* a aistriú anseo, ach is aistriúchán fíorlochtach é toisc go bhfuil eilimint a d'fhreagródh don eilimint *bio-* ar iarraidh ann, agus nach bhfuil san fhocal ar deireadh, mar atá luaite agam cheana, ach *calque* ar *autograph.* Mar sin féin úsáideadh an focal arís nuair a d'fhoilsigh an Gúm *Féin-scríbhinn Mhinistéara* sa bhliain 1960 nó uair éigin roimhe sin.[21] Aistriúchán is ea an leabhar seo a rinne an tAthair Gearóid Ó Nualláin ar an bhfinscéal Breatnaise *Hunangofiant Rhys Lewis, Gweinidog Bethel* le Daniel Owen. Ní foláir gur aistrigh Ó Nualláin an saothar sin uair éigin roimh 1942, an bhliain a bhfuair sé bás. Níl a fhios agam arbh é Ó Nualláin féin nó eagarthóirí an Ghúim a cheap an teideal don leagan Gaeilge de leabhar sin Daniel Owen. Ba dhóigh leat má bhí *calque* ar an bhfocal Breatnaise *hunangofiant*

(= *bunan* + *cofiant*) le cumadh sa Ghaeilge agus go raibh an focal 'féin' le cur ag freagairt do *bunan*, gur 'beathaisnéis' nó 'cuimhní cinn' a chuirfí ag freagairt do *cofiant* (*a memoir*). Féach, mar shampla, go bhfuil iolra canúnach an fhocail 'cuimhne' mar theideal ar dhá chaibidil sa leabhar.[22] Níl 'féin-scríbhinn' feiliúnach, pé scéal é.

Murab ionann agus an Gúm, tá an chuma ar an scéal go raibh Brún agus Ó Nualláin breá sásta leis an bhfocal 'dírbheathaisnéis'. Sa bhliain 1938, is cosúil, d'fhoilsigh siadsan leabhar dar teideal *Dírbheathaisnéis Néill Mhic Ghiolla Bhrighde*.[23] Nuair a d'fhoilsigh an Gúm an dara heagrán den leabhar sin sa bhliain 1970 d'fhág siad an focal 'dírbheathaisnéis' ar lár agus thug mar theideal ar an atheagrán *Niall Mac Giolla Bhríde*.

I 1947 nó 1948, is dócha, a d'fhoilsigh Comhdháil Náisiúnta na Gaeilge leabhrán dar teideal *Láimhleabhar Siopadóireachta* ina bhfuil dhá fhocal ag freagairt do *biography*, mar atá, 'beathaisnéis' agus 'beatharraoil', agus dhá fhocal ag freagairt do *autobiography*, mar atá, 'dírbheathaisnéis' agus 'dírbheatharraoil'.[24] Is cosúil nach raibh an Chomhdháil ach leathshásta le hiarracht an Choiste Téarmaíochta, agus gurb é an focal 'faisnéis' údar a míshástachta. Is dóigh liom gurb é atá sa leagan malartach focal atá déanta as 'dír + beatha + tarraoil': tá an focal 'tarraoil' i bhfoclóir an Duinnínigh agus é aistrithe leis na focail *an account, a prophecy, a promise*. Mar léiriú air tugtar dréacht as '[an] U[lster] poem': 'gur léigh mé t. ar an maighre (ar) a dtráchtaim gur bhain sí an bláth de na rósaí, *I read an account of the maid I speak of which said she had excelled the roses*'.[25] Ní mhínítear sa *Láimhleabhar Siopadóireachta* cén míbhuntáiste a bhain le '-faisnéis' mar chuid de na focail 'beathaisnéis' agus 'dírbheathaisnéis', ná ní léirítear cén buntáiste a bhain le '-tarraoil'.

Fiú daoine a bhí sásta an focal 'beathaisnéis' a úsáid, bhí cuid acu ar a laghad nach raibh róchinnte faoin tslí ar chóir an focal a litriú. 'Beath-fhaisnéis' atá ag Risteard de Hae agus Brighid Ní Dhonnchadha sa bhliain 1938, mar shampla.[26]

Is léir, mar sin, nach raibh stádas ceart údarásach ag na téarmaí 'beathaisnéis' agus 'dírbheathaisnéis' go dtí gur chuir Tomás de

Bhaldraithe iad in *EID* a foilsíodh sa bhliain 1959. Ghlac Breandán Ó Doibhlin leo ina dhiaidh sin in *Litríocht agus Léitheoireacht* (Corcaigh 1973, 48, 52) agus rinne Niall Ó Domhnaill amhlaidh freisin in *FGB* a foilsíodh sa bhliain 1977. Chomh maith leis sin, chuir de Bhaldraithe agus Ó Domhnaill ina bhfoclóirí dhá shlabhra ghearra a bhfuil dhá fhocal an ceann iontu a díorthaíodh ón dá fhocal sin, mar atá, 'beathaisnéiseach, beathaisnéisí', agus 'dírbheathaisnéiseach, dírbheathaisnéisí', *(auto)biographical, -er*. Bhí sé de bhuntáistí ag baint leis na téarmaí sin, 'beathaisnéis' agus 'dírbheathaisnéis' go ndearna siad idirdhealú soiléir idir an dá chineál saothair, go bhféadfaí iad a úsáid le tagairt a dhéanamh don dá earnáil sin scríbhneoireachta nó do leabhar amháin de na saghasanna sin, agus go bhféadfaí iad féin agus an dá shlabhra a bunaíodh orthu a úsáid le timchaint a sheachaint sa tráchtaireacht ar na cineálacha sin saothair. Le glúin anuas tá glactha ar fad leis an téarmaíocht sin, agus is fánach an duine a bhacann lena mhalairt a úsáid, seachas Seán Ó Tuama a thug 'faisnéisí beatha' in áiteanna in aiste dá chuid ar shaothair ar thug sé 'dírbheathaisnéisí' orthu in áiteanna eile san aiste chéanna.[27]

Sa chás gur fíor go bhfuil glactha leis an téarmaíocht sin, agus sílim gur fíor, is cinnte go mbeadh Tomás de Bhaldraithe thar a bheith sásta. I réimse na téarmaíochta teicniúla nua-aimseartha, tar éis an raidhse téarmaí a bhí curtha ar fáil i gcásanna áirithe a léiriú sa réamhrá le *EID*, fógraíonn sé gur roghnaigh sé féin aon téarma amháin le freagairt do théarma Béarla (v-vi). Is léir freisin nach raibh mórán measa aige ar fhocail nua a cumadh nuair a bhí focal seanbhunaithe cheana féin i gcaint na Gaeltachta. I measc na gcúig shampla de na *unnecessary coinings* seo mar a thugann sé orthu (v), tá na trí cinn thosaigh 'ciabhdhealg', *hairpin* ('biorán gruaige' sa Ghaeltacht), 'tuailmeá', *spring-balance* ('ainsiléad' sa Ghaeltacht) agus 'forionar', *pull-over* ('geansaí' sa Ghaeltacht) le fáil i *Láimhleabhar Siopadóireachta* (26 agus 58, 7 agus 10, 51) Chomhdháil Náisiúnta na Gaeilge ar thagair mé dó anseo romham. Ní mé an áireodh de Bhaldraithe 'beathaisnéis' agus 'dírbheathaisnéis' ar na *new words which have gained wide currency and for which there are no equivalents in the traditional speech* ar ghlac sé leo (v). Is beag fianaise atá ann go raibh ceachtar den dá théarma sin á n-úsáid go forleathan roimh 1959. Os a choinne sin thall bhí séala údarásach an Choiste Téarmaíochta orthu le fada an lá.

Mar sin féin níl an téarma 'dírbheathaisnéis' sásúil, óir, faoi mar a dúirt mé cheana ní thugann an réimír 'dír-' an bhrí aisfhillteach amach. Níor glacadh sna nuafhoclóirí lena thuilleadh focal leis an réimír seo iontu chun an chiall sin a chur amach, fiú i gcásanna nuair nach bhfuil 'féin-' feiliúnach ach oiread, dar liom .i. nuair nach bhfuil ciall bhriathair leis an dara heilimint iontu: m.sh. 'féinchúiseach', 'féinghrá', 'féinlárnach', 'féinmheas', 'féinriail', 'féinsmacht', 'féinspéis'. Agus ar ndóigh, mura bhfuil an ceart agam agus go bhfuil brí leis na focail seo, is mó fós is cúis iontais é nár cuireadh 'féin-' chun fónaimh le *'féinbheathaisnéis' a dhéanamh. Fágann sé sin gur éan cuideáin ceart é an focal 'dírbheathaisnéis'.

Ón uair gur chuir an focal 'beathaisnéis' an bhrí a bhí ag teastáil amach go sásúil, faoi mar a luaigh mé cheana, níor mhór glacadh leis go raibh an chuid den fhocal 'dírbheathaisnéis' a bhí ag freagairt dó sin sásúil freisin, fad nach raibh aon idirdhealú foirmeálta á dhéanamh idir an dá chineál saothair. Le glúin anuas ar a laghad, áfach, tá idirdhealú mar sin go díreach á dhéanamh. Deir James Olney:

> It is a categorical error to imagine that an autobiography is the biography of the author. In spite of the common etymology of the words, biography and autobiography, as writing practices, are just about as different as they could well be. Hence, in writing about [Samuel] Beckett, Porter Abbott suggests, and wisely I believe, that we should speak of autography – self writing – rather than of autobiography, leaving out, as it were, the historical life, the bios.[28]

Agus ag trácht ar Fhaoistin Naomh Agaistín dóibh i 1966 cuireann Robert Scholes agus Robert Kellog i gcás nach bhfuil i ngnéithe den chuntas a thug an naomh ar a bheatha féin ach ficsean a chruthaigh sé le tuiscintí áirithe ina thaobh féin a áitiú le héifeacht:

> ... St. Augustine ... is using his own character in an exemplary fashion, for a moral purpose, and selects – perhaps even modifies and distorts – the events of his past life so as to serve the religious purpose that was his dominant motive in turning to the form of confessional narrative in the first place.[29]

Más ea, ní fheileann an tríú heilimint san fhocal 'dírbheathaisnéis' leis an mbrí a theastódh anois a chur amach, mar gur féidir nach 'faisnéis', sa chiall 'cuntas atá ina fhíorstair', atá sa saothar ach ficsean, chomh fada is a bhaineann le fíricí i dtaobh imeachtaí na beatha. Sílim, áfach, go raibh Olney ag dul thar fóir nuair a d'fhógair sé go gciallaíonn *bios 'historical life'*: Tá mórán bríonna leis an bhfocal, fiú 'beatha' sa chiall 'cuntas ar bheatha, beathaisnéis', ach ní gá go n-inseodh an focal aon rud faoi stairiúlacht an chuntais. Scríobh Plutarch 'beathaí' agus ní hí fírinne na staire an tréith is láidre iontu; agus tá taithí againn ar bheathaí na naomh sa Ghaeilge agus ar a laghad den fhírinne stairiúil atá ag roinnt leo. Bítear ag súil leis go mbíonn an beathaisnéisí nua-aimseartha ag iarraidh bheith dílis don stair, ach ní gá gurb amhlaidh a bheadh an scéal i gcás an dírbheathaisnéisí. I dtaca leis an eilimint *-graphy-*, toisc gur leis an scríobh seachas le hábhar na scríbhinne a bhaineann an eilimint sin, is féidir glacadh leis go bhfuil an focal Béarla *autobiography* neodrach i dtaca le stairiúlacht an chuntais de ar shlí nach bhfuil an focal Gaeilge 'dírbheathaisnéis' ina bhfuil an eilimint '-faisnéis' ag fógairt dílseacht an chuntais.

Ón uair gur traslitriú ar eilimintí atá bunaithe ar *auto, bios* agus *graphía* na Gréigise a úsáideadh le *autobiography* an Bhéarla, *autobiographie* na Fraincise is na Gearmáinise agus *autobiografia* na hIodáilise agus autobiografía na Spáinnise a chumadh, is é an trua é nár féachadh leis an rud céanna a dhéanamh i gcás na Gaeilge.[30] Tá fianaise ar na heilimintí ar fad a bheith á gcur chun fónaimh ag foclóirithe na Gaeilge. An chéad eilimint *auto-*, tá sé le fáil mar 'áta-' san ainmfhocal 'átagraf' in *EID*, s.v. *autograph*, sa bhriathar 'átagrafaim' agus san aidiacht 'átagrafach'. Tá 'bith-' coitianta go maith mar réimír agus é ag freagairt do *bio-* (féach *FGB*, 111-2), agus tá 'graf[-]' coitianta mar fhocal as féin agus mar réimír agus é ag freagairt do *graph* (féach *FGB*, 663, *s.v.* 'graf 1, 2' [ainmfhocal agus briathar], 'grafnóir', 'grafnóireacht', 'grafpháipéar'), agus mar iarmhír freisin (m.sh. 'átagraf' in *EID*; 'fónagraf', 'grianghraf', 'hidreagraf','holagraf' in *FGB*), faoi mar atá '-grafacht', '-grafaíocht' agus iad ag freagairt do *-graphy* (m.sh. 'fónagrafacht'; 'geografaíocht', 'hidreagrafaíocht').[31] Thabharfadh sé sin 'átabhithghrafacht' nó 'átabhithghrafaíocht' ar *autobiography* agus d'fhéadfaí 'átabhithghrafaí' (*autobiographer*) agus 'átabhithghrafach /átabhithghrafaíoch' (*autobiographic[al]*) a bhunú ar cheachtar acu sin. Dá gceapfaí go gcaithfí 'átabhithghrafacht/átabhithghrafaíocht' a choinneáil le haghaidh an chineál áirithe seo scríbhneoireachta agus gur ghá focal eile a sholáthar le haghaidh leabhair den chineál sin, d'fhéadfaí 'átabhithghrafadh' a thabhairt ar an leabhar. (D'fhéadfaí 'bithghrafacht/ bithghrafaíocht' *etc*. a chumadh freisin).[32]

Bheadh sé de bhuntáiste aige sin go mbeadh an focal Gaeilge 'átabhithghrafacht/átabhithghrafaíocht' (agus na focail ghaolmhara) ag teacht leis na focail Bhéarla, Fhraincise, Ghearmáinise, Iodáilise is Spáinnise maidir le bunús. Chomh maith leis sin ní bheadh úsáid á baint as an réimír 'dír-' a fhágann go bhfuil an focal 'dírbheathaisnéis' agus a ghaolta ina gcadhain aonraice i bhfoclóirí na Gaeilge. Ach thar aon ní eile, bheadh na focail úd neodrach maidir le stairiúlacht an ábhair i saothair den chineál sin, rud a d'fhágfadh go bhfeilfidís leis an nuabhrí a chur amach. Is dócha, áfach, gur ag iarraidh gad a chur ar ghaineamh atáim agus mé ag moladh go gcuirfí na focail sin in úsáid feasta in áit na bhfocal seanbhunaithe.

1 'Aspects of Autobiography in Modern Irish', R. Black, W. Gillies agus R. Ó Maolalaigh, eag., *Celtic Connections, Proceedings of the Tenth International Congress of Celtic Studies*, I, Phantasie 1999, 361-76.

2 Beidh mé ag plé anseo le téarmaí is féidir a úsáid chun tuiscint i dtaobh nádúr na hearnála seo i gcoitinne a nochtadh, seachas le teidil leabhar a fhéachann le hábhar an leabhair ar leith a chur amach, m.sh., *An tOileánach, Peig, Fiche Blian ag Fás, Nuair a Bhí Mé Óg, Saol Corrach, Mo Bhealach Féin, Rotha Mór an tSaoil, Mise, Lá dár Saol.*

3 Tiocfaidh Rousseau i láthair Dé, Breitheamh Lá an Luain, agus déarfaidh (*Les Confessions*, Paris 1964, 4): *...voilà ce que j'ai fait, ce que j'ai pensé, ce que je fus ... Je me suis montré tel que je fus, méprisable et vil quand je l'ai été, bon, généreux, sublime, quand je l'ai été: j'ai dévoilé mon intérieur tel que tu l'as vu toi-même.*

4 Féach *Oxford English Dictionary, svv.* self-biography, autobiography.

5 J. H. Buckley, *The Turning Key*, Cambridge Mass. 1984, 19.

6 A. O. J. Cockshut, *The Art of Autobiography*, New Haven 1984, 3.

7 *OED*, svv.

8 An focal 'bith' (< 'bioth') atá mar chéad eilimint aige sna focail 'bith-eólach' (*biological*) agus 'bith-eólas' (*biology*), áfach.

9 D. Breathnach agus Máire Ní Mhurchú, *Beathaisnéis A Cúig*, Baile Átha Cliath 1997, 36-7. Níl ach 11 leathanach sa chuntas dírbheathaisnéise a thug Ua Curnáin air féin.

10 Nuair a cuireadh eagrán scoile den leabhar amach (uair éigin i ndiaidh 1945, dar le Máire Ní Mhainnín agus L. P. Ó Murchú, eag., *Peig, A Scéal Féin*, An Daingean 1998, 186) is í an ghluais a cuireadh leis an teideal 'tuairisc do scríobh Peig Sayers ar imeachta a beatha féin'.

11 Féach N. Ó Dónaill, eag., *Nuair a Bhí Mé Óg*, Corcaigh 1979, 224, agus N. Ó Dónaill, eag., *Saol Corrach*, Corcaigh 1981, 38, 87. Níl aon amhras orm ach gurb é an t-éileamh ar an dúchas faoi deara don Ghriannach é seo a dhéanamh, ach sílim go raibh fógra á thabhairt aige freisin nár cheart glacadh leis go raibh an cuntas a bhí á thabhairt aige ar imeachtaí a bheatha agus na tuiscintí i dtaobh a phearsantachta féin dílis ar fad don stair.

12 *s.v.* biographer, -phy.

13 P. S. Dinneen, *Foclóir Gaedhilge agus Béarla*, Dublin (1904), 1927, *s.v.*

14 In *Taighde i gComhair Stair Litridheachta na Nua-Ghaedhilge* ó 1882 anuas, Baile Átha Cliath 1937, 151-2, d'úsáid Muiris Ó Droighneáin an focal 'beatha' le tagairt a dhéanamh do bheathaisnéisí agus do dhírbheathaisnéisí, an dá chuid le chéile. Maidir le *biographer* agus *autobiographer* (siúd is go bhfuil an dara focal acu ar iarraidh de bharr botúin eagarthóireachta) is le frásaí a aistríonn Mc Cionnaith iad: 'an té a scríobh a bheatha' agus 'do scríobhas mo bh[eatha]'.

15 Is comhchiallach iad na trí fhocal sin aige.

16 Tá guagacht mhór ag baint leis an aitheantas a thugtar do 'féin-' mar

réimír sa chiall aisfhillteach sna nuafhoclóirí, rud a thabharfadh le fios nach raibh na foclóirithe sásta/cinnte ar fad i dtaobh a úsáide. Níl aon fhocal ag an Duinníneach a bhfuil an réimír 'féin-' ann agus níl ach fíorbheagán acu ag Mc Cionnaith: 'féinshmacht' *s.v.* self-control, 'féinriaghalach', *s.vv.* autonomous, self-governing. In *EID* (1959) dhiúltaigh Tomás de Bhaldraithe don chéad cheann, ach ghlac sé le leagan den dara ceann: 'féinrialaitheach' *s.v.* self-governing (agus féach *autonomy*, 'féinriail, neamhspleáchas', ach *autonomous*, 'neamhspleách' amháin; agus *self-government*, 'féinrialtas'), ach níl ach beagán focal aige leis an réimír sin, seachas cinn ar ciall bhriathardha atá leis an dara heilimint iontu (féach, áfach, 'féinrialtas', 'féinleas' *s.v.* self-interest, 'féinghrá, féinspéis' *s.v.* self-love, 'féinphortráid' *s.v.* self-portrait). In *FGB* (1977) ghlac Niall Ó Dónaill le go leor dá raibh ag de Bhaldraithe, ach dhiúltaigh sé do 'féinphortráid' agus 'féinleas' (ach tá aidiacht, 'féinchúiseach', *self-interested*, ag Ó Dónaill), agus fiú do 'féinmholadh', atá ag de Bhaldraithe, *s.v.* self-praise, agus ghlac sé le 'féinsmacht' (*self-control*) a bhí ag Mc Cionnaith ach nach raibh ag de Bhaldraithe, agus chuir ceann nó dhó isteach nach raibh ag Mc Cionnaith ná ag de Bhaldraithe, 'féinchothaitheach', *self-feeding*, 'féinléiriú', *self-expression*. Tá tuilleadh focal a bhfuil an réimír 'féin-' iontu i bhfoclóirí a foilsíodh le deireanas, m.sh. *The Oxford Irish Minidictionary* (eag., B. Ó Cróinín, Oxford 1999): 'féinmhuinín' *self-confidence*, 'féinmheas' *s.vv.* self-respect (ach níl 'féinmheas' sa chuid Gaeilge-Béarla den fhoclóir), 'féinseirbhís' self-service, 'féintrua' self-pity. Is í an réimír 'uath-' a thugann de Bhaldraithe, Ó Dónaill *etc.* le haghaidh *auto-* sa chiall *spontaneous*.

17 Bhí an focal *bio-graphia* sa Ghréigis chlasaiceach féin, ar ndóigh.

18 *Op. cit.*, 141.

19 Tá mé buíoch de bhaill an Choiste, go háirithe de Cholm Breatnach is de Fhidelma Ní Ghallchóir, a chuartaigh eolas ina thaobh seo dom. Tá focail go leor sna nuafhoclóirí a bhfuil an eilimint 'dír-' mar réimír iontu ach nach mbaineann le hábhar anseo mar gur ar an aidiacht 'díreach' atá an eilimint sin bunaithe. Féach *FGB*, 'dírléamh' *direct reading*, 'dírshuite' *direct mounted* agus 'dírthiomáint' *direct drive*; agus *Téarmaí Ríomhaireachta*, Baile Átha Cliath 1990, 'dírchód' *direct code*, 'dírchúpláil' *direct coupling*, 'díriontráil sonraí' *direct data entry, etc.*

20 *We have availed ourselves of the efforts made by the Department of Education and the Dáil Translation Committee to provide Irish equivalents for [modern] words ... Four booklets dealing with History and Geography, Music, Grammar and Literature, and Science have been published by the Department of Education* (v); agus in 'List of sources' (xx): T: *Terms published by Department of Education (Foclóir staire, Téarmaí gramadaighe, &c., Téarmaí eoluigheachta, Téarmaí ceoil).*

21 Níl dáta foilsithe ar an leabhar féin, ach is é 1960 a luaitear mar dháta foilsithe dó i gclár na leabhar i Leabharlann Náisiúnta na hÉireann, agus

tá dátaí éagsúla sa bhliain sin stampáilte ar an gcóip den leabhar atá sa leabharlann sin.

22 Caibidil I: Cuimhntí; Caibidil III: Cuimhntí m'óige.

23 Níl aon dáta foilsithe tugtha sa leabhar féin. Tá an dáta 17 Iúil, 1938, leis an 'focal tosaigh' a scríobh Seán Ó Siadhail don leabhar (lch 6) agus an dáta 1 Iúil, 1938 le 'Réamhrádh' Liam Uí Chonnacháin (lch 9), an té a chuir ábhar an leabhair síos i scríbhinn. Tá an dáta 3 Deireadh Fómhair, 1938, stampáilte ar an gcóip den leabhar atá i Leabharlann Náisiúnta na hÉireann, agus is é 1938 an dáta foilsithe a luaitear leis i gclár ríomhaireachta na leabhar i Leabharlann Choláiste na Tríonóide.

24 Lch 29. Níl aon dáta foilsithe ar an leabhrán seo. Tá fógra gnó ann (lch 52), áfach, ina luaitear an dáta 1947 ar shlí a thugann le tuiscint gur sa bhliain sin nó ina dhiaidh sin a foilsíodh an leabhar. Tá mé buíoch de Chaoilfhionn Nic Pháidín as ucht an leabhrán seo a chur ar mo shúile dom agus as ucht cóip de a dhéanamh dom.

25 Tugtar '-ruighil, -raighil, tárr-' mar mhalairtí, agus luaitear 'tairghille' agus 'tarail' leis an bhfoirm freisin. Níl aon fhianaise shásúil ar na foirmeacha sin in *DIL*, ach féach 'tairgille', *security* < ? 'do-airgella' agus 'tairgiallach', *prophetic* < ? 'do-airgella'.

26 *Clár Litridheacht na Nua-Ghaedhilge 1850-1936*, I. Na Leabhra, Baile Átha Cliath 1938, vi. Tá idir bheathaisnéisí agus dírbheathaisnéisí i gceist acu leis an bhfocal 'beath-fhaisnéisí'.

27 'Úrscéalta agus Faisnéisí Beatha na Gaeilge: na Buaicphointí', *Scríobh 5*, eag. S. Ó Mórdha, Baile Átha Cliath 1981, 148-60; 148, 152-7.

28 'On the Nature of Autobiography', J. Noonan, eag., *Biography and Autobiography*, Ottawa 1993, 109-121; 113. Siúd is gur faoi anáil Roland Barthes agus a leabhar *Roland Barthes par Roland Barthes* (Paris 1975) a d'éirigh an tuiscint nua faiseanta, maíonn Olney go raibh scríbhneoirí Angla-Éireannacha dála George Moore, W. B. Yeats, Oliver St. John Gogarty, Seán O'Casey, agus Samuel Beckett tar éis na nua-thuiscintí faoi fhicseanúlacht na dírbheathaisnéise a chur chun fónaimh ina gcuid scríbhinní féin, i bhfad sular éirigh siad faiseanta.

29 *The Nature of Narrative*, Oxford [1966] 1968, 168.

30 Bheadh sé sin ag teacht leis an gcur chuige le haghaidh na téarmaíochta teicniúla a mhol an fisiceoir Ostaireach, Erwin Schrödinger, d'Éamon de Valera sa bhliain 1943. Siúd is gur mhol sé go bpléifí le gach téarma nua ar leith as féin agus go mbunófaí téarmaí nua ar fhoinsí dúchais oiread agus ab fhéidir, mhol sé freisin 'go nglacfaí leis an téarma idirnáisiúnta dá mb'amhlaidh gurbh é a bhí in úsáid i dtrí cinn de na ceithre theanga seo: Gearmáinis, Fraincis, Spáinnis agus Iodáilis.' (S. Ó Riain, *Pleanáil Teanga in Éirinn 1919-1985*, Baile Átha Cliath 1994, 78-9).

31 Is dócha gur faoi thionchar na bhfocal 'grafadóir' agus 'grafadóireacht' (*grubber, hoer; grubbing, hoeing*) a cumadh na focail 'grianghrafadóir' agus 'grianghrafadóireacht'.

[32] (a) Maidir le litriú na bhfocal sin i dtaca le túschonsan an dara is an tríú heilimint den chomhfhocal a shéimhiú agus le húsáid an fhleiscín de, sílim gur ceart na túschonsain sin a shéimhiú mar nach bhfuil dhá eilimint iasachta ag teacht i ndiaidh a chéile i gceachtar den dá chás, agus sílim gur féidir gan an fleiscín a úsáid idir an dá réimír mar nach gá é sin a dhéanamh i gcónaí (féach 'bithchlíomeolaíocht', 'teileafótagrafaíocht' *etc.* in *FGB*). Gheofar na rialacha a bhaineann le hábhar in *Gramadach na Gaeilge agus Litriú na Gaeilge: an Caighdeán Oifigiúil*, Baile Átha Cliath 1958, 122, 125.

(b) D'fhéadfaí an t-ainmfhocal 'beo' a úsáid in áit 'bith' ag freagairt do *bio*, ach tá an míbhuntáiste a bhainfeadh leis sin luaite cheana féin agam agus 'beó-eachdaire(acht)' Edward O'Reilly á phlé agam (307).

an timpeallacht trí shúile an chreidimh

feithidí agus an slánaitheoir

PÁDRAIG Ó HÉALAÍ

I

Móitíf lárnach i scéalta mínithe is ea gníomhaíocht laoich chultúrtha a bheith á lua mar bhunús le pé feiniméan a bhfuil aird á díriú air. Gnéithe den dúlra, nósanna, tréithe ainmhithe nó tréithe daonna a bhíonn i gceist sna scéalta seo, agus i mbéaloideas na hÉireann luaitear pearsana éagsúla mar údair leo, ina measc Fionn mac Cumhaill, An Chailleach Bhéarra, an Mhaighdean Mhuire, Pádraig, Bríd, agus Colm Cille. Is é an Slánaitheoir, áfach, an laoch cultúrtha is minice ar fad a luaitear iontu, rud ar ndóigh, a léiríonn seasamh na naomhphearsan sin in aigne an phobail. I bhformhór mór na scéalta seo ní gníomh cruthaitheach bunaidh a bhíonn i gceist ach athchóiriú ar ghnéithe den timpeallacht agus is cosúil gur pátrún forleathan i dtraidisiúin éagsúla scéalaíochta é athchóiriú den chineál seo a bheith á lua le laochra cultúrtha eile seachas leis an gcruthaitheoir féin:

> One remarkable thing about origin legends of this kind in countries dominated for millenia by the great historic religions is how few of them ascribe animal changes to the direct act of God.[1]

Tá claonadh aitheanta sa scéalaíocht eachtraí a nascadh le mórócáidí i mbeatha an laoich agus go sonrach, lena shaolú, lena theacht in inmhe agus lena bhás.[2] I gcás eachtraí faoin Slánaitheoir bhí cúis faoi leith go ndéanfaí amhlaidh, mar atá, an tábhacht bhunúsach a bhí leis na hócáidí sin sa chreideamh Críostaí inar tuigeadh gur chruthúnas ar chúram Dé i leith an chine dhaonna teacht Chríost isteach sa saol, gur le linn a bheatha phoiblí a léirigh sé a theagasc agus gur chuir a bhás slánú ar fáil don duine. Léirítear agus buanaítear tábhacht na n-imeachtaí sin i scéalta mínithe ina ndírítear aird ar fheiniméin a leanann fós díobh iarsmaí dá dteagmháil leis an Slánaitheoir.

Tá le tuiscint ó fhianaise na scéalta seo gur mó a chuaigh naíonacht agus páis Chríost i bhfeidhm ar an traidisiún béil ná an bheatha phoiblí mar gur minice go mór na feiniméin a luaitear sna scéalta á nascadh leis an naíonacht agus leis an bpáis ná leis an mbeatha phoiblí. Is é an teitheadh chun na hÉigipte seachas an stábla i mBeithil, an suíomh is coitianta a bhíonn i gceist i scéalta bainteach leis an naíonacht. Ar ndóigh, bhain drámatúlacht mhór leis an teitheadh – bás bagartha ar an naíonán beannaithe, rabhadh i mbrionglóid ó aingeal, éalú oíche agus taisteal i ndúiche choimhthíoch – nithe a d'fhág gur ithir tharraingteach eachtraíochta é. Is é an teitheadh is suíomh do roinnt mhaith eachtraí sna scríbhinní apacrafúla freisin agus is cinnte go raibh anáil láidir acu seo ar bhéaloideas na bpobal Críostaí.[3]

Leagtar béim faoi leith ar bhaint Chríost leis an bhfarraige i scéalta mínithe a shuítear sa bheatha phoiblí – luaitear marcanna ar éisc éagsúla (an chadóg go háirithe) le lorg a mhéar orthu;[4] deirtear gur as a fhéasóg a cruthaíodh an scadán agus ar an gcúis sin gurb é an t-iasc is glaine san fharraige é agus nach dtógtar le baoite é;[5] luaitear míorúilt na mbuilíní agus na n-iasc mar bhunús le bradán na beatha sa duine,[6] agus mínítear go bhfuil faitíos sa duine ón uair a scanraigh Peadar agus é ag siúl ar an uisce ar ordú Chríost.[7]

I scéalta a bhaineann le comhthéacs na páise, is minic Críost á léiriú mar theifeach aonaránach agus a naimhde sa tóir air. Tá anáil na páise chomh láidir ar scéalta mínithe ina luaitear an Slánaitheoir go suítear sa chomhthéacs sin roinnt eachtraí a bhaineann ó cheart leis an teitheadh chun na hÉigipte. Léiriú air seo is ea scéal an fhómhair mhíorúiltigh dá dtagrófar thíos: cé gurb é an teitheadh is suíomh dó go leanúnach sa litríocht agus san ealaín ó dheireadh na Meánaoise, is gnách gur mar theifeach fásta a chuirtear Críost i láthair ann i mbéaloideas na tíre seo. Tá an claonadh céanna i mbéaloideas Ghaeilge na hAlban, scéalta ó naíonacht Chríost a shuíomh i gcomhthéacs na páise.[8]

II

Dírítear anseo ar réimse teoranta de na scéalta mínithe i mbéaloideas na tíre seo arb é Críost an naomhphearsa is coitianta iontu, mar atá, iad seo a thráchtann ar a theagmháil le feithidí.[9]

AN BHEACH

Tá an traidisiún in áiteanna san Eoraip gurb í an bheach an t-aon chréatúr a tháinig díreach ó Ghairdín Pharthais isteach sa saol seo ach sa bhéaloideas ina lán dúichí is minic freisin bunús na mbeach á nascadh leis an Slánaitheoir agus go háirithe leis an gcéasadh.[10] I ndúichí éagsúla deirtear gur dhein beacha de phísín adhmaid a chaith an Slánaitheoir, nó gur eascair siad ó chruimh a chuir sé i gcuasán crainn, nó gur óna cholainn nó óna chuid fola agus é ar an gcros, a tháinig ann dóibh.[11] Sa traidisiún béil abhus, deir tuairisc ó Cho. Chiarraí gur tháinig siad amach as uaigh an tSlánaitheora nuair a d'oscail Muire í,[12] agus deir tuairisc eile ó Cho. Mhaigh Eo gur ó dheora Chríost a tháinig siad:

> Deir siad, nuair a bhí na hIúdaigh ag céasadh ár Slánaitheoir, na deora a bhí ag titim óna shúile go raibh siad ag iompó isteach ina meacha agus ag imeacht leo san aer agus gurb shin é an chaoi a dtáinig na meacha ar an tsaol i dtosach.[13]

Luaitear deora Chríost ag an gcéasadh mar bhunús le beacha i mbéaloideas dúichí eile leis, ina measc an Bhriotáin agus an Chatalóin, agus sa mhiotaseolaíocht Éigipteach deirtear gur as deora an dé, Ra, a tháinig ann dóibh.[14] Tá sé sa bhéaloideas abhus freisin gur as gearba Iób a tháinig na beacha,[15] agus de réir an naomhsheanchais ba é Modomnoc a thug beacha go hÉirinn.[16]

Tá tuairisc ar bhunús chealg na beiche i leagan de scéal a bhfuil fianaise air i mbéaloideas Chonnacht agus na Mumhan, go háirithe. Instear sa scéal seo conas a thug an Slánaitheoir solaoid do Pheadar go bhfeidhmíonn Dia cóir nuair a bháitear lán loinge mar gheall ar aon pheacach amháin: d'iarr sé ar Pheadar saithe beach a iompar ina lámha agus nuair a chuir beach díobh cealg ann, bhrúigh sé ar a chéile an t-iomlán acu agus mharaigh iad.[17] Tá dáileadh idirnáisiúnta ar an scéal seo a shonraítear mar AT 774K, *Peter Stung by Bees*,[18] agus dhírigh Seán Ó Súilleabháin aird ar bhunfhoinse na heachtra i bhfabhalscéalta Babrius.[19] Luaitear Colm Cille mar naomhphearsa an scéil i roinnt leaganacha Éireannacha, ina measc, an léiriú is sine ar an scéal sa Ghaeilge, in *Betha Colaim Chille* Mhaghnuis Uí Dhomhnaill, agus is é Pádraig an naomhphearsa i roinnt leaganacha eile.[20]

Tá sé áitithe gur scéal é seo a léirigh Peadar ag déanamh gnó Dé ar feadh lae, agus gur thaispeánadh é nach raibh sé de chumas sa duine feidhmiú go cóir sa ról sin.[21] Is cinnte go mbeadh an teagasc sin i bhfad níos inghlactha ó thaobh na diagachta ná an teagasc atá á chur chun cinn sa scéal mar atá sé .i. go n-agraítear mí-iompar an pheacaigh ar dhaoine neamhchiontacha, ach ní foláir a rá nach dtagann an mhóitíf a shonraítear mar L 423 *Peter acts as God for a day, tires of bargain,* chun soiléire in aon leagan den scéal sa bhéaloideas abhus.[22]

Tá sé ráite i leagan den scéal ó Cho. na Gaillimhe gur de bharr na solaoide seo a thug Críost do Pheadar atá ga riamh ó shin sa bheach:

> Bhí Naomh Peadar agus Dia lá ag siúl in aice na farraige lena chéile agus bhí Dia ag inseacht do Naomh Peadar cén chaoi a imeodh sé ag teagasc na ndaoine agus cén chaoi is fearr leis an creideamh a mhúineadh dóibh agus rudaí mar sin. Chonaic said long amach uathu sa bhfarraige mhór agus dúirt ár dTiarna le Naomh Peadar go raibh duine amháin sa

long sin a bhí ag cur an-phian air agus go raibh sé ag ceapadh an long a bhá mar gheall air sin agus í a chur go tóin na farraige móire.

'Is aisteach an rud duit an long a bhá ar fad mar gheall ar dhuine amháin', a deir Naomh Peadar leis.

'Bhuel,' a deir Dia, 'b'fhéidir gur agatsa is fearr atá fios, ach feicfimid,' a deir sé.

Bhí go leor míoltógaí ina luí thart orthu chuile áit, sna feochadáin agus ar na sceacha.

'Féach,' a deir ár dTiarna, 'an bhfeiceann tú na míoltógaí sin ansin thall, beir ar lán glaice acu agus tabhair anall anseo chugam iad, agus seachain an ngortóidh tú aon cheann acu.'

Chuaigh Naomh Peadar agus rug sé orthu go deas agus bhí sé á gcur isteach ina ghlaic ó lámh amháin agus greim deas bog aige orthu le faitíos go ngortódh sé aon cheann acu. Bhí sé ag tíocht anall ansin agus chuir ceann acu ga ann agus d'fháisc sé orthu nó gur mharaigh sé chuile cheann amháin acu.

Dúirt ár dTiarna leis ansin iad a thaispeáint dó agus nuair d'oscail sé a ghlaic, bhí siad ar fad marbh aige.

'Cén fáth,' a deir ár dTiarna, 'ar mharaigh tú ar fad iad? Nár dhúirt mé leat iad a thabhairt ar fad slán chugam?'

'Chuir ceann acu ga ionam,' a deir Naomh Peadar leis, 'agus d'fháisc mé mo lámh orthu agus mharaigh mé ar fad mar sin iad.'

'*Well,*' a deir ár dTiarna leis, 'is é an chaoi chéanna atá sé leis an long agus an drochdhuine atá ann agus caithfidh mise an long ar fad a bhá mar gheall ar an duine sin.'

'Déan mar is toil leat, a Thiarna,' a deir Naomh Peadar.

Tá ga sna meachain riamh ó shin agus sin é an chaoi a dtáinig an ga iontu.[23]

DEARGADAOL, CIARÓG, PRIOMPALLÁN

Is é an scéal a mhíníonn go bhfuil an deargadaol mallaithe toisc gur sceith sé ar an Slánaitheoir agus an priompallán beannaithe toisc gur chosain sé é, an scéal is coitianta i mbéaloideas na tíre seo a thráchtann ar theagmháil an tSlánaitheora le feithidí.[24] Uaireanta sa scéal seo bíonn an chiaróg i ról na feithide fealltaí (ina haonar nó ag tacú leis an deargadaol), ach uaireanta eile léirítear í i ról na feithide cúntaí. Cé gur pátrún coitianta i scéalta mínithe i dtraidisiúin éagsúla é an struchtúr codarsnach a léirítear sa scéal seo, a bhfuil móitífeanna mar A 2221.5 *Animal blessed for helping holy fugitive*, agus A2231.7.1 *Animal cursed for betraying holy fugitive*, lárnach ann, dhealródh gur eachtra a bhaineann go dílis le traidisiún na Gaeilge é an scéal faoin deargadaol agus an priompallán mar nach léir fianaise air ach i mbéaloideas na tíre seo agus i dtraidisiún Gaelach na hAlban.[25] Tá sé gaolmhar, áfach, le tíopaí aitheanta idirnáisiúnta sa mhéid gur gnách caint á lua ann leis an deargadaol agus na feithidí eile.[26] 'Inné, inné' de ghnáth a chuirtear i mbéal an deargadaoil; 'géar, géar' caint na ciaróige go minic agus í i ról naimhdeach, agus luaitear leaganacha éagsúla mar 'amú, amú' nó 'bó, bó, loscadh agus dó', nó 'éitheach, éitheach' leis an bpriompallán (nó leis an gciaróg i ról cúntach). I mbéaloideas tíortha eile freisin luaitear nathanna cainte le hainmhithe, le héin agus le plandaí i scéalta ina léirítear iad i ról cúntach nó naimhdeach i leith an tSlánaitheora nó Mhuire.[27] In ainneoin go bhfuil brath na feithide luaite leis an teitheadh chun na hÉigipte in innéacs Baughman, is mar theifeach fásta is gnáthaí a léirítear an Slánaitheoir sa scéal seo agus is i gcómhthéacs na páise is gnáthaí an eachtra a shuíomh.[28]

Tá insint ar bhrath na feithide nach dtagann leis an ngnáthmhúnla i roinnt leaganacha. Tá anáil scéalta eile le sonrú ar chuid díobh sa mhéid nach lena cuid cainte a sceitheann an fheithid ar an Slánaitheoir ach trína lorg a nochtadh – gníomh is gnách á lua le hainmhithe mallaithe eile i scéalta den chineál seo.[29] I gcúpla leagan is í an Mhaighdean Mhuire (agus uaireanta Bríd ina cuideachta) nó Pádraig, an teifeach ar a sceitheann an fheithid, agus i leagan eile is puch atá i ról na drochfheithide.[30]

Níos minice ná a mhalairt, nasctar brath na feithide le finscéal eile a thuairiscíonn conas mar d'aibigh gort arbhair go míorúilteach chun dallamullóg a chur orthu siúd a bhí sa tóir ar Chríost.[31] Tá fáil go forleathan ar an bhfinscéal seo i mbéaloideas na hEorpa, agus tarlaíonn uaireanta freisin i ndúichí eile go nasctar scéal mínithe leis ina léirítear ainmhithe, éin nó plandaí i ról cosantach nó naimhdeach i leith an tSlánaitheora.[32] Is léir ó fhianaise na litríochta agus na healaíne, go raibh eolas ar fhinscéal an fhómhair mhíorúiltigh i ndúichí Eorpacha ag deireadh na Meánaoise.[33] Bhí Kenneth Jackson den tuairim go bhféadfadh gur scéal é seo a tháinig ó scríbhinn chaillte apacrafúil agus go raibh tábhacht faoi leith leis an traidisiún Ceilteach maidir lena chaomhnú ó tharla insintí luatha air i ndán Breatnaise i Leabhar Dubh Chaerfyrddin agus sa dán Gaeilge dár tús *Fuigheall beannacht brú Mhuire*.[34] Tá léirithe ag Andrew Breeze, áfach, gur dóichí ná a mhalairt gur scéal Francach ó thús é, agus gur ar an traidisiún Francach a bunaíodh an scéal sna dánta sin.[35]

Seo síos leagan ó Cho. na Gaillimhe de scéal bhrath na feithide nasctha le scéal an fhómhair mhíorúiltigh:

> Nuair a bhí Mac Dé ar a theitheadh, tharla go ndeachaigh sé trí lorg agus iad a dhul ag cur choirce ann. Nuair a bhí sé a dhul tríd an lorg, dúirt sé leis an bhfeilméara a rá le duine ar bith a d'fhiafródh de an ndeachaigh sé an bealach, a rá leo go ndeachaigh sé an bealach nuair a bhí an síol á chur.
>
> Lá arna mhárach chuaigh an feilméara amach le haghaidh maide préacháin a chur sa ngarraí, i gcruth nach dtiocfadh na h-éanacha ná na préacháin ag piocadh an choirce as an talamh, agus níorbh iontaí leis an sneachta dearg ná an coirce a fheiceáil fásta suas agus é in am a bhainte.
>
> Chruinnigh an feilméara meitheal agus chuadar in

> éadan an choirce. Ní raibh thar stuca an duine bainte acu nuair a chonacadar na spiadóirí ag tíocht agus bhí sé curtha suas ag an bhfeilméara leis na fir, céard a déarfaidís dá gcuirtí an cheist orthu. Tháinig na spiadóirí san áit a rabhadar agus d'fhiafraigh siad dóibh an bhfaca siad Íosa a dhul thart agus dúirt siad san go ndeachaigh sé thart nuair a bhíodar ag cur an choirce.
>
> Ní raibh ann ach go raibh an focal as a mbéal nuair a chuir deargadaol a cheann aníos as poll agus gur dhúirt sé: 'Inné, inné', agus an chiaróg í féin deir sí: 'Géar, géar, géar', ar sise, á rá leo dá ngéarfaidís ar a gcois go dtiocfaidís suas leis. 'Ó, bruith is dó is loscadh oraibh', arsa an priompallán ionas nach dtuigfeadh na spiadóirí an chiaróg ná an deargadaol.
>
> Ón lá sin go dtí an lá inniu ann, níl aon mheas ar an deargadaol ná ar an gciaróg ach níltear mar sin leis an bpriompallán, tá meas air.[36]

Is éasca le scéalta gaolmhara anáil a imirt ar a chéile sa traidisiún béil agus dá chomhartha sin, nasctar brath na feithide uaireanta le scéalta eile faoi chréatúir naimhdeacha agus chúntacha i leith an tSlánaitheora. Tarlaíonn an táthú seo le scéal a mhíníonn tréithe de chuid na cránach agus na circe – an éascaíocht lena mbeireann cráin bainbh (toisc gur chlúdaigh sí ar an áit a raibh an Slánaitheoir i bhfolach) agus an dua a bhíonn ar an gcearc i mbreith na n-ubh (toisc go raibh sí ag scríobadh na háite sin).[37] Nasctar brath na feithide freisin le scéal a mhíníonn go bhfuil caipín nó lann (*operculum*) ar an bhfaocha ón uair a bhí naomhphearsa i bhfolach ann,[38] agus le scéal a mhíníonn go bhfuil an ghlasóg mallaithe toisc gur sceith sí ar an Slánaitheoir ach go bhfuil an spideog beannaithe agus a brollach dearg ó theagmhaigh sí lena fhuil agus í á chosaint.[39] Nasctar leis é le scéal a thuairiscíonn gur cuireadh mallacht na fánaíochta ar lucht ceirde áirithe de bharr a ndrochiompair i leith an tSlánaitheora,[40] agus le scéal eile a mhíníonn an chúis ar ceart crann

Bealtaine a chur suas go féiltiúil (toisc gur chosain sé an Teaghlach Naofa ar a naimhde).[41] Luaitear an eachtra freisin mar bhunús le tréithe fisiciúla na feithide (*cf.* A2231 *Animal characteristics as punishment for impiety*). Deirtear gur de bharr na heachtra seo a tháinig dath ciardhubh ar an deargadaol agus gur baineadh de an dath craorag a bhí air roimhe sin, agus fós, gur bhuail duine de na buanaithe lena chorrán é agus go bhfuil gearradh ina dhroim riamh ó shin.[42] Deirtear i gcúpla leagan gur de bharr bhrath na feithide a chaill an deargadaol nó an chiaróg an chaint a bhí acu go dtí sin, agus go mbíonn a gceann cromtha i dtreo na talún acu;[43] i leagan Albanach deirtear gur dá bharr a chaill an deargadaol a shúile.[44]

Nasctar an boladh úll a luaitear uaireanta leis an deargadaol le scéal bhrath na feithide i leagan a mhíníonn go bhfuil an boladh áirithe sin uaidh 'mar nuair adubhairt sé "indé, indé!" bhí ubhall 'na láimh ag an bhfeirmeoir, agus chaith sé leis an deargadaol é.'[45] Bhí sé ráite go leanfadh boladh úll do mhéar lena ndéanfaí fíor na croise ar dhroim an deargadaoil,[46] agus míníonn leaganacha eile go raibh an boladh sin ón deargadaol toisc go raibh sé i bhfolach i gcarn úll nuair a dhein sé an brath.[47] Tugtar mínithe eile freisin ar an mboladh seo a bheith ón bhfeithid, mar atá, gurbh í an chéad chruimh í a chuaigh in Úll na hAithne i nGairdín Pharthais nó i gcorp Chríost san uaigh.[48] Dírítear aird ar dhúil an deargadaoil in úlla san ainm *snatch apple* a thugtar air i roinnt leaganacha ó Cho. Loch Garman, agus fós arís i scéal a deir gur ghreamaigh an ghráinneog úlla lena dealga agus gur thug go dtí Muire iad ach go ndeachaigh an deargadaol i gcuid acu agus gur chuir ó mhaith iad.[49]

Is maith a thagann ról an deargadaoil in eachtra bhrath na feithide leis an léiriú diúltach a thugtar air i réimsí eile den scéalaíocht mar a samhlaítear leis an diabhal é. Chothódh a chosúlacht le reiptíl agus a chló ciardhubh an nasc idir é agus an t-áibhirseoir san íomháineas Críostaí – 'an deargadaol, is é an diabhal é, a deir siad, uaireanta.'[50] Tá scéal ann, mar shampla, gur i gcruth deargadaoil a chuaigh an diabhal go Gairdín Pharthais chun cathú a chur ar Ádhamh agus Éabha.[51] Deirtear i leaganacha de scéal faoi ógánach a dhein aithrí tar éis dó buille a bhualadh ar a athair, go ndeachaigh a anam chun Dé ach gur ith deargadaol a chorp.[52] Insíonn scéalta eile gur dhein deargadaol d'airgead a bhí ag cur cathaithe ar dhuine;[53] nó gur tháinig deargadaol amach as béal mná mícharthanaí;[54] agus i scéal faoin gcinniúint, léirítear mar shamhail ar an olc é.[55] In eachtra ghabhlánach eile cuirtear an deargadaol i láthair mar phearsanú ar an diabhal agus tugtar clann an deargadaoil ar a lucht leanúna ('na h*orangemen*').[56] Nascadh an deargadaol le hasarlaíocht i gcás buanaithe nó buailteoirí a luaití cumas mínádúrtha oibre leo de bharr deargadaoil a bheith i bhfolach sa speal, sa chorrán nó sa súiste acu,[57] agus tá léiriú diablaí ar an bhfeithid i gceist go follasach sna hainmneacha *the devil's coach-horse* agus 'dhowlduff' air.[58] Luaitear feithidí mar an deargadaol leis an diabhal agus le hasarlaíocht i mbéaloideas dúichí eile freisin.[59]

Cé go mínítear i mórán leaganacha de scéal bhrath na feithide gur ghnách le daoine an deargadaol a mharú de bharr sceitheadh ar an Slánaitheoir, dhealródh chomh maith, gur mhinic á mharú é gan spleáchas ar an scéal sin.[60] In áiteanna ar an Mór-roinn agus i Sasana mharaítí nó dhíbrítí go searmanastúil feithidí gaolmhara don deargadaol toisc gur measadh mar bhagairt ar bharraí iad.[61] Ach pé cúis a bhí mar bhonn sa tír seo agus in Albain le marú an deargadaoil, bhain deasghnátha áirithe leis an ngnó agus bhí modhanna faoi leith molta chun é a chur i gcrích. Is nós leis an deargadaol a leath deiridh a ardú nuair a mhothaíonn sé dainséar ach tuigeadh gur ghníomh bagarthach aige é sin: 'thugadh sé barr a eireabaill amach go dtí lár a dhroma le gráin ar an bpeacach, le gráin ar an nduine', agus creideadh go raibh ga nó nimh ina eireaball.[62] Dúradh go n-aithníonn sé Críostaí thar phágánach agus fiú Caitliceach thar Phrotastúnach, agus gur leis an gCríostaí nó leis an gCaitliceach amháin a ardaíonn sé a eireaball.[63] Bhí sé ordaithe é a mharú sula mbeadh deis aige sin a dhéanamh agus creideadh go leanfadh drochiarsmaí aon fhaillí sa chúram seo – mí-ádh nó daille nó an bás féin: an deargadaol *must be instantly crushed or he will put seven curses on you, a curse for every time he lifts his tail. Ergo agitur de celeritate.*[64]

Tá fianaise sa tír seo agus in Albain ar shlí amháin a bhí molta chun an fheithid fhealltach a mharú, mar atá, í a phasáil sa talamh, agus ina theannta sin bhí sé molta seile a chaitheamh uirthi:

> The way of dealing with clocks and daols when they appeared was to approach them, spit out trice at them saying: '*Seile a's marbh-fhásg ort*,' and then stamp on them saying: '*Cuimhnigh, cuimhnigh goidé rinn tú aréir.*'[65]

Bhí sé ordaithe an deargadaol a bhascadh le cloch nó é a bhrú ar chroí na dearnan agus sonraíonn tuairiscí eile gur le hordóg na deasóige nó na ciotóige atá sé le marú.[66] Bhí an traidisiún ann gur leis na hingne nó na fiacla a bhí sé le marú, agus i dtuairiscí éagsúla sonraítear go raibh seacht nó naoi bpíosa le déanamh de,[67] nó go raibh dhá leath le déanamh de nó an ceann le baint de:

> Tá sé ráite ná déanfadh sé an gnó in aon chor an ceann a bhaint de leis na hingne, cé go ndéanann gach éinne leis an iongain anois é. Is minic a chonac mo sheanathair á dhéanamh agus deireadh sé linne an ceann a bhaint de leis an bhfiacail. Ár dtriail a bhíodh sé mar tá deargadaol mallaithe agus bhainfeadh sé greim as do theangain b'fhéidir.[68]

Bhí an deargadaol le dó nuair a bheadh an deis ann chuige:

> Tá' sé 'na chleachta fós imeasg muinntire Iar gConnacht an uair a thigeann deargadaol isteach i dteach ar bith ann, rith ar a' tlú, splanc dhearg a ghóil leis, é a shéide, agus é a leagain ar a' deargadaol le na dhógha ...[69]

Deir cuntas ó Cho. Chill Mhantáin gur sa tine is sábháilte é a mharú mar go leanfadh mí-ádh teagmháil le haon fhearas (cloch, bróg nó maide) a úsáidfí chun fáil réidh leis agus deir cuntas eile nach baol don té a mharaíonn le hiarann é.[70]

Ba chuid den searmanas a lean marú na feithide seo foirmle chuí a aithris le linn a maraithe. Bhíodh a caint féin i gceist uaireanta: 'deirtear na briathra céanna a duairt sí féin, "ané, ané," le linn an ceann a bhaint di'.[71] I leaganacha eile den fhoirmle tagraítear do pheacaí a leagadh ar an bhfeithid:

> Nuair a thaganns ciaróg isteach seastar air agus deirtear: 'Peacaí mo lae agus mo sheachtain ort, peacaí a bhfuil beo agus marbh ort.' Scuabtar isteach sa tine an deargadaol agus deirtear: 'Bruith agus dó agus loscadh ort,' ach éiríonn a gcroí ach an priompallán a chloisteáil a dhul thart. [72]

Tharlódh gur d'fhonn an t-aistriú peacaí a bhrostú a mholtar teagmháil fhisiciúil leis an bhfeithid i roinnt tuairiscí: 'Má chastar ciaróg ort cuimil do chos trí huaire di agus abair: "Peacaí mo lae agus mo sheachtaine ort; peacaí na mbeo agus na marbh ort." Maraigh ansin í.'[73] Dearbhaíonn a lán cuntas go maitear peacaí (go minic, seacht nó naoi) don té a mharaíonn an deargadaol, ach uaireanta bíonn sé mar choinníoll nach foláir é a mharú sula n-ardaíonn sé a eireaball nó an marú a dhéanamh ar an Satharn.[74] Maítear go gcoimeádfar saor ó na seacht gceannpheaca mharfacha an té a mharaíonn an deargadaol agus fógraítear chomh maith seacht mbliana purgadóireachta a bheith maite nó seacht n-anam a bheith tugtha as purgadóir dá bharr.[75] Luaitear luaíocht troscaidh freisin le marú na feithide: 'Is fearr daol a loscadh ná Aoine a throscadh.'[76] Ní i mbéaloideas na tíre seo amháin atá luach saothair spioradálta luaite le marú créatúir a bhí naimhdeach do naomhphearsa; i dtraidisiún na Rúmáine, mar shampla, deirtear go bhfuil seacht bpeacaí le maitheamh don té a mharaíonn damhán alla le cúl a ghlaice toisc gur sceith sé ar an Slánaitheoir.[77]

Murab ionann agus an deargadaol, caitear go cneasta leis an bpriompallán de bharr a pháirte in eachtra bhrath na feithide: 'Ach ní déantar aon droch-ní leis a' bpriompallán i ngeall ar a' truai a bhí aige d'ár Slánuitheóir nuair a bhí sé a' teiche ó na Iúdaí.'[78] Bhí stádas beannaithe aige de bharr a dhea-iompair: 'péistín glan is ea an trompallán bocht' (*cf.* Q 46.1 *Reward for protecting holy fugitive*) agus bhí sé ráite gur cheart cabhrú leis a chosa a chur faoi dá bhfeicfí ar a dhroim é.[79] Bhaintí feidhm as an bpriompallán i dtuar na haimsire agus nascadh an ról sin dá chuid le scéal bhrath na feithide freisin:

> Bhí sé riamh againn, á chaitheamh in airde agus dá dtiocfadh sé anuas ar a dhrom ar an dtalamh bheadh sé fliuch amárach agus dá dtiocfadh sé ar a chosa bheadh sé tirim. Déarfá nuair a chaithfeá in airde é: 'A thrompalláin, a thrompalláin, an mbeidh an lá amárach breá?' B'fhéidir gurb amhlaidh a fuair sé an fios ón Slánaitheoir.[80]

DAMHÁN ALLA

Tráchtar ar theagmháil an damháin alla leis an Slánaitheoir i leaganacha den scéal idirnáisiúnta AT 967, *The Man Saved by a Spider Web*, ina luaitear é mar an té a gcosnaíonn nead an damháin alla é ar a naimhde.[81] Tá fianaise fhorleathan Eorpach ar an insint áirithe seo den scéal sin, ach lasmuigh den traidisiún Críostaí luaitear pearsana eile leis an scéal freisin, ina measc Yorimoto sa traidisiún Seapánach, Dáiví Rí sa traidisiún Giúdach agus Mathamad sa traidisiún Moslamach.[82] I leaganacha áirithe luaitear imeachtaí an scéil seo mar bhunús leis an teir a bhain le dochar a dhéanamh do dhamhán alla agus freisin leis an mbua leighis a luadh lena nead.[83] Seo síos leagan den scéal ó Cho. Chorcaí:

> Uair amháin agus ár Slánaitheoir ag teitheadh óna namhaid, do chuaigh sé isteach i bpluais carraige agus d'fhan sé i bhfolach ann. Níorbh fhada go dtáinig an namhaid ar a thóir. Thángadar chomh fada leis an bpluais. Do chonaic sé an poll ag dul isteach faoin gcarraig:
>
> 'B'fhéidir gur istigh ansan atá sé,' ar seisean lena chomrádaí.
>
> 'Ní hea in aon chor,' arsa an fear eile, 'ná ní

> fhéadfadh a bheith,' ar seisean, 'ná feiceann tú nead an ruán alla trasna an phoill.'
>
> B'fhíor dó, mar do bhí an nead ann. Díreach nuair a bhí ár Slánaitheoir imithe isteach do tháinig an ruán alla agus do dhein sé a nead trasna an phoill amuigh. Do cheap an Giúdach go mbeadh an nead san briste dá mba isteach ansan a chuaigh ár Slánaitheoir. Do buaileadh bob ar an lucht fiaigh agus do shábháil an ruán alla ár Slánaitheoir.[84]

Níl aon fháil i mbéaloideas na tíre seo ar scéal atá i ndúichí éagsúla eile ina léirítear an damhán alla mar fheithid mhallaithe toisc gur fhéach sí le svíomh níos fíneálta ná Muire.[85]

IV

Is toise deabhóideach leis an ngnáthshaol iad scéalta a mhíníonn gurb é an Slánaitheoir faoi deara gnéithe den timpeallacht. Baineann na scéalta le feiniméin a mbíonn teagmháil laethúil ag an bpobal leo – ainmhithe agus éin, éisc, feithidí agus fáis, mar aon le tréithe daonna agus nósanna – agus is féidir a áiteamh gur friotal iad ar mhian an phobail a dtimpeallacht féin a dhlúthú leis an naomhphearsa sin. Is solaoidí iad ar an bprionsabal diagachta a mhaíonn go bhfógraíonn gach créatúr an cruthaitheoir – *omnis creatura significans*, nó *omnis natura Deum loquitur*[86] agus léiríonn siad go paiteanta an *cosmic Christianity* ar a dtráchtann Eliade:

> Folk culture is fed on what I have called 'cosmic Christianity', that is, a Christianity in which the historical element is ignored, and in which the dogmatic element is scarcely manifest. On the other hand all nature in its entirety is transfigured by the presence of Jesus who participates in all the mysteries and sacraments. *The world, life, living matter* acquire religious dimensions.[87]

Léirítear córas bunúsach moráltachta sna scéalta mínithe seo sa mhéid go bhfógraíonn siad gur iompar míchuí faoi deara gnéithe den dúlra a measadh a bhí míthaitneamhach ná míthairbheach – tuairim a tháinig go maith le teagasc na Críostaíochta faoi pheaca an tsinsir. Spreag siad an tuiscint go raibh ainmhithe, fásraí nó aicmí daoine a bhí go maith agus a thuilleadh acu a bhí go holc agus gur cúitíodh de réir a ngníomhartha leo. Tá tionchar na tuisceana seo sa saol laethúil le feiscint go soiléir i gcás an díoltais a agraíodh go leanúnach ar an deargadaol agus an dea-thoil a léiríodh don phriompallán. Tugann Tomas Laighléis tuairisc spéisiúil ar anáil scéalta den chineál seo ar an ngnáthphobal:

> Shílfeá go mba bheag le rá na scéilíní sin, nach raibh brí ná éifeacht iontu thar páistí a shású. Is trua mar deir tú é. Bhí siad i bhfad ní ba tábhachtaí ná sin. Bhí sean agus óg ag baint leas astu. Ón ngarbhán tuaithe, ar dúradh go minic lena leithéid nach raibh a fhios aige a raibh Dia nó Muire ann, go dtí an seanduine a raibh a chois ar bhruach na huaighe, bhí glanmheabhair acu orthu. Bhí ceangal éigin ag baint leo a bhí ag athbheochaint an chreidimh níb fhearr ina gcroí ... Más fírinneach nó bréagach a bheadh an scéal ach caint a bheith ar Dhia nó ar Mhuire Mháthair ann, bhí glacadh acu leis.[88]

Mar fhocal scoir, ní miste a lua gur athchóiriú ar scéalta a bhain le cultus réamhchríostaí atá i gceist go minic i scéalta mínithe an bhéaloidis a mbíonn an Slánaitheoir nó naomhphearsana eile Críostaí luaite iontu. Sa mhéid sin, is féidir a rá go léiríonn na scéalta beaga seo feidhmiú polasaí eaglasta ar chuir an pápa Greagóir Mór, go háirithe, friotal air, maidir le heilimintí den deabhóid phágánach a dhlúthú leis an deabhóid Chríostaí nuair a measadh nach mbeadh sin dochrach don chreideamh.[89] Tagraíodh thuas don fhianaise is túisce ar scéal bhunús na beiche ó dheora na naomhphearsan a bheith luaite leis an dia Éigipteach, Ra, agus go raibh fáil ar an scéal faoi chosaint ó nead an damháin alla neamhspleách ar an traidisiún Críostaí. Mar an gcéanna is athchóiriú Críostaí atá i scéal Mhuire ag mallú an damháin alla ar eachtra atá ag Ovid in *Metamorphoses* (Leabhar VI) ina mallaíonn Pallas Athéin Arachne as a dúshlán a thabhairt i bhfíodóireacht. Maidir le bunús scéal bhrath na feithide, tharlódh, mar a luaigh Bruford, go mbeadh fréamhacha réamh-Chríostaí aige sin freisin.[90] Is cinnte go bhfuil cosúlachtaí áirithe idir an drochbhail a chuirtí ar an bhfeithid sin agus marú deasghnáthúil créatúr eile i gcultúir éagsúla (an dreoilín sa tír seo ina measc), nós ar cosúil go mbaineann seandacht mhór leis.[91]

---

1 S. Thompson, *The Folktale*, New York 1946, 242.

2 Féach tagairtí in A. Dundes, eag., *The Study of Folklore*, Englewood Cliffs, New Jersey 1965, 142-4; tá plé ar bheatha Chríost i bhfianaise phátrún bheatha an laoich in A. Dundes, *Interpreting Folklore*, Bloomington 1980, 223-87.

3 E. Hennecke, *New Testament Apocrypha*, I, eag., W. Schneemelcher, aistr., R. L. McWilson, London 1963, 368; M. Gaster, 'Rumanian Popular Legends of the Virgin Mary', *Folklore* 34 (1923), 45-85; 50-1.

4 Féach, m.sh., M. Ó Cadhain, 'Cnuasach ó Chois Fhairrge', *Béaloideas* 5 (1935), 219-72; 248; S. Ó hEochaidh, 'Seanchas Iascaireachta agus Farraige', *Béaloideas* 33 (1965), 1-96; 67-8.

5 CBÉ 915:539-40; CBÉ 1242: 152-3.

6 CBÉ 1017:160. Maidir le bradán na beatha sa duine, féach B. Almqvist, *Viking Ale. Studies on folklore contacts between the Northern and the Western Worlds*, eag., Éilís Ní Dhuibhne-Almqvist agus S. Ó Catháin, Aberystwyth 1991, 141-54.

[7] CBÉ 743:439.

[8] A. Bruford agus D. A. MacDonald, *Scottish Traditional Tales*, Edinburgh 1994, 464.

[9] Tá réimse níos cuimsithí de na scéalta seo curtha i láthair in S. Ó Súilleabháin, 'Etiological Stories in Ireland', J. Mandel agus B. A. Rosenberg, eag., *Medieval Literature and Folklore Studies. Essays in honor of Francis Lee Utley*, New Brunswick, New Jersey 1970, 257-74; S. Ó Súilleabháin, *Scéalta Cráibhtheacha* [= *Béaloideas* 21 (1951)], §§1-23; P. Ó Héalaí, 'An Dúlra sa Bhéaloideas', *Léachtaí Cholm Cille* 11 (1980), 50-77.

[10] Hilda M. Ransome, *The Sacred Bee in Ancient Times and Folklore*, London 1937, 245-9; E. Hoffmann-Krayer, 'Biene', in E. Hoffmann-Krayer agus H. Bächtold-Stäubli, eag., *Handwörterbuch des deutschen Aberglaubens*, I-X, Berlin 1927-42. (*HdA* thíos), I, 1226-52; 1248; K. Ranke agus J. R. Klíma, 'Biene', in K. Ranke, eag., *Enzyklopädie des Märchens*, II, Berlin 1979, 296-307; 298-9.

[11] *Ibid.*

[12] CBÉ 797:15.

[13] CBÉ 1231:469. M. Ó Sírín a thóg ó S. Ó Carmaic, Barr Trá, Iorras, Co. Mhaigh Eo, 1952. Táim faoi chomaoin ag an Ollamh Séamas Ó Catháin, Roinn Bhéaloideas Éireann, An Coláiste Ollscoile, Baile Átha Cliath, as cead a thabhairt sleachta as lámhscríbhinní chartlann na Roinne a fhoilsiú anseo.

[14] P. Sébillot, *Le Folklore de France*, Paris 1905, III, 301; J. Amades, *L'origine des bêtes. Petite cosmogonie catalane*, aistr., Marlène Albert-Llorca, Carcassonne 1988, 274-5; Maria Leach, eag., *Funk and Wagnall's Standard Dictionary of Folklore Mythology and Legend*, I-II, New York 1949-50, I, 130.

[15] CBÉ 978:71-2; maidir le claochlú míorúilteach ar ghearba Iób, féach A. Breeze, 'Job's Gold in Medieval England, Wales and Navarre', *Notes and Queries* 235 (1990), 275-8.

[16] Tagairtí in T. P. Cross, *Motif-Index of Early Irish Literature*, Bloomington 1952, A 2012.2, *First bees in Ireland; cf.* F. Kelly, *Early Irish Farming*, Dublin 1997, 108-10.

[17] Tá leaganacha ó Cho. na Gaillimhe in CBÉ 339:255; CBÉ 562:326-8; ó Cho. Mhaigh Eo in CBÉ 915:422-4; CBÉ 1191:68-70; CBÉ 1229:291; CBÉ 1231:467-9; ó Cho. Chiarraí in CBÉ 26:138-41; CBÉ 27:267-80; CBÉ 239:730-1; CBÉ 308:13-6; CBÉ 571:329-30; CBÉ1168:445-6; P. Ó Siochfhradha [An Seabhac], 'Scéalta Creidimh agus Crábhaidh', *Béaloideas* 3 (1932), 3-30; 5-6; agus ó Cho. Phort Láirge in CBÉ 1157:394-5.

[18] A. Aarne agus S. Thompson, *The Types of the Folktale*, Folklore Fellows Communications 184, Helsinki 1961, (AT thíos).

[19] Ó Súilleabháin, *Scéalta Cráibhtheacha*, 284.

[20] Colm Cille in CBÉ 714:342-5; CBÉ 1269:627-9; CBÉ 1227:436; A. O'Kelleher agus Gertrude Schoepperle, eag., *Betha Colaim Chille. Life of Columcille. Compiled by Manus O'Donnell in 1532*, Urbana, Illinois 1918, § 105; agus Pádraig in CBÉ 100:226-7 agus CBÉ 1002:669-73.

[21] J. Szövérffy, *Irisches Erzählgut im Abendland. Studien zur vergleichenden Volkskunde und Mittelalterforschung*, Berlin 1957, 119-20.

[22] S. Thompson, *Motif-Index of Folk-Literature*, I-VI, Copenhagen 1955-8. Is don saothar seo freisin a thagraíonn uimhreacha na móitifeanna eile a luaitear thíos.

[23] CBÉ 562: 328. L. Ó Coincheanainn ó M. Ó Coincheanainn, Rinn na hAirne, Cor an Dola, Co. na Gaillimhe, 1938. Luaitear bunúis eile le cealg na beiche i dtraidisiúin éagsúla, féach Ransome, *The Sacred Bee*, 241-5.

[24] Maidir leis an deargadaol (*ocypus olens*) agus an priompallán nó an cearnamhán (*geotrupes stercorarius*), féach J. Burton, *The Oxford Book of Insects*, Oxford 1968, 172-3, 180-1, agus *DIL* s.vv. Darb-dóel, Proimpellán, Cerndubán; T. de Bhaldraithe, 'Nótaí ar Fhocail', *Éigse* 29 (1996), 51-5; 52-4; A. R. Forbes, *Gaelic Names of Beasts (Mamalia), Birds, Fishes, Insects, Reptiles, etc.*, Edinburgh 1905, s.vv. Ceardubhan, Daol, Daol-caoch, Dardaoil, Proimbeallan. Táim faoi chomaoin ag mo chomhghleacaí, an Dr Máirtín Ó Briain, as an dá thagairt dheireanacha seo.

[25] Tá tagairtí do leaganacha clóite i mbéaloideas na hÉireann agus na hAlban in S. Ó Duilearga, eag., *Leabhar Sheáin Í Chonaill. Scéalta agus seanchas ó Íbh Ráthach*, Baile Átha Cliath 1948, 416 § 4. I measc na dtagairtí Albanacha a luaitear tá insint i bhfoirm véarsaíochta, 'Duan nan Daol', nach eol dom fianaise air sa bhéaloideas abhus. Tá leaganacha breise ó thraidisiún béil na hAlban in Forbes, *Gaelic Names of Beasts*, 399, agus in *Tocher* 33 (1980), 155-6, (athchló ar an aistriúchán Béarla ann in Bruford agus MacDonald, *Scottish Traditional Tales*, 274-5); féach freisin *Transactions of the Gaelic Society of Inverness* 14 (1887-8), 266. Táim faoi chomaoin ag an Dr. Iain Seathach as leaganacha breise (nár aimsíodh) a chuardach i gcartlann Scoil Eolais na hAlban, Ollscoil Dhún Éideann. Bailíodh a lán leaganacha den scéal ón traidisiún béil in Éirinn agus mar léiriú ar a líonmhaire, tugtar anseo tagairtí do leaganacha in CBÉ a bailíodh i gCo. na Gaillimhe: CBÉ 59:271; CBÉ 65: 189; CBÉ 70:55-6; CBÉ 154:280-2; CBÉ 163:214-5; CBÉ 389:309; CBÉ 432:120; CBÉ 538:432; CBÉ 607:425; CBÉ 641:13-4; CBÉ 645:200-2; CBÉ 663:285; CBÉ 784:130-1; CBÉ 784:135; CBÉ 920:531; CBÉ 969:376-8; CBÉ 970:363-4; CBÉ 1008:348-9; CBÉ 1281:459; CBÉ 1323:212-4.

[26] *Cf.* AT 106, *Animals' Conversation,* agus AT 2075, *Tales in which Animals Talk.*

[27] Féach m.sh., O. Dähnhardt, *Natursagen. Eine Sammlung Naturdeutender Sagen, Märchen, Fabeln und Legenden*, II, Leipzig 1909, 51-4, 61-6; F. J. Child, *The English and Scottish Popular Ballads*, II, Boston 1885, 8, 509-

10; C. Lopes Cardosa, 'Die "Flucht nach Ägypten" in der mündlichen portugiesischen Überlieferung', *Fabula* 12 (1971), 199-211; 204-5. Tharlódh gurb iad na cosúlachtaí thuas a bhí i gceist ag Seán Ó Súilleabháin, in *Scéalta Cráibhtheacha*, 285, § 15, mar a ndeir sé go raibh scéal bhrath na feithide coitianta i ndúichí eile.

28 E. W. Baughman, *Tale Type and Motif-Index of England and North America*, The Hague 1966, A2231.7.1 *Beetle cursed for betraying Holy Family on way to Egypt*. In ainneoin a theidil, tugtar tagairtí d'ábhar i mbéaloideas na hÉireann agus na hAlban san innéacs seo freisin.

29 CBÉ 1020:39; P. W. Joyce, *English as We Speak It in Ireland*, London 1910, 246; R. J. O'Duffy, eag., *Oidhe Chloinne Tuireann. The fate of the Children of Tuireann*, Dublin 1888, 140-1; W. R. le Fanu, *Seventy Years of Irish Life. Being anecdotes and reminiscences*, London 1928 [an chéad chló 1893], 120.

30 CBÉ 114:354; CBÉ 538:432; CBÉ 784:130-1; N. Colgan, 'Gaelic Plant and Animal Names', *Proceedings of the Royal Irish Academy* 31 (1911-5), Roinn I, Cuid 4, 24; CBÉ 969:376-8.

31 Tá an dá scéal seo nasctha in 13 as an 20 leagan ó Cho. na Gaillimhe a luadh i nóta 25 thuas, agus nasctar an dá scéal go rialta freisin i mbéaloideas Ghaeilge na hAlban, féach Bruford agus MacDonald, *Scottish Traditional Tales*, 464.

32 Féach tagairtí do Dähnhardt agus Child i nóta 27.

33 Tá áireamh cuimsitheach ar an bhfianaise seo in A. Breeze, 'The Instantaneous Harvest', *Ériu* 41 (1990), 81-93.

34 L. McKenna, *Aithdioghlaim Dána*, I, Dublin 1939, Cumann na Sgríbheann nGaedhilge 37, § 49; K. Jackson, 'A Note on the Miracle of the Instantanous Harvest', *Bulletin of the Board of Celtic Studies* 10 (1939-41), 203-7; K. Jackson, 'Some Fresh Light on the Miracle of the Instantaneous Harvest', *Folklore* 51 (1940), 203-10; K. Jackson, *The International Popular Tale and Early Welsh Tradition*, Cardiff 1961, 119-22.

35 Breeze, 'The Instantaneous Harvest'.

36 CBÉ 645:200-2. B. Ní Mhaithnín ó B. Ní Mhaithnín, Cill Bhriocáin, Ros Muc, Co. na Gaillimhe, 1939.

37 CBÉ 772:579-80, CBÉ 911:380, CBÉ 1000:598-9, CBÉ 1007:696-7.

38 Colgan, 'Gaelic Plant and Animal Names', 24.

39 CBÉ 970:363-4. Maidir leis an spideog sa bhéaloideas, féach L. Ó Dochartaigh, 'An Spideog i Seanchas na hÉireann', *Béaloideas* 45-7 (1977-9), 164-98; L. Ó Dochartaigh, 'An Spideog i Scéalaíocht na hÉireann', *Béaloideas* 50 (1982), 90-125.

40 *The Folklore Journal* 1 (1883), 256-7; maidir le mallacht naomhphearsan ar lucht ceirde, féach P. Ó Héalaí, ' "Tuirse na nGaibhne ar na Buachaillí Bó". Scéal apacrafúil dúchasach', *Béaloideas* 53(1985), 87-129.

41 *Béaloideas* 4 (1932), 205.

42 *Transactions of the Philological Society* 1859, 94, (aistr. E. Rolland, *Faune*

Populaire de la France, III, Paris 1881, 326); CBÉ 506-319-2; CBÉ 520:547.

43 CBÉ 204:148-9; CBÉ 211:511; CBÉ 219:97-8; CBÉ 538:432; *The Folklore Journal* 1 (1883), 256-7.

44 Bruford agus MacDonald, *Scottish Traditional Tales*, 274-5.

45 M. Ó hAodha, 'Seanchas ós na Déise', *Béaloideas* 14 (1944), 53-112; 104-5.

46 CBÉ 54:385; CBÉ 406:23-4.

47 CBÉ 517:55-6; Mananaan Mac Lir, 'The Folklore of the Months', *Journal of the Cork Historical and Archaeological Society* 2 (1896), 157-60; 159.

48 CBÉ 85:346; *Béaloideas* 3 (1932), 289 [= *Béaloideas* 10 (1940), 303]: CBÉ 717:123.

49 CBÉ 406:23-4; CBÉ 577:81-2; 'Omurethi', 'County Kildare Folklore about Animals, Reptiles and Birds', *Journal of the County Kildare Archaeological Society*, 3 (1899-1902), 179-85; 181.

50 CBÉ 809:472; féach É. Ó Muirgheasa, *Seanfhocail Uladh*, Baile Átha Cliath 1976, 95 §1050, nóta: 'chreidtí gur diabhal a bhí ann …'; C. Otway, *Tour in Connaught: Comprising Sketches of Clonmacnoise, Joyce Country and Achill*, Dublin 1839, 110: *A dowlduff is a black insect about an inch long which all the lower classes consider the representation of Satan, and as such, kill it whenever they can.*

51 Otway, *ibid.*, 424.

52 CBÉ 76:97-102; CBÉ 167:506-9; CBÉ 313:556-6; *Béaloideas* 5 (1935), 248; Ó Súilleabháin, *Scéalta Cráibhtheacha*, 290 §46.

53 CBÉ 153:192; CBÉ 432:120-1; CBÉ 795:82-3; *cf.* CBÉ 146:539-40, mar a dtugtar le fios gurb é an deargadaol airgead an diabhail.

54 CBÉ 305: 92-3.

55 CBÉ 160:269-87; CBÉ 179: 162-5; CBÉ 271: 164-5.

56 CBÉ 1324: 135-54.

57 Féach, m. sh., CBÉ 3:420-1; CBÉ 18: 244; CBÉ 935:304-5; CBÉ 1010:115-8; CBÉ 1717: 167-8; *Transactions of the Ossianic Society* 5 (1857), 26-7; *cf. Béaloideas* 12 (1942), 172-3, mar a dtuairiscítear deargadaol a bheith folaithe i mbata scriosaire fir. Ó scríobhadh an t-alt seo chuir Pádraig Ó Máille, Doire Fhatharta, An Cheathrú Rua, Co. na Gaillimhe, in iúl dom go gcuireadh bádóirí áirithe deargadaol i gceap treo an bháid d'fhonn cur lena luas.

58 Ainm coitianta ar an bhfeithid sa Bhéarla é *the devils coach-horse*, féach, R. E. Allen, eag., *The Concise Oxford Dictionary*, Oxford 1990, *s.v.* Devil; maidir le 'dhowlduff' mar ainm ar an bhfeithid, féach Otway, *A Tour in Connaught*, 110, 224, agus C. Otway, *Sketches in Erris and Tyrawley*, Dublin 1841, 173.

59 R. Riegler, '*Käfer*', *HdA* 4, 906-9; 907-8; R. Riegler, 'Maikäfer', *ibid.*, 5, 1529-35; 1533; H. Bächtold-Stäubli, 'Mistkäfer', *ibid.*, 6, 393-7; 394. Is maith a léiríonn an Piarsach an col a bhí leis an bhfeithid seo ina

ghearrscéal 'An Deargadaol'; féach C. Ó Háinle, eag., *Gearrscéalta an Phiarsaigh*, Baile Átha Cliath 1999, 100-5.

60 Colgan, 'Gaelic Plant and Animal Names', 25: *I was unable to find current in the district* [Cliara, Co. Mhaigh Eo] *any legend accounting for its bad reputation;* CBÉ 820:402; CBÉ 665:531. In áiteanna in Albain mharaíodh daoine é chun uaigh a seanmháthar a chosaint air; féach A. Carmichael, *Carmina Gadelica,* II, Edinburgh 1928, 188, 267.

61 *The Gentleman's Magazine*, Oct. 1876, 511; Riegler, '*Käfer*', 907.

62 CBÉ 243:231-2; Colgan, 'Gaelic Plant and Animal Names', 21; W. G. Wood-Martin, *Traces of the Elder Faiths of Ireland*, I-II, London, 1902, 279; *Transactions of The Ossianic Society* 5 (1857), 26-7; T. S. Ó Máille, *Seanfhocla Chonnacht*, I-II, Baile Átha Cliath 1948, I, § 1395.

63 Mananaan Mac Lir, 'The Folklore of the Months', 159; CBÉ 96:374; CBÉ 204:148-9.

64 CBÉ 407:139; féach freisin CBÉS 673: 54; CBÉ 65:199; CBÉ 1234:384-6.

65 É. Ó Tuathail, *Scéalta Mhuintir Luinigh*, Baile Átha Cliath 1933, 152; *cf. Béaloideas* 5 (1935), 248-9; CBÉ 1215:255; Mananaan Mac Lir, 'The Folklore of the Months', 159; A. Goodrich-Freer, *Outer Isles*, Westminster 1902, 223; A. Carmichael, *Carmina Gadelica,* IV, Edinburgh 1941, 3. Míníonn tuairisc in *Béaloideas* 3 (1932), 289 [= *ibid.*, 10 (1940), 303], go bpasáltar an deargadaol toisc go ndeachaigh sé in uaigh Chríost, CBÉ 607:139; CBÉ 717:123.

66 CBE 930:404-6, CBE 966:150, CBÉ 204:14-5, CBÉ 243:231-2, CBÉS 557: 576. Dhéantaí é a bhascadh le cloch in Inse Ghall freisin, féach Goodrich-Freer, *Outer Isles*, 224.

67 CBÉS 512:220; CBÉ 820: 402; le Fanu, *Seventy Years of Irish Life*, 120.

68 CBÉ 219:97-8. D. Ó Caochlaidhe ó D. Ó Caochlaidhe, Cill Machomóg, Beanntraí, Co. Chorcaí, 1936.

69 D. Ó Fotharta, *Siamsa a' Gheimhri Cois Teallaí in Iar-Chonnachta. Cnuasach seanaimsireachta*, Baile Átha Cliath 1892, eag. 1947, 135 [aistr. in D. Hyde, *Legends of Saints and Sinners*, Dublin 1915, 278]. Is ar leagan seo Uí Fhotharta atá an leagan in Ó Súilleabháin, *Scéalta Cráibhtheacha*, 21-2, bunaithe.

70 *Folklore* 27 (1916), 419-20; *Transactions of the Ossianic Society* 5 (1857), 26-7.

71 Ó Fotharta, *Siamsa a' Gheimhri*, 135; féach freisin Ó Tuathail, *Scéalta Mhuintir Luinigh*, 152; CBÉ 1215:255-6; Forbes, *Gaelic Names of Beasts etc.*, 399; Dempster, 'The Folklore of Sutherland', *Folklore Journal* 6 (1888), 149-89; 161-2; J. G. Campbell, *Superstitions of the Highlands and Islands of Scotland. Tales and traditions collected from oral sources,* Glasgow 1900, 227.

72 CBÉ 645:200-2. B. Ní Mhaithnín ó B. Ní Mhaithnín, Cill Bhriocáin, Ros Muc, Co. na Gaillimhe, 1939; féach freisin, Ó Fotharta, *Siamsa a' Gheimhri,* 135; CBÉ 660:347-8.

73 CBÉ 607:426; féach freisin CBÉ 406:83; CBÉ 641:13-4.

74 CBÉ 24: 355; 245:56-7; CBÉ 432:120; CBÉ 607:425; CBÉ 641:13-4; CBÉ 820:402; CBÉ 607:425; CBÉ 641:13-4; CBÉS 781:123; CBÉS 788:62.

75 CBÉ 54:385; CBÉ 1234:384-6; P. Ó Milléadha, 'Seanchas Sliabh gCua', *Béaloideas* 6 (1936), 169-256; 240-1; CBÉ 512:220; CBÉ 517:55; CBÉS 673: 54.

76 Ó Muirgheasa, *Seanfhocail Uladh*, 95 § 1050; Ó Máille, *Seanfhocla Chonnacht* I, § 1564; *cf.* CBÉ 665:531: 'Má loisceann tú an deargadaol sa tine deir siad go bhfuil Aoine an Chéasta trosctha agat.' Luaitear luaíocht troscaidh le marú na feithide i dtraidisiún Ghaeilge na hAlban de réir Forbes, *Gaelic Names of Beasts etc.*, 400: 'Is fearr dhuit Aoine 'thrasgadh na 'n dar-daol a losgadh.'

77 Gaster, 'Rumanian Popular Legends of the Virgin Mary', 66; *cf.* M. Gaster, *Rumanian Bird and Beast Stories*, London 1915, 188.

78 Ó Fotharta, *Siamsa a' Gheimhri*, 135. Is mór idir dearcadh báúil an traidisiúin bhéil ar an bpriompallán sa scéal seo agus an léiriú diúltach a thugann an Céitinneach air nuair a léiríonn sé mar fheithid bhrocach é ag dul ó bhualtrach go bualtrach; féach S. Céitinn, *Foras Feasa ar Éirinn*, eag., D. Comyn, I, London 1902. CSG 4, 4.

79 CBÉ 1187: 47; Carmichael, *Carmina Gadelica*, II, 188; A. A. MacGregor, *The Peat Fire Flame. Folk-tales and traditions of the Highlands and Islands*, Edinburgh 1937, 134. Leanfadh pianta boilg an té nach gceartódh priompallán sa traidisiún Gearmánach, féach Bächtold-Stäubli, 'Mistkäfer', 394, mar a nasctar an fheithid seo le cultus dé toirní.

80 CBÉ 778:14. S. Ó Dálaigh ó N. Uí Chonchúir, Baile Dháith, Baile na nGall, Trá Lí, Co. Chiarraí, 1941. Bhaintí feidhm fáistiníochta as ciaróga i ndúichí eile leis, féach Iona Opie agus Moira Tatem, *A Dictionary of Superstitions*, Oxford 1989, 21; Riegler '*Käfer*', 908; Riegler '*Maikäfer*', 1534.

81 Tá cúig leagan den scéal áirithe in S. Ó Súilleabháin agus R. Th. Christiansen, *The Types of the Irish Folktale*, Folklore Fellows Communications, 188, Helsinki 1968, agus tá na leaganacha seo a leanas le cur leo: CBÉ 535:62-3; CBÉ 629:183-4; CBÉ 823:357; CBÉ 1404:634.

82 W. S. Bristowe, 'Spider Superstitions and Folklore', *Transactions of the Connecticut Academy of Sciences* 36 (1945), 53-90; 55; Dähnhardt, *Natursagen*, II, 66-8.

83 CBÉ 629:183-4 agus CBÉ 823:357 faoi seach. Maidir le tuiscintí traidisiúnta faoin damhán alla, féach Bristowe, 'Spider Superstitions and Folklore.'

84 CBÉ 535:62-3. S. Ó Cróinín ó D. Ó Cróinín, Lios Buí, Cill na Martra, Co. Chorcaí, 1938.

85 Dähnhardt, *Natursagen*, II, 253-4; Gaster, 'Rumanian Popular Legends of the Virgin Mary', 66-7.

86 Ráitis Alanus de Insulis luaite in J. M. McGlathery, eag., *The Brothers Grimm and the Folktale*, Urbana, Illinois 1988, 2.

87 M. Eliade, *No Souvenirs. Journal 1957-1969*, aistr., F. H. Johnson Jr., London 1978, 261.

88 T. de Bhaldraithe, eag., *Seanchas Thomáis Laighléis*, Baile Átha Cliath 1977, 167-8.

89 L. Sherley-Price, aistr., *Bede. A History of the English Church and People*, Harmondsworth 1968, 86-7.

90 Bruford and MacDonald, *Scottish Traditional Tales*, 464. Bhí stádas sacrálta anallód ag an gciaróg i ndúichí éagsúla, m. sh. an Ghearmáin (Riegler,, '*Käfer*', 90), an India (S. Thompson agus J. Balys, *The Oral Tales of India*, Bloomington 1958, 38, A 2021.1 *Beetle's special sacredness*), agus an Éigipt (Bächtold-Stäubli, 'Mistkäfer', *396*).

91 Féach N. W. Thomas, 'Animal Superstitions and Totemism', *Folklore* 11 (1900), 227-67; Sylvie Mueller, 'The Irish Wren Tales and Ritual. To pay or not to pay the debt of nature', *Béaloideas* 64-5 (1996-7), 131-69.

'Laoidhe Mhiss Brooc'

RUAIRÍ Ó hUIGINN

Foilsíodh *Reliques of Irish Poetry*, leabhar cáiliúil Charlotte Brooke, sa bhliain 1789. Cnuasach dánta agus laoithe Gaeilge atá sa leabhar seo, iad aistrithe go Béarla, agus aicmithe ina ngrúpaí ag an údar de réir ábhair nó téamaí. *Heroic Poems* a thug sí ar an gcéad rannóg filíochta atá aici sa leabhar, agus ar an gcéad mhír sa rannóg sin tá dán fada (46 rann) ar bhaist sí 'Conloch' [*sic*] air. 'Teacht Connlaóich go hÉirinn' atá mar theideal Gaeilge ar an dán seo a insíonn faoi theacht Chonnlaoich mhic Chú Chulainn go hÉirinn agus an chaoi ar throid sé a athair nó gur mharaigh Cú Chulainn i gcomhrac aoinfhir é. Tá cuntas sna chéad sé rann déag ar theacht Chonnlaoich, ar an mbealach ar thug sé dúshlán na nUltach, agus ar an gcomhrac marfach idir é féin agus Cú Chulainn. Ocht rann (rr. 17-24) de chomhrá atá ina dhiaidh sin idir Cú Chulainn agus a mhac atá in uacht an bháis, mar a ligeann Connlaoch a aithne lena athair sula n-imíonn an dé as. A mhairgneach a dhéanann Cú Chulainn ansin (rr. 25-8). Sa dara cuid den dán (rr. 29-46), faoi mar atá sé ag Brooke, caoineann Cú Chulainn a mhac caillte. Chomh maith le buntéacs Gaeilge agus aistriúchán Brooke,[1] chuir Sylvester O'Halloran tráchtaireacht agus nótaí leis an dán.

Ní hiontas an dán seo a bheith roghnaithe ag Charlotte Brooke le haistriú agus le foilsiú ina leabhar, arae ba mhór i gceist i litríocht na Gaeilge ag an am sin é. Léiriú éigin ar an tóir a bhí acu air, a liacht cóip atá breactha i lámhscríbhinní an 18ú agus an 19ú haois.[2] Cóipeanna glan as lámhscríbhinní eile atá i roinnt díobh seo, gan amhras, ach nuair a bhreathnaítear ar chuid eile, feictear an oiread sin éagsúlachtaí eatarthu ó thaobh líon agus ord na véarsaí, ó thaobh an fhoclóra, ó thaobh teanga, canúna *etc.* gur léir nach le traidisiún glan cóipeála amháin a bhain an dán, ach gur dóichí go raibh sé á chanadh agus á aithris ag daoine ag an am. Dearbhú breise ar an toise béil i seachadadh na laoi gur i litriú foghrúil atá roinnt leaganacha di breactha i lámhscríbhinní áirithe.[3] Mhair an laoi sa traidisiún béil ar feadh i bhfad, is léir, ó bailíodh roinnt rann sa 19ú haois agus sa 20ú haois ó bhéalaithris i gceantair Ghaeltachta i dTír Chonaill, i gCo. Mhaigh Eo agus i gCo. na Gaillimhe. Agus ní sa tír seo amháin a bhí sí á rá, ó tá teacht againn freisin ar roinnt mhaith leaganacha a bailíodh in Albain ón 18ú haois ar aghaidh.

Ceist chasta, ar ndóigh, an léiriú a thabharfadh traidisiún na lámhscríbhinní ar thraidisiún béil na laoi mar a bhí sí roinnt céadta bliain ó shin, cé gur léir go gcaithfear an dá ghné sin a chur san áireamh agus ábhar ar bith den chineál seo á mheas.[4] Ceist eile an tionchar a bhí ag an dá ghné seo den traidisiún ar a chéile agus an chaoi ar bheathaigh siad a chéile. Sa deireadh thiar, is dóigh gur féidir linn breathnú ar thraidisiún na laoithe mar thraidisiún amháin, bíodh gur trí mheáin éagsúla a fhaighimid léargas air. Traidisiún craosach a bhí sa traidisiún seo, ina dhiaidh sin féin, agus ní hamháin gur tharraing lucht scríofa lámhscríbhinní as lámhscríbhinní eile, agus b'fhéidir as an traidisiún béil, ach níor leasc leo cóipeanna a dhéanamh d'ábhar a bhí clóscríofa cheana i leabhair. Níor thaise do shaothar Brooke é. Bhronn foilsiú a leabhair stádas ar leith ar chuid de na dánta a bhí aici ann, agus uaidh sin amach ní hannamh a chastar a haistriúchán siúd orainn i dteannta leaganacha de na laoithe i lámhscríbhinní.[5] Dhá bhliain i ndiaidh fhoilsiú *Reliques of Irish Poetry,* chóipeáil an scríobhaí Peadar Ua Conaill an chéad rann as cúig cinn de na laoithe a bhí sa leabhar sin, agus bhaist sé 'laoidhe Mhiss Brooc' ar an iomlán.[6]

ÁBHAR AGUS CÚLRA

Le bás Chonnlaoich (nó Chonnla) a bhaineann an laoi seo againne. Scéal é seo a bhfuil riar inseachtaí air sa traidisiún:[7]

(a) Is in *Aided Oénfir Aífe*, scéal próis a scríobhadh i dtreo dheireadh ré na Sean-Ghaeilge, nó i ré na Meán-Ghaeilge, atá an inseacht is sine le fáil.[8]

(b) Tá éirim an scéil le fáil i leaganacha próis agus filíochta dinnseanchais den logainm *Leacht Aínfhir Aífe.*[3] Níl an inseacht chomh hiomlán is atá in *Aided Oénfir Aífe*, agus tá roinnt éagsúlachtaí beaga ann.

(c) Tugtar achoimre ar an scéal sa lámhscríbhinn dlí H 3 17 (Coláiste na Tríonóide), mar a ndéantar plé ar choir na fionaíola agus ar an bpionós a ghabhann léi.[10] Is é an chaoi a n-úsáidtear scéal Chonnla mar léiriú ar fhasach dlí, *i.e.* an pionós ba cheart a ghearradh ar an té a dhéanfadh coir dá leithéid. Cnámha an scéil a thugtar, chomh maith le rann amháin filíochta mar a gcaoineann Cú Chulainn a mhac.

(d) Tá ábhar an scéil mar apalóg i marbhna le Giolla Chaluim mac an Ollaimh ar Aonghus Óg, mac le hEoin, Rí Inse Ghall, a maraíodh sa bhliain 1490. I Leabhar Dhéan Leasa Móir atá an marbhna seo.[11]

(e) *Oidheadh Chonnlaoich mhic Chon gCulainn*, leagan Nua-Ghaeilge Moiche den scéal a bhfuil teacht air in an-chuid lámhscríbhinní idir an 17ú agus an 19ú haois. [12]

(f) An laoi a bhfuil roinnt leaganacha di le fáil in Éirinn,[13] agus in Albain.[14]

(g) Leaganacha a bailíodh ó bhéalaithris sa 20ú haois, agus san aois roimhe.[15]

Glactar leis go coiteann go bhfuil dlúthbhaint ag scéal na Sean-Ghaeilge le scéalta i dtraidisiúin eile a bhfuil téama seo na fionaíola iontu, go háirithe scéal Sohrab agus Rostem i *Shahnama* na Peirsise,[16] agus *Hildebrandslied* na Gearmáinise. Ní cinnte cé acu is cuid d'oidhreacht choitianta Ind-Eorpach é a shíolraigh ón mbunmháthair, nó an é an chaoi a dtáinig an scéal anoir thar tír isteach ó thraidisiún eile Ind-Eorpach.[17] Is léir, áfach, gur de bharr a chumhachtaí thragóidí atá an buntéama a shiúil agus a mhair sé.

Faoi mar atá an seanleagan den scéal in *Aided Óenfhir Aífe*, tuigimid nach i ngan fhios a rinne Cú Chulainn an gníomh, ó rinne a bhean, Eimhear, iarracht cosc a chur leis, á rá gurbh é a mhac a bhí ann. Níorbh fhiú le Cú Chulainn éisteacht lena comhairle, áfach, ó ba thábhachtaí leis oineach Uladh a chosaint, cuma cén iarmhairt a bheadh ar a ghníomhartha. Pé ar bith cén léamh a dhéanaimid ar an scéal, nó cén teagasc a d'fhéadfadh a bheith aige, maolaítear ar ról dearfach Eimhire sa laoi agus i roinnt de na leaganacha béil, agus is é an chaoi a ndéantar scéal díoltais de, *i.e.* gur thréig Cú Chulainn a leannán a bhí le haghaidh páiste le filleadh ar Éirinn agus gurb ise a leag na geasa tubaisteacha ar a mac ba thrúig bháis sa deireadh dó.[18]

LEAGANACHA

Maidir leis an laoi, tá os cionn seasca cóip di le fáil i lámhscríbhinní éagsúla sa tír seo agus thar lear. Ní hannamh na scéalta a bhfuil dlúthbhaint acu leis an laoi, *Oidheadh Chonnlaoich mhic Con gCulainn*, agus *Oileamhain/Foghlaim Con Culainn* sna lámhscríbhinní céanna léi. Níos minice ná a mhalairt, is mar dhá roinn, nó dhá dhán ar leith, a chastar an laoi orainn. 'Teacht Chonnlaoich go hÉirinn' an t-ainm a thugtar go hiondúil ar an gcéad cheann a mbíonn 28 rann ann i mbunáite na leaganacha, mar atá ag Brooke, agus a thosaíonn leis an líne *Táinig triath, an borblaoch*.[19] 'Uaillchumha Con Culainn' an teideal is coitianta a bhíos ar an dara ceann, ach tugtar 'Caoi' nó 'Triamhain' Chú Chulainn' agus 'Marbhna Chonnlaoich' air freisin; nó ní bhíonn de theideal ar uairibh air ach 'Cú Chulainn cct tar éis marbhtha a mhic .i. Connlaoich'. Ocht rann déag atá sa dán seo i leagan Brooke. Castar leaganacha eile orainn a mbíonn níos mó ná sin iontu, ach is é an leagan is coitianta, go háirithe sna lámhscríbhinní a bhaineann leis an 18ú haois, an ceann nach mbíonn ach aon rann déag ann. (Tugaim príomhleagan I air seo.) Freagraíonn deich gcinn de na rainn seo do rainn 1-3, 5, 7-9, 11, 17 agus 18 i leagan Brooke, cé nach ionann baileach an t-ord ina mbíonn siad ná an fhoclaíocht iontu. Bíodh gur i dteannta a chéile is minice a bhíonn Teacht Chonnlaoich agus Caoineadh Chonnlaoich, ní hannamh a chastar ceann amháin nó ceann eile orainn as féin.

Is léir gur dhá dhán ar leith atá iontu seo ó thús. Leis an líne *Truagh sin, a Aoinfhir Aoife*, a thosaíonn an caoineadh sna leaganacha ar fad, agus críochnaíonn sé leis an líne *Nocha liomsa as lántruagh*, mar a bhfuil dúnadh fileata le feiceáil. Óglachas ar rannaíocht bheag atá sa chaoineadh seo, sin sa méid is go mbíonn cuibheas idir déanach B agus déanach D, agus cuibheas aicilleach idir déanach A agus focal i lár B, agus idir déanach C agus focal i lár D. Níl cinnteacht siollaí ná uaim rialta ann. Óglachas ar dheibhí, áfach, atá in *Táinig triath, an borblaoch*. Os a choinne sin thall, ní hannamh an dá dhán a bheith rite ina chéile mar dhán fada amháin a mbíonn idir 38 agus 46 rann ann, ag brath ar cé acu an leagan gearr nó an leagan fada den chaoineadh a bhíonn againn.

Le hais an phríomhleagain seo (I) gona mhalairtí iomadúla, creidim gur féidir dhá mhórleagan eile a shonrú. An chéad cheann díobh seo, a dtabharfar leagan II air feasta, dán fada amháin atá ann a mbíonn idir 53 agus 59 rann ann sna lámhscríbhinní. Leagan é seo a bhaineann le Tuaisceart Chúige Laighean nó le Cúige Uladh ós i lámhscríbhinní a thagann ón mball sin atá fáil air. *Iar tteacht don mborb ó mhuir isteach* a chéad líne. Cumasc de *Táinig triath, an borblaoch* agus *Truagh sin, a Aoinfhir Aoife* atá ann, ach go bhfuil rainn bhreise curtha leis. Foilsíodh eagrán den leagan seo in *An tUltach*,[20] ach ní luaitear a fhoinse.

Dán fada amháin atá sa leagan eile, leagan III, dar tús *Táinig borb chugainn go fíochmhar.* Arís eile, is cosúil gur leagan áitiúil é a bhaineann an iarraidh seo le hoirdheisceart na tíre. I lámhscríbhinní a bhaineann le Co. Thiobraid Árann nó le Co. Phort Láirge atá teacht air. Fearacht *Iar tteacht don mborb ó mhuir isteach* cumasc den dá dhán atá ann, ach gur faide de bheagán é ná leagan II ós idir 63 agus 66 rann atá sna lámhscríbhinní. Thairis sin, tá go leor éagsúlachtaí eile idir II agus III.[21]

Tá roinnt rann a bailíodh as an traidisiún béil le fáil i leaganacha de Scéal Chú Chulainn. Baineann an chuid is mó de na rainn atá sa scéal seo leis an mallacht a chuireann Cú Chulainn ar mháthair Chonnlaoich, agus leis an gcaoineadh a dhéanann sé os cionn chorp a mhic.

FOINSÍ

Tháinig fás agus forbairt ar an laoi seo le himeacht aimsire, mar is léir. Forás é sin a bhaineann le nádúr na laoithe fré chéile sa méid nach téacs socair seasta a bhíonn ann, ach scéal véarsaíochta a gcuirtear leis, a mbaintear de, agus a athraítear ar bhealaí éagsúla de réir mar a fheileann. Is é uirscéal Ghiolla Chaluim mhic an Ollaimh a cumadh thart ar an mbliain 1490 an leagan is sine den dán atá tagtha anuas chugainn. Ceist mhór an é Giolla Chaluim féin a chum an dán, nó arbh é an chaoi ar bhain sé gaisneas as dán a bhí ann roimhe mar uirscéal ina chaoineadh. Sé rann is fiche atá ann agus baineann siad uilig le teacht Chonnlaoich, an comhrac, agus an comhrá idir an bheirt. Níl an marbhna sa dán seo. Faoi mar atá an dán in eagar ag Ross, is aiste dheibhí atá ann, agus cé nach bhfuil an mheadaracht foirfe, is maisiúla go mór í ná aistí óglachais na laoithe Fiannaíochta. Sa leagan seo den dán is gnách comhardadh deiridh rinn:airdrinn i ngach leathrann, agus comhardadh inmheánach sa chomhad, cé nach i gcónaí a bhíonn sin amhlaidh. Comhardadh briste a bhíonn ann go minic agus ina cheann sin tá roinnt samplaí de rófhad agus de róghiorra ann. Tá uaim in thart ar 50% de na línte.

Ceithre cinn déag de na rainn ag Giolla Chaluim atá ag freagairt do rainn i leagan Brooke, cé go bhfuil athruithe suntasacha sa bhfoclaíocht *etc.* sna rainn sin.[22] Is scaoilte go mór fada freisin an mheadaracht sa leagan ag Brooke. Ní thugtar aird ar chinnteacht siollaí ná ar chomhardadh inmheánach. Ná níl cuibheas deiridh rinn:airdinn le fáil tríd síos sna déanaigh. Fearacht leagan Brooke, i gcuid de na leaganacha deireanacha ní léir ach an mheadaracht is bunúsaí, má tá an méid sin féin iontu, agus faoi mar a tharlaíonn sna laoithe iarchlasaiceacha, is beag aird a bhíonn ar chuibheas ná ar chinnteacht siollaí.[23]

Tá mórchuid rann eile i leaganacha den laoi in Éirinn agus in Albain nach bhfuil i ndán Ghiolla Chaluim ná i leagan Brooke. Cumadóireacht nua, seans maith, atá i gcuid díobh seo, agus is scaoilte fós an mheadaracht iontu. Tá rainn eile, áfach, nach bhfuil i ndán Ghiolla Chaluim, ná i leagan Brooke, ach atá le fáil i seanfhoinsí eile. Orthu seo tá rann dar tús *Och, ochón is mór m'eire* a bhfuil teacht air san inseacht den scéal a thugtar sa téacs dlí H 3 17, agus a chuirtear go minic i ndiaidh an mharbhna i leaganacha den dán atá ar fáil in Éirinn agus in Albain. Tá rann dar tús *Leachtán sonn Aoinfhir Aoife* a bhfuil teacht air sa Dinnseanchas,[24] agus atá mar chuid de dhán in *Oidheadh Chonnlaoich*.[25] Tá rainn eile in *Oidheadh Chonnlaoich* atá le fáil i leaganacha den laoi, chomh maith le roinnt sleachta den téacs próis atá le fáil mar fhilíocht.

Tá gach cosúlacht air gur tharraing an dán seo gnéithe éagsúla de thraidisiún Chonnlaoich chuige féin le linn a thréimhse fáis. Ní thabharfar aghaidh ar na snátha sin uilig a scaradh ó chéile anseo.

AN TÉACS

Eagrán de leagan III den dán atá anseo. Tá an leagan seo le fáil i dtrí cinn de lámhscríbhinní, go bhfios dom:

A Acadamh Ríoga na hÉireann 24 B 26 (57-60) a scríobh Uilliam Ó Cléire ó Rathaoin (Co. Thiobraid Árann?), idir na blianta 1760 agus 1763.

B Acadamh Ríoga na hÉireann 23 L 8 (105-17) a scríobh Domhnall Mac Síthigh ó Cho. Phort Láirge idir na blianta 1813 agus 1820.

C Acadamh Ríoga na hÉireann 23 L 5 (207-15) a scríobh Risdeard Paor ó Chnoc Buidhe, Co. Phort Láirge idir na blianta 1824 agus 1826.

An leagan céanna den laoi, a bheagán nó a mhórán, atá sna trí lámhscríbhinn. Cóip de B atá in C. Is féidir bunáite na miondifríochtaí atá eatarthu a mhíniú mar dhearmaid chóipeála, agus ina cheann sin tá fianaise againn gur bhain scríobhaí C, Risdeard Paor, leas as B, tharla a ainm a bheith scríofa ar an lámhscríbhinn.[26] Cé gur gar dóibh atá A, ní móide gur cóip de atá in BC, ná gur shíolraigh siad go díreach uaidh. Tá roinnt léamha in A atá éagsúil go hiomlán le léamha BC. Tá roinnt de na léamha seo, áfach, le fáil i leaganacha eile den laoi. Ar an taobh eile, tá roinnt léamha in BC nach bhfuil in A ach atá i lámhscríbhinní áirithe de leagan I den laoi.

Trí rann is trí fichid atá in A; dhá rann díobh sin (49 agus 64) nach bhfuil in BC. Ceithre rann is trí fichid atá in BC; trí cinn díobh sin nach bhfuil in A, *i.e.* r. 17, agus dhá rann eile idir rr. 57 agus 58, agus idir 59 agus 60. Maidir leis an dá rann dheireanacha sin, is leaganacha éagsúla iad de rann eile atá sa dán, *i.e.* r. 58.

Tá rainn i leagan I (Brooke) ag freagairt do thart ar leath na rann sa leagan seo. Tá ocht rann eile (18-26) sa leagan seo a bhfuil teacht orthu freisin taobh istigh den scéal próis *Oidheadh Chonnlaoich*, agus tá an rann deireanach ag freagairt don rann atá sa téacs dlí H 3 17, ach tabharfar athruithe suntasacha faoi deara idir an fhoclaíocht *etc.* sna leaganacha seo uilig.

Is ar A atá an t-eagrán seo bunaithe, ach baintear leas as léamha BC nuair is fearr iad, dar liom, ná léamha A. Tá rann amháin ó BC nach bhfuil in A tugtha anseo, *i.e.* r. 17, agus tugtar malairtí ó B agus C i gcás na rann eile. I gcás rr. 18-26, atá le fáil freisin in *Oidheadh Chonnlaoich*, tá léamha as eagrán Walsh den téacs sin tugtha agam sna nótaí chomh maith le léamha as an lámhscríbhinn is sine ina bhfuil an scéal seo, Leabharlann Náisiúnta na hAlban 38 (DÉ – 17ú haois). Tá léamha as leaganacha I (Brooke) agus II (Cambridge Additional

3085, c. 1750 AD) tugtha agam freisin i gcás deacrachtaí, chomh maith le léamha as roinnt leaganacha eile a bhfuil tagairtí dóibh sna nótaí.

Ní mórán nodanna a úsáidtear sa lámhscríbhinn seo. Scaoileadh a mbunáite os íseal, ach déantar plé ar roinnt acu sna nótaí. Baintear úsáid fhairsing as an ngiorrúchán ponc os cionn líne, a sheasann do ghuta agus consan séimhithe, nó do ghuta simplí. Scaoileadh seo mar a d'fheil don chomhthéacs. Ar an gcuma chéanna is mar *-(e)adh*, *-(a)idh*, *-eith* a scaoileadh an nod ⁊̇ de réir an chomhthéacs.

Baineann deacrachtaí le dán den chineál seo a chur in eagar. Is fada siar a théann a fhréamhacha, agus tugann na leaganacha lámhscríbhinne fianaise ar thréimhse fáis, tréimhse inar tugadh dánta agus ábhar éagsúil a bhaineann le bás Chonnlaoich le chéile go ndearna dán amháin de. Mhúnlaigh agus d'fhorbair scríobhaithe éagsúla an dán trí chur leis nó trína athrú ar bhealaí éagsúla. Tá toradh an fháis sin le sonrú sna foirmeacha canúna agus sna malairtí atá le feiceáil i leaganacha éagsúla an dáin. Cuid de na hathruithe a chuaigh air le himeacht aimsire, is léir gur de bharr míthuisceana nó míchóipeála a tháinig ann dóibh. Ina cheann sin, níorbh ionann meadaracht an chéad lá do roinnt de na dánta éagsúla a úsáideadh sa laoi. Fágann sin go bhfuil éagsúlacht agus éagothroime mhór le sonrú sna rainn ó thaobh na meadarachta, na canúna agus na teanga i gcoitinne.

Ós léiriú an leagan seo den laoi ar an gcaoi a múnlaítear dán nó amhrán sa traidisiún scríofa agus b'fhéidir sa traidisiún béil in imeacht roinnt céadta bliain, ní dhearnadh iarracht róchaighdeánú a dhéanamh uirthi. Ó thaobh eagarthóireachta de, cuireadh na hathruithe seo i bhfeidhm ar théacs na lámhscríbhinne:

(i) Cuireadh isteach sleamhnóga san áit a raibh siad ag teastáil.

(ii) *o(i)*, *u(i)* neamhaiceanta > *a(i)*, ach amháin san fhocal *cróluighe* agus i gcomhfhocail eile.

(iii) *io* neamhaiceanta > *ea*, m.sh. *theithfiodh* > *theithfeadh* 35d; *dílios* > *díleas* 62d *etc.*

(iv) *éu > éa*.

(v) Cuireadh an síneadh fada isteach san áit a raibh sé ar iarraidh.

(vi) *cc, tt > gc, dt*.

(vii) *nng > ng*.

(viii) *a(n)* (réamhfhocal) > *i(n)*; *air* (réamhfhocal) > *ar*; *aig* (réamhfhocal) > *ag*.

(ix) Cuireadh litriú stairiúil d'fhocail i bhfeidhm san áit a raibh litriú canúnach sa lámhscríbhinn, m.sh. *chúise > chubhais-se* 20a; *dhéigse > dhéidh-se* 61d; *thaoisig > thaoisigh* 47b; *tháinigh > tháinig* 40d; an deireadh briathartha *-ag > -adh*, m.sh. *féadag > féadadh* 61a.

(x) Maidir le *dh* agus *gh*, an litriú stairiúil a cuireadh i bhfeidhm san áit nach raibh sin sa lámhscríbhinn; m.sh. *mharcaidh > mharcaigh* 2a. Ar an gcuma chéanna, cuirtear *-dh* deiridh le roinnt focal a bhfuil sé ar lár iontu agus baintear d'fhocail eile é nach mbaineann sé leo go stairiúil, m.sh. *corcradh > corcra* 57c; *ollchóige > ollchóigeadh* 36d.

(xi) Measctar na foirmeacha *Connlaoch* agus *Connlaoich* sa lámhscríbhinn. Baintear úsáid as an bhfoirm *Connlaoch* sa tuiseal ainmneach, cuspóireach agus tabharthach uatha, agus an fhoirm *Chonnlaoich* sa ngairmeach agus sa nginideach uatha san eagrán seo.

Cuirtear athruithe eile in iúl sna malairtí nó sna nótaí, mar a bhfuil plé ar roinnt deacrachtaí téacsúla. Fágadh gan athrú roinnt foirmeacha eile atá neamhchlasaiceach nó canúnach.

Táim buíoch d'Acadamh Ríoga na hÉireann as cead a thabhairt dom an dán a fhoilsiú.

An Laoidhe ar Oidheadh Chonnlaoich

1 Táinig borb chugainn go fíochmhar,
[an] curadh cródha Connlaoch,
don mhuir ghrianmhar gharrtha ghrinn
ó Dhún Sgáthaigh go hÉirinn.

2 Sgéala dhúin[n]e, a óglaoich bhuidhe,
a mharcaigh taoi ar n-imthnidhe (?),
is cosmhail lead tuaradh 'nár ndáil,
go raibh tú ar tuaradh nó ar seachrán.

3 Sé anois mo thiachtain anoir
as críoch oirthear an Domhain,
do dhearbhadh mo ghaisgidh go grinn
go tír oirdhearc Éireann.

4 Sguir don réim atá reomhad,
eirge don loing anallód,
nó tóigfidhear do leacht do phreib,
in éiric cíosa an droichid.

5 Níor sguir an laoch sin dá lámhach,
Connlaoch fíochmhar forránta,
céad dár sluagh do ceangladh leis
i dTeamhair, gedh buan lean aithris.

6 Do ghluais Conall nar lag lámh
ag buain sgéala don mhacámh;
dearbhadh le cleasaibh an laoich
gur ceangladh Conall le Connlaoch.

7 Teachtaire uaibh ar cheann na Con,
do rádh Airdrígh Uladh,

go Dún Dealgan grianmhar glan,
seandún éarlaimh na n-aingeal.

8 Aon laoch amháin iar dteacht anoir
go críoch iarthar an Domhain;
do ceangladh go cruinn leis sin
Conall is céad dár muinntir.

9 Do ghluais Cú na seanlann slim
le clos cuibhrigh Chonaill
ó chríochaibh na saoithe seang
go rígh sgaoilte na bhfearann.

10 Ar dteacht don Choin do láthair:
as mall thángais dár gcabhair,
Conall na stéad i gcuibhreach
is céad dár muinntir i nglasaibh.

11 As deacair dhamhsa a fhulang i mbroid
an tí d'fhóirfeadh mo dhanaid,
's as deacair dul i ndeabhaidh lann
an té léar ceangladh Conall.

12 Na smuain gan dul 'na dheabhaidh,
a laoich na n-arm ngaisgeamhail,
a láimh chruaidh gan time le neach
fuasgail [t]h'oide as é i gcuibhreach.

13 Gluaiseas Cú d'ionnsaighe an átha,
i ndáil an ghaisgeadhaigh ghairbh,
géar leisg leis dul dá láthair
ráinig Connlaoch go seasgair.

14 Do chomhairle grinn do-bheirim dhuit:
sgéal d'innsin damh mar charaid,

gaibh do rogha, cé bog binn,
ní ba toghtha duit mo chomhlainn.

15 'Do gheasaibh thógbhas ó mo thigh
gan sgéala thabhairt do chorrdhuine;
dá dtugainn fios d'aoinneach eile
as dod dreach dhílis-se d'aithreosainn.

16 Do ghluais an dá laoch fo chéile,
's dob é an comhrac aidhbhéile,
an macaomh go bhfuair a ghoin
le daltán cruaidh an Chathfaidh.

17 Anois, [a] óglaoich, aithris do sgéal,
ó tá do chréachta go haidhbhéil,
is gearr go dtiocfam ar do leacht
is ná ceil feasta air t'imtheacht.

18 An bhfaice an lámh, a Chú Chuailnge,
do-righnis gníomh mórbhuaidhe
maith an tOlltach, do nimh goile,
do chuiris 'na chróluighe.

19 As mairg do mharbh, más Olltach é,
ba mhaith, ar Conall, a ghné.
Ba mhaith an cuingidh catha,
ba mhaith an t-oighre ardfhlatha.

20 Ar do chubhais-se, an fáth nach fann,
as eadh adubhairt Conall,
sul nach folcha an talamh díot
faghamais fios do shloinneadh.

21 Anoir thánagsa anall
chugaibhse, a mhaithe Éireann,

monuar as é m'athair gan ail
Cú Chulainn mac Subhaltaigh.

22 Muna mbeith cleas an ghaí neimhe
is nár aithneas-sa é roimhe,
ní muirfidhe mise gan feall
nó go dtuitfidís fir Éireann.

23 As truagh nach mise ro foladh san áth,
sul fár goineadh thusa, a ghrádh,
nó nár marbhadh sinne 'maille,
más tú aonmhac Aoife.

24 Mo dá shleagh, a Chonaill chaoimh,
beir leat as taisg lead taoibh,
is mo chloidheamh go ngoil,
tabhair do mhac Subhaltaigh.

25 Atá mo churachán insa tráigh,
eirgeadh duine uaibh 'na dháil,
béaradh céad tar muir meardha
's ní thréigean[n] sé a thighearna.

26 Clochtar libhse an talamh te,
anois, do aonmhac Aoife,
as mairg do mharbh a dheargdhreach
in am chasda na mórchreach.

27 Mo mhallacht ar ár mbuime ar aon
re mnaoi dá héis ní hiontaobh;
níor fríth me i dtreas in aisgidh
go dtáinig aoinchleas d'iomarcaidh.

28 A mhic óig, noch tháinig i gcéin,
as rightheamhail bheirir do phréimh

cé holc t'oigheacht againn abhus,
as dom iarraidh féin thángais.

29 Ós riot do théighfeadh mo thaobh
aithreosad féin duit ár ngaol:
a fhir gan omhan re lainn,
mo shloinneadh as agadsa d'fhágfainn.

30 Innis cé as a dtig ár ngaol,
rena dtéighfeadh ár dhá dtaobh,
[A] adhbhar churaidh chruaidh na gcleas,
cé leis a dtig ár gcairdeas?

31 Aoife do bhuime ba dearg dreach,
as d'fhágbhais í trom torrach;
ag seo an fáinne gan ail
tugais ina láimh faoim chomhair.

32 Truagh nach mise thuit san treas,
ós fíor gur tusa Connlaoch,
ar dtuitim dom ghliaidh is dom ghoil
dursan gan mé beo i dtalmhain.

33 Athchuingidh dhamh ós tú m'athair
leig dham tuitim ar m'athaidh,
ná habraid Olltaigh ag tiacht 'nár ndáil
go rabhas ag druidim ón gcomhdháil.

34 An athchuingidh do shiris orm
do chráidh mo chroidhe is mo chom,
dá mbeinnse féin go bráth beo,
ní bheinn aontráth gan iarghnó.

35 Dá mbeinn féin agus Connlaoch slán
ag imirt ár gcleas i gcomhláimh,

fir Éireann ó thuinn go tuinn
as iad do theithfeadh reomhainn.

36 Dá mbeinn féin agus Connlaoch caomh
ag imirt ár gcleas ar aon,
níorbh anfhorlann linn 'nár gceann
ceithre hollchóigeadh Éireann.

37 Do-bheirim mo bhriathar go pras
Duitsi anois, cidh beag fhóghnas,
gur tú, a Chonnlaoich, nár thim,
leath mo chroidhe arna choimhrinn.

38 Uaithne anois ataoi im dháilse
's gur taochadh re mnaoi mo mhórghrádha
dalta sliasaide a druinne
ná mac ochta a hurbhroinne.

39 Tréighe an bhean laoi a bron[n]
ar an bhfear bhíos dá tadhall;
as mairg do-bheir an taobh thall,
ar chuireadh na rosg romhall.

40 As dearg anois atá an linn-se,
ní do mo rinnse nach ráinig,
ag so fuil a[n] mhic mhallghlain
dob fhearr ar talamh tháinig.

41 As dearg anois an sruithse,
d'fhág mo chruithse go cáidhe,
's as dearg an sruth roghlan
atá fios an adhbha[i]r aige.

42 Mo mhallacht tré sháthadh sealga
dod mháthair go mórchealga,

as é [a] raibh d'olcaibh innte
do-bheir mo linntibh go dearga.

43 As truagh do thuras tar muir mhall,
a aoinmhic Aoife ionmhain,
gan adhbhar, gan fochain chatha,
dod mharbhadh lead aonathair.

44 'S mé an t-athair ro mharbh a mhac,
nár chathaidh cró ná caonbhrat,
go bhfaghaidh cráidh agus confas,
an lámh sin léar luathghoineas.

45 Uch! muna mbeith cleas an átha
ní muirfidhe é go lá an bhrátha,
níorba forrach an sluagh a bhus
a chara, as truagh do thuras.

46 As truagh sin, a aoinmhic Aoife,
do chuaird don chríoch-sin Ulladh
do chomhrac re Cú Cuailnge,
uchán! as truaighe an turus.

47 Truagh nach aon eile ar domhan
dá ráinig tolladh mo thaoisigh,
do mharbhainn féin it éiric
céad ar chéad do dhaoinibh.

48 As maith don teaghlach ón gCraobhruaidh,
as do cheann comhshluaigh na gcuradh,
nach díobh do marbhadh m'aonmhac,
an tsaorfhlaith fa mhór cumhaidh.

49 As maith do Chormac Conloingeas,
nár cinneadh leis an gníomh-sin,

's nach é fuair mar bhall gona
an sgiath chorcra ná an cloidheamh-sa.

50 As maith do Laoghaire Bhuadhach
ná fuaras é dod fhorlann,
as maith don churadh do Chonall
nár mharbh tú i gcothrom comhlainn.

51 As maith do Chómhsgaoi Bheann na Mac
nach tug dam fochan cumhaidh,
as maith d'Fhorbhuidhe caomh cruthach,
as maith do shluaghaibh uile Uladh.

52 Ó thárla mise im bheathaidh
as maith d'fhearaibh na hAlban
nach leo sin traochadh [t]h'uaisle
as maith do shlúaighte na Fraingce.

53 Dá marbhthaoi thú san Eadáin,
san Easpáin nó san Éigipt,
nó i gcríochaibh Sagsan na saorshlógh,
ní bheadh claochlódh ar m'inntinn.

54 As truagh nach i dtír na gCruithneach,
na bhféinneadh bhfuilteach n-órdha,
do thuitis-se, a óig fhíochmhair,
nó thoir i gcríochaibh na Sorcha.

55 As truagh nach san Mumhain mheadhraigh,
nó i Laighnibh na lann bhfaobhrach,
nó in iath Cruachna na mborblaoch,
do thuit mo Chonnlaoch caomhsa.

56 Dá mbeinn féin is Conall cruaidh,
ar tí an fhir éachtaigh armruaidh,

dá mba áil leis ár bhfochta
ba ghearr leis dár luathchosgadh.

57 Och! as measa mur thárla,
monuar, as dána dona,
a Chonnlaoich na sleagh gcorcra,
mé féin do dhortadh t'fhola.

58 Monuar, a aoinmhic mo chroidhe,
ar dtiachtain duit don chríoch-sa
comhrac aonghaoithe is uisge,
truagh nár mhúin duit Aoife.

59 A Chonnlaoich chaoimh dheaghoinigh,
go deimhin níor bhlais an bheatha
– muna mbeith an cleas coga[i]dh –
neach do ghoinfeadh do neartsa.

60 Ó d'iaidh umam ceo cumhaidh,
mo bheith go dubhach ní hiongnadh,
dul do chomhrac réam aonmhac,
mo chréachta annois is iomdha.

61 Och! nar féadadh ár n-eadráin,
ar dteagmháil duinn dá chéile,
truagh sin a mhic mo chroidhe
's gan mac eile am dhéidhse.

62 Ní hiongnadh mé go tuirseach,
ní bhfuil Mic Oisneach do láthair,
mar táimse d'éis an ríghfhir
gan mac díleas ná bráthair.

63 Gan Connlaoch anois gan Dáirfe (?)
gan Naoise is Áinnle armruadh,

gan Ardán is cúis ionnsa,
ní liomsa nach lántruagh.

64 Och! as olc, is mór m'eire
as mé ag ardughadh suas go boinne,
Ceann mo mhic im láimhse
[A] arm as [a] aoibh san láimh oile.

MALAIRTÍ

1a] A 5ainn (ponc os cionn an '5') BC chughainn; 1b] BC Connlaoidheach; 1c] A gharrthaidh BC gharthaidh; 1d] A Sgáthaigh BC Sgáthach

2a] A dúine BC sgeal dúinn; 2b] A ar nimthnidhe; 2c] A tuara

3a] C aois; 3b] BC iarthar; 3c] A do dhearbh, ghaisge B mo ghaisge grinn C ghaisg BC Éirinn

4b] A loinng BC an alloid; 4c] BC phreab; 4d] BC droithid

5a] BC ni; 5d] BC a ngníomh (?) cé fuath re n-aithris

6b] BC macaomh; 6c] BC laoch; 6d] BC Connlaoch

7b] A Ulaidh BC Ulladh; 7c] BC Dealgain; 7d] BC Seann duin (C duinn) fialmhar Dethin (C deithin)

9a] BC seanlan; 9c] seang *om.* BC; 9d] B sgaoillte

10a] B Chonn C Chon; 10b] BC do thángais; 11a] B fhuillaing C fhullaing

11d] BC ti; 12a] BC smaoin

12c] BC chruadh; 12d] A hoide BC t'oide B as a chuibhreach C as chuibhreach

13a] BC a gcion an átha; 13b] BC adi a ndail an ghaisgidhigh gharbh

14a] BC bheirim; 14b] BC d'innsint; 14d] B na chomhlainn C na chomhlann

15a] BC thógbhus orm óm thig; 15b] BC gan sgéal d'innsin do aon chuir; 15c] B ttugain; 15d] A dhilse

16a] BC fá; 16b] A eigbhéile BC aidhmheile; 16e] BC Cathfadh

17] Níl an rann seo in A.

18a] AC lamh; 18b] BC morbhaige; 18d] BC do chuirios féin a gcroluighe

19d] BC toighir

20a] ABC chúise; 20c] BC falchadh B tallamh; 20d] BC faghamaois

21a] BC do thángasa; 21c] B maithair; 21d] A Coinchulainn BC Subaillthuigh

22c] BC mhuirfidh

23b] BC ro folach; 23c] BC mharbhadh; *om.* sinne

24c] BC go ngoille (?)

25c] BC beireach BC meanda

26c] BC mhairbh

27a] BC ár *om.*; 27c] BC froith; 27d] ABC aisge

28a] A óigh BC óg; 28b] BC righeamhuil do bheirir; 28c] A tiodheacht BC toigeacht; 28d] BC tháingais

29a] BC frioth do thaofadh; 29b] A aithreoisiod BC aithreosad A ngaodhal BC ngaol; 29c] A omhainn re lann BC omhan re láimh

31a] BC Aoife buime dhearg dreach; 31b] BC dfágbhus ABC uí; 31c] BC *om.* ag ABC fhail; 31d] BC tugas na lamh A faoi am BC faoi an

32b] A Connlaoidheach BC Connlaoich; 32d] A ttallmhoin BC dtalamh

33a] BC os tu mo mhac athar; 33b] A ar mathaidh BC os mathaidh; 33d] BC go rabhus aig tuitim

34a] BC shiris; 34b] BC do chradh; 34c] A brághach BC bráth

35a] BC ccomhlám; 35cd BC do raobomis araon eadruin/ a siad (C do) theithfiodh reomhuin

36a] A féin *om.*

37a] BC prap; 37d] BC leath mo chroidhe gan conn coimhnin

38a] C ata; 38b] A traochadh mo mhórghradha *om*; 8c] BC shliastaidhe; 38d] BC osa

39a] A tréighe BC treide; 39d] BC ro bhall

40a] BC an linn so; 40b] BC ní cro mo rinn se nach ráinig; 40d] BC tain

41a] BC sruith so; 41b] BC chruith; 41d] BC atá *om.*

42a] BC lin(n)?; 42d] BC do bheirid, go dearge

43c] A cathaidh BC fotham coithaidhe

44a] A 's; 44d] A luaithghoineas BC luath go meas

45a] BC mhuirfidhe; 45c] BC foir an tsluaigh; 45d] BC charadh

46] r. 46 roimh r. 45 in BC; 46a] BC sin *om.* aon mhic A aonmhac; 46b] BC san; 46c] BC chomhraig, Cuailghne; 46d] C is as BC truaigh

47a] BC domhain; 47b] A thaoisig; 47c] B mhairfuinn, C mharfuinn

48a] BC teaghlaig A cCraoibhruaidh; 48c] BC neach diobh do mharbh

49] Níl an rann seo in BC; 49d] A sgiaith chorcradh

50c] BC don churaidh Connall

51a] BC Chomhsgraoi mBeanaid Maca; 51b] BC tugadh; 51c] A As maith do bhorbhfhir chaoimh chruaidh; 51d] A Ullaidh, BC As maith do Dhubhthach Daol Ulladh

52a] BC bheatha; 52c] BC huaisli se; 52d] BC shluaighaibh

53a] BC tú féin, Eadain– ; 53b] A Easpainus, BC Easpain; 53c] A saorshlóigh, BC sár shluaigh; 53d] BC intinn

54b] BC morrdha; 54c] BC fiochmhar; 54d] ABC shoir
55a] ABC meadhraig; 55b] BC faobhrach
56a] B *Conall* i ndiaidh *Connlaoich* a bhfuil líne an scriosta tríd. A cruaidh; 56c] BC da m'ail leis ar bhfostadh; 56d] BC leis air dar luathchosga
57b] A donadh, BC damhna dona; 57c] BC gcorcradh, BC dortadh dfhola

Rann breise ag BC idir 57 agus 58:

Mo bheith fa chudha gan roneart
Air dteacht duit san gcríochso
Gan comhrac choidhche air uisge
Truaigh nar mhúin duit Aoife

58b] BC dtiachduin; 58c] BC comhraig; 58d] BC truaigh
59c] A bogadh, BC cogadh

Rann eile ag BC idir 59 agus 60:

Má bheith falúdha gan roneart
Air dteacht dtréan gcriochso
Gan comhrac cordhreach (?) air uisge
Truaigh nár mhúin duit Aoife

60a] A d'iaghaidh BC diaghad; 60c] BC comraic re'm
61] BC in easnamh; 61d] A dhéigse
62b] BC mo mhisneach; 62c] A mur BC ma, BC na Righfhear; 62d] BC neach
63b] B arm Ruadh; 63c] ABC unsa
64a] BC m'ire; 64b] BC go haoibhinn; 64c] C laimhese; 64d] BC is

A finis BC Críoch

NÓTAÍ TÉACSÚLA

1 *b* *Con(n)la* a thugtar ar mhac Chú Chulainn in *Aided Oénfir Aífe* (agus go minic sna leaganacha béil), ach *Con(n)laoch* a thugtar air in *Oidheadh Chonnlaoich* (in eagar ag Walsh in *Éigse Suadh is Seanchaidh*, féach fonóta 12 thuas; OC feasta air sna nótaí thíos) agus sna leaganacha den laoi. Cé gur mar *Conlaoch* a scríobhtar an t-ainm seo go minic (ar an tuiscint, is dóigh, gur *cú* + *laoch* a bhunús), scríobhtar i gcónaí le dhá 'n' sna lámhscríbhinní againne é, agus glacadh leis an bhfoirm sin san eagrán seo.

2 *b* *n-imthnidhe* Doiléir. *Imthidhe* atá in BC. *A mhacaoimh áluinn airmghrinn* atá in I. *Failte duit [a] oglaoidh mhoir/ar tteacht chugain go hEiri(o)nn* atá in II.

2 *c* *Tuaradh* Glacaim leis gur foirm den ainm briathartha *túr* 'searching' atá anseo. Is éard atá ag freagairt don leathrann seo i leagan I: *Is cosúil le do theacht nar ndáil/go rabhuis seal ar seachráin.* In II tá *Is cosúil le do thriall ar muir/ go raibh tu ar siabhradh seachráin.* Thiocfadh dó gur *as cosmhuil lead teacht 'nár ndáil* a bhí sa bhunleagan de líne c, agus gur trí dhearmad a scríobhadh an focal *tuaradh*, atá freisin i líne d, an dara huair.

3 *a* *Sic* ABC. Sa chéad phearsa, *i.e.* i mbéal Chonnlaoich, a chuirtear an rann seo freisin in II, *i.e. Anois a tháinic mé anoir.* Sa dara pearsa atá sé i leagan I, *i.e. Anois ó thaingis anoir.*

4 *b* *Eirge* Modh ordaitheach, dara pearsa uatha, den bhriathar *téid.* Féach freisin an tríú pearsa uatha *eirgeadh* 25b.

4 *d* Tá an tagairt do chíos an droichid le fáil i leaganacha I agus III. *Cíos an droichill/droithchill* atá i leagan II. Sa scéal próis, is é an chaoi a dtéann Connlaoch in airde ar 'tulach tighearnais' agus tugann 'clé a sgéithche re cách' le dúshlán na nUltach a thabhairt, féach OC, ll. 60 ar lean. Ní luaitear droichead ná a chíos sa scéal seo.

5 *d* *I ngéibhionn* atá i leagan I. Seans gur macalla de seo atá in *a ngníomh* atá in BC. Tá léamh A, *i dTeamhair*, le fáil i lámhscríbhinní eile, m.sh. Acadamh Ríoga na hÉireann 24 C 44.

7 *d* Tá léamh BC anseo ag teacht le leagan I (e.g. *sean ndun fhialmhar Dheitchinn*). Tá macalla de léamh A le fáil, áfach, in Acadamh Ríoga na hÉireann 24 C 44: *mar bhfuil san dún sin Iarla na nGaoidhil.*

9 *d* 'To the king who splits shields'; *fearann* < SG *fern*, féach *DIL s.v.* 1 fern (b).

11 *d* Léigh *leis/ris an té léar ceangladh* C: 'to join combat with the one by whom C. has been fettered.'

14 *d* 'Conflict with me should not be chosen by you.' *toghtha* rangabháil an riachtanais.

15 *b* *Sgéula thabhairt d'aon churaidh* I; *sgéal a innsint do aoinneach* III.

17 Níl an rann seo in A. Glacaim leis gur de bharr dearmaid a fágadh ar lár é ó tá sé le fáil i leagan I agus II.

18 *a* *Aca an lámh* atá i roinnt leaganacha den dán in *OC*, féach rainn 18-26 in *OC*, ll. 383-428. Thiocfadh dó gurb éard a bhí anseo ó thús, an dara pearsa uatha, modh ordaitheach de *ad-cí*, *i.e.* 'behold the hand, C. C.' An dara pearsa uatha leis an mír cheisteach atá sa téacs againne. *Fost do lámh* atá sa dán i roinnt leaganacha eile de *OC*.

18 *d* *mórbhuaidhe* (lámhscríbhinn mórbhuaighe). *Do-rignis gníomh (n)diombuaidhe* atá in DÉ.

18 *c* *do nimh goile: gníomh ngoile* DÉ.

19 *b* *An macamh ba geal a ghné* DÉ.

19 *d* *Fa mac ríogh nó rofhlatha* DÉ.

20 *c* *Sul nach folcha an talamh díot* Tá il-léamha ar an líne seo: *folcha* atá in *OC* (l. 395), ach tá *sul na foralca, nach solchadh* agus *nach salach* tugtha ag Walsh mar mhalairtí air. *Sul nach falcha an talamh de* atá in DÉ. Glacaim leis gurb é an briathar *folchaid/falchaid* (< *fo-luigi*), an tríú pearsa uatha modh foshuiteach láithreach, atá anseo, *i.e.* 'before the earth may cover you', ach is deacair dom úsáid an réamhfhocail *do/de* a mhíniú sa gcomhthéacs. An é go bhfuil meascán ann idir *folchaidh* 'hides' agus *folcaidh* (+ *de*) 'washes'?

23 *a* *Truagh nach mise ro foladh/San áth an tan ro-d-gonadh*, *OC*, l. 403. *rofoladh* = *ro pholladh* : 'was perforated.' Maidir leis an bhfaí chéasta/briathar saor a bheith faoi shéimhiú san aimsir chaite, féach B. Ó Buachalla, 'Murchadh Mac Briain agus an Díthreabhach', *Éigse* 13 (1965), 85-9, 86 n. 3.

25 *c* *ní thréigeann sé a thigearna: nocha ttréig a thigearna* in *OC*, l. 423 agus DÉ faoi seach. Aimsir láithreach ar son na haimsire fáistiní. Maidir leis an ngné seo, féach B. Ó Buachalla, '*Ní* and *cha* in Ulster Irish', *Ériu* 28 (1977), 92-141, 101 ar lean.

26 *a* *Claoidhtear*, *OC*, l. 424.

26 *cd* *mairg do mharbh an dearg datha/truagh gníomh ar dheagh- athair: mairg do mharbh an dearg datha/Fada beithear ga aca*. in *OC*, ll. 426-7 agus DÉ faoi seach.

27 *c* 'was not easily defeated in battle'; *cf. ar fo-géba i n-ascid* ['you will overcome him easily'], in J. C. Watson, eag., *Mesca Ulad*, Dublin 1941, l. 1038.

28 *b* B'fhéidir gur fearr léamh BC, *do bheirir*, anseo: 'you carry your lineage like a king'.

30 *b* *téighidh re/le*: 'shows affection to'.

33 *a* *leig dhamh tuitim ar mh'faighthe* I; *leig damh tuitim ar m'aghaidh* II. Is fearr léamh II anseo. Maidir leis an gcomhthéacs, féach *OC*, l. 432: *do bhí ag iarraidh*

ar [a] athair a ghlacadh in a lámhaibh ionnas go dtuitfeadh ar [a] aghaidh go nách aibeóradaois laochradh Uladh ná aoinneach oile go madh meatacht ná mí-laochas do-bhéaradh air tuitim ar gcúl.

36 Tá rainn 36-9 le fáil i mblúire den dán i lámhscríbhinn Giessen, féach L. C. Stern, 'Notice d'un manuscrit irlandais de la bibliothèque de Giessen', *RC* 16 (1895), 8-30. Le deireadh na 17ú haoise a bhaineann an lámhscríbhinn, de réir cosúlachta.

38 *a* Ní léir dom brí na líne seo. *Suathnaidh anois atá in dail* 'the matter now is clear' (?) atá i dtéacs Giessen.

38 *b* *traochadh* A; *taochadh* BC. Clásal comparáide atá anseo, rud a fhágann gur breischéim aidiachta atá san fhocal *taochadh* (A *traochadh*). I bhfianaise an téacs phróis: *ro ba tocha lé a dalta sliasda ioná a dalta cíoch ⁊ uchta*, *OC*, l. 449-50, agus téacs Giessen, *is tocha re mnaoi a fear gráidh*, glacaim leis gurb í breischéim na haidiachta *toich* atá anseo. Baineann deacracht leis na gutaí, áfach. An é gur faoi thionchar an fhuaimnithe Ultaigh de *togha* /te:/ atá an forás *oi* > *ao* le sonrú anseo? Maidir le gnéithe eile sa dán a d'fhéadfaí a cheangal le Cúige Uladh, féach na nótaí ar 23a agus 25c thuas.

> 'and that the woman (of my great love) should prefer her lover to the son nurtured on her own bosom.'

Féach freisin *Is gurbh annsa leosan fear leighis a ndroma/nó breith a mbronn 'sa dtaoibhghil*, II.

39 *a* *treighe* A; *treide* BC.

> 'A woman deserts the calf of her womb (*i.e.* a mac) for the man who woos her'?
>
> *Tréighe an bhean = tréigidh an bhean*, nó *tréigean[n an] bhean*. *T[r]eigean bean laog[h] a broinn ag an bhfear bhios da teaghall* atá i dtéacs Giessen.

40 *d* *talamh* ABC. B'fhearr an fhoirm thabharthach *talmhain* anseo ó dhéanfadh sé cuibheas aicilleach le *mhallghlain*, déanach C.

41 *b* 'Red is the colour of this stream/it (*i.e. an fhuil*) has dirtied my appearance'

42 Is deacair meabhair chruinn a bhaint as an rann seo mar atá sé, ós cosúil go bhfuil truailliú imithe air. 'My curse ... be on your mother, (for) such were her evil designs, that cause my pools to be red'. *Sáthadh sealga = sáthadh sleighe?* Is éard atá ag freagairt dó seo sna leaganacha eile:

I: *Mo mhallacht air do mhátbair/an bhean tá lán do chealgaibh/Is tre mhéad na n-olc innte/bheir sinn ag sileadh dearadh.*

II: *Mo mhallacht ar do mháthair/os í bhí lán de chealgaibh/is gur be raibh do lochtaib innti/d'fhág mo lionta-sa dearga.*

43 *a* Ó thaobh na meadarachta, b'fhearr *mhaill*, *i.e.* an tuiseal tabharthach uatha den aidiacht anseo.

44 *b* *cró* = *crodh* 'wealth'. *Is mé an tathair 'mharbh mac/Nar chaitheadh crobh na úrbhrat*, I; *Sí so an lámh do mharbh an mac/na cathaidh sí cruibhin na caolbhrat*, II.

44 *c* *confus sic* ABC. Glacaim leis gurb é an focal *conas* 'strife' atá anseo. An *f* faoi thionchar *confa(i)dh* 'rage, fury'? 'May the hand with which I have swiftly slain [you] suffer strife and torment'.

45 *a* *cleas an átha*, *i.e.* cleas an gha bolga.

45 *c* *forr–* A; *foir an tsluaigh* BC. Léitear *forlann* nó *forrach*: 'the host of this world would not be an unequal match [for him]'. B'fhéidir gurbh fhearr *forrach* a léamh anseo, ó tharla go bhfuil an focal *forlann* scríofa ina iomláine in 50b, áfach.

49 *c* *ball gona*: 'spoils'?

51 *a* *Sic* A. *Combsgraoi mbeanaid maca* BC. Truailliú ar an ainm Cumhsgraidh Meand Macha sa dá chás. Féach I *Maith do Chumhsgraidh Mheand Macha/Nach ttug dhamh fachuin cum[h]a.*

51 *c* Is fearr léamh BC, atá ar aon dul le I, anseo.

53 *a* *Eadáin* = Iodáil.

53 *b* *Easpáin* BC; *Easpainis* A. Is fearr léamh BC anseo. *Dá muirfí thusa in aon bhall/san Easpáin no san Eisperia*, II. *Da marbhthaoi thú a tteagmhail/ San Easpáin nó sa nisbeirn*, I.

56 *c* *fochta*: Is fearr léamh BC, *i.e.* *fostadh*, anseo.

57 *b* *dána donadh* A; *damhna dona* BC. Is fearr léamh BC anseo.

59 *c* *an cleas bogadh*. Is fearr léamh BC, *an cleas coga[i]dh.*

62 *c* *an righfhir* A (ag tagairt do Chonnlaoch); *na ríghfhear* BC (ag tagairt do Chlann Uisneach). Tá léamh BC in I.

63 *a* Is cosúil go bhfuil truailliú imithe ar an líne seo. Féach *Gan Connlaoch ca nidh is dainmhe*, I; *Gan Conlaidheach cia nidh is daoire*, II (Cambridge Additional 6563).

Baineadh brí eile as na focail *ca ní(dh) is daoire*, is léir, agus rinneadh ainm pearsanta den fhocal *daoire*. Tuigeadh *caní(dh)* mar *gan*. Glacaim leis gur leagan éigin de léamh II a bhí anseo ar dtús.

64 *b* Is mór atá idir léamh A agus léamh BC anseo. Maidir le léamh B (*go haoibhin*) agus C (*haibhinn*), ní móide gurb í an aidiacht *aoibhinn* atá i gceist. Is fearr a d'fheilfeadh an t-ainmfhocal *aimenn/aibenn* a bhfuil an bhrí 'tulach,

seastán' nó a leithéid aige, sa gcás seo. Féach *DIL s.v.* aibenn. I gcás léamh A (*go boinne*), ní léir brí an fhocail *boinne*, maran truailliú ar fhocal eile é. Tá *Och agus och! nan och eithre/'S truagh mo thuras chum na beinne* (Campbell, *Leabhar na Feinne*, 13) ag freagairt don chéad dá líne seo i leagan Albanach den dán. An truailliú ar *chun na binne* atá sna focail seo?

Cé nach bhfuil an rann seo i roinnt mhaith lámhscríbhinní de leagan I, tá sé sna lámhscríbhinní uile a scrúdaigh mé de leagan III, chomh maith le bheith i gcuid mhaith de na leaganacha béil a bailíodh in Éirinn agus in Albain. Is leaganacha iad seo, ar ndóigh, den rann atá sa lámhscríbhinn dlí H 3 17:

Trom n-aire
tucus lim tar Mag nEne
airm móra mo maic im láim
iss a faidb sa[n] láim eile

Ériu 1 (1904), 124

---

1 Saoraistriúchán é seo nach bhfuil le moladh as a fheabhas ná as a chruinneas; féach C. Ó Háinle, 'Filíocht na Gaeilge faoi Chló an Bhéarla', *Léachtaí Cholm Cille* 5 (1974), 101-30; 109-14.

2 Tá áitithe ag an Ollamh Mícheál Mac Craith i léacht a thug sé ag an 11ú Comhdháil Idirnáisiúnta sa Léann Ceilteach i gCorcaigh (27 Iúil 1999) gurb é an t-údar ar roghnaigh Brooke roinnt de na dánta ina leabhar (an ceann seo ina measc), mar gur theastaigh uaithi bunleaganacha na ndánta a chur os comhair an phobail, tharla gur orthu a bhunaigh James Macpherson cuid den chumadóireacht a d'fhoilsigh sé ina leabhar *Fingal* (London [1761] 1762).

3 M.sh. G 473 i Leabharlann Náisiúnta na hÉireann a scríobh William Hession sa bhliain 1839.

4 Maidir leis an gceist seo, féach P. A. Breatnach, 'Oral and Written Transmission of Poetry in the Eighteenth Century, *Eighteenth-Century Ireland* 2 (1987), 57-65.

5 Féach, m.sh., Acadamh Ríoga na hÉireann 3 B 39, 290; 23 E 9, 271; 23 B 10, 1; 24 B 34,4.

6 23 C 30 in Acadamh Ríoga na hÉireann, 335.

7 Déantar plé ar na hinseachtaí seo in alt liom, 'Cú Chulainn and Connla', in Hildegard L. C. Tristram, eag., *(Re)Oralisierung*, ScriptOralia 84, Tübingen 1996, 223-46.

8 In eagar ag K. Meyer, *Ériu* 1 (1904), 113-21, agus A . G. van Hamel, *Compert Con Culainn and Other Stories*, Dublin 1933, 9-15.

9 Leagan filíochta in eagar ag E. Gwynn, *The Metrical Dindshenchas*, IV, Dublin 1924, 132-4. Leagan próis in eagar ag W. Stokes, *RC* 16 (1895), 46-7.

10 In eagar ag J. G. O'Keefe, *Ériu* 1 (1904), 123-7.

11 An marbhna in eagar ag W. J. Watson, *Scottish Verse from the Book of the Dean of Lismore*, Edinburgh 1937, 82-9. An apalóg in eagar ag N. Ross, *Heroic Poetry from the Book of the Dean of Lismore*, Edinburgh 1939, 168-75. Tá eagrán nua á réiteach ag an Ollamh Domhnall Meek. Táim buíoch de as a eagrán a chur ar fáil dom.

12 In eagar ag P. Walsh, *Éigse Suadh is Seanchaidh*, Baile Átha Cliath 1909, 13-28. Eagrán neamhiomlán é seo a baineadh as lámhscríbhinn Renehan 70, Leabharlann Choláiste Phádraig, Maigh Nuad. Eagrán eile ag S. Ó Ceallaigh ('Sgeilg'), *Rudhraigheacht*, Baile Átha Cliath 1935, 25-38.

13 Leagan de 'Teacht Chonnlaoich' in eagar ag S. Laoide, *Réulta de'n Spéir*, Baile Átha Cliath 1915, 212-7. Leaganacha den chaoineadh in eagar ag Róis Ní Ógáin, *Duanaire Gaedhilge*, III, Baile Átha Cliath 1919, 86-8; B. Ó Conaire *Éigse*, Baile Átha Cliath 1974, 46-8. Tá roinnt rann ón laoi le fáil i leaganacha béil de scéal Chonnlaoich; féach n. 15 thíos.
Sé bliana déag is fiche tar éis fhoilsiú *Reliques of Irish Poetry*, d'fhoilsigh T. Connellan leabhar den teideal céanna ina bhfuil cuid mhaith den ábhar a bhí ag Brooke. Is ionann a leagansan de laoi Chonnlaoich agus leagan Brooke agus is léir gur ó leabhar Brooke a fuair sé í. (Táim buíoch de Mháirtín Ó Briain as an tagairt seo).

14 Féach J. F. Campbell, *Leabhar na Feinne*, London 1872, 9-15; J. G. Campbell, *The Fians; or Stories, Poems, & Traditions of Fionn and his Warrior Band*, Waifs and Strays of Celtic Tradition, Argyllshire Series, 4, London 1891, 6-8; A. Cameron, *Reliquiae Celticae*, I, Inverness 1892, 58-9.

15 Ar na leaganacha béil atá i gcló, tá G. Dottin, 'Études sur la prononciation actuelle d'un dialecte irlandais', *RC* 14 (1893), 97-136, 120-31; S. Ó Searcaigh agus Íde Nic Néill, eag., *Cú na gCleas*, Dún Dealgan 1915, 55-74; S. Laoide, eag., *Cruach Chonaill*, Baile Átha Cliath 1909, 96-8; T. Ó Máille, *Urlabhraidheacht*, Baile Átha Cliath 1927, 186-7; L. Mac

Coisdealbha, 'Seanchas agus Scéalta ó Chárna', *Béaloideas* 9 (1939), 51-65; 55-8, S. Mac Giollarnáth, *Loinnir Mac Leabhair*, Baile Átha Cliath 1936, 37-46; Máire, 'Scéal Chú Chulainn', *An tUltach*, Aibreán 1940, 3, 6; H. Wagner agus N. McGonagle, 'Téacsanna as Carna. Gaelic texts with phonetic transcription, English summaries and folkloristic notes', *ZCP* 47 (1995), 93-175, 100-6; C. Póirtéir, eag., *Micí Sheáin Néill. Scéalaí agus scéalta*, Baile Átha Cliath 1993, 165-210.

Tá leaganacha a tógadh ó chainteoirí Gaeilge agus a aistríodh go Béarla ina dhiaidh sin in *Journal of the Galway Archaeological and Historical Society* 6 (1905-6), 235-7.

16 Maidir leis an scéal seo agus na cosúlachtaí atá idir é agus an scéal Gaeilge féach, Olga D. Davidson, *Poet and Hero in the Persian Book of Kings*, Cornell 1994, 134-41.

17 Maidir leis na tuairimí seo féach, J. Carney, *Studies in Irish Literature and History*, Dublin 1955, 279, n.1; J. de Vries, 'Le conte irlandais Aîded Ôenfer Aîfe et le thème dramatique du combat du père et du fils dans quelque traditions indo-européennes', *Ogam* 9 (1957), 122-38; R. Thurneysen, *Die irische Helden- und Königsage bis zum siebzehnten Jahrhundert*, Halle 1921, 403; T. F. O'Rahilly, *Early Irish History and Mythology*, Dublin 1946, 62; G. Murphy, *Saga and Myth in Ancient Ireland*, Dublin 1955, 43-4; T. P. Cross, 'A Note on "Sohrab and Rustum" in Ireland', *The Journal of Celtic Studies* 1 (1950), 176-83.

18 I roinnt de na leaganacha béil is í Scáthach a chuireann na geasa ar Chonnlaoch.

19 *Táinig* tráth *an borblaoch* a bhíonn i roinnt leaganacha.

20 'Bás Chonlaoich mhic Chú-Chulainn', Imleabhar 15, uimhir 10 (Samhain, 1938), 7-8.

21 Leagan I is coitianta go mór fada sna lámhscríbhinní. Thairis sin, is mó cóipeanna de leagan II ná de leagan III atá againn.

22 Rann 4 (Brooke 1), 5 (Brooke 7), 6 (Brooke 8), 7 (Brooke 6), 8 (Brooke 9), 11 (Brooke 10), 12 (Brooke 11), 13 (Brooke 12), 14 (Brooke 13), 15 (Brooke 17?), 16 (Brooke 15), 17 (Brooke 14), 19 (Brooke 16), 22 (Brooke 19).

23 Féach Cáit Ní Dhomhnaill, *Duanaireacht*, Baile Átha Cliath 1975, 44; G. Murphy, *Duanaire Finn*, III, CSG 43, Dublin 1953, 126, 169.

24 Gwynn, *The Metrical Dindshenchas*, 132.

25 Walsh, *Éigse Suadh is Seanchaidh*, ll. 543-6.

26 Féach E. Ó Súilleabháin, 'Scríobhaithe Phort Láirge 1700-1900', in W. Nolan agus T. Power, eag., *Waterford, History and Society*, Dublin 1992, 265-308.

Ó Chroí Amach

Spléachadh ar Cheist na hAeistéitice in Amhránaíocht na Gaeilge

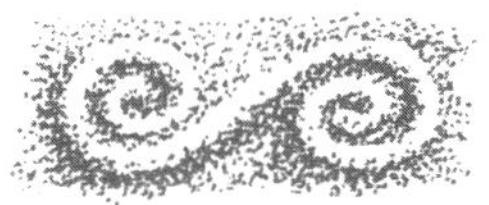

LILLIS Ó LAOIRE

Tá cúrsaí aeistéitice, b'fhéidir, ar cheann de na ceisteanna is mó agus is achrannaí a thig i gceist i gcúrsaí ealaíne. Is é atá i gceist agam a dhéanamh san aiste seo, mar sin, scrúdú a dhéanamh ar chuid de na tuairimí a nochtar i dtaca leis an aeistéitic i leith amhránaíocht na Gaeilge de, iad a shuíomh sa chomhthéacs as a n-eascraíonn siad agus aird a dhíriú ar roinnt treonna difriúla a chuirfeadh tuilleadh beatha sa cheist seo agus an plé a dhéantar uirthi i dtraidisiún na Gaeilge.

Nuair a luaitear an téarma 'aeistéitic' de ghnáth, bíonn smaointe cinnte ag daoine faoina bhfuil i gceist leis mar théarma. Go minic, meastar gur téarma agus coincheap é nach bhfuil baint ná páirt aige leis na healaíona traidisiúnta, agus fágann sin daoine arb iad na healaíona sin is mó is cás leo, agus deacracht acu teanga agus téarmaíocht a sholáthar le gur féidir díospóireacht a dhúiseacht i leith na toise seo. Ba mhaith liom, sa chás seo, aird a dhíriú ar an aiste iontach sin ag Iain Mac a' Ghobhainn, 'Real People in a Real Place'. Arsa seisean, agus é ag caint ar amhránaíocht Inse Ghall, a cheantar dúchais:

> Such a society is not interested in the aesthetic in any real sense. It has been said, for instance that the standard of singers in the Highlands is not high but this, however, is to judge the singing in a wrong way. Angus Macleod, a Gaelic singer, sang with great fervour, in a voice from which the notes emerged like solid boulders. In my opinion he sang certain songs most lovingly. No purist would ever be able to convince me that Macleod's singing was not beautiful and powerful: the passion of the singing, the solidity

> of the notes, appealed to a profound resonance in my own nature, and was thus for me the highest pitch to which singing could attain.
>
> The islander, as I have said, is not concerned with the aesthetic and is not interested much in modern poetry ...[1]

Is léir dom féin, láithreach bonn, ar a léamh seo dom, go mbréagnaíonn Mac a' Ghobhainn é féin sa ráiteas seo. Ar láimh amháin, deir sé nach bhfuil aon spéis ag an oileánach san aeistéitic *in any real sense,* agus ansin leanann sé air le léirmheas ar amhránaí den scoth, is léir a thaitin go mór leis ar dhúthracht, ar neart, ar dhíograis agus ar chumhacht an amhránaí an t-éisteoir oilte a chorraí go croí sa *láithriú* a dhéanas sé ar an amhrán. Go deimhin, is an-phíosa léirmheastóireachta é sin, ar an ábhar gur dóigh liom gur féidir linn, nach mór, an t-amhránaí a chluinstin ag gabháil cheoil inár láthair ina steillbheatha. Ach maireann an chéad abairtín sin, *in any real sense,* mar cháithnín faoinár bhfiacail i gcónaí, agus nuair a dhearcaimid ar a bhfuil de bhrí leis an rud atá dáiríre, réadúil, chímid gur *modern poetry* atá i gceist. Mar sin de, i ngan fhios dó féin, féadaim a rá, glacann Mac a' Ghobhainn leis an argóint chéanna sin a bhfuil sé ag cur ina héadan ina aiste, a bhfuil an focal *real* ina teideal faoi dhó chomh maith, mar atá luaite thuas agam. Is léir go bhfuil réadúlacht agus dáiríreacht amháin i gceist sa phobal a bhfuil sé ag scríobh dóibh agus go bhfuil ceann eile i gceist ina áit dhúchais. Dar ndóigh, tá an focal *modern* tábhachtach anseo fosta. Ardaíonn sé an cheist, cé acu is féidir le daoine a bheith 'réadúil' in áit amháin má tá a léirstean ar an saol as compás ar fad leis siúd atá i réim in áit éigin eile a mheastar a bheith, de réir an scríbhneora, 'réadúil'. Is léir ón aiste féin, go gcreideann Mac a' Ghobhainn go diongbháilte i réadúlacht an tsaoil ina cheantar dúchais. Dá thoradh sin, sílim gur féidir linn a fheiceáil go bhfuil Mac a' Ghobhainn i gcás idir dhá chomhairle maidir le hamhránaíocht a phobail dúchais agus na téarmaí tagartha a bhaineas don amhránaíocht sa phobal sin.

Is ceist í an aeistéitic, go dearfa, a bhí ag déanamh tinnis do go leor scoláirí eile, ina measc, Alan Merriam, fear de scoláirí ceannródaíocha na heitneacheoleolaíochta, ar buntéacs sa disciplín sin é a leabhar, *The Anthropology of Music*.[2] Rinne seisean staidéar speisialta ar an fhadhb seo, ag iarraidh a fháil amach cé acu an raibh prionsabail na haeistéitice i réim i bpobail éagsúla ar fud an domhain nár bhain le traidisiún na hEorpa. An féidir a rá gur coincheap traschultúrtha atá i gceist? D'aithin Merriam go raibh sé an-deacair a dhéanamh amach caidé a bhí i gceist leis an aeistéitic:

> ... it is extremely difficult to discover precisely what an aesthetic is ... Thus it is particularly difficult to use the concept cross-culturally, since we cannot make such application if we do not know clearly and concisely what it is we are applying.[3]

Dá dheacra dá raibh sé ar Mherriam a rá cad is aeistéitic ann, mar sin féin, d'aithin sé sé thréith a bhí i gceist in aeistéitic na hEorpa, mar atá:

1 An cianú síceach (*psychic or psychical distance*).
2 An ionramháil foirme (*manipulation of form for its own sake*).
3 Cumhacht an cheoil as féin amháin i leith na mothúchán (*attribution of emotion-producing qualities to emotion perceived strictly as sound*).
4 Coincheap na háilleachta (*attribution of beauty to the art product or process*).
5 Cuspóir na háilleachta (*purposeful intent to create something aesthetic*).
6 Fealsúnacht shoiléir shofheicthe (*presence of a philosophy of the aesthetic*).

I ndiaidh dó samplaí a thabhairt as dhá chultúr ab eol dó féin, Basongye na hAfraice agus Flatheads Mhontana, deir sé nach bhfuil coincheap na haeistéitice ar fáil iontu, nó ar a laghad, aeistéitic Iarthar domhain. Is dearcadh é seo ar easaontaigh go leor daoine leis ar mhórán cúiseanna – Michael Owen Jones, b'fhéidir, ar an duine is luaithe acu.[4] Déanann seisean mionphlé ar chuid tuairimí Mherriam agus deir nach raibh na modhanna a d'úsáid sé saor ó locht. Maíonn sé fosta, ainneoin a ndeir Merriam faoin aeistéitic, nach bhfuil na coincheapa atá luaite thuas againn intrust mar mhodhanna foirfe tástála. Mar shampla amháin, thaispeáin sé grianghraf a bhí aige dá bhean agus dá mac agus é ar iompar ina baclainn aici ina naíonán do bheirt – saineolaí aeistéitice agus bean chéile saoir chathaoireacha a raibh sé ag obair leis i sléibhte na hApaláise. Deir sé go ndearna an t-aeistéiteoir anailís ar an phictiúr de réir a oiliúna, á chur i gcomparáid le pictiúir de chuid na hAthbheochana den Mhaighdean agus an Leanbh Íosa, agus é faichilleach i rith an ama, dar le Jones, ar eagla go gcuirfí maoithneachas ina leith. De réir Jones, d'aithin bean na gcnoc na tréithe céanna sa ghrianghraf, cé, ar ndóigh, nár chuir sise fiacail ann ach a taitneamh don phictiúr a chur in iúl go lom díreach. Is é an bhrí a bhaineas Jones as seo go léir, gur deacair difríocht an-mhór a aithint i ndáiríre idir an dá chineál breithiúnais de réir a n-insinte féin. Mar a deir sé:

> A well articulated response evincing the proper qualities of a 'disciplined' aesthetic may really shield a superficial reaction; and a poorly phrased reaction, or one that is expressed in traditional and conventionalized ways, may hide an emotional involvement of great intensity and an aesthetic experience of profound depth.[5]

Mar sin de, diúltaíonn Jones do shamhail Mherriam den aeistéitic, á rá nach leor é de shamhail le cur síos a dhéanamh ar na prionsabail a bhaineas le cúrsaí áilleachta i bpobail nach mbaineann le traidisiún an Iarthair. Maíonn sé nach ionann a rá nach bhfuil aeistéitic ar fáil siocair nach bhfuil fealsúnacht fhoirmeálta shoráite ann.

I gcás na hAlban agus na hÉireann gan amhras, tá baint ag an cheist seo chomh maith leis an choilíneachas, agus leis an mhíchothromaíocht chumhachta idir an lár agus an forimeall is dlúthchuid den phróiseas sin. Sa chás seo, glactar leis go bhfuil luach níos airde ar aeistéitic an láir agus, mura sroicheann caighdeáin an fhorimill an caighdeán sin, is é sin na slata tomhais a d'aithin Merriam, gurb ionann sin is a chruthú nach bhfuil an oiread sin fiúntais ag baint le gnéithe cultúrtha ar nós na hamhránaíochta traidisiúnta. Sa dearcadh seo, mar sin, glactar leis gur caighdeán uilíoch, neamhspleách ar an stair atá i gceist le haeistéitic an Iarthair.

De réir Angeles Sancho-Velázquez, tá sé sin ar cheann de na heaspaí is mó i gcur síos Mherriam ar an aeistéitic, is é sin nach suíonn sé a chuid tuairimí i dtraidisiún stairiúil agus fealsúnachta an dioscúrsa sin.[6] Dá réir siúd, meascann Merriam disciplín na haeistéitice agus coincheap na haeistéitice, a bhfuiltear, a deir sí, i ndiaidh criticeoireacht iomlán a dhéanamh air sin ó dheireadh an naoú haois déag i leith. Ag éirí as sin, deir sí go bhfuil a thuiscintí ar na Flatheads agus na Basongye bunaithe ar obair pháirce a rinne sé féin ina measc, ach go bhfuil a thuiscintí ar an Iarthar bunaithe ar léitheoireacht amháin agus nach n-aithníonn sé, dá dhíobháil sin, idir tógáil choincheap na haeistéitice sa dioscúrsa sin, ar láimh amháin, agus cruthú agus eispéireas na healaíne ar an láimh eile. Go deimhin, is fada aitheanta ag scoláirí é go bhfuil coincheap na haeistéitice snaidhmthe ina stair agus ina chúlra féin, is é sin i dtréimhse na hEagnaíochta i dtús an ochtú haois déag, agus gur tógadh é ag freagairt do riachtanais bhunúsacha na meánaicme i leith a gcáis chultúrtha féin san am. Mar a deir Terry Eagleton:

> The construction of the modern notion of the aesthetic artefact is thus inseparable from the construction of the dominant ideological forms of modern class-society ... It is on this account, rather than because men and women have suddenly awoken to the supreme value of painting or poetry, that aesthetics plays so obtrusive a role in the intellectual heritage of the present.[7]

Is é seo an coincheap céanna a mbaineann Merriam úsáid as mar shlat tomhais atá uilíoch, is é sin, neamhspleách, ar na cúinsí céanna a ndéanann sé iniúchadh orthu i measc na mBasongye agus na bhFlathead. Dar le Sancho-Velázquez gur cur chuige eolaíochtúil amach is amach, bunaithe ar an antraipeolaíocht eolaíochtúil, atá i gceist ag Merriam agus nach bhfóireann ceachtar den dá choincheap do scoláirí ionas gur féidir forbairt a dhéanamh ar an aeistéitic mar dhisciplín traschultúrtha. Is anseo a tharraingíonn sí fealsúnacht heirméineotach Hans-Georg Gadamer agus Paul Ricoeur chuici féin mar bhealach le teacht timpeall ar an chur chuige aimrid seo. De réir na teicníce s'acusan, féachtar ar bhealach eile ar an saothar ealaíne. Fágtar an scoilt idir an tsuibiacht agus an oibiacht ar leataobh agus dearctar ar an chumarsáid a tharlaíos idir an saothar ealaíne agus té a bhíos ina láthair mar imirt. Ní fhanann an saothar ealaíne ina thost ach bíonn cluiche ar siúl idir é agus an lucht féachana. Diúltaítear don fhuarchúis Kantach sa leagan amach seo agus cuirtear béim ar dhéantúis ealaíne mar *shaothair*, is é sin mar rudaí a dhéanas saothrú, seachas díreach bheith mar ornáidí áille gan úsáid.[8] Mar sin, bristear anuas an tseanbhearna idir an tois aéistéiteach agus an tois chognaíoch, ar bunphrionsabal é i ndioscúrsa traidisiúnta na haeistéitice. Féachtar ar an mheafar mar shaothar i bhfoirm mhionda a chruthaíos nuáil shéamantach, seachas, arís, go díreach a bheith mar mhaisiú ar chúrsaí stíle, nach bhfuil feidhm ar bith leis thar an ornáidíocht. Faibhríonn brí úr as an mheafar, mar go bhfeictear cosúlachtaí idir rudaí nach bhfuil aon chosúlacht eatarthu i ndáiríre – agus ní féidir an rud a deir meafar nua a rá ar aon bhealach eile. Ní hé rud a chuirtear an éagsúlacht ar ceal ach maireann sé in ainneoin na cosúlachta nua a fheicimid.[9] Is é seo, dar le Ricoeur, an próiseas céanna, i bhfoirm mhionda, agus a tharlaíos i gcruthú an tsaothair ealaíne. Mar a deir Sancho-Velázquez: *Combining elements of tradition with innovation, the work, as a metaphor in miniature, makes sense while shattering established meanings*.[10]

Ag leanúint mhíniú Arastatail ar an tragóid dó, inarb é a cuspóir *the imitation of human actions as better, nobler, higher than they actually are*, maíonn Ricoeur gurb ionann oibriú an mheafair agus oibriú na miméise, is é sin, cruthú agus nochtadh cruinne nua as úsáid agus as saothrú na teanga.[11] Bíonn bríonna agus mínithe úra i gcónaí ag éirí as saothair chruthaitheacha i ngach aon chultúr, is cuma mall nó tapa luas an athraithe sna cultúir sin. Eascraíonn na bríonna nua sin as cleachtadh agus cothú an chultúir agus na saothar sin atá ina gcuid den chultúr sin. Ní nach ionadh, leanann Ricoeur Arastatal ina thuiscint ar a bhfuil i gceist leis an mhíméis, is é sin gur *poeisis* nó 'cruthú' is bun dó.[12] Dar leis, go gcruthaítear an réaltacht in athuair trí mheán na míméise. Más cruthú atá san *fhicsean*,[13] is é sin, in obair na healaíne, agus nach cóipeáil, i dtéarmaí Phlatón, is féidir a rá go gcuireann an mhiméis bríonna nua ar fáil, agus go n-osclaíonn sí cruinne nua os comhair an léitheora, a thugas léargas nua don duine agus a shíneas íor a thuisceana. Mar sin de, ní cuid den chomhfhios stairiúil agus aeistéitiúil iad saothair ealaíne. A fhad agus a chomhlíonas na saothair sin a bhfeidhm, trí mheán an chleachtaidh, is saothair chomhaimseartha iad. Mar a deir Hans-Georg Gadamer:

> The fact that works stretch out of a past into the present as enduring moments still does not mean that their being is an object of aesthetic or historical consciousness. As long as they fulfill their function they are contemporaneous with every age.[14]

Sa dearcadh traidisiúnta ar mheafair, agus go deimhin ar an aeistéitic, coinníodh réimsí na háilleachta agus an eolais glanscartha óna chéile. Ach má ghlactar leis go labhraíonn meafair linn agus nach féidir a bhfuil le rá acu a rá ar aon bhealach eile, is é a bhíos ar bun againn i láthair an tsaothair ealaíne, ag iarraidh a bhfuil á rá acu a thuiscint. Fágann sé sin go labhraíonn saothair ealaíne linn agus go dtéimid i ngleic leo, go ndéanaimid sealbhú (*appropriation*) orthu, nó i bhfocail eile, déanaimid ár gcuid féin díobh. Déantar cianú (*distanciation*) chomh maith tríd an anailís ar struchtúr na saothar, ach bíonn tosaíocht ag an sealbhú, mar gur ar leibhéal na hointeolaíochta a tharlaíos sé, murab ionann agus an cianú atá ar leibhéal na heipistéimeolaíochta. Is é atá i gceist gur ar leibhéal an choirp a tharlaíos an sealbhú ach gur ar leibhéal an eolais a dhéantar an cianú. Cuireann traidisiún na heirméineotaice tois eitice i gceist san aeistéitic agus cothromaíonn sé disciplín na haeistéitice, ionas go seasann sé ar an aon fhód le cineálacha eile eolais agus gnáthchumarsáide. Sa chás seo, thiocfadh níos mó i gceist ná áilleacht – bheadh cúrsaí brí i gceist chomh maith. Mar a deir Sancho-Velázquez:

> ... aesthetics would not primarily be a theory of the beautiful in works of art but rather, a theory of their *meaningfulness*. Such an aesthetic theory, chiefly concerned with the question of how artistic or cultural works are meaningful – what it is they say to us – would fall entirely within the aims and goals of a theory of interpretation as proposed by contemporary hermeneutics.[15]

Is féidir ceangal an-bhunúsach a dhéanamh anseo idir ráiteas Iain Mhic a' Ghobhainn i leith na haeistéitice agus na réaltachta. Tá seisean ag feidhmiú idir dhá chruinne agus ag iarraidh téarmaí dhomhan na Gaeilge a mhíniú do dhomhan an Bhéarla ar bhealach a thuigfeas an domhan sin. Is léir an teannas atá ina intinn féin sa chás seo sa tslí ina mbaineann sé úsáid as na focail *aesthetic* agus *real*, *modern* agus *poetry*. Mar a rinne Merriam ina shaothar féin, glacann seisean fosta le téarmaí aeistéitice meánaicmeacha phríomhshruth na hEorpa mar shlat tomhais uilíoch. Dar ndóigh, mar a luaigh mé roimhe seo, tá tois bhreise leis an chumann idir an dá chruinne seo de bhrí gur uirlis thábhachtach i mbuanú idé-eolaíocht an choilíneachais atá i gceist le prionsabail na haeistéitice. Mar a deir Paul Zumthor:

> Today in fact, every form of oral poetry is set against a highly dramatized background. A culture of European origins – tied to technological civilization and in the process of rapid and brutal expansion – dominates the field of the imaginary for most people. It also imposes its stereotypes and increasingly determines its possible futures. At the heart of the

> European space, two or three centuries have sufficed to corrode, folklorize, and annihilate at least in part the old local cultures, thanks to the irresistible instruments of interior colonization that are perpetrated by means of massive literacy drives and a pervasive press.[16]

Gan amhras, ó tharla go nglacann Mac a' Ghobhainn le haeistéitic na hEorpa mar shlat tomhais uilíoch ar an réaltacht, is amhlaidh is mó a cumhacht, agus is mó a chaithfear argóint a chur suas ina haghaidh.

Má ghlacaimid le seasamh na heirméineotaice i leith na haeistéitice mar atá mínithe thuas, mar sin féin, agus tois eiticiúil chognaíoch á cur san áireamh againn, ionas go dtugtar cothromaíocht do gach traidisiún agus go ndírímid ar chúrsaí brí chomh maith le bheith ag díriú ar chúrsaí áilleachta, is dóigh liom go gcuirfimid casadh sa scéal a bhéarfas tarrtháil ar an chruachás a mhothaíos Mac a' Ghobhainn. Neartaítear a argóint go mór dá bharr, is dóigh liom, sa mhéid agus go gcothromaítear an coibhneas cumhachta idir an bhrí agus an áilleacht.

Tá orainn, mar sin, ceisteanna eile a chur orainn féin i leith amhránaíocht na Gaeilge, a fhiafraí cé na meafair atá i bhfostú inti idir cheol agus fhocail, cén cur síos a dhéanas sí ar an réaltacht agus cé na tuiscintí úrnua a chuireas an cur síos sin inár láthair. I bhfocail eile, cé na prionsabail atá taobh thiar de léirmheastóireacht Mhic a' Ghobhainn ar an amhránaíocht?

Agus an díospóireacht seo mar chúlra againn, mar sin, ní miste aghaidh a thabhairt díreach ar na coincheapa a mhaireas i measc pobal, dála phobal Inse Ghall, ina maireann an amhránaíocht mar ghné chomhaimseartha de chultúr na ndaoine, dá shine agus dá thraidisiúnta na hamhráin a chantar. Is í an eiseamláir is mó den chineál sin de phobal a bhfuil eolas agam féin air, pobal Thoraí, an ceann is faide ó thuaidh de Ghaeltacht na hÉireann ina maireann an amhránaíocht, an ceol agus an damhsa beo i gcónaí, ainneoin drochstaid eacnamaíochta agus polasaithe naimhdeacha stáit. Is pobal é a bhfuil roinnt mhaith scríofa faoi ag daoine éagsúla ach nach bhfuil an oiread sin staidéir déanta go dtí seo ar chultúr an cheoil agus an damhsa ann.[17] Bhí an ceol agus an amhránaíocht an-láidir i measc an phobail i dToraigh san am a chuaigh thart agus tá clú an cheoil orthu i dtólamh, ainneoin go mb'fhéidir nach bhfuil an oiread céanna cleachtaidh á dhéanamh ar an amhránaíocht agus a bhíodh. Dar ndóigh, bhí an damhsa an-láidir ina measc fosta agus tá sé sin amhlaidh ar fad. Is pobal é seo den chineál a bhí i gceist ag Mac a' Ghobhainn, agus é ag rá nach raibh mórán suime acu san aeistéitic – agus dá nglacfaimis leis na slata tomhais atá leagtha síos aige, gan cheist, mar chaighdeán uilíoch, is cinnte go bhféadfaí argóint mhaith a chur chun tosaigh go bhfuil an ceart aige. Ach má ghlacaimid le slata tomhais an phobail féin agus na tuairimí atá acu i leith a gcuid ceoil agus amhránaíochta féin, is cinnte go n-éireoidh linn an aeistéitic a aimsiú.

Caithfimid a mheabhrú dúinn féin arís nach bhfuil scaradh ar bith idir foirmeacha arda agus foirmeacha ísle sa phobal, nach ndéantar aeistéitic i gcúrsaí oibre a dhealú ó aeistéitic an chaithimh aimsire. Níl spás san alt ghairid seo le mionchur síos a dhéanamh ar gach gné de, ach is fiú a lua go bhfuil an téarma *cuma* fíorthábhachtach, mar atá luaite agam in áit eile.[18] Caithfidh cuma agus craiceann a bheith ar aon rud a dhéantar, sula mbeidh meas air, agus tá sé sin chomh fíor céanna i dtaca le cúrsaí oibre agus cúrsaí bhéasa an duine agus atá sé don chaitheamh aimsire. I gcás na n-amhrán, leagtaí caighdeáin an-chinnte síos d'ord véarsaí, do shoiléireacht na bhfocal agus do bhinneas gutha. Bhí speisialtóirí sa phobal a chuir a dtoil i bhfeidhm go neamhbhalbh ar an óige agus dá gcuirfí coiscéim cearr sa damhsa nó focal ar seachrán san amhrán, bhéarfaí sin le fios amach díreach don té a bhí i gceist: 'Loiscfí leo é', mar a deirtear san oileán. Cé gur caitheamh aimsire a bhí i gceist bhíothas lán dáiríre fá dtaobh de, mar a bhítear faoin imirt i gcónaí. Ní bhíonn aon mheas ar an té a mhilleas an cluiche.[19] Fágann an buncheangal idir cúrsaí oird agus an imirt gur i réimse na haeistéitice atá an imirt lonnaithe. Mar a deir Johan Huizinga:

> The profound affinity between play and order is perhaps the reason why play, as we noted in passing, seems to lie to such a large extent in the field of aesthetics. Play has a tendency to be beautiful.[20]

Ceanglaíonn Huizinga mian an oird agus mian na háilleachta le chéile agus is dóigh liom go bhfuil an ceart aige i gcás Thoraí de, ionas go bhfuil bun-nasc idir ord, áilleacht agus an téarma *cuma* atá luaite againn. Bhíodh na hamhráin an-leitheadach i dToraigh mar chaitheamh aimsire agus is féidir a rá go bhfuil i gcónaí, go pointe áirithe. Is cuimhin le daoine áirithe a sinsir ina suí ar feadh na hoíche ag gabháil cheoil dóibh féin. Is minic nár chuir siad suim ar bith ina leithéid seo ach iarraidh orthu bheith ina dtost. Ag caint di ar a huncail, Jimí Shéamais Bháin Ó Mianáin, dúirt Treasa Mhic Claifeartaigh liom: 'Nach iomaí mallacht a chuir muid air' – a mhaíomh go mbíodh siad tinn tuirseach ag éisteacht leis uaireanta.[21] Ba ghnách leis an aos óg a bheith amuigh oícheanta maithe agus a gcaitheamh aimsire féin acu, agus bhíodh na cailíní go háirid an-tugtha don amhránaíocht san am seo.

Bhí na damhsaí a bhíodh ann go rialta ar oícheanta ceann féile ar na hócáidí ab fhoirmeálta don amhránaíocht. I dtigh na scoile a rití na damhsaí seo, agus dhéanadh na buachaillí óga a bhí idir seacht mbliana déag agus bliain is fiche réiteach mór ionas go mbeadh teach na scoile i gceart fá choinne na hócáide. Bhí na suíocháin le cur siar agus formacha le leagan thart a chois na mballaí. Chaithfí lampaí a bhailiú ó mhuintir an bhaile agus iad sin a chrochadh ar na ballaí. Bhí lampa mór amháin ag William Dhonnchaidh Mac Ruairí agus chrochfaí é sin anuas as an tsíleáil i lár an tí. Bheadh, in amanna, chomh hard le haon lampa dhéag i dtigh na scoile le solas a chur ar fáil do na damhsóirí, agus is cuimhin le hÉamonn Mac Ruairí gur úsáideadh coinnle nuair nach mbíodh lampa le fáil nó an ola gann. Oícheanta móra a bhíodh i gceist le hoícheanta theach na scoile, an pobal amuigh go láidir agus a gcuid éadaí maithe orthu, cultacha úra ar na cailíní óga, agus na fir cóirithe dá réir, chomh maith. Bhíodh braon biotáilte i bhfolach ag na fir taobh amuigh le cur le meidhir agus le gleoiréis na hoíche. Bhíodh na seandaoine i láthair agus iad ag coinneáil súil ghéar ar na himeachtaí. Thigeadh sos ansin agus cheoltaí na hamhráin. Chluinfí suas le dhá amhrán déag nó ceithre cinn déag ó na ceoltóirí – d'iarrfaí ar na daoine ab fhearr an dara hamhrán a rá. Nuair a bhíodh an ceol thart d'éiríodh na seandaoine le chéile agus d'imíodh siad abhaile. Leanadh an damhsa ar aghaidh go dtí an trí nó an ceathair san oíche uaireanta, agus is san am seo a bhíodh seans ag cuid de na daoine óga a gcuid scileanna damhsa a chleachtadh.

Síleadh nach raibh an chuid seo den oíche chomh maith sin, mar, ainneoin go raibh na seandaoine géar ar chúrsaí caighdeáin, bhíodh *cuma fhuar* ar theach na scoile gan iad i láthair.[22] Ba é an teas mian an damhsa mar sin. Cinnte is teas fisicúil a bhí i gceist leis an méid seo, a spreag gníomhaíocht an damhsa agus an líon mór daoine a bhí le chéile i spás beag go leor. Dar ndóigh, sílim go raibh teas mothúchánach i gceist chomh maith. Bhí baint aige le mothú an phobail i leith a chéile, leis an athrú ina struchtúr a tharlaíos nuair a thig gnéithe éagsúla na himeartha le chéile ina gciorcal dúnta a bhfuil a chuid aidhmeanna féin taobh istigh de.[23]

Is é seo atá i gceist nuair a labhraítear faoi imirt na healaíne – go n-aithnímid an fhírinne san ealaín agus go n-aithnímid sinn féin inti. Níorbh aon taisme dá bharr sin go láithrítí na hamhráin ag am faoi leith, nuair a bheadh a sáith damhsa déanta ag an aos óg agus gurbh fhusa an ciúnas a bhí de dhíth ar na hamhráin a bhaint amach. Ba chiúnas é gan amhras a héilíodh gan leithscéal ar a raibh i láthair. Amhrán acu sin a chantaí go minic i dtigh na scoile 'A Phaidí a Ghrá',[24] ceann de na hamhráin a ndeirtear fúthu go bhfuil siad cumhúil. Bhí ceangal speisialta ag muintir Dixon, muintir Dhonnchaidh Eoin, leis an amhrán seo, ar an ábhar gur imigh deartháir dá gcuid, Pádraig, go Meiriceá agus é ina fhear óg le scaifte de chuid fear Thoraí i samhradh na bliana 1909. Chuaigh sé trí Ellis Island ar an 29 Lúnasa agus faoin 14ú Samhain bhí sé marbh.[25] Dúirt cuid de na ceoltóirí liom gur bás le cumha a fuair sé,[26] cé go bhfuil scéalta eile ann a deir gur bádh é agus é ag tabhairt tarrthála ar dhuine eile,[27] nó gurb í an niúmóine a thug a bhás.[28] *Typhoid fever* a deir a theastas báis a thug a bhás.[29]

Deir Séamas Ó Dúgáin gur iarr a mháthair ar bhean de chuid an oileáin 'A Phaidí a Ghrá' a cheol i dtigh na faire an oíche a tháinig scéala a bháis as Meiriceá. Dúirt Séamas go raibh sé 'iontach cumhaidhiúil' agus 'go raibh an méid a bhí istigh ag caoineadh'. Ón am sin i leith, d'iarradh muintir Dhonnchaidh Eoin, agus a dheirfiúr Gráinne go speisialta, an t-amhrán go minic ag an damhsa i dtigh na scoile i dToraigh. Bhí corradh le deich mbliana is fiche, nó mar sin, idir bás Phádraig agus an t-am ar thoisigh Treasa Mhic Claifeartaigh a cheol i dtigh na scoile, ach bhí muintir Dhonnchaidh Eoin á iarraidh i gcónaí. Níor pósadh aon duine den chlann seo riamh, seachas deirfiúr amháin, Hannah, a d'imigh go Meiriceá, agus a bhí pósta ar fhear de chlainn Uí Cholla as Port na Bláiche. Mar sin, is iontach an úsáid a baineadh as an amhrán seo, ar *Chanson de Jeune Fille* déanta é, an cailín tréigthe ag an stócach agus gan súil ar bith go bpillfidh sé.[30] Dar liom féin go nochtar sa rogha seo paradacsa eile a bhí i gceist i saol na tuaithe in Éirinn go ginearálta agus i saol Thoraí fosta – an dialachtaic idir grá an phósta agus grá an teaghlaigh a gcuireann Fox síos air mar seo a leanas:

> The ideal family unit on Tory island is the conjugal family of father, mother and children, living under one roof. This is enshrined in the ideal of the Holy Family ... But the family ideal is not often realised for the very reason that the islanders consider it treasonable to break up this ideal unit. This is the paradox: marriage, which is needed to found the unit in the first place, is destructive of the unit once formed.[31]

Tráchtann Nancy Scheper Hughes chomh maith ar *familism*, an dílseacht sin a bhíos idir bhaill den chlann chéanna agus a sháraíos dílseacht do chumann an phósta, a chonaic sí féin i measc an phobail ar scríobh sí fúthu.[32] Leanadh achrann agus easaontas cúrsaí pósta in Éirinn faoin tuath ar chúiseanna éagsúla, agus níorbh aon eisceacht é Toraigh sa chás seo. Is dóigh liom, mar sin de, go gcruthaíonn úsáid an amhráin ghrá éarótaigh seo, le grá teaghlaigh a chur in iúl, meafar a bheir tuiscint faoi leith dúinn ar an teannas idir an dá ghrá. Is é atáthar a mhaíomh, dar liom, in úsáid an amhráin seo sa chás seo, go bhfuil an dá ghrá ar comhchéim ó thaobh a ndéine agus a nirt agus, go deimhin, gurb é an rud ceart é go bhfanfadh daoine dílis dá gclann. Tá méar leagtha, mar sin, ar cheann de mhórcheisteanna phobal an oileáin agus réiteach teaghlaigh amháin ar an scéal sin á thabhairt. Cinnte, tá an ceangal ann idir an deartháir marbh agus an chuid eile den chlann ach is dóigh liom fosta go bhfuil le feiceáil ann, le himeacht aimsire, míniú agus seasamh i leith stádas singilte na clainne fosta, b'fhéidir, faoi thionchar láidir ag an tsúil siar go hútóipe na hóige. Mar sin de, is meafar éifeachtach é sa méid agus go gcuireann sé tuiscint úrnua ar fáil dúinn den suíomh atá i gceist agus gur chuidigh sé, ní hamháin le cuimhne Phádraig a choinneáil beo, ach le tráchtaireacht leanúnach a dhéanamh ar staid shingil bhaill na clainne a mhair beo i gcónaí. Maireann an éagsúlacht i gcónaí ainneoin na cosúlachta sa chomparáid idir an dá íomhá. Mar a deir Ricoeur:

> Every metaphor in bringing together two previously distinct semantic fields, strikes against a prior categorisation which it shatters. Yet, the idea of semantic impertinence preserves this: an order, logically antecedent, resists, and is not completely abolished by, the new pertinence. In effect, in order that there be a metaphor, it is necessary that I continue to perceive the previous incompatibility. Remoteness persists in closeness. This is why to see similarity is to see the likeness in spite of the difference. To speak of one thing in terms of another which resembles it is to pronounce them alike and unalike. Imagination – in its semantic sense – is nothing but this 'competence' which consists of producing the genre through the difference, again not beyond the difference, as in the concept, but in spite of the difference.[33]

Is mar sin a fhaightear an léargas úr ar an réaltacht atá i gceist agam ar chás an duine, agus ar an tragóid a bhaineas leis an chás áirithe seo. Deir Gadamer nach sa litríocht amháin a mhaireas coincheap na tragóide, ach go maireann sé sa saol chomh maith. Is eolas é nach féidir a bhriseadh anuas ina chineálacha eile eolais agus mar sin de is ciorcal dúnta brí é a gcaithfear glacadh leis gan cheist:

> Tragedy is the unity of a tragic course of events that is experienced as such. But what is experienced as a tragic course of events – even if it is not a play that is shown on the stage but a tragedy in 'life' – is a closed circle of meaning that of itself resists all penetration and interference. What is understood as tragic must simply be accepted. Hence, it is, in fact, a phenomenon basic to the 'aesthetic'.[34]

Mar sin de, is den aeistéitic an tragóid, agus, gan amhras, ba thragóid mhór caill a ndearthár i saol na clainne seo agus gan é ach ina fhear óg. Anuas air sin, cuireadh thall i Meiriceá faoi 'fhód an doichill' é, agus gan áiméar ag a mhuintir an slán deireanach a fhágáil aige. Chímid próiseas na haeistéitice ag obair anseo agus gníomhartha an duine á gcur i láthair ar bhealach atá níos uaisle ná mar a bhí siad i ndáiríre. Maireann an ceangal seo idir Pádraig Dixon agus an t-amhrán 'A Phaidí a Ghrá' i gcónaí, ionas gur féidir a rá gur údar nua-chumtha é don amhrán atá fite fuaite le seanchas agus le haitheantas an oileáin. Ní dóigh liom ach oiread gur áibhéil ar bith a mhaíomh go seasann an nascadh idir carachtar Phádraig Dixon agus '*Paidí*' an amhráin do chlaochlú ó aitheantas fíriciúil go haitheantas na hinsinte – is é sin an t-aitheantas sin a thugtar do dhuine trí chuimhniú agus athinsint ar a ghníomhartha.[35] Is fiú a mheabhrú fosta gur ag an am ba 'teo' an imirt, buaicphointe an damhsa i dToraigh, a deirtí na hamhráin, nuair a chuirtí an sméar mhullaigh ar an chlaochlú coirp agus intinne, ar bhunchuid d'imeachtaí na hoíche é. De réir John Uí Dhuibheannaigh baineann an teas seo leis an *fhuil*, is é sin, le cúrsaí gaoil agus leis an *díoghrais* agus leis an *chúram* is dual don choincheap sin.[36]

Sílim, i gcás chlann Dhonnchaidh Eoin i dToraigh, gur sampla as cuimse de chumhacht na gcoincheap seo ina saol é agus go léiríonn sé an coincheap a dtugann Pierre Bourdieu *habitus* air, ar de dhlúth agus d'inneach bhéasa an phobail é oiread agus nach dtugtar faoi deara an tionchar láidir a imríos sé ar a n-iompar.[37] Is dóigh liom fosta gur féidir dul níos faide ná sin leis an scéal agus gur féidir a rá ar bhealach gur léiriú é an t-amhrán ar thaithí na himirce i measc an phobail go ginearálta, tríd an phróiseas a dtugann John Miles Foley *metonymic referentiality* air, is é sin, go bhfuil sé d'acmhainn ag siombail amháin iliomad bríonna a iompar agus gur in athláithriú an amhráin amháin is féidir teacht go hiomlán ar na bríonna sin go léir.[38] Maíonn sé gurb é a tharlaíos:

> ... engaging worlds of signification inherently larger and more complex than isolated usages, texts, or performances. In these cases, and so in many others, the semantic value of the epithet would serve as a nominal detail standing metonymically, or *pars pro toto*, for the character in all of his or her traditional complexity.[39]

Is ag caint ar charachtair in eipicí na Gréige agus na Slavach atá Foley ansin agus ar na haidiachtaí traidisiúnta a chuirtear leo. Sílim gur maith a fhóireas an scagadh sin do thaithí an láithrithe san amhránaíocht thraidisiúnta chomh maith. Mar a deir Foley arís:

> Nothing can wholly replace the personal exploration of an oral traditional performance by a person steeped in the significative geography of the event.[40]

Le pilleadh ar cheist na haeistéitice, agus ar ráiteas Mhic a' Ghobhainn i dtaobh na haeistéitice agus na réaltachta, is dóigh liom gur féidir linn a fheiceáil sa sampla seo go raibh aeistéitic ag feidhmiú go cinnte i measc an phobail i dToraigh, ceann a cothaíodh agus a saothraíodh go cúramach. Baineann na téarmaí, 'fuacht' agus 'teas', 'uaigneas' agus 'cumha' go mór leis na tuiscintí seo, mar a bhaineas an téarma 'cuma'. Léiríonn siad sin go léir, is dóigh liom, cuid de bhunphrionsabail i dtógáil choincheap na haeistéitice i dToraigh, prionsabail atá difriúil go maith ó choincheapa na hEagnaíochta san ochtú haois déag, ach a thugas brí agus eagar do lucht a gcleachtaidh mar sin féin. Is dóigh liom fosta go bhféadfaí a mhaíomh go dtig siad i gceist sa chur síos a dhéanas Iain Mac a' Ghobhainn ar Aonghas Mac Leòid, nuair a deir sé gur bhain sé amach *the highest pitch to which singing could attain*. Is é a mhaím féin, go bhfuil an mothú seo lán chomh réalach agus atá an ceann eile a nglacann sé leis mar shlat tomhais nua-aoiseach uilíoch agus gur féidir é a chur ar comhchéim leis.

Agus mé á phlé seo, is mian liom m'aird a dhíriú ar ráiteas atá déanta ag Breandán Ó Madagáin. Deir sé an méid seo:

> ... is mian liom idirdhealú tábhachtach a dhéanamh idir feidhm rachtúil an cheoil ... agus feidhm aeistéitiúil. In Iarthar domhain inniu is beag ná go mbíonn an bhéim ar fad ar an bhfeidhm aeistéitiúil, sa chaoi go mbímid ag súil leis i gcónaí go mbeidh píosa ceoil go hálainn (siúd féin is nach mbíonn daoine ar aon intinn faoi cad is áilleacht ann, i gcúrsaí ceoil ná eile). Ní mar sin a bhíodh fadó. Praiticiúlacht a bhí i gceist le ceol, agus feidhmeanna sóisialta, draíochta agus reiligiúnda leis. Ní deirtear riamh sa Ghaeilge go raibh glór álainn ag an reacaire. Ach bhí tábhacht i gcónaí le feidhm rachtúil an cheoil ... Bhí sé de phribhléid agam féin cúpla bliain ó shin an duine deiridh in Albain a chloisint a raibh canadh na laoithe aici ó dhúchas – Penny Morrison, in Uidhist a' Deas beannacht Dé léi ... Ar éigean a mhaífeadh aon duine go raibh áilleacht ag baint le canadh na laoithe aici, ach bhí racht, ó chroí amach.[41]

Agus í ag déanamh léirmheasa ar na tuairimí seo, mar a nochtadh iad i leagan Béarla den alt ar baineadh an sliocht thuas as,[42] deir Ann Buckley an méid seo a leanas:

> Is this not also a kind of beauty? ... Beauty is merely a shorthand for a complex of standards and expectations: any attempt to explore the nature of the arts must go far deeper. In any given situation, the fitness of a musical work for its intended audience is the only question we can realistically propose if we are not to become immediately submerged in personal value judgements which get in the way of any understanding of social-musical processes.[43]

Chítear tionchar na *nineteenth century philosophers and aestheticians* mar a deir Buckley, go láidir ar choincheap na háilleachta mar a thuigtear í i gcur síos an Ollaimh Uí Mhadagáin thuas, is dóigh liom. Is cinnte nárbh é an coincheap céanna den áilleacht a bhí i gceist sa seansaol Gaelach agus a bhí i gceist i gciorcail mheánaicmeacha san Eoraip san ochtú agus sa naoú haois déag, ach ní hé sin le rá nach raibh agus nach bhfuil a leithéid de thuiscint ann. Mar sin, is dóigh liom gur scoilt bhréagach í an ceann a dhéantar idir feidhmeanna aeistéitiúla agus feidhmeanna sóisialta, draíochta agus reiligiúnda. Féach go gcuireann Gadamer an imirt mar atá sí pléite thuas againn i gcomparáid le searmanas reiligiúnda.[44] Agus deir Paul Zumthor an méid seo faoi aithris na filíochta béil:

> All cultures possess or have possessed their sacred spots, umbilical cords, rooting human beings in the earth and bearing witness that they came from that ground; and I cannot remember ever reading that to any one of these places there did not correspond some incantatory or poetic practice. There remains, in differentiated societies, more than the traces of this former state. Religious practices contribute to its maintenance. But at the very end of secularizations of every type, sacredness is interiorized and is camouflaged by simple specialization: hence, throughout the world the spaces readied for dance and the vocal performance that generally accompanies it.[45]

Mar sin de, sílim gur cheart dúinn a aithint gur dlúthchuid den aeistéitic *na feidhmeanna go léir* a bhaineas le láithriú na hamhránaíochta, go bhfuil siad ar comhchéim, agus go bhfuil an tois chognaíoch – cúrsaí brí agus céille – go mór chun tosaigh, mar a mhínigh Sancho-Velázquez thuas, agus mar a léirigh mé féin i gcás Thoraí. Is mar sin is fearr a thuigfeas muid, sílim, an dóigh a dtugann gabháil na n-amhrán iarracht éigin smachta dúinn ar na mothúcháin. Mar a deir Ó Madagáin: *The catharsis of creative endeavour brings a degree of control over the emotions so expressed.*[46] Deir Iain Mac a' Ghobhainn ina alt go dtuigeann fear an oileáin go maith an rud atá uaidh ón fhile agus ón amhránaí: *that is genuine feeling related to his own concerns.*[47] Sa chás seo, is fiú éisteacht leis an méid atá le rá ag Séamus Ó Dúgáin agus é ag cur síos ar an cheol a bhí ag Ciot Tom Ní Mhianáin, bean a raibh gradam ard aici i dToraigh mar amhránaí ina lá:

> Bhí Ciot Tom iontach maith ar fad, deirfiúr do John. Tá cuimhne agamsa go fóill ar Chiot a bheith ag gabháil cheoil, tigh na scoile, agus is iomaí uair a chuirfeadh sí iontas orm chomh maith agus a bhí sí ag ceol 'Reithe an Chinn Bháin', agus cheolfadh sí 'Bróga sa tSeomra', agus bhí ceol millteanach ag Ciot agus guth láidir ar fad, agus John an dóigh chéanna.[48]

Is maith a thuigim gur deacair mórán tuisceana a bhaint as ráitis loma mar seo iontu féin, ach tá súil agam gur léirigh mé san alt seo gur fiú dúinn bheith ag iarraidh an amhránaíocht a thuiscint i gcomhthéacs an chultúir agus an phobail féin, ionas go bhfaighimid léargas níos doimhne ar a bhfuil i gceist le ráitis den chineál sin thuas. Tig Steven Feld cuid mhaith leis an dearcadh sin agus é ag trácht ar na Kaluli sa Nua-Ghuine agus ar a staidéar féin ar aeistéitic an cheoil ina measc:

> ... the issue seemed to be not whether Kaluli 'have aesthetics' in an objective reverifiable sense, but rather how to describe the quality of experience they feel and the quality of my relation to it.[49]

Tá lón machnaimh sa méid sin dúinne agus sinn ag déanamh staidéir ar na healaíona béil, ionas go dtugaimid guth do thréithe na taithí sin sa dioscúrsa acadúil ar bhealach chomh grinn agus chomh hiomlán is atá ar ár gcumas. Is ar an dóigh sin is fearr, measaim, a thiocfaimid ar na tuiscintí trína gcuireann aon phobal, agus sa chás seo, 'muintear na Gaeltachta in iúl dóibh féin an fhírinne úd fúthu féin is faoin saol a mheasann siad a bheith buan thar an ngnáth.'[50]

---

1 I. Crichton Smith, *Towards the Human: Selected Essays with an Introduction by Derick Thomson*, Edinburgh 1986, 45.

2 A. P. Merriam, *The Anthropology of Music*, Evanston 1964.

3 *Ibid.*, 259.

4 M. O. Jones, 'The Concept of "Aesthetic" in the Traditional Arts,' *Western Folklore* 30 (1971), 77-104. Tá scagadh suimiúil fosta ar shaothar Merriam, agus moltaí d'fhorbairt choincheap na haeistéitice do chineálacha éagsúla ceoil le fáil in Judith Becker, 'Aesthetics in Late 20th Century Scholarship', *World of Music* 25/31 (1983), 65-80.

5 Jones, 'The Concept of "Aesthetic" ', 88.

6 A. Sancho-Velázquez, 'Interpreting Metaphors: Cross-Cultural Aesthetics as Hermeneutic Project', in S. Loza *et. al.*, eag., *Selected Reports in Ethnomusicology,* X, *Musical Aesthetics and Multiculturalism in Los Angeles*, Los Angeles 1994, 37-50;43.

7 T. Eagleton, *The Ideology of the Aesthetic*, Oxford 1990, 3.

8 M. Groden agus M. Kreiswirth, eag., *The Johns Hopkins Guide to Literary Theory and Criticism*, London 1994, 438-41.

9 M. J. Valdés, eag., *A Ricoeur Reader: Reflection and Imagination,* Toronto 1991, 79-80.

[10] Sancho-Velázquez, 'Interpreting Metaphors', 44.

[11] Valdés, *A Ricoeur Reader*, 317.

[12] *Ibid.*, 136-55.

[13] *Ibid.*, 118-23.

[14] H.-G. Gadamer, *Truth and Method*, [dara heagrán] J. Weinsheimer agus D. G. Marshall, aistr., Minneapolis 1989, 120.

[15] Sancho-Velázquez, 'Interpreting Metaphors', 47.

[16] P. Zumthor, *Oral Poetry, An Introduction,* aistr., Kathryn Murphy, Minneapolis 1990, 48.

[17] Féach mar shampla, T. H. Mason, *The Islands of Ireland,* London 1936; R. Fox, *The Tory Islanders: A People of the Celtic Fringe*, Cambridge 1978; E. Ó Colm, *Toraigh na dTonn*, Indreabhán 1995 [1971]; J. Hunter 'Tory Island – Habitat, Economy and Society', *Ulster Folklife* 42 (1996), 38-78. Ní liosta iomlán é seo, ná baol air.

[18] L. Ó Laoire, 'Dearnad sa Bhrochán: An Traidisiún agus an tAthrú i leith an Damhsa i dToraigh', *Oghma* 8 (1996), 35-45.

[19] Gadamer, *Truth and Method*, 102.

[20] J. Huizinga, *Homo Ludens*, Boston 1955 [1938], 10.

[21] Agallamh taifeadta le Treasa Mhic Claifeartaigh, An Ceann Thoir, Toraigh, 6 Lúnasa 1997.

[22] Agallamh taifeadta le hÉamonn Mac Ruairí, 29 Eanáir 1995.

[23] Gadamer, *Truth and Method*, 110.

[24] L. Ó Laoire, *Bláth Gach Géag Dá dTig*, CICD075, Indreabhán 1996.

[25] The Statue of Liberty Ellis Island Foundation [léadh 24/02/02]. Ar fáil ag: http://www.ellisislandrecords.org

[26] Treasa Mhic Claifeartaigh, 6 Lúnasa 1997; Séamus Ó Dúgáin, 7 Lúnasa 1997.

[27] Éamonn Mac Ruairí, cumarsáid phearsanta, Feabhra 1998.

[28] Hannah Bean Uí Ghallchóir, An Caiseal, Gort an Choirce, col cúigear le muintir Dixon.

[29] Tá mé faoi chomaoin ag an Dr Mary Boyle, Montclare State University, New Jersey, a chuir cóip den teastas ar fáil dom.

[30] S. Ó Tuama, *An Grá in Amhráin na nDaoine*, Baile Átha Cliath 1960, 76-103. Féach fosta 'Údair Úra/New Authorities: Cultural Process and Meaning in a Gaelic Folksong', *New Hibernia Review/ Iris Éireannach* 3, iii (Autumn/Fómhar 1999), 131-44, agus 'Big days, Big Nights: Entertainment and Representation in a Donegal Community', *Culture, Space and Representation: Selected Papers from the Autumn Meetings of the Anthropological Society of Ireland, Irish Journal of Anthropology* 4 (1999), 73-83, ina ndéanaim gnéithe éagsúla eile den scéal seo a chíoradh go mion. Féach fosta L. Ó Laoire, *Ar Chreag i Lár na Farraige: Amhráin agus Amhránaithe i dToraigh*, Indreabhán 2002.

[31] Fox, *The Tory Islanders*, 156.

[32] Nancy Scheper Hughes, *Saints Scholars and Schizophrenics*, Berkeley

1982, 113-5. Nóisean é a luaitear den chéad uair in C.M. Arensberg agus S.T. Kimball, *Family and Community in Ireland*, Cambridge, Mass. 1940.

33 Valdés, *A Ricoeur Reader*, 125.

34 Gadamer, *Truth and Method*, 130.

35 Valdés, *A Ricoeur Reader*, 115.

36 John Ó Duibheannaigh, agallamh taifeadta, 11 Lúnasa 1997.

37 P. Bourdieu, *Outline of a Theory of Practice*, Cambridge 1977, 72-95.

38 J. M. Foley, *The Singer of Tales in Performance*, Bloomington 1995, 28.

39 *Ibid.*, 5.

40 *Ibid.*, 80.

41 B. Ó Madagáin, 'An Ceol a Ligeann an Racht', *Léachtaí Cholm Cille* 22 (1992), 164-184; 177.

42 'Song for Emotional Release in Gaelic Tradition', in G. Gillen agus H. White, eag. *Irish Musical Studies II. Musicology in Ireland*, Blackrock 1993, 255-75.

43 Ann Buckley, 'Review Essay – Developments in Irish Musicology', *Bullán, An Irish Studies Journal* 2.1 (1995), 101-8; 105-6.

44 Gadamer, *Truth and Method*, 109.

45 Zumthor, *Oral Poetry*, 122.

46 B. Ó Madagáin, 'Functions of Irish Song in the Nineteenth Century', *Béaloideas* 53 (1985), 130-216; 148.

47 Crichton Smith, *Towards the Human*, 45.

48 Séamus Ó Dúgáin, agallamh taifeadta, 7 Lúnasa 1997.

49 S. Feld, *Sound and Sentiment: Birds Weeping, Poetics, and Song in Kaluli Expression*, Philadelphia 1990 [1982], 233.

50 G. Ó Crualaoich, 'Litríocht na Gaeltachta. Seoladh isteach ar pheirspictíocht ó thaobh na litríochta béil', *Léachtaí Cholm Cille* 19 (1989), 8-25; 22.

Gnéithe de Chúlra Leabhar Dhéan Leasa Mhóir

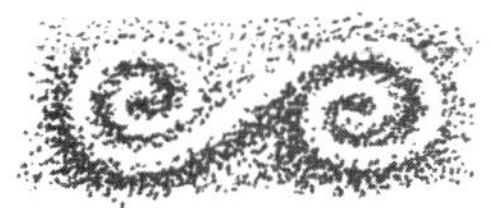

MÍCHEÁL B. Ó MAINNÍN

Lámhscríbhinn pháipéir é Leabhar Dhéan Leasa Mhóir* (LDLM)[1] a cuireadh le chéile in iarthuaisceart Pheairt idir na blianta 1512 agus 1542, is cosúil.[2] Filíocht Ghaeilge de chuid na hAlban is na hÉireann is mó atá sa lámhscríbhinn agus tá an-tábhacht leis an gcnuasach sa mhéid is go bhfuil an bailiúchán is sine dá bhfuil ar marthain d'fhilíocht 'chlasaiceach' na hAlban ar fáil ann. Ach tá roinnt ábhair i mBéarla na hAlban agus i Laidin sa lámhscríbhinn chomh maith: giotaí de chuid na bhfilí Albanacha Dunbar is Henryson is an fhile Shasanaigh Lydgate, mar shampla; liosta siopadóireachta i mBéarla; croinic agus liosta na marbh i Laidin. Tá fíorbheagán próis i nGaeilge inti agus is cosúil go bhfuil léargas anseo againn ar na feidhmeanna agus ar an ngradam a bhí ag na teangacha éagsúla seo i gceantar a bhí gar do theorainn Ghalltacht na hAlban ag an am.[3]

Tá an lámhscríbhinn ainmnithe as Séamas Mac Griogóir (c.1480-1551), Déan Leasa Mhóir, a bhain le Tulaich a' Mhuilinn gar do Fhairtirchill ar an taobh ó thuaidh de Loch Tatha.[4] Tá dhá thagairt dósan sa lámhscríbhinn. Ar leathanach 185 cuireann sé é féin in aithne mar *Et ego Jacobus Gregorii*[5] agus ag bun leathanaigh 27, agus é scríofa bunoscionn, deirtear gurb é seo *Liber Domini Jacobi MacGregor Decani Lismorensis*.[6] Ní féidir a bheith cinnte cén duine a chuir an nóta sin ar leathanach 27 ach, cibé ar bith, is beag cruthúnas atá san fhianaise seo gur ag Séamas a bhí an pháirt ba mhó san obair scríbhneoireachta. B'fhéidir gurbh eisean a stiúraigh an obair is go ndearna Donnchadh a dheartháir cuid mhór den athscríobh. Sin an mheabhair a bhainfí as an síniú a chuir Donnchadh le ginealach thaoisigh na nGriogórach ar leathanach 144, áit a dtugann sé 'daoróglach' air féin.[7] Tá cúig phíosa filíochta ag Donnchadh in LDLM[8] agus is dóigh le Watson go léiríonn sé cumas i gceird na filíochta sna píosaí sin.[9] Shílfeá go scríobhfadh sé a chuid dánta féin isteach sa lámhscríbhinn ach áitíonn Meek nach féidir a bheith cinnte faoi sin. Is dóigh leis-sean, ar mhodh ar bith, gur doiligh lámh a aithint thar a chéile sa lámhscríbhinn nó a rá cé mhéad scríobhaí a bhí ann agus cé mhéad oibre a rinne duine ar bith acu.[10] B'fhéidir go raibh daoine eile ann ar nós William Drummond, curáideach i bhFairtirchill, a scríobh nóta beag Laidine ar leathanach 301 is nach bhfuil aon fhianaise ann go raibh aon pháirt aige sa lámhscríbhinn seachas sin.[11]

Is díol suime é gur nótairí poiblí a bhí i Séamas agus ina athair Dubhghall Maol mac Eoin Riabhaigh. B'oifigeach é an nótaire a tháinig chun cinn in Albain ag deireadh an 14ú haois agus a raibh tábhacht ar leith ag baint leis i gcúrsaí dlí agus eacnamaíochta na tíre:

> Their staple trade was the preparation of the instruments of sasine which became the basic document in the transfer of land, and of other instruments recording judicial decisions, agreements of purchase or loan, or any other transaction requiring formal authentication. It was the reliability of the notary as an exponent of legal formulae and as a copyist which constituted his *raison d'être* ...[12]

Faoin dara leath den 15ú haois bhí an nótaire ag feidhmiú mar scríobhaí proifisiúnta agus tháinig méadú mór ar an méid lámhscríbhinní a scríobhadh i nGalltacht na hAlban i ndiaidh 1470.[13] B'fhéidir go raibh baint ag an bhforbairt seo le tiomsú LDLM ach, cibé ar bith, is cinnte go raibh tionchar ag cúlra Shéamais ar an gcló neamhthraidisiúnta atá in úsáid ann.[14] Cló rúnaíochta é seo, cló a bhí in úsáid acu siúd a raibh cúlra eaglasta agus nótaireachta acu i Sasana agus in Albain ó dheireadh an 15ú haois amach.[15] Síleann Black go mb'fhéidir go raibh baint ag an bpáipéar a raibh siad ag scríobh air leis an gcló a roghnaigh siad:

> [LDLM] is written on that newfangled material, paper, which had not hitherto been used in either Scotland or Ireland for any Gaelic manuscript that we know of. The separate letters of Gaelic script were more appropriate to the marshmallow texture of vellum; the Dean was a notary public, accustomed to using the secretary hand when writing on the new material, and it seems to me that when his pen touched paper it adopted the cursive motions provoked by the smooth surface rather than the old uncial motions demanded by the Gaelic language [r. script].[16]

Ach is mó go mór an claonadh a bheadh ag na Griogóraigh an cló seo a úsáid nuair a bhí dóigh neamhthraidisiúnta litrithe in úsáid don Ghaeilge acu chomh maith.[17] Tá an dóigh litrithe seo bunaithe ar ortagrafaíocht Mheán-Bhéarla na hAlban, an tréimhse sin den teanga a bhaineann le c. 1400-1560.[18] Tugann Dòmhnall Meek cuntas ar cheithre áit eile a bhfaightear litriú Bhéarla na hAlban in úsáid don Ghaeilge iontu:

1 Leaca cuimhneacháin a bhaineann den chuid is mó leis an limistéar sin a raibh na Caimbéalaigh cumhachtach ann.[19]

2 Bannaí agus cúnaint a bhaineann le Sír Pheairt agus leis na Caimbéalaigh ach go háirithe. Ba iad na nótairí den chuid is mó a scríobh na bannaí is na cúnaint seo agus is díol spéise é go bhfuil go leor cáipéisí den chineál seo ar marthain a bhfuil an Déan agus a athair Dubhghall luaite leo is a bhfuil baint acu leis na Caimbéalaigh, teaghlach Ghleann Urchaidh ach go háirithe.[20] Is i mBéarla na hAlban a scríobhadh na cáipéisí seo ach tá cuid mhaith ainmneacha Gaeilge, mar aon le haidiachtaí agus le háitainmneacha Gaeilge, luaite iontu agus is dóigh le Meek go bhfuil an dóigh litrithe a chleachtar dóibh seo gar go maith don

chóras a fhaightear in LDLM. Ní hé aineolas ar an litriú Gaeilge ba chúis leis an litriú a úsáid sna cásanna seo go léir dar le Meek, ach gur creideadh gurbh é Béarla na hAlban an teanga dhlisteanach, is go mbeadh na hainmneacha seo á léamh ag daoine nach mbeadh aon eolas acu ar an nGaeilge, i gcúirteanna dlí ach go háirithe.[21]

3 Roinnt dánta i mBéarla na hAlban a bhfuil ainmneacha nó focail nó leaganacha cainte Gaeilge le fáil iontu.[22]

4 Dán agus ortha Gaeilge atá scríofa go hiomlán i ndóigh litrithe Bhéarla na hAlban. Ceaptar gur scríobhadh an ortha bheag sa 14ú haois déag agus go mb'fhéidir go mbaineann sé le dúiche Latharna ó thús[23] – ceantar eile a raibh na Caimbéalaigh in uachtar ann. Is suimiúla fós an dán gairid Gaeilge atá ar marthain in *Croinic Fhairtirchill*. Chonaiceamar go bhfuil croinic den chineál céanna in LDLM agus is cinnte go bhfuil gaol ag an dá chroinic sin le chéile.[24] Ach ní dóigh le Meek gurb ionann ar fad an dóigh litrithe a úsáidtear don dán in *Croinic Fhairtirchill* agus an córas a fhaightear in LDLM.[25]

Tá sé soiléir, mar sin, go mbíodh dóigh litrithe den chineál seo in úsáid ag daoine eile seachas scríobhaithe LDLM, go mórmhór cainteoirí Béarla is Gaeil a bhain feidhm as an mBéarla i ngeall ar an mbaint a bhí acu leis na húdaráis sa Ghalltacht. Ba dhuine acu sin an Déan féin go deimhin ó bhí sé ina nótaire. Tá sé suntasach, chomh maith, go mbaineann na samplaí uile atá againn le ceantair imeallacha na Gaeltachta mar a bhí sí timpeall na bliana 1500 nó le háiteanna a raibh tionchar láidir ag an nGalltacht orthu, dúiche na gCaimbéalach ach go háirithe. Ach is mór idir an dóigh litrithe seo á húsáid d'ainmneacha nó d'ortha bheag Ghaeilge i bhfoinsí Béarla agus é á úsáid ag cainteoirí Gaeilge do chnuasach mór d'fhilíocht

Ghaeilge a bhfuil ábhar traidisiúnta ar nós na filíochta molta ann! Deir Bannerman gur bhraith litearthacht sa Ghaeilge go mórmhór ar áit an fhile is na filíochta molta sa tsochaí le linn na tréimhse seo agus ba é dóigh litrithe na Gaeilge a chleacht idir fhilí is uaisle go hiondúil.[26] Baineadh úsáid as Laidin agus Béarla go deimhin ag plé leis an rialtas ach ba bheag taoiseach seachas na Caimbéalaigh, iarlaí Earra Ghaidheal, a bhí in ann a n-ainmneacha a shíniú i mBéarla na hAlban roimh 1500.[27] Ba mhór an difear idir Clann Domhnaill agus na Caimbéalaigh, an dá fhine ba thábhachtaí i nGaeltacht na hAlban ag an am, sa chomhthéacs seo; féach go bhfuil cáipéis ann ón mbliain 1565 a shínigh Iarla Earra Ghaidheal agus ceathrar nó cúigear eile de na Caimbéalaigh i mBéarla na hAlban ach nach raibh duine de phríomhthaoisigh na nDomhnallach, taoiseach Chlann Raghnaill, in ann a ainm a shíniú i mBéarla gan cuidiú a nótaire in 1616.[28] Ba mhinic a rinne na filí obair nótaireachta do thaoisigh an iarthair agus nuair a toisíodh ar an mBéarla a úsáid i gcomhthéacsanna den chineál seo sa 16ú haois bhí ar na filí an teanga sin a úsáid mura mbeadh siad sásta an obair sin a ligint le scríobhaithe ón nGalltacht.[29] Ach níl fianaise dá laghad ann gur thoisigh Clann Mhic Mhuireadhaigh, filí na nDomhnallach, ar dhóigh litrithe de chineál LDLM a úsáid is iad ag plé le léann na Gaeilge. Ba dhream coimeádach iad seo a bhí i dteagmháil leis na scoileanna filíochta in Éirinn agus is minic a chaith duine acu tréimhse abhus. Ach tá filíocht ag triúr acu in LDLM, mar a fheicfeas muid thíos, agus is ar éigean a bheadh scríobhaithe LDLM aineolach ar an gcló Gaelach nó ar an litriú traidisiúnta is iad ag plé lena leithéidí. Fianaise thábhachtach í chomh maith go bhfuil filíocht shiollabach ag Donnchadh, deartháir an Déin, in LDLM mar bhí oiliúint ag teastáil chun a bheith in ann an fhilíocht sin a scríobh agus bhí litearthacht sa Ghaeilge ina cuid bhunúsach den oiliúint sin.[30]

Ceist shuimiúil í, más ea, an bhfuil LDLM chomh neamhghnách sin nó an raibh lámhscríbhinní cosúil leis ann roimhe? Tugann MacInnes *sidetracks* ar leithéidí LDLM (agus *Lámhscríbhinn Fhearnaig* níos déanaí)[31] agus leagann sé béim ar leanúnachas an traidisiúin liteartha ó bunaíodh Dál Riada na hAlban agus mainistir Í.[32] Ach ní léir aon mhíchompoird ag scríobhaithe LDLM leis an dóigh litrithe a bhí in úsáid acu;[33] go deimhin is iontach cé chomh leanúnach agus seasmhach is atá an córas atá acu.[34] Tá Gillies[35] agus Meek[36] den tuairim go bhfuil fianaise le baint as dánta áirithe gur chóipeáil na scríobhaithe a gcuid téacsanna as lámhscríbhinn(í) a raibh an cló céanna is an dóigh litrithe céanna in úsáid inti/iontu. Is suntasach an rud é gur i ndánta de chuid Dhonnchaidh Chaimbéil (1443-1513), Tiarna Ghleann Urchaidh, atá cuid den fhianaise sin. Bhí gaol gairid ag Donnchadh le Mac Cailéin, príomhthaoiseach na gCaimbéalach: ba chol ceathar é de chuid Chailéin, céad Iarla Earra Ghaidheal, agus fuair sé bás taobh le Giolla Easpaig, an dara hiarla, i gcath Flodden.[37] Is díol suime é, mar sin, go raibh baint ar leith ag na Griogóraigh le Mac Cailéin is le teaghlach Ghleann Urchaidh.[38] Is fiú cuimhniú, chomh maith, go mbaineadh na Caimbéalaigh an-leas as lucht nótaireachta is a gcumhacht á daingniú acu[39] agus gur cosúil gurbh in é an fáth go raibh na Caimbéalaigh mór le muintir an Déin ach go háirithe.[40]

Ní haon ionadh é, mar sin, go bhfuil neart dánta in LDLM a bhfuil baint acu leis na Caimbéalaigh. Dánta molta cuid acu sin; dán gríosaithe ar Ghiolla Easpaig, an dara hiarla, roimh chath Flodden[41] agus péire ar Shéamas Caimbéal, Tiarna Labhair.[42] Bhí gaol ag an Séamas seo le Donnchadh Caimbéal chomh maith, mar ba mhac é de chuid Eoin Chaimbéil a fuair bás ag Flodden in éineacht le Donnchadh, a leasdeartháir, agus le Giolla Easpaig.[43] Is díol suime é go bhfuil rann ar Eoin sa lámhscríbhinn[44] ag deartháir an Déin, Donnchadh mac Dhubhghaill Mhaoil, agus léiríonn sé sin an ceangal láidir a bhí ag na tiomsaitheoirí leis na Caimbéalaigh. Ach is suntasach an rud é gur mó go mór an méid dánta sa lámhscríbhinn a chum baill de na Caimbéalaigh iad féin;[45] tá dhá dhán ag Cailéin, an chéad iarla,[46] ceann amháin ag a bhean Iseabal, Cuntaois Earra Ghaidheal,[47] péire ag a n-iníon Iseabal Ní Mheic Cailéin[48] agus naoi gcinn ag Donnchadh,[49] an tAlbanach is mó a bhfuil dánta curtha síos dó sa chnuasach. Dánta magúla is gáirsiúla iad a bhformhór acu seo a bhfuil baint acu le genre na ndánta grádha. Tá fianaise ann, go deimhin, go raibh baint ag duine de na Caimbéalaigh le tiomsú LDLM – nó lena leithéid de dhuanaire – i ndán Fhionnlaigh Mhic an Aba 'Duanaire na sracaire':

1 Duanaire na sracaire,
dámadh áil libh a sgríobhadh,
fuaras féin don phacaire
ní dá bhféadtar a líonadh.

2 Giodh iomdha na h-andaoine
ar tí millidh na tuatha,
cha nfhaghthar 'na chomaoin-se
aon réad san domhan uatha.

3 Do bhéasaibh na lorgánach,
gion go mbeith uatha acht míle,
an teach 'gá mbia a gcomhdháil-sean,
cha ruig iad é go h-oidhche.

5 Cha bhia mé 'gá sloinneadh-san,
cha nfhuil agam dá seanchas
acht a mbeith san choinfheasgar
agus na coin 'na leanmhain.

6 A Dhubhghaill, a chompánach,
a mheic Eoin na lann líomhtha,
'gá bhfuil iúl na lorgánach,
déan an Duanaire sgríobhadh.

7 Sgríobh go fiosach fíreólach
a seanchas is a gcaithréim;
ná beir duan ar mhísheóladh
go a léigheadh go Mac Cailéin.

8 Cuimhnigh féin an comunn-sa,
a Ghriogóir, mar do-chualais,
go bhfuil agam oradsa
do chuid do chur san Duanair.

9 Ná bíodh annsan domhan-sa
do shagart ná do thuathach
'gá bhfuil ní 'na gcomhghar-san
nach cuirthear é san Duanair.[50]

Níl aon amhras ná gurb é Fionnlagh Mac an Aba (†1525), taoiseach Bhoth Mheadhoin i nGleann Dochairt, an t-údar a luaitear leis an dán seo agus gurb é athair an Déin, Dubhghall Maol mac Eoin Riabhaigh, an té a n-iarrann sé air duanaire a chur le chéile. Caithfidh sé go raibh aithne mhaith acu ar a chéile mar bhain siad leis an dúiche chéanna agus bhí an triúr acu – Fionnlagh, Dubhghall agus Séamas – ina bhfinnéithe do dheimhniú cairte a bhain le Robert Menzies sa bhliain 1511.[51] Ach ní luaitear Séamas ar chor ar bith sa dán; a dheartháir Griogóir (†1555), is cosúil, atá i gceist san ochtú véarsa, fear nach eol dúinn aon bhaint a bheith aige le litríocht ná le léann seachas sin![52] An é LDLM an duanaire a bhí i gceist ag Fionnlagh, más ea? Síleann Watson gurb é[53] ach tá amhras ar Mheek sa mhéid is nach bhfuil an dán ag tús an chnuasaigh nó suite in áit ar bith suntasach.[54] Seo an tuiscint atá aigesean ar an scéal:

> A poem in BDL itself indicates clearly that the compilation of *duanaireadha* was normal in Perthshire and Argyllshire c. 1500. This poem ... demonstrates that material for such *duanaireadha* was sometimes obtained from packmen and strollers, that it was written up by a skilled scribe, and that the competence of the work was to be judged by no less a person than Mac Cailéin, the Campbell chief.[55]

Is ceist í cé acu de na Caimbéalaigh a bhí ar intinn ag Fionnlagh. Ní chuireann Meek ná Gillies[56] ainm ar bith air cé gur dóigh leo gur duine éigin d'Iarlaí Earra Ghaidheal atá i gceist. Síleann Watson[57] gurb é Giolla Easpaig, an dara hiarla, atá i gceist is tá Bannerman den tuairim gur ag tagairt do Ghiolla Easpaig nó do Chailéin, an tríú hiarla, a bhí sé.[58] Ach cad chuige nach bhféadfadh Cailéin, an chéad iarla, a bheith i gceist ós rud é go bhfuil an chosúlacht air go bhfuil filíocht aigesean sa lámhscríbhinn?

Ritheann smaoineamh eile liomsa. An féidir gurbh é 'mac Cailéin', is é sin Donnchadh Caimbéal, seachas 'Mac Cailéin', an tIarla, a bhí i gceist ag Fionnlagh?[59] Chonaiceamar thuas gurb eisean an file Albanach is mó a bhfuil saothar aige in LDLM agus is ábhar suntais é go gcuirtear cúig cinn dá dhánta síos do 'Dhonnchadh mac Cailéin' sa lámhscríbhinn is ceithre cinn do 'Dhonnchadh Caimbéal'.[60] Is fiú cuimhniú go raibh sé mar thiarna ag na Griogóraigh siúd a chuir LDLM le chéile agus níorbh aon ionadh é, mar sin, dá mbeadh baint aige leis an mbuíon litríochta atá le tuiscint ó dhán Fhionnlaigh is go mbeadh obair daoine eile á léamh aige.[61] Tá tagairt do Dhonnchadh, dar liom, i gceann de na dánta a chum An Bard Mac an tSaoir ar théama na ndrochbhan,[62] ábhar cumadóireachta a bhíonn ag Donnchadh féin go minic. Dánta iad seo a dtaibhrítear fís ifreannda don fhile iontu: long dhraíochta lán le mná a bhfuil gach uile olc ag roinnt leo. Críochnaíonn an dara ceann acu leis an véarsa seo:

> Tá lán Luicifeir i luing
> Mheic Cailéin, Donnchaidh dhearccuirr,
> ar ghalraighe ar ghnáth ar dhath,
> do mhnáibh na ndeárna ndathta.[63]

Tá doiléireacht éigin ag roinnt le dánta Mhic an tSaoir ach sílim gur léir ón véarsa seo go raibh baint aige le dream litríochta a raibh páirt lárnach ag Donnchadh ann. Bhí eolas aige ar shaothar an Chaimbéalaigh agus tá sé ag cur anseo le téama a bhíonn á shaothrú aigesean. Is ríshuimiúil sa chomhthéacs seo an tagairt don airgead a d'íoc an rí, Séamas IV, le 'bard Dhonnchaidh Chaimbéil' nuair a bhí sé ar cuairt ar an taobh seo tíre i bhfómhar na bliana 1506.[64] Ní léir céard é go díreach an gaol a bhí ag an bhfile anaithnid leis an gCaimbéalach – b'fhéidir nach raibh ann ach gur thug tiarna Ghleann Urchaidh an file i láthair an rí – ach is cosúil gurbh é An Bard Mac an tSaoir,[65] nó duine éigin eile de na filí áitiúla sin a raibh baint acu le LDLM, atá i gceist. Tá fianaise eile sa lámhscríbhinn ar an tionchar a d'imir an bhuíon filí seo ar a chéile is ar an gcaoi ar imoibrigh siad i ndán de chuid Dhonnchaidh féin: 'Cé don Phléid as ceann uidhe'.[66] Sa dán seo cáineann an Caimbéalach an file marbh Lochlann Mac an Bhreatnaigh as ucht a shotalachta agus a shainte nuair a bhí sé beo agus iarrann sé ar an té a léifeas an dán rann nó dhó a chur leis:

> Ní dúintear marbhnaidh an fhir;
> déanaidh, a dhaoine an domhain,
> rann gach neach do chur 'na ceann –
> mallacht don fhear nach cuireann.[67]

Tá dhá aoir eile ag Donnchadh sa chnuasach, 'A shagairt na hamhsóige'[68] agus 'Créad dá ndearnadh Domhnall Donn'.[69] Is suimiúil an rud é gur ghlac duine éigin le hiarratas Dhonnchaidh agus gur chuir sé rann le 'Cé don Phléid as ceann uidhe' ag moladh na haoire ar Dhomhnall ach ag gearán leis gur chum sé a leithéid de dhán ar Mhac an Bhreatnaigh:

> Ionmhain liom dán Domhnaill Duinn,
> ní mholaim marbhnaidh Lochlainn;
> mór do mhill a déanamh dhomh:
> ní féaghthar linn an laoidh-seo.[70]

Ní fios cé a chuir an rann sin le dán Dhonnchaidh Chaimbéil ach tá an chuma ar an scéal go raibh meas ag an duine sin ar Lochlann is nár thaitin an chaoi ar caitheadh leis an bhfile leis. Is díol suime é go nochtar an drochmheas céanna, más fíor, i leith na sracaireachta a dhéanann filí áirithe i ndánta eile sa lámhscríbhinn: 'Mór an feidhm freagairt na bhfaighdheach'[71] a chum Giolla Coluim mac an Ollaimh, duine den aos dána é féin, agus, ar ndóigh, 'Duanaire na sracaire'. Is é an greann an tréith is suntasaí i ndánta Dhonnchaidh agus Ghiolla Choluim, ach braithim go bhfuil an magadh céanna ag roinnt le 'Duanaire na sracaire' mar gur doiligh a chreidbheáil go mbeadh daoine, a raibh baint acu le tiomsú lámhscríbhinne a dhéanann freastal maith ar gach cineál filíochta, drochmheasúil i ndáiríre ar na filí gairmiúla. Luaigh mé thuas gur shíl mé go mb'fhéidir gur ag tagairt do Dhonnchadh Caimbéal a bhí Fionnlagh sa dán seo; is dóigh liom go dtreisíonn an chosúlacht atá ag an dán le 'Cé don Phléid as ceann uidhe' an tuairim sin is gur fianaise bhreise í gur bhain an bheirt acu leis an mbuíon litríochta chéanna. B'fhéidir go raibh dán Ghiolla Choluim ar eolas acu[72] agus gurbh é a spreag an magadh a dhéanann siad féin faoi na filí.[73]

Duine suimiúil é Giolla Coluim mac an Ollaimh mar is cosúil gur duine de Chlann Mhic Mhuireadhaigh a bhí ann,[74] an teaghlach filíochta sin a bhí fostaithe ag Mac Domhnaill, Tiarna na nOileán. Ba iad na Domhnallaigh an treibh ba láidre i nGaeltacht na hAlban ag an am, agus is dóigh le Steer is Bannerman go léiríonn an fhilíocht Albanach atá ar marthain in LDLM go raibh baint ar leith ag an lámhscríbhinn leis an gceantar sin a tháinig faoi thionchar an Tiarnais:

> ... the distribution pattern of the Scottish poetry, beginning, as it does, at Fortingall with poems by Duncan MacGregor, the dean's brother, and proceeding west from there along a narrow corridor as far as Loch Awe, and then opening out dramatically to include a poem addressed to MacLeod of Lewis at one end of the Lordship and another to MacNeill of Gigha at the other end, would be an extraordinary one seen in any light other than that of the Lordship of the Isles.[75]

Ach más fíor go mbaineann an fhilíocht sa lámhscríbhinn le ceantar an Tiarnais ach go háirithe, cén fáth go bhfuil a laghad sin ábhair ag Clann Mhic Mhuireadhaigh ar marthain inti? Níl ach trí cinn de dhánta ar fad ag Giolla Coluim sa chnuasach, is thagair mé thuas do 'Mór an feidhm freagairt na bhfaighdheach' a cumadh ar Eoin (†1503), Tiarna na nOileán. Is iad an dá dhán eile atá aige ná: 'Ní h-éibhneas gan Chloinn Domhnaill',[76] dán a bhaineann le turnamh an Tiarnais sa bhliain 1493, agus 'Thánaig adhbhar mo thuirse', marbhna ar Aonghus Óg (†c.1490), mac Eoin.[77] Nuair a bhain an rí, Séamas IV, Ros agus Cinn Tíre ó Eoin sa bhliain 1475, thit Aonghus amach lena athair agus bhuaigh sé air i gcath mara gar do Mhuile am éigin idir 1481 agus 1485. Is díol suime é 'Thánaig adhbhar mo thuirse' sa chomhthéacs seo mar tá 'uirscéal' ag Giolla Choluim ann ar mharú Chonlaoich ag a athair Cú Chulainn.[78] Is dóigh le Meek gur *veiled political comment* é seo is go raibh an file ag tabhairt leide uaidh go raibh lámh ag athair Aonghuis i mbás a mhic.[79] Más fíor do Meek, is cinnte nach mbeadh an Déan dall ar an méid sin. Tá dán amháin eile a bhaineann leis an eachtra seo in LDLM: 'A chinn Diarmaid Uí Chairbre',[80] áit a gcáineann Déan Chnóideoirt, duine eile de Chlann Mhic Mhuireadhaigh,[81] an cláirseoir Éireannach a mharaigh Aonghus. Is é Eoin Mac Muireadhaigh an tríú duine den teaghlach liteartha seo a bhfuil filíocht aige sa chnuasach. Trí cinn de dhánta ar fad atá aige agus níl i gceann amháin acu ach rann fánach.[82] Is é an dán grádha 'Námha dhamh an dán' an dán is faide aige sa lámhscríbhinn (LDLM, 61),[83] agus is é 'Maith do chuid, a charbaid mhaoil' (LDLM, 49) an tríú dán.[84] Is suntasach an rud é nach bhfuil tásc ná tuairisc ar an dán 'Alba gan díon i ndiaidh Ailín', marbhna ar Ailín (†1509) agus ar Raghnall Mac Domhnaill (†1514), taoisigh Chlann Raghnaill, atá ar fáil i *Leabhar Dearg Chlann Raghnaill*. Síleann Thomson go mb'fhéidir gurbh é Eoin a chum,[85] ach is í an aoir nimhneach, 'Theast aon diabhal na nGaoidheal',[86] a chum Fionnlagh Ruadh, file thaoiseach na nGriogórach, ar Ailín atá ar marthain in LDLM!

Feictear domsa, mar sin, gur beag an bhaint atá ag Clann Domhnaill nó ag a cuid filí le LDLM. Ní hamháin go bhfuil ábhar de chuid Chlann Mhic Mhuireadhaigh gann sa chnuasach ach tá fianaise ann i gcás péire de na dánta thuasluaite go bhfuil léargas nó dearcadh eile le fáil againn ar bhaill de Chlann Domhnaill thar mar a gheobhfaí i bhfoinsí 'oifigiúla' dá gcuid. Maidir leis an mbeagán ábhair atá ann, is díol suntais é go raibh Aonghus Óg Mac Domhnaill pósta le hIseabal, iníon chéad Iarla Earra Ghaidheal; chonaiceamar thuas go bhfuil dánta aicise sa lámhscríbhinn agus mhíneodh sé sin cén fáth go bhfuil dánta a bhfuil baint acu le hAonghus inti chomh maith.[87] Ach cé go bhfuil neart ábhair sa chnuasach a chum baill de na Caimbéalaigh iad féin, murab ionann is na Domhnallaigh, caithfear a admháil gur tearc an t-ábhar atá ag a gcuid filí gairmiúlasan sa chnuasach ach an oiread. Chonaiceamar go bhfuil trí cinn de dhánta den chineál sin ann: dán anaithnid a cumadh roimh chath Flodden sa bhliain 1513, eachtra cháiliúil eile ar nós thurnamh Thiarnas na nOileán a tharla le linn an Déin féin, agus péire ar Shéamas Caimbéal arbh as ceantar an Déin dó.

Ceist shuimiúil í, más ea, cén dearcadh a bheadh ag na filí gairmiúla ar LDLM? Tá tuairim láidir agam go mbeadh Clann Mhic Mhuireadhaigh míchompordach go maith leis an mbealach neamhthraidisiúnta a bhí ag tiomsaitheoirí LDLM leis an nGaeilge a scríobh,[88] ach céard a shílfeadh filí na gCaimbéalach faoin gcnuasach? Is ar Chlann Mhic Eoghain is mó a bhí an cúram filíocht a chumadh in ómós do na Caimbéalaigh agus is díol suime é go n-airíonn Black tionchar an chló Ghotaigh ar an scríbhneoireacht sin a chuirtear ina leith.[89] Is díol suntais iad péire de na samplaí a luann sé sa chomhthéacs seo mar baineann siad le teaghlach Ghleann Urchaidh. Ar an gcéad dul síos tá dán cráifeach Gaeilge atá ar fáil i lámhscríbhinn Laidine de chuid Chailéin Chaimbéil, mac Dhonnchaidh, a d'éag in 1523.[90] Is cosúil gur dán Éireannach é seo ó bhunús. Marbhna ar Dhonnchadh Caimbéal Ghleann Urchaidh (†1631) atá sa dara sampla agus deirtear gurbh é Niall Mac Eoghain an scríobhaí. Tá an dán seo scríofa go greanta ar phár maisithe agus is í seo an lámhscríbhinn dheireanach pháir atá ar marthain in Albain.[91] Is suntasach an rud é, más ea, go gcloíonn na foinsí seo le dóigh litrithe na Gaeilge, in ainneoin an tionchair Ghotaigh ar an gcló, is go bhfuil siad scríofa ar phár. Is amhlaidh, mar sin, atá ábhar ar marthain againn a bhfuil baint aige le Caimbéalaigh Ghleann

Urchaidh, ábhar atá comhaimseartha le LDLM nó níos déanaí ná é, is go bhfuil cruth níos traidisiúnta ar an ábhar sin ná mar atá ar chnuasach na nGriogórach!

Is fiú aird a dhíriú ar an saothar mór eile sin ón 16ú haois sa chomhthéacs seo, *Foirm na n-Urrnuidheadh*.[92] Is aistriúchán é an leabhar seo a rinne Eoin Carsuel, Easpag Protastúnach na nOileán agus Maor Earra Ghaidheal, den *Book of Common Order* a chuir John Knox i gcló i nDún Éideann in 1564. Tháinig an t-aistriúchán féin amach in 1567 agus ba é an chéad leabhar Gaeilge a cuireadh i gcló ariamh é. Ní fios ar casadh Séamas Mac Griogóir ar an gCarsalach in am ar bith – bhí an Griogórach timpeall dhá scór bliain ní ba shine ná é – ach níorbh aon ionadh é má casadh mar bhí go leor i gcoitinne acu.[93] Ar an gcéad dul síos bhí siad mór leis na Caimbéalaigh; bhí an Carsalach ina shéiplíneach ag Mac Cailéin is thiomnaigh sé a shaothar dó.[94] Chomh maith leis sin, ba nótairí agus b'eaglaisigh iad an bheirt acu a raibh baint acu leis an deoise chéanna is ba chainteoirí Gaeilge iad a raibh tuiscint éigin acu ar an litríocht.[95]

Cén fáth go bhfuil dóigh litrithe neamhthraidisiúnta in úsáid don Ghaeilge in LDLM, más ea, is gur shocraigh Carsuel an córas traidisiúnta a úsáid dá shaothar siúd 25 bliana ina dhiaidh sin?[96] Is mura bhfuil an chosúlacht air gur aineolas ar litriú na Gaeilge ba chúis leis an litriú Béarla a chleacht scríobhaithe LDLM[97] cén chúis atá leis? Níl aon amhras ná go bhfuil baint ag stair an dá theanga leis an scéal mar tháinig an Béarla go mór chun tosaigh le linn an 15ú haois in Albain is chuaigh an Ghaeilge go mór ar gcúl. Faoi dheireadh na haoise sin bhí stádas na teanga náisiúnta bainte amach ag Béarla na hAlban agus toisíodh ar 'Scottis' seachas 'Inglis' a thabhairt air.[98] Ag an am céanna bhí rialtas na hAlban ag iarraidh an Ghaeltacht, Clann Domhnaill ach go háirithe, a thabhairt faoi smacht agus thacaigh na Caimbéalaigh go fonnmhar leis mar bhí siad ag iarraidh go mbeadh 'ceannas na nGaoidheal' acusan.[99] Ní mór cuimhniú go raibh páirt mhór ag Mac Cailéin sa rialtas féin; bhí Cailéin, an chéad iarla, agus Giolla Easpaig, a mhac, ina seansailéirí ar Albain lena linn, agus bhí post tábhachtach ag Cailéin, an tríú hiarla, sa rialtas chomh maith.[100] B'amhlaidh a bronnadh stádas agus gradam ar theaghlach Ghleann Urchaidh mar an gcéanna agus bhí dualgais ríoga éagsúla ar Dhonnchadh Caimbéal féin.[101] Bhí tuiscint láidir Galltachta ag na Caimbéalaigh, mar sin, is níorbh aon ionadh é dá sílfeadh scríobhaithe a raibh baint acu leosan sa tréimhse chorraitheach seo go raibh iachall orthu córas úr litrithe a chur ar fáil don Ghaeilge, córas a bheadh níos soláimhsithe ag údaráis na Galltachta agus níos comhoiriúnaí don Bhéarla.[102]

Bhí an nós ann cheana féin dóigh litrithe an Bhéarla a úsáid don Ghaeilge i gcomhthéacsanna áirithe (lgh 399-400 *supra*). Ach arbh iad na Griogóraigh an chéad dream a d'úsáid litriú Bhéarla na hAlban chun an fhilíocht atá ar marthain sa lámhscríbhinn seo a scríobh? Luaigh mé cheana go bhfuil méid áirid fianaise le baint as dánta Dhonnchaidh Chaimbéil go raibh téacsanna á gcóipeáil ag scríobhaithe LDLM a raibh an cló is an dóigh litrithe céanna in úsáid iontu. Is dóigh le Gillies gur cóip de chóip lámhscríbhinne a bhí acu i gcás cuid de na dánta ar a laghad[103] is go raibh botúin scríbhneoireachta sa bhunleagan uaireanta.[104] Ach is léir, dar leis, go raibh na scríobhaithe féin míchúramach in áiteanna is go ndeachaigh daoine éagsúla siar ar dhánta áirithe is go ndearna siad 'leasuithe' orthu.[105] Is díol suime é, chomh maith, go bhfuil an dara cóip de dhán amháin de chuid Dhonnchaidh le fáil sa lámhscríbhinn.[106] Tá Gillies den tuairim go síolraíonn an dá leagan ón mbunchóip chaillte chéanna ach nach féidir a rá cé acu is luaithe nó an raibh fhios ag scríobhaí amháin faoi leagan an scríobhaí eile.[107] Thabharfadh an fhianaise seo uile le fios nach bhfuarthas an fhilíocht go díreach ó Dhonnchadh lena bheo, go raibh deacracht ag na scríobhaithe an t-ábhar a thuigbheáil in amanna is go raibh níos mó ná foinse amháin acu dó. Ach is suntasaí fós go dtabharfadh sí le fios go mb'fhéidir go raibh sé de nós ag Donnchadh an dóigh litrithe seo a úsáid é féin is gur scríobh seisean a chuid filíochta de réir dhóigh litrithe an Bhéarla an chéaduair. Chiallódh sé sin go raibh tionchar mór aigesean ar an gcruth atá ar an lámhscríbhinn, rud a bheadh ag teacht leis an bhfianaise eile atá ann go raibh páirt lárnach aige sa dream litríochta atá taobh thiar de LDLM.

Tugann an t-ábhar Éireannach atá ar marthain in LDLM léargas breise ar an scéal. Ní mór go raibh an t-ábhar seo scríofa sa dóigh litrithe traidisiúnta nuair a fuarthas ó Éirinn é[108] is gur shocraigh na scríobhaithe litriú Bhéarla na hAlban a chur air d'aon ghnó. Tá cuid mhaith ábhair den chineál sin ann[109] agus caithfidh sé gur chuir an obair athchóirithe seo leis an méid ama a thóg sé ar na scríobhaithe an fhilíocht a chóipeáil. Is cinnte go bhfuair siad ábhar Albanach sa litriú traidisiúnta, chomh maith, is go raibh orthu an t-ábhar sin a chur i bhfeiliúint don chóras úr litrithe mar an gcéanna. Is ceist bhunúsach í cén fáth a gcuirfeadh daoine an oiread sin stró orthu féin nuair atá gach uile sheans ann go raibh siad in ann an dóigh litrithe traidisiúnta a léamh is a scríobh iad féin?[110] Sílimse go bhfuil níos mó ná géilleadh do chumhacht Bhéarla na hAlban i gceist; gur chreid na daoine sin a raibh lámh acu i dtiomsú LDLM gur chóir beart den chineál seo a chur i gcrích. Is fiú cuimhniú ar áit na gCaimbéalach sa tsochaí Albanach sa chomhthéacs seo. Chonaiceamar gur dhream iad a bhí sáite i gcúrsaí na hAlban uile is bhí tailte acu ar an nGaeltacht is ar an nGalltacht. Níl ach dán gairmiúil amháin ar Mhac Cailéin ar fáil in LDLM, an dán gríosaithe a cumadh roimh chath Flodden, ach is suntasach an léargas a thugann sé dúinn:

Ré Gallaibh adeirim ribh,
sul ghabhadar ar ndúthaigh;
ná léigmid ar ndúthaigh dhínn,
déinmid ardchogadh ainmhín,
ar aithris Gaoidheal mBanbha,
caithris ar ar n-athardha.[111]

Dán an-náisiúnach é seo a gcuirtear béim mhór ar Albain 'an t-athardha' ann, agus ní heol dom aon dán eile ón tréimhse seo a nochtar dearcadh den chineál céanna ann. B'fhéidir go raibh próiseas athshainmhínithe ar siúl i ndúiche na gCaimbéalach, más ea, a raibh sé mar chuspóir aige tuiscint úr chuimsitheach a chothú don aitheantas Albanach, is gur iarracht é córas litrithe LDLM an bhearna idir cultúr na Gaeilge is cultúr an Bhéarla a chúngú[112] is ábhar léitheoireachta a chur ar fáil is a chaomhnú dóibh siúd a thacaigh leis an mian sin.[113]

Ach cén fáth gur ghlac Eoin Carsuel leis an dóigh litrithe traidisiúnta dá shaothar siúd is é ag obair faoi anáil Mhic Cailéin tamall de bhlianta ina dhiaidh sin? B'fhéidir gur léir faoin am sin nach mbeadh aon rath ar an litriú athchóirithe sa mhéid is nach n-éireodh leis dul i gcion ar mhórchuid na Gaeltachta nó ar an scoilt idir Gaeltacht is Galltacht. Bhí cuspóir misinéara ag an gCarsalach agus is cinnte nach mbeadh sé ag iarraidh go nglacfaí col lena shaothar i ngeall ar chruth neamhthraidisiúnta, rud a d'fhéadfadh tarlú i gcríocha Chlann Domhnaill, mar shampla. Is léir go raibh an Carsalach ag súil go léifí *Foirm na-Urrnuidheadh* in Éirinn chomh maith[114] agus is cinnte go raibh baint aige sin leis an scéal. Is fiú a lua go raibh Mac Cailéin sáite i gcúrsaí na hÉireann timpeall an ama chéanna; rinne sé conradh leis an gCalbhach Ó Domhnaill sa bhliain 1555[115] agus scríobh Seán Ó Néill chuige ag iarraidh tacaíochta sa bhliain 1560. Is sa dóigh litrithe traidisiúnta, ar ndóigh, a scríobhadh an conradh agus is cinnte go mba léir an bhuntáiste a bhain le húsáid an chórais chéanna litrithe sa chomhthéacs sin. Is díol suime é, chomh maith, gur aistríodh litir Uí Néill go Béarla na hAlban is nach é an rud a tharla gur chuir scríobhaithe Mhic Cailéin cóip den bhunleagan Gaeilge ar fáil sa litriú úr.[116] Ba é an rud tábhachtach go mbeadh fáil ag lucht rialtais na tíre ar cháipéisí den chineál seo is go dtuigfidís iad; ba chainteoirí Béarla iad a bhformhór acu seo agus, mura mbeidís sásta an Ghaeilge a fhoghlaim, ní chuideodh ortagrafaíocht de chineál LDLM leo sa mhéid sin. Is cinnte, cibé ar bith, go bhfuil an ceart ag Meek[117] gur chinntigh foilsiú leabhar an Charsalaigh gurbh é an dóigh litrithe traidisiúnta a d'úsáidfí feasta do scríobh na Gaeilge ar fud na hAlban.

CONCLÚID

Tugann LDLM léargas dúinn ar shaothrú na filíochta in Earra Ghaidheal is i bPeairt go mórmhór sa tréimhse c. 1450-1540. Tá baint ar leith aige leis na Caimbéalaigh mar is léir ón méid ábhair atá ar marthain ann a chum baill den fhine sin nó a cumadh dóibh. Is é Donnchadh Caimbéal, Tiarna Ghleann Urchaidh, an tAlbanach is mó a bhfuil filíocht ainmnithe dó in LDLM agus tá fianaise ann go raibh baint aigesean le tionscnamh na lámhscríbhinne. Bhí páirt lárnach aige i mbuíon áitiúil litríochta a bhfuil ábhar acu sa chnuasach agus a bhfuil léargas orthu, dar liom, sa dán 'Duanaire na Sracaire'.[118] Tá seans ann go bhfuil Donnchadh féin luaite sa dán seo amhail is go raibh an obair á stiúrú aige ach, cibé ar bith, is suntasach an rud é go raibh sé mar thiarna ag an té ar fágadh príomhchúram an tiomsaithe air, Dubhghall Maol Mac Griogóir.

Ní fios cé mhéad den tiomsú sin a rinne Dubhghall riamh. Is as a mhac Séamas atá an lámhscríbhinn ainmnithe agus is léir go raibh baint mhór ag Donnchadh, mac eile leis, leis an gcnuasach chomh maith. Is cosúil go ndearnadh cuid mhór den obair scríbhneoireachta i ndiaidh bhás Dhonnchaidh Chaimbéil in 1513 mar tá fianaise ann go bhfuil cuid dá dhánta siúd in LDLM dhá chéim ar shiúl ón mbunchóip. Is suntasaí fós go bhfuil an chosúlacht air go síolraíonn téacsanna LDLM ó chóipeanna a raibh dóigh litrithe Bhéarla na hAlban in úsáid iontu agus tá seans ann, mar sin, gur nós le Donnchadh féin an litriú seo a chleachtadh. Is cinnte, ar mhodh ar bith, go bhfuil baint mhór ag an dóigh litrithe seo le dúiche na gCaimbéalach is gurbh é a dtionchar díreach nó indíreach siúd a chinntigh gurbh é a úsáideadh in LDLM.

Ní shílim gur lámhscríbhinn é LDLM a bhfuil aon bhaint fhoirmeálta ag na teaghlaigh léannta leis. Is é Fionnlagh Ruadh an file gairmiúil Albanach is mó a bhfuil dánta aige sa chnuasach agus is beag an t-ionadh é sin mar ba é Eoin (†1519), taoiseach Chlann Ghriogóir, an pátrún a bhí aige.[119] Ní léir dom aon bhaint a bheith aige le Clann Domhnaill ach an oiread; cinneann sé ormsa, go deimhin, lámhscríbhinn de dhéanamh radacach LDLM a shamhlú leis na Domhnallaigh ar chor ar bith. Ní hé nach bhfuil an lámhscríbhinn chomh traidisiúnta Gaelach le lámhscríbhinní eile Gaeilge ar bhealaí áirithe; féach na cineálacha filíochta atá ar marthain inti is an méid ábhair a fuarthas ó Éirinn. Ach tá fianaise ann, dar liom, ar thuiscint úr ag teacht chun cinn i ndúiche Mhic Cailéin, tuiscint a raibh an Gaelachas is an tAlbanachas táite le chéile ann ar bhealach sainiúil. Faoin am ar thoisigh Eoin Carsuel ar a shaothar siúd, *Foirm na n-Urrnuidheadh*, tamall de bhlianta níos déanaí, ba léir nach mbeadh glacadh go coitianta leis an treo úr seo i gcúrsaí litrithe is go raibh buntáistí níos mó ag baint leis an gcóras sin a bhí i gcoitinne ag 'Gaoidhil Alban agus Éireand'.[120]

* *Tá príomhsmaointe an pháipéir seo bunaithe ar an ábhar tráchtais M.A. agam:* An Tuiscint Ghaelach in Albain, c.1200-1715, *Ollscoil na hÉireann, Gaillimh 1987.*

---

1 Lámhscríbhinn Adv. 72.1.37 (xxxvii) i Leabharlann Náisiúnta na hAlban i nDún Éideann. Ní fios go cinnte an bhfuil an lámhscríbhinn iomlán fós ar marthain ach tá 161 leathanach (c. 20cm X 14cm) anois againn móide 3 leathanach páir a bhíodh in úsáid mar chlúdach, féach D. Meek, *The Corpus of Heroic Verse in the Book of the Dean of Lismore*, Tráchtas Ph.D., University of Glasgow 1982, 3; 132.

2 Tá Meek den tuairim go ndeachaigh an obair ar aghaidh go leanúnach idir na blianta sin: *The compilation of the manuscript was obviously not a hasty business; it reflects the gradual compilation and recording of relevant material over a generation.* D. Meek, 'The Scots-Gaelic Scribes of Late Medieval Perthshire: an Overview of the Orthography and Contents of the Book of the Dean of Lismore', in Janet Hadley Williams, eag., *Stewart Style 1513-1542. Essays on the court of James V*, Edinburgh 1996, 254-72; 257.

3 *The manuscript intermingles Gaelic culture and Scots culture in a manner*

which may appear remarkable, if not bizarre, to us today. When our Scots-Gaelic scribes were active, however, it may have seemed entirely natural to fuse the cultures in this way. Such fusion may well have been wholly in keeping with the conventions of their time and place. Meek, 'Scots-Gaelic Scribes', 264-5, agus féach 255.

4 W. J. Watson, *Scottish Verse from the Book of the Dean of Lismore*, Edinburgh 1937, xiv-xv.

5 E. C. Quiggin, *Poems from the Book of the Dean of Lismore with a Catalogue of the Book and Indexes*, Cambridge 1937, 102.

6 Watson, *Scottish Verse from the Book of the Dean*, xi.

7 *Ibid.*, xv.

8 Féach Quiggin, *Poems from the Book of the Dean of Lismore*, 112 agus T. F. O'Rahilly, 'Indexes to the Book of the Dean of Lismore', *Scottish Gaelic Studies* 4 (1935), 31-56; 55.

9 Watson, *Scottish Verse from the Book of the Dean*, xv.

10 Meek, *Corpus of Heroic Verse*, 26-7.

11 Meek, 'Scots-Gaelic Scribes', 257.

12 R. J. Lyall, 'Books and Book Owners in Fifteenth-century Scotland', in J. Griffiths agus D. Pearsall, eag., *Book Production and Publishing in Britain 1375-1475*, Cambridge 1989, 239-56; 242.

13 *Ibid.*, 241.

14 Tá an cló neamhthraidisiúnta seo in úsáid go leanúnach is go seasmhach sa lámhscríbhinn is níl aon rian den chló Gaelach air dar le Meek, *Corpus of Heroic Verse*, 19-20.

15 Meek, 'Scots-Gaelic Scribes', 257.

16 R. I. M. Black, 'The Gaelic Manuscripts of Scotland', in W. Gillies, eag., *Gaelic and Scotland. Alba agus a' Ghàidhlig*, Edinburgh 1989, 146-74; 163.

17 Tá fianaise ar chló agus ar dhóigheanna neamhthraidisiúnta litrithe á n-úsáid i bhfoinsí áirithe in Éirinn chomh maith, *Annála Locha Cé* agus *Annála Inis Faithleann* sa 13ú haois cuir i gcás. Féach F. J. Byrne, Introduction to T. O'Neill, *The Irish Hand. Scribes and their manuscripts from the earliest times to the seventeenth century with an exemplar of Irish scripts*, Port Laoise 1984, xxiii.

18 Meek, 'Scots-Gaelic Scribes', 258-9.

19 D. E. Meek, 'Gàidhlig is Gaylick anns na Meadhon Aoisean', in Gillies, *Gaelic and Scotland*, 131-45; 135.

20 Féach M. D. W. MacGregor, *A Political History of the MacGregors before 1571*, Tráchtas Ph.D., University of Edinburgh 1989, 422-3.

21 Meek, 'Gàidhlig is Gaylick', 136.

22 *Ibid.*, 136-8.

23 Black, 'Gaelic Manuscripts', 156, §79, 169, n. 20.

24 Féach MacGregor, *A Political History of the MacGregors*, 15-7.

25 Meek, 'Gàidhlig is Gaylick', 138, 142-3, n. 32.

26 J. W. M. Bannerman, 'Literacy in the Highlands', in I. B. Cowan agus D.

Shaw, eag., *The Renaissance and Reformation in Scotland. Essays in honour of Gordon Donaldson*, Edinburgh 1983, 214-35; 235.

27 Bannerman, 'Literacy in the Highlands', 215.

28 *Ibid.*, 216.

29 *Ibid.*, 218.

30 Féach Bannerman, 'Literacy in the Highlands', 229.

31 Féach Meek, 'Gàidhlig is Gaylick', 139.

32 J. MacInnes, 'The Scottish Gaelic Language', in G. Price, eag., *The Celtic Connection*, Gerrard's Cross 1992, 101-30; 118.

33 I gcás Bhéarla na hAlban, ba nós leis na scríobhaithe buíonta nó sraitheanna áirithe litreacha a úsáid do gach fuaim. D'fhéadfadh scríobhaí ar bith líon mór litreacha a úsáid as gach buíon ach ceann nó dhó a úsáid níos minice ná an chuid eile. Is amhlaidh atá an scéal in LDLM. Is féidir fuaim ar leith a litriú ar ocht mbealach éagsúla ach bíonn bealach nó dhó in úsáid i bhfad níos minice ná an chuid eile; féach Meek, 'Gàidhlig is Gaylick', 134. Tá an dóigh litrithe scrúdaithe go mion ag Meek i gcás péire de na dánta laochais sa lámhscríbhinn. Tá sé léirithe aige go bhfuil líon áirithe litreacha i gcoitinne ag na dánta is go bhfuil corrfhoirm aisteach ann a thabharfadh le fios go mb'fhéidir go raibh scríobhaithe éagsúla i gceist. Tá an córas bunaithe ar na fuaimeanna is tá i bhfad níos mó comharthaí ann do na gutaí. Ní dhéantar gutaí fada is gearra ná consain leathana is chaola a idirdhealú go soiléir sa lámhscríbhinn; féach Meek, *Corpus of Heroic Verse*, 175-88. Tá beagán fianaise ag Gillies chomh maith ar dhifríochtaí sa dóigh litrithe i ndán de chuid Dhonnchaidh Chaimbéil; féach W. Gillies, 'The Gaelic Poems of Sir Duncan Campbell of Glenorchy', *Scottish Gaelic Studies* 13 (1978), 18-45; (1981), 263-88; 14 (1983), 59-82; 45, n. 6. Tá Meek den tuairim go bhfuil leithleasacht áirithe ag baint leis an gcóras atá in úsáid don dán gríosaithe do Mhac Suibhne; féach D. E. Meek, ' "Norsemen and Noble Stewards": the MacSween Poem in the Book of the Dean of Lismore', *Cambrian Medieval Celtic Studies* 34 (1997), 1-49; 29.

34 *The apparent fluency of the scribes of the Book of the Dean, and the small number of blunders which can be ascribed to orthographic uncertainty on their part, would suggest that they were working with what was already a relatively stable tradition.* Meek, 'Scots-Gaelic Scribes', 263; féach Bannerman, 'Literacy in the Highlands', 234 chomh maith.

35 W. Gillies, 'A Religious Poem Ascribed to Muireadhach Ó Dálaigh', *Studia Celtica* 14-15 (1979-80), 81-6; 85, n. 1a; Gillies, 'Gaelic Poems of Sir Duncan Campbell', 24, 31, 35, 41, 63, 72. Ag an am céanna tá Gillies den tuairim go mb'fhéidir go bhfuil tionchar an chló agus an litrithe Ghaelaigh le brath ar dhánta Dhonnchaidh corruair, Gillies, 'Gaelic Poems of Sir Duncan Campbell', 264-5, 278, 72, 77.

36 *The BDL text as a whole has a somewhat opaque feel to it, as if the scribe were copying from a previous manuscript version in a Scots-based (and*

somewhat older?) orthography which was not wholly familiar to him .... Meek, 'Norsemen and Noble Stewards', 29.

37 Gillies, 'Gaelic Poems of Sir Duncan Campbell', 18. Cuireadh le chéile iad i gCille Mhunna i gCòmhal *becaus in the foirsaid feild thay deit valiantlie togidder* de réir an *Black Book of Taymouth*; féach Watson, *Scottish Verse from the Book of the Dean*, 260.

38 Féach MacGregor, *A Political History of the MacGregors*, 74-7, 80; K. A. Steer agus J. W. M. Bannerman, *Late Medieval Monumental Sculpture in the West Highlands*, Edinburgh 1977, 206 agus W. Gillies, 'Sir Duncan Campbell' in D. S. Thomson, eag., *The Companion to Gaelic Scotland*, Glasgow 1994, 32.

39 Féach fonóta 20 thuas agus W. Gillies, 'Some Aspects of Campbell History', *Transactions of the Gaelic Society of Inverness* 50 (1976-8), 256-95; 267.

40 *Of the 21 documents so far discovered in which Seumas and/or his own father Dubhghall are involved either as baillies, notaries public, or witnesses, 16 are Campbell-related, and 15 of these are directly concerned with the earls of Argyll or the Glen Orchy chiefs.* MacGregor, *A Political History of the MacGregors*, 76-7.

41 'Ar sliocht Gaodhal', in eagar ag Watson, *Scottish Verse from the Book of the Dean*, 158-65.

42 Tá 'Fhuaras rogha na n-óg mbríoghmhor', in eagar ag Watson, *Scottish Verse from the Book of the Dean*, 106-25. Dán beag sé véarsa é 'Fhuaras mo mhian do dhán air', LDLM, 198. Níl sé in eagar go fóill ach is cinnte go bhfuil baint aige leis an bhfear céanna mar is léir ón athscríobh: 'Hoirris mi wane zane er Saymis mac Oyne vic Callane ...' a rinne Quiggin, *Poems from the Book of the Dean of Lismore*, 102; féach Watson, *Scottish Verse from the Book of the Dean*, 283.

43 Watson, *Scottish Verse from the Book of the Dean*, 260.

44 LDLM, 7; féach Quiggin, *Poems from the Book of the Dean of Lismore*, 95, 110. Is dóigh le Quiggin gur duine éigin den ainm 'Eóghain' atá i gceist ach is léir ón rann féin gur Eoin mac Chailéin atá ar intinn ag an bhfile; *cf.* Watson, *Scottish Verse from the Book of the Dean*, 283.

45 Féach Gillies, 'Campbell History', 286-7, n. 3.

46 'A bhean dá dtugassa grádh', LDLM, 73 agus 'Ge tá a bhean', LDLM, 271. Féach Quiggin, *Poems from the Book of the Dean of Lismore*, 98, 105.

47 'Éistidh a lucht an tighe-se', LDLM, 251.

48 'Atá fleasgach ar mo thí', LDLM, 285 agus 'Is mairg dá ngalar an grádh', LDLM, 290. Tá an péire acu seo in eagar in Watson, *Scottish Verse from the Book of the Dean*, 234-5, 307-8. Síleann J. C. Watson gurbh í an chuntaois a chum na dánta seo chomh maith ach ní dóigh liomsa sin; *cf.* Gillies, 'Campbell History', 286-7, n. 3 agus Bannerman, 'Literacy in the Highlands', 230.

49 Tá na dánta seo uile in eagar ag Gillies, 'Gaelic Poems of Sir Duncan Campbell'.

[50] In eagar in Watson, *Scottish Verse from the Book of the Dean*, 2-5. Chinn ar Watson an ceathrú véarsa a dhéanamh amach.

[51] *Ibid.*, xiv, xvi.

[52] Féach an t-eolas atá bailithe le chéile faoin duine seo ag MacGregor, *A Political History of the MacGregors*, 166, 169, 275.

[53] Watson, *Scottish Verse from the Book of the Dean*, xvi.

[54] Meek, 'Scots-Gaelic Scribes', 256; Meek, *Corpus of Heroic Verse*, 5-6.

[55] Meek, *Corpus of Heroic Verse*, 9. Féach Meek, 'Scots-Gaelic Scribes', 256 chomh maith.

[56] Gillies, 'Campbell History', 259.

[57] Watson, *Scottish Verse from the Book of the Dean*, vii, xvii.

[58] Shíl sé ar dtús gur mhó an seans gur Chailéin an tríú hiarla a bhí i gceist; féach J. Bannerman, 'The Lordship of the Isles', in Jennifer M. Brown, eag., *Scottish Society in the Fifteenth Century*, London 1977, 209-40; 237. Ach faoi 1983 bhí sé den tuairim gur Ghiolla Easpaig a bhí i gceist; féach Bannerman, 'Literacy in the Highlands', 229.

[59] Fuair Donnchadh bás in 1513 agus is í an bhliain 1512 an dáta is luaithe a luaitear leis an lámhscríbhinn mar chuir Donnchadh mac Dubhghaill Mhaoil an dáta sin leis an nginealach a scríobh sé ar leathanach 144. Tá 'Duanaire na sracaire' le fáil díreach roimhe sin ar leathanach 143 agus is cosúil gur cumadh an dán seo roimh 1512 más ea. Ní miste a lua, chomh maith, go dtagraíonn Donnchadh d'fhear darb ainm Domhnall Mac an Aba sa dán 'Teachtaire chuireas i gcéin' ach níl aon fhianaise ann go raibh aon ghaol aigesean le Fionnlagh. Tá Gillies den tuairim go mb'fhéidir nach raibh fear den ainm sin ann ar chor ar bith agus go bhfuil débhríochas/*double entendre* ag baint leis an véarsa a bhfuil sé luaite ann. Féach Gillies, 'Gaelic Poems of Sir Duncan Campbell', 27, 30, n. 8a.

[60] Féach Quiggin, *Poems from the Book of the Dean of Lismore*, 95-106; Gillies, 'Campbell History', 286, n. 3.

[61] Is léir go raibh suim ag teaghlach Ghleann Urchaidh i saothrú an léinn mar tá an *Black Book of Taymouth*, a scríobh William Bowie i mBéarla na hAlban in 1598, tiomnaithe dá mháistir, Donnchadh Caimbéal eile; féach Bannerman, 'Literacy in the Highlands', 218, n. 25. Is díol suime é go bhfuil Lynch den tuairim gur *family on the make* a bhí i gCaimbéalaigh Ghleann Urchaidh ag an am seo; M. Lynch, 'A Nation Born Again? Scottish identity in the sixteenth and seventeenth centuries', in D. Broun, R. J. Finlay agus M. Lynch, eag., *Image and Identity. The making and re-making of Scotland through the ages*, Edinburgh 1998, 82-104; 94-5.

[62] 'Créad í an long-sa ar Loch Inse' agus 'Tánaig long ar Loch Raithneach', in eagar ag Watson, *Scottish Verse from the Book of the Dean*, 218-33.

[63] *Ibid.*, 232.

[64] J. B. Paul, *Accounts of the Lord High Treasurer of Scotland*, III (A.D. 1506-7), Edinburgh 1901, 339. Féach MacGregor, *A Political History of the MacGregors*, 132-3.

[65] Is mór an t-ábhar suime é sloinneadh an fhile sa chomhthéacs seo mar b'as Gleann Urchaidh don fhile cáiliúil Donnchadh Bán Mac an tSaoir a chum go leor dánta do bhaill de Chlann Chaimbéil i rith an 18ú haois. Ní fios an raibh aon duine de shinsir Dhonnchaidh Bhàin ina fhile nó an raibh aon ghaol aige le 'bard' LDLM. Féach A. Macleod, *The Songs of Duncan Ban Macintyre*, Edinburgh 1952, xvi-xliv.

[66] 'Gaelic Poems of Sir Duncan Campbell', 263-76.

[67] *Ibid.*, 271.

[68] *Ibid.*, 71-6.

[69] *Ibid.*, 76-82.

[70] *Ibid.*, 263-76; 271.

[71] In eagar ag Watson, *Scottish Verse from the Book of the Dean*, 66-81.

[72] Tá 'Mór an feidhm freagairt na bhfaighdheach' le fáil ar leathanach 117 den lámhscríbhinn, 'Cé don Phléid as ceann uidhe' ar leathanach 109 agus 'Duanaire na sracaire' ar leathanach 143 (Quiggin, *Poems from the Book of the Dean of Lismore*, 99-100) ach ní gá go gciallódh sé sin go bhfuil dán Dhonnchaidh níos sine ná dán Ghiolla Choluim.

[73] Tá seans ann, chomh maith, gurbh é an cur amach a bhí ag a leithéidí Dhonnchaidh Chaimbéil ar chultúr na Galltachta b'ábhar don ghreann sin mar thuigfeadh siadsan go raibh drochmheas ag lucht rialtais na hAlban ar na filí Gaeilge. Achtaíodh dlí sa bhliain 1567, mar shampla, a raibh sé mar aidhm aige filí is lucht déirce na Gaeltachta is na hÉireann a ruagadh ón nGalltacht; féach W. J. Watson, 'Classic Gaelic Poetry of Panegyric in Scotland', *Transactions of the Gaelic Society of Inverness* 29 (1922), 194-235; 201. Síleann Watson gurbh iad na filí taistil ar a dtugtaí Cliar Sheanchain a bhí i gceist; féach an tagairt do 'lorgánaigh' in 'Duanaire na sracaire'.

[74] D. Thomson, *An Introduction to Gaelic Poetry*, Edinburgh 1993, 50.

[75] Steer agus Bannerman, *Monumental Sculpture in the West Highlands*, 206. D'aontódh Meek ('Scots-Gaelic Scribes', 268) leo seo go pointe áirid cé go gcuireann sé béim ar an mbaint atá ag an lámhscríbhinn leis na Caimbéalaigh chomh maith: *While the Book of the Dean may be retrospective in its choice of material, and much indebted to the heritage of the Lordship of the Isles, it must equally be emphasized that it has close connections with the Campbells.*

[76] In eagar ag Watson, *Scottish Verse from the Book of the Dean*, 90-5.

[77] *Ibid.*, 82-9.

[78] Tá an t-uirscéal scoilte ón dán féin sa lámhscríbhinn is tá sé in eagar ag N. Ross, *Heroic Poetry from the Book of the Dean of Lismore*, Edinburgh 1939, 168-75.

[79] Meek, *Corpus of Heroic Verse*, 637.

[80] In eagar ag Watson, *Scottish Verse from the Book of the Dean*, 96-9.

[81] D. Thomson, 'The MacMhuirich Bardic Family', *Transactions of the Gaelic Society of Inverness* 43 (1963), 276-304; 287-8.

82 'Fir Alban 's ní hiad amháin', LDLM, 88; Quiggin, *Poems from the Book of the Dean of Lismore*, 98.

83 Féach W. Gillies, 'Courtly and Satiric Poems in the Book of the Dean of Lismore', *Scottish Studies* 21 (1977), 35-53; 37.

84 Féach Quiggin, *Poems from the Book of the Dean of Lismore*, 68-9.

85 Thomson, 'The MacMhuirich Bardic Family', 292, 296-7; Thomson, *The Companion to Gaelic Scotland*, 186.

86 In eagar ag Watson, *Scottish Verse from the Book of the Dean*, 134-9.

87 D'fhéadfaí an míniú céanna a thabhairt ar an dá dhán sin a bhfuil baint acu le Clann Mhic Leoid sa lámhscríbhinn. Is ar Thorcul Mac Leoid atá ceann de na dánta sin agus bhí seisean pósta le deirfiúr Iseabal. Féach Watson, *Scottish Verse from the Book of the Dean*, 281; Steer agus Bannerman, *Monumental Sculpture in the West Highlands*, 211.

88 Féach an méid a deir D. Thomson, 'Gaelic Learned Orders and Literati in Medieval Scotland', *Scottish Studies* 12 (1968), 57-78; 68: *I think many Argyllshire clerics of his day must have looked askance at the Dean's system, if they knew of it, and regarded him with disfavour as a Scotticised Perthshire innovator.*

89 Black, 'Gaelic Manuscripts', 162.

90 BL Egerton 2899; féach R. Flower, *Catalogue of Irish Manuscripts in the British Museum*, II, London 1926, 23-4.

91 Féach Black, 'Gaelic Manuscripts', 156 §87; 161; 163; 170, n. 28; 173, n.81. Is fiú a lua go bhfuil dán i mBéarla na hAlban ar marthain – 'Duncane Laidows' Testament' – a cumadh don taoiseach céanna, rud a léiríonn an phátrúnacht a rinne na Caimbéalaigh ar an dá chultúr. Ba dhuine de Chlann Ghriogóir é Donnchadh Làdasach (†1552) a raibh cáil an aindlí air. Féach MacGregor, *A Political History of the MacGregors*, 126-30.

92 In eagar ag R. L. Thomson, *Foirm na n-Urrnuidheadh: John Carswell's Gaelic Translation of the Book of Common Order*, Edinburgh 1970.

93 Is díol suime é go raibh an Carsalach ina chisteoir Leasa Mhóir faoi fhómhar na bliana 1550. Fuair an Déan bás in 1551. Ba ag na Caimbéalaigh a bhí an ceart gach beinifís a bhain le Lios Mór a bhronnadh. Féach D. Meek agus J. Kirk, 'John Carswell, Superintendent of Argyll: A Reassessment', *Records of the Scottish Church History Society* 19 (1975), 1-22; 6, 10.

94 Thomson, *Foirm na n-Urrnuidheadh*, 3, ll. 22-33.

95 Féach na ranna a thugann Carsuel as dánta de chuid Thaidhg Óig Uí Uiginn is Fhearghail mhic Dhomhnuill Ruaidh Mhic an Bhaird, in Thomson, *Foirm na n-Urrnuidheadh*, 113.

96 Is léir go raibh scríobh Bhéarla na hAlban ar a thoil ag Eoin Carsuel; féach an líofacht a léiríonn sé i litir a scríobh sé sa bhliain 1564 chuig Roibeárd Caimbéal as Kinzeancleuch, Bannerman, 'Literacy in the Highlands', 220.

97 Féach lch 400-1 thuas.

[98] Féach Meek, 'Scots-Gaelic Scribes', 260-1.
[99] Féach Bannerman, 'The Lordship of the Isles', 211-3.
[100] Steer agus Bannerman, *Monumental Sculpture in the West Highlands*, 211-2.
[101] Féach MacGregor, *A Political History of the MacGregors*, 114-5, 150-1.
[102] Féach Meek, 'Scots-Gaelic Scribes', 263.
[103] Gillies, 'Gaelic Poems of Sir Duncan Campbell', 24-5.
[104] *Ibid.*, 63.
[105] *Ibid.*, 24, 35, 277.
[106] Is amhlaidh atá i gcás trí dhán eile chomh maith: 'A bhean 'ga bhfuil crodh', LDLM, 88, 17; 'Créachtach sin, a mhacaoimh mhóir', LDLM, 39, 59; agus 'Eik ra missione is mail', LDLM, 92, 169.
[107] Gillies, 'Gaelic Poems of Sir Duncan Campbell', 60, 63.
[108] Ní aontaím le Ó Cuív sa mhéid is nach dóigh liomsa go bhfuarthas an chuid is mó den ábhar seo ó bhéalaithris; féach B. Ó Cuív, *The Irish Bardic Duanaire or 'Poem-book'*, Dublin 1973, 14.
[109] Féach O'Rahilly, 'Indexes to the Book of the Dean of Lismore', *passim*; Meek, 'Scots-Gaelic Scribes', 265.
[110] Is fiú a lua go síleann Bannerman ('Literacy in the Highlands', 229-30) gur thug Clann Mhic Eoghain oiliúint san fhilíocht do Chailéin, an tríú hiarla, agus do Dhonnchadh Caimbéal chomh maith, b'fhéidir. Is díol suime é, mar sin, go bhfuil tráchtas gramadaí ar marthain a bhaineann le Clann Mhic Eoghain, is cosúil, is gur dóigh le Black gur cuireadh ar fáil é ar mhaithe le Giolla Easpaig, an naoú hiarla, a theagasc, féach R. Black, 'A Scottish Grammatical Tract, c. 1640', *Celtica* 21 (1990) 3-16; 5-6. Tá an tráchtas seo scríofa sa dóigh litrithe traidisiúnta, ar ndóigh.
[111] Watson, *Scottish Verse from the Book of the Dean*, 158, r. 3.
[112] Síleann Meek chomh maith go mb'fhéidir gur '*rapprochement* of Gaelic and Scots cultural interests' atá i gceist; féach Meek, *Corpus of Heroic Verse*, 40.
[113] Féach Meek, 'Scots-Gaelic Scribes', 257: *Presumably such manuscripts could have travelled among different scribes and readers who would have enjoyed their contents and would have been wholly familiar with the Scots-based orthography which now seems so strange to us.*
[114] Thomson, *Foirm na n-Urrnuidheadh*, 10, ll. 297-312; 13, ll. 409-12.
[115] Féach J. Mackechnie, 'Treaty between Argyll and O'Donnell', *Scottish Gaelic Studies* 7 (1951), 94-102.
[116] Féach S. H. O'Grady, *Catalogue of Irish Manuscripts in the British Museum*, I, London 1926, 524-5.
[117] Meek, 'Scots-Gaelic Scribes', 263-4.
[118] Ní aontaím le Meek gur gá go gcaitheann suíomh an dáin sa lámhscríbhinn aimhreas ar an mbaint atá aige leis an gcnuasach.
[119] Féach na dánta dá chuid atá in eagar ag Watson, *Scottish Verse from the Book of the Dean*, 126-57.
[120] Féach Thomson, *Foirm na-Urrnuidheadh*, 10, ll. 306-7.

An Cúlra Dlíthiúil leis an Bharántas

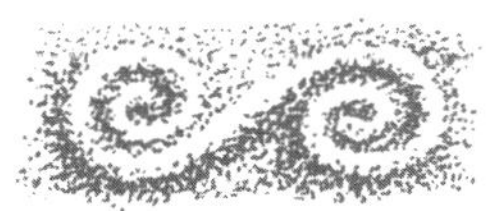

DAMIEN Ó MUIRÍ

Le teacht na Normannach tháinig ní hamháin teanga agus cultúr eachtrannach ach córas eachtrannach dlí, an Dlí Coiteann (*Common Law*) chomh maith. Bhí Dlíthe na mBreitheamhan ina ndlúthchuid de shaol na nGael go dtí an bhliain 1603 agus i bhfad ina dhiaidh sin in go leor áiteacha, rud a fhágann gur mó an t-ionadh gur spreag fasach de chuid an Dlí Choitinn an barántas (*warrant*), *genre* tábhachtach nua fileata Gaeilge den ainm chéanna i gCúige Mumhan san ochtú haois déag.[1]

Beidh an t-alt seo ag plé leis na barántais fhileata agus leis na fasaigh dhlí a spreag go díreach nó go hindíreach a bhfuil de shamplaí sa chnuasach *An Barántas* a chuir Pádraig Ó Fiannachta in eagar.[2] Tá an t-alt seo roinnte i dtrí chuid: (1) an Dlí Coiteann in Éirinn 1689-1835; (2) na fasaigh dhlí a ndéantar aithris orthu nó tagairt dóibh in *An Barántas*; agus (3) comparáid idir eilimintí sa bharántas dlíthiúil agus sa bharántas fhileata.

AN DLÍ COITEANN IN ÉIRINN 1689-1835

Scáthán ar an chóras i Sasana agus sa Bhreatain Bheag a bhí sa chóras in Éirinn, ach bhí cúirteanna faoi leith agus pearsana dlíthiúla faoi leith anseo ón tús. Bhí, agus tá, córas eile in Albain. Ar leibhéal náisiúnta, bhí trí chúirt faoi leith de chuid Chúirteanna an Dlí Choitinn le fáil mar aon le Cúirt na Seansaireachta, rud is cúis leis an ainm *The Four Courts/Na Ceithbre Cúirteanna* a tugadh ar an fhoirgneamh a raibh siad suite ann i mBaile Átha Cliath ó 1796 amach. Ba iad sin Cúirt Bhinse an Rí (*Court of King's Bench* – Cúirt Bhinse na Banríona atá ann faoi láthair thall) a bhí ag plé i dtús báire le hábhair idir an Rí agus a chuid géillsineach agus cásanna coiriúla san áireamh; Cúirt an

Bhinse Choitinn (*Court of Common Bench*) nó Cúirt na bPléadálacha Coiteanna (*Court of Common Pleas*) a bhí ag plé i dtús báire le hábhair idir géillsineach agus géillsineach agus go háirithe le cásanna sibhialta; Cúirt an Chiste (*Court of the Exchequer*) a bhí ag plé i dtús báire le hábhair chánach; agus Cúirt na Seansaireachta (*Court of Chancery*) nó Cúirt an Chothromais (*Court of Equity*). Bhí beirt Thiarnaí, Príomhghiúistís agus Príomhbharún an Chiste, i gceannas ar na chéad trí cinn agus Tiarna Seansailéara i gceannas ar an cheann deireanach. Bhí Tiarna Seansailéara faoi leith ann d'Éirinn. Rúnaí an Rí a bhí sa Tiarna Seansailéara i Sasana a bhí ag plé le heisiúint na n-eascairí (*writs*) agus glacadh na n-achainíocha ó ghéillsinigh an Rí a bhí míshásta le cothrom na Féinne a bhí siad a fháil ó na tiarnaí. Is beag nach malairt chórais a chuir seisean ar fáil, rud a d'fhág go raibh sé ar an bhreitheamh ba chumhachtaí sa Ríocht sa deireadh, rud atá fíor go fóill thall. Bheadh sé ag éisteacht le cásanna coiriúla áirithe agus le tréasa i Seomra na Réalta (*Star Chamber*) go dtí go ndearnadh ar shiúl leis sa bhliain 1641. In Éirinn mhair Cúirt Sheomra an Chaisleáin (*Court of Castle Chamber*) a bhí bunaithe ar Sheomra na Réalta go dtí 1702 ach, ainneoin gur íocadh na hoifigigh, níl aon tuairisc ar aon chásanna ann i ndiaidh 1641. Bhí cúirteanna eaglasta ann fosta a bhí ag plé, ní hamháin le gnoithe na hEaglaise féin, ach le hábhair mar phrobháid agus cúrsaí pósta go dtí 1857.

Ar leibhéal áitiúil, go háirithe sna contaetha, bhí na Seisiúin (*Assizes*) ann trí huaire sa bhliain (dhá uair in Éirinn san ochtú céad déag), nuair a rachadh na breithiúna ó na cúirteanna uachtaracha ar cuaird. Níor leor sin, áfach, agus chuir Éadbhard I tús le hoifig an *custodes pacis* ar tugadh Giúistís na Síochána (*Justice of the Peace*) air ní ba mhoille. Dálta na ngiúistísí thall sa lá atá inniu ann, tuataigh gan tuarastal a bhí iontu seo. Bhí na Ceathrú Sheisiúin (*Quarter Sessions*) faoina gcúram ceithre huaire sa bhliain le giúiré bheag (*petty jury i.e.* coiste dáréag). Bhí na coimisiúin seo ag na breithiúna gairmiúla: (1) coimisiún suí (*commission of assize*); (2) coimisiúin éisteachta agus cinnte (*commission of oyer and terminer*); agus (3) coimisiún folmhú ginearálta príosún (*commission of general gaol delivery* – daoine a bhí i bpríosún a thabhairt os coinne na cúirte). Bhí ceann breise go speisialta ón Rí ag giúistísí na síochána – coimisiún coimeádta na síochána. Chomh maith leis an fheidhm a bhí acu mar bhreithiúna, bhí feidhm thábhachtach riaracháin ag na giúistísí. I saol nach raibh aon chomhairlí contae ann – bhí, ar ndóigh, bardais sna cathracha agus sna bailte móra – ba fúthu a bhí riaradh na gcontaetha ina n-aonar nó ina mbeirteanna de réir statúide agus i gcásanna eile ar chur i láthair (*on presentment*) an ghiúiré mhóir (*grand jury* a raibh suas le trí dhuine agus fiche air). Bheadh siad ag déileáil le nithe mar dheisiú bóithre agus droichead agus le cúrsaí meáchain, miosúir agus caighdeán earraí. Cheapfadh Fear Ionaid an Rí fear de na huaisle mar shirriam gan tuarastal ar feadh bliana i ngach uile chontae le próisis uilig an dlí agus toghcháin a riaradh agus a chur i bhfeidhm agus le hioncam na Corónach a bhailiú. Cheapfadh seisean foshirriaim faoi chonradh le cuidiú leis, nó go minic lena chuid dualgas féin a chomhlíonadh, fiú. Cheapfadh sé chomh maith ionadaithe a chuidigh le cásanna sibhialta a phróiseáil agus báillí a thug aire do riaradh na bpróiseas dlí agus do na giúiréithe. Tá an chuma ar an scéal gur minic a meascadh post an chonstábla a mbeadh fochonstáblaí ag cuidiú leis agus post an bháille sna contaetha. Bheadh cléireach corónach agus scairteoir ag na Seisiúin agus cléireach na ngiúistísí ag na Ceathrú Seisiúin. Chomh maith leis sin bheadh cróinéirí, séiléirí, saoistí agus suirbhéirí na bpríomhshlite ann chomh maith.

Tá an tábhacht atá le hoifig ghiúistís na síochána mar dhúshraith le córas uilig an rialtais áitiúil le feiceáil in óráid a thug Séamus I Shasana (Séamus VI na hAlban) i Seomra na Réaltaí sa bhliain 1616:

> And this you shall finde that even as a King (let him be ever so godly, wise, righteous and just) yet if the subalterne magistrates doe not their parts under him, the Kingdome must needs suffer: so let the judges be never so careful and industrious, if the justices of the peace under them put not to their helping hands, in vaine is all your labour. For they are the King's eyes and eares in the country.[3]

CLEACHTAS AGUS IMEACHT CHOIRIÚIL

Bheadh ar ghiúistís na síochána gearán (*complaint*) ó bhéal nó faisnéis (*information*) scríofa faoi mhóid a fháil ionas go mbeadh sé ábalta barántas a eisiúint ansin leis an té a raibh amhras air a ghabháil dá mbeadh aithne air nó gáir faoi tholl (*hue and cry*) a chur air nuair nach raibh. Chuirfeadh an sirriam agus na báillí nó na constáblaí i bhfeidhm é. Thiocfadh leis, le cuidiú an tsirriaim, *posse comitatus* a phiocadh as measc na ndaoine áitiúla iontaofa le cuidiú leis. Nuair a bhéarfaí an té a raibh amhras air os a choinne, ba ghá dó réamhscrúdú a chur air agus fianaise a ghlacadh ó fhinnéithe. (Déantar seo sa Chúirt Dhúiche go fóill). I gcás feileonachta, bheadh sé ábalta é a chur go dtí na Seisiúin lena chur i láthair an ghiúiré mhóir le bille fíor (*true bill*) nó a mhalairt (*ignored*) a fháil ar dtús (mar a dhéantar sna Stáit Aontaithe go fóill). In Éirinn bhí sé de chumhacht aige, ní hamháin oilghníomhartha (*misdemeanours*) agus feileonachtaí (*felonies*) a fhiosrú, ach tréasa chomh maith mar bhí an oiread sin coireanna in Éirinn ina dtréasa.

Bhí 228 cion caipitleach in Éirinn i rith na tréimhse seo (1689-1835) ó dhúnmharú go gadaíocht cúig scilling ó theach cónaithe. Bheadh an triail gasta agus an pionós dian – do na bochta. Bhí básuithe, fuipeáil, an phiolóid agus cur thar loch amach go Meiriceá agus na hIndiacha Thiar, agus ní ba mhoille go dtí an Astráil, mar chuid dá saol. Ní raibh aon abhcóide cosanta acu agus is minic a chuirfeadh an breitheamh isteach orthu lena n-aimhleas. Dá bhfaighfí ciontach iad, chuirfí chun báis iad i gcionn dhá lá. B'fhearr leis na húdaráis coirpigh a chrochadh ar an tSatharn, áfach, nuair a bheadh slua mór i láthair. Ní raibh aon achomharc ann. Amanna tugadh faoiseamh sealadach nó amanna faoiseamh buan le maolú ar an phionós agus amanna eile tugadh pardún dóibh. Chaithfí a rá, áfach, nach íosfhulaingt (*zero tolerance*) a bhí i gceist. Mar a léiríonn Neal Garnham ina shaothar, áfach, ní chúiseofaí gach uile chiontóir – amanna ní chuirfeadh giúistís na síochána an cás go dtí na Ceathrú Seisiúin agus amanna bhéarfadh an giúiré mór neamhaird ar an bhille nó laghdófaí luach na n-earraí a goideadh.[4] Ní chrochfaí gach uile chiontóir a bhí ciontach i gcion báis ach oiread. D'éirigh leis na daoine uaisle agus na daoine meánaicmeacha na pionóis seo a sheachaint den chuid is mó, ach amháin i gcás tréasa. Mar shampla, is léir ó shaothar Brian Henry gur éirigh leis na fir mheánaicmeacha uilig (diomaite d'fhear amháin) i gcathair agus i gContae Bhaile Átha Cliath a dhúnmharaigh a gcuid ban i ndeireadh an t-ochtú haois déag triail a sheachaint, nó an chúis a fháil laghdaithe go dúnorgain, as siocair go raibh cead acu cur isteach ar bhuntáiste na cléire (*benefit of clergy*) mar bhí ar a gcumas an t-aonú salm déag agus daichead a léamh.[5] Mar thoradh air sin brandáladh ar an lámh iad agus gearradh téarma gairid príosúntachta (leathbhliain nó bliain) orthu. Ní raibh sé de cheart acu cur isteach ar an bhuntáiste faoi dhó, áfach. Mhair seo go dtí 1827.

FASAIGH DHLÍ A NDÉANTAR AITHRIS ORTHU IN *AN BARÁNTAS*

Is iad na foirmeacha agus na fasaigh dhlí a ndéantar aithris orthu in *An Barántas* ná an Barántas féin, an gháir faoi tholl (*hue and cry*), an réamhchosc nó an *supersedeas*, an toghairm (*summons*), an pas nó an teastas (*passport* nó *testimonial*). Déantar tagairt don *mittimus* agus don *mandamus*. Diomaite den *mandamus* a d'eisigh cúirt uachtarach (agus den Achainí a tháinig ón chúisí féin), d'fhéadfadh giúistís na síochána iad uilig a eisiúint. Ní thugtar an achainí (*petition*) nó an phaitinn (*patent*) mar fhasaigh, áfach, sna lámhleabhair do na giúistísí. Is minic atá foirm thánaisteach, an gháir faoi tholl (*hue agus cry*), i gceist leis an bharántas fhileata agus tá an chuma ar an scéal gur spreag an fhoirm sin na mílte líne filíochta sa chnuasach. Tá an chuma ar an scéal gur bileog fhillte pháipéir a bhí sa doiciméad dlí féin leis an téacs lámhscríofa ar an toiseach agus teideal an doiciméid agus an dáta ar an chúl leis an lár bán. Bhéarfar achoimre ar na fasaigh ar fad thíos:

Barántas (*warrant*)

D'eisítí barántas in ainm an Rí, nó in ainm an bhreithimh nó an ghiúistís, agus bhí sé dírithe ar oifigigh éagsúla ag tabhairt an údaráis dhlíthiúil dóibh na gníomhartha a luadh ann a dhéanamh, cé acu gabháil nó cuardach nó eile a bhí i gceist.

Gáir faoi tholl (*hue and cry*)

Is é an rud a bhí i gceist le gáir faoi tholl (*hue and cry*) ná tóir ar an chiontóir ó bhaile go baile go ngabhfaí é. Bhí sé de dhualgas ar a raibh i láthair feileonachta gáir faoi tholl a chur ar na ciontóirí a d'éalaigh ar phionós fíneála agus príosúnachta.

Supersedeas (réamhchosc)

B'ionann *supersedeas* agus réamhchosc ar imeachtaí dálta coisc (*prohibition*) mar chúiteamh dlí poiblí san Ardchúirt. Ní fhéadfadh na giúistísí cosc nó bac a chur ar a gcuid imeachtaí féin – ní thiocfadh ach le cúirt uachtarach sin a dhéanamh. Mar sin féin, bhí cead acu *supersedeas* a eisiúint ag díriú nach ngabhfaí duine ar eisíodh barántas ina leith má bhí sé gan a ghabháil, ach má bhí sé gafa go saorfaí é go dtí a thriail mar go dtáinig sé os coinne ghiúistís na síochána idir an dá linn agus gur glacadh bannaí. Bhí sé chomh coitianta sin thall go mbíodh post cléirigh *supersedeas* ann, fiú. Maireann an *supersedeas bond* sna Stáit Aontaithe, áit a mbíonn ar achomharcóir sibhialta sna cúirteanna cónaidhme banna *supersedeas* a chomhfhadú a bheidh mór go leor leis an bhreithiúnas ina (h)éadan móide costais, ús agus damáistí don mhoill a shásamh. Nuair a dhéantar sin, cuireann an chúirt bac ar fhorghníomhú an bhreithiúnais go dtí an t-achomharc.

Pas nó teastas (*passport* nó *testimonial*)

B'ionann pas nó teastas agus doiciméad a thug cead don té ar tugadh dó é taisteal gan bhac. Taisteal taobh istigh den Ríocht amháin a bhí i gceist. Rinneadh iad a eisiúint do bhochtáin, do shaighdiúirí agus do mhairnéalaigh, do sclábhaithe feirme, do phrintísigh, do lucht longbhriste, do lucht déirce a fuipeáladh agus a bhí á gcur ar ais chuig an áit as a dtáinig siad.

Toghairm (*summons*)
D'fhéadfaí toghairm a eisiúint i gcás oilghnímh nach raibh pionós corpartha leagtha síos mar phionós dó mura raibh barántas leagtha síos dó i statúid don chion áirithe sin.

Achainí (*petition*)
Is minic a chuirfeadh cúisí achainí chuig pearsa dhlíthiúil, nó chuig an Rí nó chuig an Pharlaimint.

Paitinn (*patent*)
Is minic a d'eisigh an Rí nó an Pharlaimint paitinn ag tabhairt ceada rud a dhéanamh, m.sh. scoil nó ospidéal a bhunú *etc*.

Mittimus
Barántas a bhí sa *mittimus* ag cur duine chuig an phríosún nó go teach ceartaithe.

Mandamus
Eascaire éigeantach a bhí sa *mandamus* a d'eisítí in ainm an Rí as Cúirt Bhinse an Rí dírithe ar aon duine, bardas nó cúirt íochtarach ag tabhairt orthu an rud a luadh ann a dhéanamh de réir mar a bhain lena n-oifig agus lena ndualgas. Tá sé in úsáid go fóill mar chúiteamh sa dlí phoiblí san Ardchúirt.

COMPARÁID IDIR EILIMINTÍ SA BHARÁNTAS DLÍTHIÚIL AGUS SA BHARÁNTAS FHILEATA

Déanfar comparáid thíos idir eilimintí atá i gcoitinne sna fasaigh dhlí agus sna barántais fhileata. Tharla nach bhfuiltear ach ag tagairt don fhiúntas liteartha a bhaineann leis na barántais fhileata agus go bhfuil fáil orthu go furasta, ní dhéantar ach na sleachta cuí a thabhairt astu thíos.

Níor éirigh liom teacht ar bharántas cheart ó ghiúistís síochána go fóill, ach seo thíos barántas ceart a eisíodh as Cúirt Bhinse an Rí in Éirinn:

Ireland to wit } By the Honorable Robert Boyd one of the Justices of his majesties Court of Kings Bench in Ireland.

Whereas I have received Information upon Oath before me that Samuel Neilson of Belfast in the County of Antrim stands charged with High Treason.

These are therefore in his Majesties name strictly charging and commanding you and every of you to apprehend the body of the said Samuel Neilson wheresoever he shall be found in our said Kingdom of Ireland, and to search for and seize the papers of the said Samuel Neilson and him so apprehended forthwith to bring before me or any other the Justices of the said Court of Kings Bench to be dealt with according to Law, and for your & every of your so doing this shall be to you and each and every of you a sufficient warrant and authority, sealed and Dated this 14th day of September 1796.

To all Mayors Sheriffs Justices of the Peace, Coroners Seneschalls and Constables and their assistants in and throughout the Kingdom of Ireland.[6] } Robt. Boyd

De réir na bhfasach a bheirtear is minic a thosaigh barántas sna cúirteanna íochtaracha ar an dul seo:

Whereas P.R. of Rathcoole in the county of Dublin, yeoman hath this day made complaint before me Frederick Darley, Esq. one of his majesty's justices of the peace and for the said county, that ... [7]

Ansin má amharcann muid ar an bharántas '*Whereas* Aeneas fáithchliste' is féidir linn go leor eilimintí i gcoitinne sa dá shampla a fheiceáil:

Contae Chiarraí le [hEoin] Hasset ardsirriam na Contae réimhráite ...

Whereas Aeneas fáithchliste
sagart cráifeach Críostaithe
Do theacht inniu dom' láthairse
le gearán cáis is fírinne:-

Gur cheannaigh coileach dárshleachta …

Tug sé caogad mínscilling
ar an éan dob aoibhinn cúilbhrice …

M'ordú díbhse, ar an ábhar sin,
a bháillí stáit mo chúirte-se,
Déanaíg cuartú sáirshlite
'na dhiaidh le díograis dúthrachta …

Whatsoever cuaiseachán
'na bhfaighthí é mar thórpachán,
Tugaíg libh é ar ruainseachán
go gcrochad é mar dhreolacán.

And for so doing d'oibreagáil
seo dhíbh uaim bhur n-údarás,
Faoi scríobh mo lámh le cleiteachán
an lá so d'aois an Uachtaráin.

Toirbhearta faoim' láimh
Eoin Haiséad
ó mo scríobhchaoin an 13 lá don naoú mí 1717[8]

Má amharcann muid ar an bharántas fhileata thuas, diomaite den údar a leagtar air é – sirriam agus thiocfadh le sirriam barántais dá chuid féin a eisiúint[9] – is léir go bhfuil sé bunaithe ar bharántas tipiciúil. Bhí Eoin Haiséad (John Blennerhasset) ina ardsirriam dáiríribh sa bhliain 1717, ach ní dócha gurb é a chum, ainneoin gur dóichí gur chuala, gur thuig agus gur mhol sé é. Tá sé cosúil ar bhealach leis an fhasach dhlíthiúil sa mhéad go bhfuil sé gairid. Tosaíonn sé le dlínse (sa chás seo an contae) a thaispeáint, mar a dhéantar sa bharántas cheart. Tosaíonn an véarsaíocht leis an fhocal *Whereas*, mar a thosaíonn an barántas ceart. Deir an dán gur tháinig gearánaí i láthair an ghiúistís le gearán (bíonn faisnéis luaite i gcuid de na barántais fhileata), go ndearnadh cion, agus baintear úsáid as an fhocal 'gur/go' (*that*) mar a dhéantar sa bharántas cheart. Luaitear luach an earra a goideadh, rud a bheadh tábhachtach ó thaobh an phíonóis bháis de san am. Ansin, tá ordú ann an té a bhfuil amhras air a lorg agus a thabhairt os coinne an té a d'eisigh an barántas agus baintear úsáid as na focail 'ar an ábhar sin' *i.e. These are therefore,* mar a dhéantar sa bharántas cheart. Baintear úsáid sa véarsa dheiridh as an fhrása Béarla *for so doing* agus luaitear an focal 'údarás' (*authority*) mar a dhéantar sa bharántas cheart. Cuireann an té atá á eisiúint síniú, séala agus dáta ar an bharántas, eilimintí atá riachtanach sa bharántas cheart. Is léir, áfach, ó thon, ó urlabhra agus ó mheadaracht an bharántais fhileata go bhfuil muid ag plé le scigaithris nó le scigmhagadh ar an doiciméad dlí. Ba chóir a rá fosta go bhfuil cruth na crosánachta ar a lán de na barántais seo.

Níor mhiste amharc ar *supersedeas* fosta. Seo thíos sampla d'fhasach Shasanach:

> Richard Love Doctor of Divinity and Vice-Chancellor of the Universitie of Cambridge, one of the Justices of peace of our Soveraigne Lord the Kings Majestie, within the county of Cambridge, to the Sheriffe, Bailiffes, Constables, and other the faithfull Ministers of our Soveraigne Lord within the said Countie, and to every of them, sendeth greeting. Forasmuch as A.B. of &c. Yeoman, hath personally come before me at &c and hath found sufficient suretie (that is to say, C.D. and E.F. &c. Yeomen) either of the which hath undertaken for the said A.B. under the paine of twentie pounds) and he the said A.B. hath undertaken for himselfe under the paine of fortie pounds, that he the said A.B. shall well and truely keepe the peace toward our Soveraigne Lord, and all

> his liege people, and especially towards G.H. of &c. Yeoman, and also that he shall personally appeare before the Justices of the peace of our said Soveraigne Lord, at the next generall Sessions of the peace to be holden for this countie of Cambridge: Therefore on the behalfe of our Soveraigne Lord, I command you, and every of you, that you utterly forbeare and surcease to arrest, take, imprison, or otherwise by any meanes (for the said occasion) to molest the said A.B. And if you have (for the said occasion and none other) taken or imprisoned him, that then you doe cause him to bee delivered, and set at libertie without further delay. Yeoven at Cambridge aforesaid, under my seale this last day of Julie, &c.[10]

Déanann Seán Ó Tuama aithris scaoilte ar *supersedeas* in 'De bhrí gur dhearbhaigh':

> Contae lánaoibhinn Luimnigh ... le Seán Ó Tuama ... Ag seo gearán gríofa géarthuirseach do rinne an tAthair Seán Ó hÓgáin .i. eagailseach uasal ardléannta aoibhinn ilteangthach: go dtug féin agus an tAthair Mathúin Ó Géaráin .i. sagart suaimhneach sítheoilte dearscnach dea-shamplach réamhrabhadh agus forórgra follas forleathan don phobal a bheith rompu seachtain ón lá san go bithchinnte ag teach áirithe den pharáiste chum a n-ullmhaithe mar is dual agus mar is dleathach san gcreideamh Chríostúil; gurab é rinn tuathbhodach an tí réamhráite, teitheadh go hiargúlta óna theaghlach féin an lá ainmnithe sin; óir do líonadar foraoisí fíordhúnta fiatúla a chroí re doghar agus re doghram dúr doichill d'eagla go dtiubhradh a bheag ná a mhór dá bhrúidbheatha don dís naomheaglaiseach réamhráite, agus gurbh éigean dóibh féin cuid den bhagún do bhí ina phríosúnach, crochta istigh d'éis liathadh re seacht lánbhliana roimhe sin de cheal

chaithmhe, d'fhuascailt óna dhaorchuibhreach agus d'ullmhú dhóibh féin mar aon le glasraí gorma garbhdhreasacha do bhí in iargúl gairdín an bhodaigh réamhráite; go measann an mogha mór fiabhodaigh sin dlí daor damaineach na ndubhghall do chur a bhfoirm agus a bhfeidhm orthu; gidh mar nach téann dlí ar riachtanas, agus dá bhrí sin gabhaimse re hais a ndíon agus a gcaomhnadh ó chumhacht gacha suime dá dtiocfaidh orthu dá thaobh in aon áit ná ionad cúirte ná comhthionóil tré cheithre ranna oileáin iathghlais fhearannghlain úraoibhinn Éireann; gur dá dhearbhadh sin atá an réamhchosc so síos ar a dtugtar supersedeas i nuashlí Gall:

De bhrí gur dhearbhaigh,
daoiste danartha,
ar dhís den Eaglais,
        fhíoraonta,
Gur mhaígh go maslaitheach
millteach mallaithe
re dlí go gcreachfadh
        na naoimhchléirigh.
Do thaoibh gur leagadar
píosa de sheanamhuic
do bhí aige i bhfraitheacha
        an tí i ndaorbhroid,
Is gur scaoil an eaglais
ghrinn ón gceangal é
le fíorneart fairsinge
        is fíorfhéile.
Chum dlí dá rachadh …

Níl maíomh ná maitheas
ná brí ina bheartaibh
ach a chroí re cealg
        chun círéipe.

Maím is measaim
gur gníomh ó fhlaitheas
do scaoil as ceangal
        na righintéide,
An daoirseach deataigh
de dhíth a chaithmhe
tug aimsir fhada
        i bhfíorghéibinn.[11]

Ainneoin an teidil, is léir go bhfuil go leor eilimintí ón bharántas dlíthiúil le feiceáil ann fosta. Mar shampla, tá gearán ann agus luaitear ainmneacha agus poist na ngearánaithe. Baintear úsáid as an fhocal 'réamhráite' (*aforesaid*) go minic, ach is léir nach cion de chuid an dlí choitinn atá i gceist, ach cion in éadan an chreidimh nó Dhlíthe na mBreitheamhan, fiú. Cuireann an file an gníomh a rinne siad i gcomparáid le *supersedeas i.e.* 'cuid den bhagún do bhí ina phríosúnach ... d'fuascailt óna dhaorchuibhreach' (*if you have taken or imprisoned him, that then you doe cause him to bee delivered, and set at libertie*). Léiríonn sé seo agus an gealltanas thíos, ní hamháin an tuiscint bhunúsach ar chleachtas agus imeacht dhlíthiúil a bhí ag an fhile, ach an cumas a bhí ann aoir iontach shofaisticiúil faoi dhuine ceachartha a dhéanamh as fasach dlíthiúil. Is léir go bhfuil fear an bhagúin ag bagairt an dlí ar na sagairt. Amharc an t-aistriú a dhéanann an file ar théarmaí dlíthiúla an dlí choitinn i dtagairtí mar 'dlí daor damaineach na ndubhghall do chur a bhfoirm agus a bhfeidhm orthu agus gidh mar nach téann dlí ar riachtanas, agus dá bhrí sin gabhaimse re hais a ndíon agus a gcaomhnadh ó chumhacht gacha suime dá dtiocfaidh orthu dá thaobh in aon áit ná ionad cúirte' (*to observe and enforce the common law of damages against them (and) although there is no law of necessity and therefore I undertake for them in every sum for which they shall be liable therefor in any court*); agus 'gur dá dhearbhadh sin atá an réamhchosc so síos' (*that the* supersedeas *hereunder affirms that*). Is féidir *whereas* agus *forasmuch* a aistriú mar 'de bhrí go'. Amharc fosta leaganacha mar 're dlí go gcreachfadh' (*at law he would ruin*), 're cealg chun círéipe' (*with conspiracy to riot*) agus 'gníomh ó fhlaitheas' (*an act of God*). Bheadh comhcheilg agus círéib ag déanamh tinnis do na húdaráis san am sin, mar is léir ó na ranna ar na coireanna sin i lámhleabhair na ngiúistísí. Baintear úsáid as *act of God*, go háirithe sna polasaithe árachais, go fóill.

Ainneoin nach raibh na toghairmeacha chomh líonmhar leis na barántais, baineadh úsáid astu i gcásanna ar leith, go háirithe nuair a bhí lucht gnó nó fostaitheoirí i gceist. Seo fasach a bhaineann le cáilíocht ime:

> County of }
> — to wit } Whereas C.D. Weigh-Master of the Town of E. in the County aforesaid, did on the second Day of this Instant August, seize, and bring before me three Barrels of Butter [or Tallowe, or Butter or Tallow-Casks] as appearing unto him unmerchantable: These are therefore to inform you, that I intend to view and examine into the Quality of the said Goods, on the — Day of — at eleven of the Clock in the Forenoon, at my House, in — in the Presence of two Merchants, and two other Persons, skilled in such Commodities, where you may attend, if you think fit, to see whether the said Goods will be condemned, or discharged. Dated this Day of .[12]

In 'Dá aithne táim do Dháiví de Barra bheith umhal' déanann Éamann Ó Flaithearta (Corcaigh 1790) aithris fhiúntach ar thoghairm shibhialta. Díreach cosúil lena mhacasamhail sa lá atá inniu ann, iarrann sé ar an té a seoltar chuige é láithreas a thaifeadadh taobh istigh de dheich lá; ocht lá a luaitear anois, ach ní bheadh an lá a seirbheáladh an toghairm san áireamh.[13] Fríd is fríd, baineann sé úsáid chliste as an fhráma dhlíthiúil:

> Dochum Dáiví de Barra i mBunastóigh i bparóiste Charraig Thuathail, dá aithne dhuit bheith i bpearsain im' láthair i mBaile Nua na hEagailse, an deichiú lá d'Fheabhra go dtuga tú, má hionriota

> aighneas agus oidhcóideacht sothronn soiléir, agus cuntas fírinneach fíorcheart ar d'ealaíona, agus ar d'eolas, agus go speisialta créad fá dtugais masla agus mícháil ... Toirbhearta fám' láimh an chéad lá d'Fheabhra ansa mbliain 1790. Éamann Ó Flaithearta.[14]

Mar a luadh thuas, baineann pas le taisteal taobh istigh den ríocht féin. Seo sliocht as fasach dlí:

> In consideration whereof, know ye, we the said Sir Roger Millisent, and Sir James Reynolds, so far as in us lieth, have licenced the said E.P. to travell and passe the direct way from H. within the said Countie of C. whereas he lately dwelled, unto the said Citie of B. so as his journey be not of longer or further continuance than twenty days next after the date hereof, praying you, and every of you not to molest or trouble the said poore man in his travell, but to permit and suffer him peaceably to passe, so as he shew himselfe in no respect offensive to his Majesties lawes ... [15]

Seán Ó Tuama údar an t-aon phas atá i gcnuasach Uí Fhiannachta. Léiríonn sé arís anseo tuiscint bhunúsach ar an fheidhm atá leis an bhundoiciméad dlí:

> Ag so saorchead sonaí le sítheoltacht do Phádraig uasal Ó Conaill chum siúil agus síorimeachta ar feadh poiblíocha prinsiopálta an phrímhchreidimh in Éirinn réamhráite i measc uaisle, triatha, taoiseacha, agus tánaistí éigse eagnacha agus ollún ...
>
> Tabhartha faoim' láimh an treas lá de Shamhain san mbliain d'Aois Chríost 1765.
>
> Ó Phádraig gabhaig mo leathanphas saor go suairc,
> Ins gach áit a ngeabhaidh i mbailte poirt Éireann uais,
> Go brách dá chabhair dá chasnamh is dá chaomhnadh buan

> Gan bhá gan bhascadh gan mhairg gan bhaol gan bhuairt.
>
> Buairt ná aithis ná tagaradh aon don fhear … [16]

Mar an gcéanna déantar aithris in uimhir 13 sa chnuasach ar phaitinn ach tá sé cosúil leis an cheadúnas a deonaíodh do shéantach (*recusant*). Seo an fasach dlí:

> Whereas R.C. of L. in the County of C. being a Recusant (convicted) hath confined himselfe to L. aforesaid, being the usuall place of his aboad, according to the statute made in the 35. year of the reign of our late Soveraign Lady Queen Elizabeth: Know ye that we, &c. foure of the Kings Majesties Justices of peace within the said Countie, doe by the consent of the right reverend Father in God Nicholas by Gods providence, Lord Bishop of Ely, at the request of the said R.C. for the dispatch of his urgent and necessary businesse, grant and give licence to the said R.C. to travell out of the precints or compasse of five miles limited by the said statute, at all times, untill the first day of Novem. next comming, and at the said first day of Nov. to returne againe to L. aforesaid. In witnesse, &c.17

Tá an phaitinn fhileata cosúil leis sa mhéad gur bráthair Proinsiasach atá i gceist, ach níl sé soiléir cén creideamh lenar bhain an tEaspag:

> Contae caomhthorthach an Chláir, mar aon le mórchuairt Éireann uile.
>
> Paitin sond do réir Thomáis mhiantsuairc Uí Mhíocháin .i. ilreachtach éigse cúirte Thuadhmhumhan, agus aon de phríomhbhreithiúin bhinndhreáchtach na bhfilí san ríocht réamhráite …
>
> De bhrí go dtángadar prímhcheap ilchreidmheach ionraic phoráiste fhírdheáthach Dhúire, agus fostaí feidhmiomdha fíoruaisle an cheantair uile im' láthair don chor so dá iarraidh go humhalchaoin

> iolcharthanach i mbrí phaitin phrionsapáilte saoirse suimiúil scóipleathan do cheapadh agus do shaordháil do Sheán ionúin uasal Ó hÓgáin .i. bráthair bocht binntsalmach d'ord Naomh Proinsias, do cuireadh, d'éis a chúrsa dhílchráifeach i dteampall an Tiarna, as seilbh an phoráiste réamhráite le húdarás an easpaig, ionas go gcaithfidh sé anois do réir reacht an déircoird, dul ag cnuasach carthanacht na bhfíréan i measc na gcaomhchinéil gcríostúil go forleathan.[18]

Seo an tús agus an deireadh atá le hachainí cheart ó thógálaí a gabhadh sa bhliain 1798 agus atá ag iarraidh go gcuirfí ar a thriail é:

> To the right Honorable Thomas Pelham
>
> the Humble petition of William Hall of Stillorgan in the County of Dublin Builder and Mason
>
> Sheweth
>
> That petitioner was on the 29th day of May last arrested on the road leading from his own house to Loughlinstown Camp by the Direction of General Needham and brought to the Camp where he was kept a prisoner for the space of two nights and one day from whence he was brought to Dublin and immediately went on board a Tender in the River where he remained for the space of fourteen days
>
> That petitioner *etc*...
>
> Your petitioner therefore humbly prays that he may be discharged from his present Imprisonment and is ready and willing to give Sufficient Bail to appear at anytime and place to abide any Tryal or Examination into his Conduct that shall be Deemed Necessary.[19]

Déantar aithris ar achainí in uimhir 50 (i), ach is léir ón phrós ann agus, go háirithe ón fhreagra in uimhir 50 (ii), go raibh tionchar ag *Páirlement Chloinne Tomáis* orthu.

> Ag seo *petition* ó ghasra de cheardaithibh .i. siúinéirí dleathacha dea-mhéineacha agus go speisialta ó Thomás uasal Ó Lí .i. ceannurraid na bhfear, chum Éadbhaird de Nógla, duine uasal eagnaí d'ardbhreithiúnaibh na héigse i gcúige Mumhan do thaispeánas go dtáinig duine diablaí drochbheathach dá n-ionsaí go Baile Reoisín darbh ainm Tomás Ó Conaill, agus ní de shíol Chonaill Chearnaigh mhic Amheirghin ná Chonaill Ghabhra ná fós Chonaill Ghulban mhic Néill an fear feargach fíorghránna ach de shliocht Chonaill cheannachroim an chorda .i. feillebhithiúnach do shíolrach Thomáis sluaistbhrógaigh mhic Lópais ... níor fhéad gan préamh den dúchas diablaí ifreanda do bhí ann [a] nochtadh ionas gur dhearbhaigh mórán éitigh orthu agus do [thug] roinnt de leabhraibh éithigh ina gcoinne chum a ndíobhála do láthair mórán finnéithe.
>
> Ar an ábhar, a Éadbhaird uasail ionúin, agus de bhrí gur tú bhus *representative* acu i gcúirt na héigse, ba mian leo a ngearán do chur id' láthair ionas go dtiocfadh díot an mac mallaithe mírúnach san do thabhairt chum cirt ionas go mbainfí sásamh ina dhrochbheartaibh de.[20]

Léiríonn an Fiannachtach an-ghrinneas ina réamhrá lena shaothar nuair a deir sé:

> Scigaithris ar an mbarántas dlí Gallda a bhí i mbarántas na bhfilí. Ní fhéadfadh a leithéid teacht chun cinn, ar ndóigh, nó go mbeadh taithí ag an bhfile agus ag an bpobal ar an dlí Gallda céanna agus ar a chleachtadh.[21]

Ina ainneoin sin, caithfidh muid an cheist a chur cé chomh

cleachtach agus a bhí na filí Gaeilge leis an dlí choiteann? Tá an chuma ar an scéal go raibh níos mó ná breaceolas ag Seán Ó Tuama ar na fasaigh dhlí. B'fhéidir go dtáinig a chuid custaiméirí chuige lena gcuid barántas ina theach tábhairne i gCromadh. Ní mór a rá go gcaithfidh go dtáinig beagnach gach uile chainteoir Gaeilge i dteagmháil leis na giúistísí, nó, ar a laghad, lena dtionchar i rith a shaoil. Caithfidh gur eisíodh na céadta míle barántas sa tréimhse seo. Tchífeadh na filí na básuithe poiblí, na fuipeála agus an phíolóid agus an *posse comitatus*. Bheadh na cásanna dlí ar fad oscailte don phobal agus bheadh deis ag na filí éisteacht leo. Bhí an dlí mar ghairm séanta ar na Gaeil. Ní raibh cead acu bheith ina n-aturnaetha nó ina n-abhcóidí ar feadh an chuid is mó den tréimhse, ach bhí cead acu a bheith ina dtíolacóirí (*conveyancers*). Ní raibh cead acu bheith ina sirriaim nó ina bhfoshirriaim. Tá sé suntasach gur éirigh le cainteoir dúchais as ceann de na háiteacha is iargúlta i gCiarraí atá ar an chontae is faide ó Bhaile Átha Cliath bheith ar dhuine de na habhcóidí ab fhearr sna hoileáin seo *i.e.* Dónall Ó Conaill. An raibh traenáil sa dlí ag aon duine de na filí? Seans gur léigh siad cuid de na leabhair dhlí mar a dhéanann dlíodóir príosúin (*gaolhouse lawyer*) nó dlíthí tuata (*lay litigant*) sa lá atá inniu ann, nó gur oibrigh siad in oifig aturnae, fiú.

Is fíor do Phádraig Ó Fiannachta nuair a deir sé: 'Níl foinse mar an barántas le haghaidh stair shóisialta na hÉireann san ochtú agus san naoú haois déag.'[22] Is léir ó na seantaifid thall go bhfuil siad lán d'eolas faoi gach aon ghné den saol laethúil. Go deimhin, is léir go raibh faoiseamh le fáil ó na giúistísí in am amháin do gach aon rud ó dhúnorgain go báirseach. I sochaí mar atá againn féin bheadh claonadh ag léitheoir suarachas na gcionta a shamhlú le ceird na haoire, ach ní cóir dearmad a dhéanamh gur crochadh ciontóirí go rialta as nithe mar hataí agus cótaí a ghoid le linn na tréimhse seo. Scáthán ar shochaí Ghaelach na linne, mar sin, atá sna barántais.

1 Ba chóir a thabhairt faoi deara go bhfuil *dhá* chiall le *fasach* ag dlíodóir agus gurb é an dara ciall atá le *fasach* san alt seo:
(1) Breithiúnas, nó cinneadh, a tugadh cheana féin ar na fíricí céanna nó an pointe dlí céanna a bhfuil sé d'iachall ar bhreitheamh i gcúirt íochtarach a leanstan. Is féidir le breitheamh atá ar chomhchéim glacadh leis nó diúltú dó nó duifear a dhéanamh idir an dá chás.
(2) Doiciméad ceart dlí, nó cóip de, ar baineadh úsáid as cheana, nó cóip de dhoiciméad cheart, nó sampla bunaithe ar a leithéid atá i gcló i leabhar dlí a mbaineann abhcóide nó aturnae úsáid as mar shampla agus é nó í ag ullmhú a d(h)oiciméid dlí féin.

2 P. Ó Fiannachta, eag., *An Barántas*, Má Nuad 1978.

3 W. S. Holdsworth, *A History of English Law*, I-XVII, London 1903-72; VI, 58.

4 Féach Caibidil 13 in N. Garnham, *The Courts, Crime and the Criminal Law in Ireland 1692 - 1760*, Dublin 1996.

5 B. Henry, *Dublin Hanged*, Dublin 1994, 47-8.

6 Rebellion Papers, Bosca 620/1/1/1, An Chartlann Náisiúnta, Baile Átha Cliath.

7 L. McNally, *The Justice of the Peace for Ireland*, II, tríú heagrán, Dublin 1820, 158-9.

8 Ó Fiannachta, *An Barántas*, 124-5.

9 Féach an sampla ag McNally, *The Justice of the Peace for Ireland*, 24.

10 M. Dalton, *The Countrey Justice*, London 1635, 364. Bheirtear leagan Éireannach focal ar fhocal den cheann seo in Sir R. Bolton, *A Justice of the Peace for Ireland*, Dublin 1750, 152.

11 Ó Fiannachta, *An Barántas*, 80-1.

12 Bolton, *A Justice of the Peace for Ireland*, 179.

13 *Ibid.*, 'Note, There must be ten Days between the Summons and the Day of Trial.'

14 Ó Fiannachta, *An Barántas*, 64.

15 Dalton, *The Countrey Justice*, 380.

16 Ó Fiannachta, *An Barántas*, 113.

17 Dalton, *The Countrey Justice*, 379-80.

18 Ó Fiannachta, *An Barántas*, 65-6.

19 Rebellion Papers 620/1/2/5.

20 Ó Fiannachta, *An Barántas*, 171-2.

21 *Ibid.*, 11.

22 *Ibid.*, 30.

an t-amhrán rince

ó richard tarlton go peáití thaidhg pheig

DIARMAID Ó MUIRITHE

Is fadó anois é ó chonac Seán Eoghain Uí Shúilleabháin agus Dónal Ó Mulláin ag baint gháirí as a lucht éisteachta agus siansach as urlár cistine in aice le Cúil Aodha agus iad ag gabháil do cheapóig éigin: amhrán éadrom i bhfoirm agallaimh, an *coda* leis á rince ag an mbeirt acu agus iad ag déanamh portaireacht bhéil mar thionlacan leis. Bíonn a leithéid seo de theaspántas ar siúl fós acu i gCúil Aodha, agus chonac agus chuala *dancing song*, mar a thugadar air, i dtigh tábhairne láimh le Lady's Island i ndeisceart Loch Garman le déanaí: seanfhear agus seanbhean ag gabháil do *chanson d'aventure* a bhí *risqué* go maith; ach tásc nó tuairisc ar an *genre* níor airíos ó aon bhall eile sa tír. Tugaim faoi ndeara nach ndeintear na steipeanna rince na laethanta seo i gCúil Aodha. Is trua é seo: ba chuid lárnach den gceapóig thraidisiúnta iad. Tá sampla de cheapóig ó Chúil Aodha tugtha i dTéacs I thíos.

Pé scéal é, iarracht a bheidh san alt seo ar bhlúiriní de stair an tsean-*genre* seo a ríomhadh.

Jigs a tugadh ar an hamhráin rince aimsir an *Renaissance* i Sasana. I ndiaidh na ndrámaí a bhídís le feiscint. Beirt nó níos mó a bhíodh ina mbun; Richard Tarlton an té ba chlúití orthu. Tá cuid de na *jigs* seo, 'Attiwell's Jig', 'Rowland Godson', 'Singing Simpkin', agus 'The Wooing of Nan' ina measc (féach Téacs II thíos), tugtha chun solais ag scoláirí ó shin. Ba bhreá leis na *groundlings* an teaspántas seo agus ba mhinic na Piúratánaigh á gcáineadh mar gheall ar a ngáirsiúlacht. Deir Baskerville ina thráchtas ar an *jig*: *any ballad that recommended itself to the performers might be presented with dance and was accordingly a jig.*[1] Arís deir sé:

> By the middle of the sixteenth century a variety of song-and-dance acts were current among the people,

> taking the name jig from the type of dance most characteristic in them; these were exploited by the comedians during an era when song and dance were generally popular on the stage and folk elements introduced in a spirit of antimasque were in special favour; finally, with the natural tendency to feature song and dance in the theatre, the jig became primarily an afterpiece.[2]

I gcluichí agus i gcaitheamh aimsire sa Mheánaois, ba mhinic amhráin, rince, geamaireacht agus *mimesis* fite fuaite lena chéile. Faoin mbliain 1576 bhí an *jig* go láidir i measc na mbochtán nach bhféadfadh teacht ar uirlisí ceoil: tráchtann Gascoigne ar *music of the voice for dancing*.[3] Timpeall an ama chéanna deineann Northbrooke gearán faoin gcosmhuintir a bhí ag rince *with disordinate gestures, with monstrous thumping of the feete, to pleasant soundes, to wanton songs, to dishonest verses*.[4] Tá sé tábhachtach go dtuigfí chomh láidir is a bhí an *genre* seo, mar gur annamh a deir na lámhscríbhinní agus na foinsí clóscríofa ón am glan amach gur amhrán rince atá i gceist; is annamh ar fad a tugtar leide faoin stíl nó faoi na céimeanna rince a bhí ag gabháil leis an *singing daunce, or daunsing song*, mar a thug Gascoigne air,[5] go dtí gur fhoilsigh Playford *The English Dancing Master* sa bhliain 1651.

Faoin mbliain 1500 bhí an focal *jig* in úsáid ag daoine a bhí ag trácht ar (a) rince tíre, (b) ar amhráin tíre agus (c) ar na hamhráin rince. Faoin mbliain sin bhíodh rince ag gabháil leis an *ballad*: b'ionann *ballad* agus *jig* acu. Tráchtann Dunbar in *The Golden Targe* ar mhná ag rince faid is bhí bailéidí á gcanadh: agus deir Gascoigne in *Certain Notes of Instruction* (1575): *And in deed, those kind of rimes serve best for daunces and light matters*. In *Love's Sacrifice* le Ford, deir Nibrass le Julia: *make thy moan to ballad-singers and rhymers: they'll jig out they wretchedness and abominations to new tunes*. I ndráma Hemings, *Fatal Contract* (1630) tá: *Wee'l hear your jigg. How is your Ballad titl'd?*

Níl na scoláirí ar aon intinn faoi bhunús an fhocail *jig*. Deir cuid acu gur ó *gigeur* na Fraincise, *to leap or frolic*, a thagann an focal. Ag tagairt don chosúlacht céille idir *gigeur* and *jig* deir *The Oxford English Dictionary*:

> ... this resemblance may be merely accidental, or due to parallel onomatopoeic influence, the large number of words into which jig- enters indicating that it has been felt to be a natural expression of a jerking or alternating motion.[6]

Tugann an foclóir céanna sin samplaí a thacaíonn leis an tuairim seo: *jig-a-jog, jog-a-jog*, agus an nath cainte to *jig it up and down*. D'fhéadfaí, leis, leathanach a líonadh le tagairtí ó litríocht an ama a chruthaíonn go raibh brí ghàirsiúil le *jig*.

Deir Jeffrey Pulver: *The jig was danced in England before it was named.*[7] Ceapann sé gur dúblóga iad *jig* agus *gig – meaning anything round or revolving.*[8] Ón bhfocal Lochlannach *geiga* a thagann an dá fhocal, measann sé. Níl dabht ann ná gur cuid den rince a bhí ag gabháil leis na hamhráin rince an casadh timpeall. In *The Two Noble Kinsmen*, a luaitear uaireanta le Shakespeare agus le John Fletcher, tá an méid seo:

> He daunces very finely, very comely,
> And for a Igge, come cut and long taile to him,
> He turns ye like a top.[9]

Cuimhnigh gur *jig/gig* a bhí ag leanaí aimsir Shakespeare ar na *tops* a lascaidís ar fud na sráide. Bíodh sin mar atá, is é tuairim Baskerville:

> The simple song-and-dance of one or perhaps two or three performers singing in turn would require a form of dance that is essentially individual – in other words a step dance. The typical step dance of the folk ... seems to have been the jig. My theory is, then, that as a result 'jig' became a generic term for popular song with dance.[10]

Ba chóir a rá ag an bpointe seo go raibh amhráin rince coitianta i measc an phobail ar fud iarthar na hEorpa aimsir an *Renaissance*. Cad ina thaobh ná sroichfidís an tír seo? Bhí an stáitse sroiste ag cuid acu ar fud na hEorpa. Deir Morley ina thráchtas ar cheol Eorpach a linne (1597):

> The Italians make their galliardes (which they tearme saltarelli) plaine, and frame ditties to them, which in their mascaradoes they sing and daunce to their owne songes.[11]

Sa bhFrainc is léir go raibh na hamhráin rince ina gcuid shuaithinseach de na drámaí grinn ag an am. Deir Rennert ina thráchtas máistriúil ar amharclann na Spáinne:

> Of the nature of these bayles we know very little, except that many of them were dishonestos. They were always accompanied by words or by singing; the three or four most celebrated bayles, at least, having each its peculiar air, to which the later ones were often sung. They were frequently of such a loose and licentious nature that they caused scandal and obliged the authorities to intervene and suppress them.[12]

Níor leasc leis na Sasanaigh rincí na Mór-roinne a úsáid san amharclann agus sna tithe tábhairne. Bhí an-tóir ar *canaries* a raibh 'bataráil' agus úsáid sálacha agus barraicíní na gcos ina chuid díobh.[13] Sheasadh an fear agus an bhean ar aghaidh a chéile amach. Rinceadh an fear i dtreo na mná agus ar ais arís; ansan dheineadh an bhean an rud céanna.

> This alternate dancing, noticed again later in the modern step-dance and the morris jig, was probably very common and is admirably suited to accompanying dialogue singing where the stanzas, as is often the case, are sung by performers in turn.[14]

Thaistil an *jig* Sasanach leis na trúpaí amharclainne ar fuaid na hEorpa. Deir Baskerville:

> A great many more English jigs have survived abroad than in England itself, and the allusions to individual singspeile are much more numerous ... 'Rowland', which in spite of its influence has not survived in English, is known in several forms. 'Puckelherings Dill

> dill dill', representing fairly definitely a lost English jig, is preserved in German, Dutch, and Swedish. Even the singspeile not certainly of English origin may be regarded as modeled more or less closely on the English type, and some pieces that are clearly drawn on German sources may have been suggested by lost English jigs dealing with similar jests or incidents.[15]

Ba mhinic na hagallaimh dhrámatúla seo fada go maith. Tá treoracha stáitse ag gabháil le cuid acu. In 'The Cheaters Cheated' canann Moll Medlar:

> Who comes here? what simple Thumkin,
> Oh! I guess him by his coat,
> This is sure some countrey Bumkin,
> Now tis time to change my note.
>
> [Tune changeth, she singeth and daunceth]
>
> I can dance, and I can sing
> I am good at either,
> I can do the tother thing
> When we get together.[16]

Ag deireadh an dráma mhóir a deintí na *jigs* i Sasana; is léir gur idir na míreanna a deintí ar an Mór-roinn iad.

Ní mhaireann mórán de *jigs* an phobail a chítí aimsir an *Renaissance*. Is léir, áfach, go mbíodh tóir ag pobal Londain ar an sórt amhráin a dheineadh fonóid faoi mhuintir na tuaithe agus faoi chaint na n-eachtrannach (féach Téacs IV thíos) agus sna *jigs* ina mbíodh coimhlint idir fir agus mná. Tá comórtas rince in 'The Wooing of Nan' (Téacs II thíos), *jig* de chuid na coitiantachta a shroich ardáin Londain chomh maith.

Ní hé mo ghnó anseo cuntas a thabhairt ar an amhrán rince a bhí fite fuaite sna drámaí móra féin. Ba chóir an méid seo a rá, áfach: bhí an *genre* seo chomh forleathan, agus bhí an pobal chomh mór sin i ngrá leis is gur féidir a bheith cinnte gur deineadh rince i dteannta na n-amhrán a luaitear ina lán de dhrámaí an *Renaissance* – in *A Midsummer Night's Dream*, *Twelfth Night*, agus *Macbeth* le Shakespeare; in *The Duchess of Malfi* le Webster; in *Lords' Masque* le Campton; in *Masque of Queens*, agus in *Love Free From Ignorance and Folly* le Ben Jonson, agus in *The Lancashire Witches* agus *Love's Mistress* le Heywood. Sa dráma *Perkin Warbeck* le Ford fiafraítear:

> Is not this fine, I trow, to see the gambols,
> To hear the jigs, observe the frisks, be enchanted
> With the rare discord of bells, pipes, and tabors,
> Hotch-potch of Scotch and Irish twingle-twangles,
> Like so many quiristers of Bedlam
> Trolling a catch! [17]

D'imigh an t-amhrán rince as faisean sna drámaí, a bhuíochas do na Piúratánaigh. Faoin mbliain 1676 ba léir go raibh na *jigs* imithe ón stáitse agus deineann D'Urfey gearán leis an lucht éisteachta sa 'Prologue' do *The Siege of Memphis*:

> you'd laugh to hear, Old Cole of Windsor,
> A bawdy ballad, though with non sence cram'd,
> Will please ye when a serious play is damn'd. [18] ?

Agus mhaireadar, na hamhráin rince, i measc an phobail i Sasana; mairid fós in áiteanna i Yorkshire, deirtear liom. Na steipeanna rince a deintí sa jig agus sa *hornpipe* – an dá rince dhúchasacha ba fhorleithne i Sasana ó aimsir an *Renaissance* anall – is deacair teacht ar aon chuntas teicniúil fúthu seachas a bhfuil san *English Dancing Master* le Playford, ó 1651. Seo 'Millison's Jegge' ón leabhar sin, agus cóiriú nua-aoiseach air ina dhiaidh:

Milliſons Jegge *Longwayes for ſix*

Leade up all a D. forwards and back . That againe :	Firſt man take his Wo. by both hands, and foure ſlips up, and ſtand the 2. as much, the third as much, turne all S. . Third Cu. foure ſlips downe, the 2. as much, firſt as much, turne all ſingle :
Sides all . That againe :	Firſt Cu. change places, the ſecond as much, third as much, turne S. . Third Cu. change places, the 2. as much, firſt as much, turne all ſingle :
Armes all . That againe :	Firſt man change places with the 2. Wo. firſt Wo. change with 2. the laſt change with his owne, turne S. . Firſt man change with laſt Wo, firſt Wo. change with the laſt man, tother change, turne all ſingle :

Bhí fear amháin ann, Werner Danckert, a bhí ábalta an rud a scríobh an seanphúca seo, Playford, a léamh. Áirítear mar shaineolaí ar cheol rince tuaithe na hEorpa é, agus deir sé gur *stepdancing* a bhíodh ar siúl ag lucht na n-amhrán rince i Sasana le linn an *Renaissance*, agus gur beag a d'athraigh na rincí idir ré Eilíse agus na rincí a chonaic sé faoin tuaith i dtuaisceart Shasana, in Albain agus in Éirinn lena linn féin. Deir sé gurb iad na rincí seo ba bhun le *pseudo-negro tap-dancing* na bhfear is na mban gorm i Meiriceá sa chéad seo caite agus gur ó Éireannaigh agus ó Shasanaigh a d'fhoghlaimíodar seo a gcuid céimeanna rince.[19] Ba mhinic focail acu lena rincí chomh maith, rud a chuirfeadh i gceann duine go mb'fhéidir go bhfuil ceangal agus cóngas, dá chaoile é, idir na hamhráin rince a bhíodh le feiscint aimsir Tarlton agus Kemp agus amhráin rince Juba – an fear gorm a bhuaigh ar churadh na hÉireann, Jim Diamond, i gcomórtas *stepdancing* i Nua-Eabhrac i lár an chéid seo caite – le hamhráin rince Gene Kelly níos déanaí, agus le ceapóga Pheáití Thaidhg Pheig agus Dhiarmada Uí Thuama Chúil Aodha. Déarfadh Danckert go bhfuil. Ní fheadar cad déarfadh mo chara, Breandán Ó Madagáin?

TÉACSA

I

Ceapóg an Mhuilinn

Fear 1: An cuimhin leat a dhuine go dtugas duit giní?
Fear 2: Ar iasacht, an ea?
Fear 1: Am baiste ach is ea!
Fear 2: Fan chun go bhfeicfead, nó conas mar imigh –
Fear 1: Nár ólais a leath!
Fear 2: D'ólas, an ea?

Rince agus portaireacht bhéil

Fear 1 agus 2: Dí eidil dam didil, dí eidil dam didil,
Dí am dí dam dam, dí am dí dam dam.
Fear 2: Fan chun go bhfeicfead nó conas mar imigh,
Fear 1: Nár ólais a leath!
Fear 2: D'ólas, an ea?
Fear 1: Ní cuimhin leat, a dhuine mar bhíse róstroille,
Ar meisce go maith –
Fear 2: Ar meisce an ea?
Fear 1: Thíos ag an Muileann, ag tábhairne úd Williams
Sea dheinis an chreach, is do thosnaigh an cath.

Rince agus portaireacht bhéil

Fear 1: Dí eidil dam didil, dí eidil dam didil,
Fear 2: Dí am dí dam dam, dí am dí dam dam.
Fear 1: Piúnt agus fiche a d'ólais, a dhuine!
Fear 2: D'ólas, an ea?
Fear 2: Airiú duine is ea mise nuair ólaim roinnt Guinness
Ní bhíonn agam fasc –

Fear 1: Ó tuigim go maith!
Mar chaithis do ghloine le Tadhg Mór na Buile,
Is ghortaís an fear!
Fear 2: Ó a Dhia mhóir na bhfeart!

Rince agus portaireacht bhéil

Fear 2: Inis dom tuilleadh den léirscrios a dheineas:
Ar glaodh ar na *cops* chun mé a chur fé ghlas?
Fear 1: Bhí Tadhg bocht ar buile ach do léimeas-sa chuige,
Is d'éalaís amach –
Fear 2: D'éalaíos an ea?

Rince agus portaireacht bhéil

Fear 1: Ag droichead an Mhuilinn sea bhreoitigh do ghoile
Is do chaithis amach –
Fear 2: Pórtar, an ea?
Fear 1: Piúnt agus fiche, ní cuimhin liom a thuilleadh:
Ba mhór liom a leath –
Fear 2: Creid é go maith!

Rince agus portaireacht bhéil

Fear 1: Ag casadh na coille ba dhóbair don tuile
Tú bhreith uaim ar fad –
Fear 2: A Chríostaigh na bhFeart!
Dá mbéarfadh sí mise ó mhuintir na Croise
Ba mhór é a gcreach, bheidís scriosta ar fad!

Rince agus portaireacht bhéil

Fear 1: Ba gheal leo, a dhuine, dá mbeifeása imithe
Gan filleadh thar n-ais –

Fear 2: Airiú dún suas do chlab!
Bheadh mo bheansa ar mire is déarfadh go cinnte
Gur chaithis mé isteach –
Fear 1: Rud a dhéanfainn go pras!

Rince agus portaireacht bhéil

Fear 1: Chuirfinn leat scilling go bpósfadh sí um Inid –
Fear 2: Ach bheinn thuas ar Neamh!
Fear 1: Ní ligfí thú isteach.
Fear 2: Bheadh na haingil im choinnibh le fáilte agus fiche
Ag rá, 'Téanam, a Pheaid, ba mhithid duit teacht!'

Rince agus portaireacht bhéil

Foinse: ó bhéalaithris Eilís Ní Shúilleabháin, Cúil Aodha, Co. Chorcaí.

Ceapóg an Mhuilinn

Nóta toin an amhránaí = B, aistrithe anseo go D

Amhránaí: Eilís Ní Shúilleabháin

Nodaireacht cheoil: Johanne Trew

II

The Wooing of Nan

Rowland: Seest thou not yon farmers sonn
he hath stolne my love frome me alas
what shall I doe I am vndonn
my hart will nere be as it was

oh he gives her gay gold rings
and tufted gloves to were vppon a holly day
and many other goodly things,
that hath stolne my love away

frend: Let him give her gaie gold rings
or tufted gloves that were nere so gay,
or were her lovers lords or kings
they should not cary the wench away

Rowland: Oh but a daunces wonders well
and with his daunces stolne her love from me,
yett she was wont to say I bore away the bell
for dauncing and for Courtisie. *daunsing*

frend: fie lusty yonker what doe you heer,
that you are not a daunsing on the green to day.
we feare Perce the farmers sonn
is lik to carry your wench away

Rowland: Good Dick bid them all come hether
and tell Perce from me beside.
that if he think to haue the wench,
heer he stands shall lie w(i)th the bride

Wench's frend: Fy Nan fie willt thou forsake thie olde lover
for any other newcom guest
thou long time his love did know.
& whie shouldst thou now vse him so

Wench: Whie bony Dicky I will not forsake
my bony Rowland for any gold
if he can daunce as well as Perce
he shall haue my hart in hold

Perce: why then my hart letts to this geer
& by dauncing I may be wonn
my Nann whose love I hold so deere
as any creatur vnder the sonn

They daunce. Enter gent

Gent: God speed frend may I be so bold to daunce
a turne or to without offence
for as I was walking by chaunce
I was told you daunst to gain a wench

Frend: Tis true good sir & this is shee
I hope your worshipp comes not to craue her
for shee hath lovers to or three
& he that daunces best must have her

Gent: how say you sweete hart will you daunce with me
& you shall have both land and tower
My love shall want nor gold nor fee
....

Wench: I thank you sir for your good will
But one of thes my love must be,

I ham but a homly countrie maid
& farr vnfit for your degree

frend: Take her good sir by the hande
as she is fairest if she were fairer
& by this daunce you shall well vnderstand
that he can that can win her is like to wear her

daunce again. The tune changes Foole enters

Foole: & see you not nan to day my mothers mayde
see you not my true love my prety Nany
shes gon to the greene to day to seek her love they say
but she will haue myn none self if she haue any

Wench: wellcom sweet hert & wellcom my tony
wellcom my none true love wellcom my huny
this is my love that my husband must be
but when thou comst home boy as wellcom as he

Gent: whie how now sweet Nany I hope you doe jest

Wench: no by my troth sir I love the foole best
& if you be Ielous god give you good night
I fear you are a gelding you caper so light

Gent: I thought she had but Iested & ment but to fable
but now I doe see she hath played with his bable
I wishe all my frends by me to take heed
that a foole com not neere you when you mene to speede

Foinse: Dulwich College MSS, iml. I, folio 272, no. 139. In eagar ag Baskerville, *The Elizabethan Jig*, 432-6. Tá lámhscríbhinn Dulwich stractha, pollta agus doléite in áiteanna. Is ag brath ar bhuillí faoi thuairim Baskerville a bhí an t-eagarthóir seo. Tá *frend* agam in áit *Jack* i véarsa 4 toisc gur léir dom go raibh an scríobhaí ar faraoil beagán. Ó c.1595 'The Wooing of Nan'. Ní fios cad é an fonn a bhí ag gabháil leis.

III

The Struggle for the Breeches

Husband: About my wife I mean to sing a very comic song.
Wife: I hope that you will tell the truth, do it right or wrong.
Husband: My wife she is an arrant scold, both out of doors and in.
Wife: You brute! I knew it was untrue before you did begin.
Husband: You are inclined I now do find the breeches for to wear.
Wife: No, dear, not I, but I will die or have my share.
Husband: Every morning I must rise before the day does break.
Wife: It is to the door, I suppose, that you want for to make.
Husband: No, it's to put on the fire, and have the breakfast by.
Wife: You've such a craving appetite, in bed you cannot lie.
Husband: Don't contradict me now, you jade! nor let my passions rise.
Wife: You stupid sot! I heed you not, because you are not wise.
Husband: I tell you for to hold your tongue; your temper I can't bear.
Wife: You ass! If I should hold my tongue my fingers I'd besmear.
Husband: You promised when I married you, that you would me obey.
Wife: You promised for to cherish me, but then you went astray.

Husband: Women are made of crooked mind, and formed in six days.
Wife: Yes, they are made of pure stuff, but men are filthy clay.
Husband: Keep silence now, or I will tell your faults to all around.
Wife: You silly fool, do all you can, for I will stand my ground.
Husband: King Solomon says of virtuous maids he could find but a few.
Wife: It's lies to say that he was wise: he was a fool like you.
Husband: Since you provoke me now so far I'll let the truth be known.
Wife: I know well my faults you'll tell: but pray! first tell your own.
Husband: Either in or out of work I have no peace with you.
Wife: You simpleton! Don't talk of work. It's little that you do.
Husband: When we both down to dinner sit it's there you sigh and groan.
Wife: This is because you eat the beef, and leave me the bare bone.
Husband: And when the tea-time it is come, then you take the pet.
Wife: I look for a strong cup of tea but never a drop I get.
Husband: You know I've acted like a man since you and I were joined.
Wife: The devil a bit of manhood in you I ever find.
Husband: If in any part I've acted wrong, explain it to my face.
Wife: You drinken sot! With bowl and pot you're always in disgrace.
Husband: My father was a wealthy lord, had horses, cows, and carts.
Wife: Yes, feathered fowls have coats of gold, we hear, in foreign parts.
Husband: My mother was a lady gay, that's known to be true.
Wife: I wish that she had broke your back, and made a lord of you.

Foinse: Tá an cheapóg seo i gcló ag Alfred Williams in *Folk Songs of Upper Thames*, London 1883, 132-3. Beirt den lucht siúil, an bheirt acu ar leathshúil, a bhíodh ina bhun laethanta aonaigh. An fonn caillte.

IV

Betwene a Spanishe Gent and an English Gentlewoman

Man: Maddame dangloyse me tell you verye true
me verye muche Enamored wythe youe
me loue you much bettro than I can well saye
no queris hablario hyspanyolaye

Woman: Segnior Domegro me loue you twyse so well
but what your meaninge is sure that cane I not tell
for lacke of your languayge I knowe not what to saye
because I cannot parle youre spaniolaye.

Man: Ladye mattresso knowe you notynge what
me pray you call you me tyttye pour tatte
make me your lovere & shewe me some playe
me teache you parlere the fyne spaniolaye.

Woman: Par moyfoye monseure you bene a merrye man
what your meanynge is sure I well vnderstand
you seme suche a wanton I swere by my faye
that I dare not lerne of you to speake spaniolaye

Man: Counta my goutt ladye my shaumbre to come bye
me make you de velcome as velcome as I
the grand pettye tynge me geue you be my faye
Coutte for to learne you to speake spaniolaye

Woman:	your spanyolaye hyt is all so trymme thatt hyt for to lerne I wold fayne begyne ffor teachynge of me your spanyolaye you shall haue a kysse of me once euerye daye
Man:	Gotte a mercye goutte maddame gott a mercye for tys twentye gramercyes me geue you for one kys you be de goutte ladye you do as you saye me warrant you quiecklye the best spanyolaye
Woman:	but tell me my segnior where your chaumbre ys that when I come to you I nede not to mys and I wyll not lett to do as I saye to come to your chaumbre once euerye daye
Man:	Ladye prettye ladye praye gotte me neuer see but tatte you make muche comfort to me my hart dothe leape quycke within my bellye oh my swette maystres you make me so merrye
	my shaumbre hard by the signe of the pye make axe for domegro the segniou where he lye the lane you call abshurche by lumbar strete me knowe when you com me there you wyll mete
Woman:	I wold not come when you haue companye I wyll send word before that no man me see you be so iolye so prettye and neette that you & me els some folke wyll suspecte
Man:	You come torre a back dore my payge lett you in me make all tyngz for you so gaye and so tryme you no sonner come aboue in my shaumbre but you smell the swette muske & de fyne aumbre

Woman: ffare well then segnior a dewe for this tyme
provyde you good cheare somme sugere & wyne
I loue verye well the tynges that be lyckeryshe
marche payne & quince pye I care for no stockfyshe

Man: Bezeles maynes oh you my faire ladye
me lacke no tynge datte me may get dayntye
take you my shane here & make your gorg gaye
no man in the world tat haue so muche shoye.

Foinse: Lámhscríbhinn Rawlinson 108, folio 12; i gcló ag Baskerville, *The Elizabethan Jig*, 415-6.

---

1 C. R. Baskerville, *The Elizabethan Jig and Related Song Drama*, Chicago 1929, 5; eagrán Dover, New York 1965 a luaitear san alt seo.
2 *Ibid.*, 6.
3 G. Gascoigne, *The Whole Works of George Gascoigne Esquire*, I-II, London 1587, II, 553.
4 J. Northbrooke, *A Treatise wherin dicing, dauncing, vain playes or enterludes are reproued*, London 1577. Féach Shakespeare Society Facsimiles, No. 14 (1843), 171.
5 Gascoigne, *The Whole Works*, I, 398.
6 *The Oxford English Dictionary*, Oxford 1933, s.v. Jig.
7 Féach *Proceedings of the Musical Association* 40, 80.
8 *Ibid.*, 81.
9 W. Skeat, eag., *The Two Noble Kinsmen*, Cambridge 1875, 42.
10 Baskerville, *The Elizabethan Jig*, 346.
11 J. Morley, *Plain and Easie Introduction to Practicall Music*, London 1597. Shakespeare Association Facsimile, No. 14, 1937, 181.
12 H. A. Rennert, *The Spanish Stage of Lope de Vega*, New York 1902, 62.
13 J. Tabourot, a dtugtaí Thoinet Arbeau air, *Orchesographie et traieté en forme de dialogue, por lequel toutes personnes peuvent facilment apprendre et pratiquer l'oneste ecercice des dances*, Res v 1630, Bibliothèque Nationale, Paris, fol. 66, 95.
14 Baskerville, *The Elizabethan Jig*, 346.
15 *Ibid.*, 131.
16 T. Jordan, *Royal Arbor of Poesie*, London 1664, 34-8.
17 John Ford, *Plays*, T. Hollings, eag., New York 1902, III ii 76.
18 Thomas D'Urfey, *Plays and Drolleries*, Cox, eag., London 1842, 9.
19 W. Danckert, *Geschichte der Geige*, Leipzig 1924; féach caibidil I.

Tréithe Canúna de Chuid an Chósta Thiar-Theas

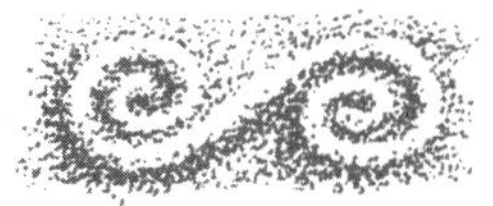

DIARMUID Ó SÉ

GINEARÁLTA

1.1

Tá sé tugtha faoi deara ag údair éagsúla go bhfuil tréithe teanga i gcoitinne ag áiteanna ar an gcósta ón Rinn i gCo. Phort Láirge ó thuaidh go Conamara:

(a) Ag áiteanna éagsúla ar chósta na Mumhan, m. sh. urú i ndiaidh *don* agus *go dtí an*; *na haon* mar mhalairt ar *gach aon*.[1]
(b) Ag iarthar na Gaillimhe (Cois Fharraige, Conamara theas agus Oileáin Árann) leis an Mumhain, m. sh. défhoghar san fhocal *poll*.[2]
(c) Ag iarthar Chorca Dhuibhne le Co. na Gaillimhe, m. sh. *meach* in ionad *beach*.[3]

1.2 Is í aidhm na haiste seo ná na ceangail sin a iniúchadh. Tabharfaidh mé fianaise bhreise orthu, a dheimhneoidh go bhfuil patrúin shuaithinseacha gheografacha i gceist gan aon amhras. Déanfaidh mé iarracht ar na patrúin sin a mhíniú, ag tarraingt ar thuiscintí a nglactar leo coitianta sa chanúineolaíocht. Tá míniú dealratach ar fáil ar chuid dá bhfuil i gceist in (a), agus ar (b), ach ní féidir ach buille faoi thuairim a thabhairt i dtaobh (c) faoi láthair. Fairis sin, ní móide go bhfuil aon cheann de na liostaí tréithe a thugtar thíos iomlán. Tá bearnaí san eolas, de bharr chúlú na teanga thar aon ní eile, agus tá breis taighde canúna, mar aon le taighde ar an gcúlra sóisialta, ag teastáil. Níl sa staidéar gearr seo ach an chéad chéim.

LÁR AGUS IMEALL NA MUMHAN

2.1 Tá sé áitithe ag Brian Ó Cuív gur beag an éagsúlacht a bhí sa Ghaeilge a labhartaí tráth ar fuaid líomatáiste fhairsing i lár na Mumhan:

> What evidence I have got from spoken Irish, confirmed to some extent from manuscript literature, points to a fairly homogeneous dialect from Carrignavar west to the Kerry border and north into Duhallow. The centre of this area is Muskerry, East and West.[4]

Is dócha gur bhain oirthear Chiarraí, lastoir de Chill Airne agus d'Oileán Ciarraí, agus iardheisceart Luimnigh leis an dúthaigh lárnach seo chomh maith. Deir Ó Cuív:

> ... in Rockchapel, which is at the boundary of Cork, Kerry, and Limerick, what little Irish I heard suggests that the dialect was substantially the same as in Ballyvourney ... further south in the neighbouring townlands of Ballydesmond in County Cork and Knocknaboul in County Kerry I found two speakers whose Irish was very similar to that of Ballyvourney.[5]

Tá fianaise *LASID*, II, pointí 16 (Gleann Fleisce) agus 17 (Cill Gharbháin), ag teacht leis sin. Lastoir den cheantar lárnach sin agus ón taobh thuaidh de *we can postulate a belt running from Waterford through South Tipperary, Limerick, and into Clare,*[6] mar a raibh tréithe 'Déiseacha' go láidir sa chaint.[7]

2.2 Tá lár na Mumhan le tuiscint i dtéarmaí sóisialta mar cheantar ina raibh *consensus norm*[8] i bhfeidhm go láidir ar an gcaint. Luann Ó Cuív gnéithe den stair pholaitiúil a d'fhéadfadh bunú an noirm sin a mhíniú.[9] Ba leor ceangail láidre shóisialta ar fuaid an cheantair chun é a choimeád slán ó ghlúin go glúin.

2.3 Laisteas den cheantar lárnach, agus laistiar de ar leithinsí Chiarraí, bhí mórán tréithe tríd an gcaint a bhí bun os cionn le lár an chúige:

> Knockadoon Irish has a large number of features in common with Waterford Irish which are not normal in West Muskerry. I have noted over twenty obvious ones ... I may mention the use of the dative plural form of the noun as a nominative, thus *tháinig ceannaibh isteach i rith an chogaig*. This use of the dative plural as a nominative provides another problem for linguistic geography for it occurs in a number of words in Corcaguiny in West Kerry. There are other features which are common to Waterford, South-east Cork, and West Kerry, for instance the raising of *ô* to *û* in words such as *múin* for *móin*, and *cûrsa* for *côrsa* (< *comharsa*), the suffixing of *t* to verbal forms such as *bheimíst*, *dhíolaimíst*; the use of an oblique case with eclipsis after *go dtí* as in *go dtí an gceanahóir*; and the use of eclipsis after *don*, as in *don mbaile*.[10]

Tréith a luann Ó Cuív le cósta Chorcaí ar fad, ó Bhaile Mhac Óda siar go Béarra, is ea *m'éidir* in ionad *b'éidir*,[11] ach de réir mo thaithí féin tá *m'éidir* coitianta in iarthar Chorca Dhuibhne, agus deir Brian Ó Catháin liom gurb é amháin a deirtear in Inis Oírr. Is léir ón méid sin go bhfuil gá le taighde breise ar gheografaíocht na dtréithe seo, ag tógaint ar an mbunchloch a leag Ó Cuív síos. Tá os cionn 40 tréith a bhaineann le himeall na Mumhan (an cósta den chuid is mó, móide roinnt dúichí láimh leis) aimsithe agam in *Irish Dialects and Irish-speaking Districts* Uí Chuív, in *LASID*, i saothair ghinearálta ar chanúintí na Gaeilge agus i monagraif ar chanúintí faoi leith agus pléifidh mé níos mine thíos iad. Baineann cuid acu le hiarthar na Gaillimhe chomh maith, faoi mar a chonaiceamar thuas.

2.4 Tréithe coimeádacha a bhaineann le cósta na Mumhan is ea iad seo a leanas:[12]

1 /L/ > /ld/, /L′/ > /l′d′/ i bhfocail mar *capall, poll, buachaill, coill* i mBaile Mhac Óda.[13] Cé gur claochluithe ar /L/, /L′/ stairiúil iad sin, tá coimeádachas ag baint leo sa mhéid is go gcaomhnaítear rian de na hidirdhealuithe stairiúla /L ≠ l/ agus /L′ ≠ l′/.

2 *s* leathan i dtús *scéal, scian etc.*, de ghnáth in iarthar Chorca Dhuibhne, go minic i gCléire, agus uaireanta i mBaile Mhac Óda agus i gCo. an Chláir. Bíonn /sl′/ in *slí etc.* ag roinnt cainteoirí i gCorca Dhuibhne.[14]

3 Caomhnú an chairn chonsan *lt* i lár agus i ndeireadh an fhocail ó Bhaile an Fheirtéaraigh siar i gCorca Dhuibhne, i ndeireadh focail sa Rinn agus uaireanta i lár focail ansin; /lh/ agus /l′h/ an gnáthnós sa Mhumhain i bhfocail mar *saolta, fáilte*, agus bíonn na cairn sin i ndeireadh focal mar *alt, ceilt* go forleathan.[15]

4 Caomhnú an chairn chonsan /nr/ i lár focal mar *anró, scanradh* i gCorca Dhuibhne agus i gCo. an Chláir; bíonn défhoghar i bhfocail mar sin 'ó na Déise go Cill Orglann', sa tslí is go ndeirtear /au′ro:/ *anró etc.*[16]

5 *sae, suí* in ionad *sé, sí* in *bheadh sae, bhíodh suí, etc.*,[17] i gCléire,[18] ar an míntír i gCairbre,[19] i mBéarra, in Uíbh Ráthach,[20] mar aon le hiarsmaí i gCorca Dhuibhne[21] agus i dtuaisceart an Chláir.[22]

6 *-abhair* = /əvir′/ sa dara pearsa iolra, aimsir chaite, fan an chósta ón Rinn go hiarthar Chorca Dhuibhne. Is é /u:r′/ an fuaimniú i lár na Mumhan, agus mar mhalairt ar /əvir′/ i mBaile Mhac Óda, i gCairbre, agus i mBéarra;[23] in Uíbh Ráthach uaireanta, féach *ón uair go dtánúir*;[24] agus sa Bhlascaod Mór tráth, de réir Jackson.[25]

7 *-f(a)íor* sa bhriathar saor, aimsir fháistineach, sa

chéad réimniú, m. sh. *cuirfíor*, i gceantar an Sciobairín,[26] agus ag cainteoirí áirithe i gCléire go dtí le déanaí (a deir Roibeard Ó hUrdail liom).

8 Iarsmaí de *-ó-* intáite san fháistineach sa dara réimniú, féach an fhoirm chomhréitigh *ceanghólad* (in ionad *ceanglód*) i gCléire, a bhfuil /h/ an chéad réimnithe inti chomh maith.[27]

9 Modh guítheach dar críoch guta neodrach i gCorca Dhuibhne, m. sh. *go bhfága*, *go gcuire*, in ionad an fhoircinn /ɪgʹ/ *-(a)idh* a bhíonn sa chuid eile den Mhumhain, m. sh. *go bhfágaidh*, *go gcuiridh*.[28]

10 An briathar *cloiseann* ar an gcósta ón Sciobairín ó thuaidh go Bréanainn;[29] *airíonn* sa chuid eile den Mhumhain; rogha idir an dá bhriathar ag pointe 17 (Gleann Fleisce) in *LASID*. An t-ainm briathartha *aireachtaint* amháin a thuairiscíonn *LASID* ó phointe 17, rud a thugann le fios, b'fhéidir, gur *airíonn* a bhí in uachtar ansin.[30]

11 An fhoirm *sáipéal* in ionad *séipéal* in iarthar Chorca Dhuibhne, ag glacadh leis gurb í an fhoirm a bhfuil *á* inti is sine.[31]

12 Foirm dhéshiollach *boladh* nó *baladh* sa Rinn, i mBaile Mhac Óda, i gCairbre, i mBéarra agus i gCorca Dhuibhne (craptha ansin go *bla*, áfach) de réir *LASID*;[32] foirm thríshiollach *balaithe* (uaireanta *bolaithe*) i ngach áit eile, taobh amuigh de na Déise, agus mar mhalairt ar an bhfoirm dhéshiollach i mBaile Mhac Óda, i gCairbre, agus i mBéarra.

13 *clár* sa bhrí 'bord' i mBaile Mhac Óda agus i gCairbre, ag glacadh leis gur focal dúchasach é seo a bhí ann roimh *bord* agus *tábla*.[33]

14 *geach* (SG *cech*) in ionad *gach* i gCairbre, m.sh. *maide ins geach láimh* agus samplaí eile;[34] in Uíbh Ráthach, m.sh. *geach ní ár dhin sé* agus samplaí eile;[35] agus in áiteanna idir eatarthu, b'fhéidir.

Tá tuairisc ar chúpla ceann de na tréithe thuas a bheith in úsáid go hannamh i gceantar Bhaile Bhuirne. De réir Uí Chuív:

> *[saé, suí]* is seldom found in Coolea but I have heard it elsewhere in Ballyvourney and also in Ballingeary, while it is very common in Carbery and in Glengariff.[36]

Baintear úsáid as an bhfoirceann *-f(a)íor* i bpaidreacha agus in ábhar traidisiúnta eile i Múscraí.[37]

2.5 Is cosúil go bhfuil na tréithe in §2.4 le míniú mar iarsmaí a mhair i gceantair imeallacha de chuid na Mumhan tar éis d'fhoirmeacha nó nósanna fuaimnithe nua teacht i réim i lár an chúige. Deir Henning Andersen:

> The observation that central and peripheral parts of a speech area typically develop differently is one of the most durable insights in historical dialectology.[38]

Ina leithéid de chás, is gnáthach gurb iad na tréithe imeallacha is sine (is é seo an dara norm a leag an teangeolaí Iodálach Matteo Bártoli síos don chanúineolaíocht).[39] Tá sé áitithe, dar ndóigh, nach imeallachas ach iargúltacht is tábhachtaí sa scéal seo. Ní miste iargúltacht a lua le cósta na Mumhan (rud nach gá a bheith fíor i dtaobh gach ceantar cósta sa domhan), ach is minic a bhaineann iargúltacht le cnoic i gceantair intíre chomh maith. Faoi mar a tharlaíonn sé, tá rian i gceantar Bhaile Bhuirne de chúpla ceann de na tréithe coimeádacha a luamar le cósta na Mumhan. B'fhiú scrúdú níos mine a dhéanamh ar cheann amháin de na tréithe in §2.4, agus tá an foirceann *-abhair* an-oiriúnach chuige sin (féach Mapa 1 thíos). Ar chósta na Mumhan a mhaireann an fuaimniú stairiúil /əvir´/. Is é an fuaimniú nua /uːr´/, a tháinig chun cinn de bharr an athraithe chéanna a tharla in *duilleabhar* > *duilliúr*, *deichneabhar* > *deichniúr*, atá in uachtar sa chuid is mó den chúige. Is dócha gur i lár na Mumhan a d'eascair /uːr´/ agus gur leathnaigh sé faoin gcúige i ngach treo ina dhiaidh sin. Bhain sé amach cósta Chorcaí uair éigin sular cailleadh an teanga ansin, sa tslí go raibh rogha fós idir /əvir´/ agus /uːr´/ i gCairbre agus i mBéarra i lár an fichiú haois. Sa lá atá inniu ann ní ghabhann /uːr´/ mórán thar Chnoc Bréanainn siar i gCorca Dhuibhne, ach deir Jackson go raibh sé coitianta go leor sa Bhlascaod Mór sna 1930í.[40] Níl d'fhianaise agam ar é a bheith in úsáid ar an míntír láimh leis ach sampla amháin ó Dhún Chaoin a thugann Wagner agus Mac Congáil.[41] Is cosúil mar sin gur tháinig *-úir* isteach i gcuid d'iarthar Chorca Dhuibhne roinnt glúinte siar ach nár sheas sé an fód ann. Tabharfar faoi deara an chosúlacht idir cúlú /əvir´/ go dtí an cósta agus cúlú na teanga féin. Ón taobh sóisialta de níl aon difríocht bhunúsach idir an dá rud.

MAPA 1

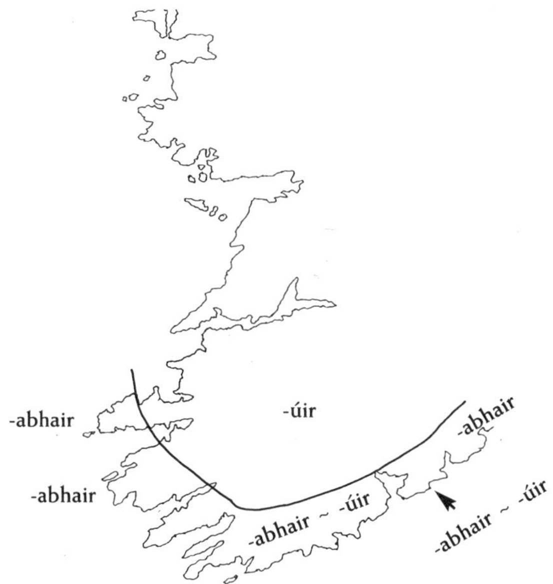

2.6 Tréithe forásacha a bhaineann le cósta na Mumhan is ea iad seo a leanas:

1 /l/ > consan cuimilteach de chineál [ɣʷ] i bhfocail mar *lá, dul* sa chuid is faide siar de Chorca Dhuibhne agus sa Rinn.[42]

2 /o:/ > /u:/ in aice le consan srónach in *móin, nós, etc.* sa Rinn, i mBaile Mhac Óda, in iarthar Chorca Dhuibhne, agus i gCo. an Chláir.[43]

3 Urú i ndiaidh *don*, m. sh. *don bhfear, don mbaile* sa Rinn, i mBaile Mhac Óda, agus i gCorca Dhuibhne.[44]

4 Urú i ndiaidh *go dtí an*, m. sh. *go dtí an bhfarraige* sa Rinn, i mBaile Mhac Óda, agus i gCorca Dhuibhne.[45]

5 Urú roghnach ar *s* i gCléire, m.sh. *ar ár son ~ ar ár [z]on.*[46] Tá sampla ó Chiarraí Theas in *LASID*, II, pointe 13, stór focal *s.v.* Sasanach.

6 Foirmeacha tabharthacha uatha ar nós *cois, láimh* mar bhunfhoirmeacha sa Rinn, i mBaile Mhac Óda, agus i gCorca Dhuibhne.[47]

7 *-(a)ibh* mar fhoirceann ginearálta iolra seachas mar thabharthach iolra, m. sh. *fearaibh, ceannaibh* sa Rinn, i mBaile Mhac Óda, agus i gCorca Dhuibhne.[48]

8 *to* mar mhír shealbhach dara pearsa uatha roimh chonsan, m. sh. *to chóta* sa Rinn, i mBaile Mhac Óda agus i gCléire.[49]

9 *na haon* mar mhalairt ar *gach aon* i mBaile Mhac Óda, i gCairbre, i mBéarra, agus i gCorca Dhuibhne.[50]

10 /s/ deiridh in *-t(e)ars* (briathar saor, aimsir láithreach, m. sh. *deintears*) i mBaile Mhac Óda agus i gCorca Dhuibhne;[51] agus in *-fars* (briathar saor, aimsir fháistineach, m. sh. *déanfars*) i mBaile Mhac Óda amháin.[52]

11 /d'/ deiridh in *bheimíst, bheidíst, aríst etc.* sa Rinn, i mBaile Mhac Óda, in Uíbh Ráthach, i gCorca Dhuibhne, agus i gCo. an Chláir.[53]

12 *fuaireas* in ionad *fuaras* i gCairbre agus i gCorca Dhuibhne.[54]

13 *tá* > *thá* in úsáid choibhneasta agus

neamhchoibhneasta araon sa Rinn, i mBaile Mhac Óda, agus i gCorca Dhuibhne.[55]

14 *ní* in ionad *níor* san aimsir chaite, m. sh. *ní bhuaigh*, go han-mhinic i gCorca Dhuibhne, 'uaireanta sna Déise, i mBaile Mhac Óda, agus i ndeisceart an Chláir'.[56]

15 *do* > *dh'* in *dh'ólas*, *dh'itheas etc.*, go minic sa Rinn, i mBaile Mhac Óda, agus i gCorca Dhuibhne,[57] agus uaireanta i gCo. an Chláir.[58]

16 *do* go minic in áit *go* i bhfeidhmeanna éagsúla, m.sh. *is dóigh liom do raibh, tá sé do maith*, i mBaile Mhac Óda agus ag cainteoirí áirithe i gCorca Dhuibhne (go dtí le déanaí, ar aon nós).[59]

17 Foirmeacha copaile dar críoch *-ch*, faoi anáil *nách*, is dócha, m.sh. *níoch é,*[60] *mách é.*[61]

18 Modh coinníollach go minic i ndiaidh *má*, m. sh. *má bheadh, má dhéanfadh*, sa Rinn, i mBaile Mhac Óda agus i gCorca Dhuibhne.[62]

19 /m´eːd´ir´/ mar mhalairt ar *b'fhéidir* i mBaile Mhac Óda, i gCairbre, i mBéarra, agus i gCorca Dhuibhne.[63]

20 *b'é go* mar mhalairt ar *b'fhéidir go* i mBaile Mhac Óda agus i gCorca Dhuibhne, agus in *West Cork* de réir Uí Chuív (Béarra, Cairbre?).[64]

21 *aduas* mar mhalairt ar *anuas* i mBaile Mhac Óda agus i gCairbre.[65]

22 An fhoirm *árdóg* in ionad *órdóg* i mBaile Mhac Óda agus i gCairbre.[66] Is féidir Corca Dhuibhne a chur leo sin.

Dála na dtréithe coimeádacha, tá macallaí de chuid acu seo i mBaile Bhuirne: urú ar s;[67] *tá* > *thá*, ach i gcomhthéacs coibhneasta amháin, m. sh. *an rud athá uam*;[68] go fíorannamh *dh'* roimh bhriathra dar tús guta i gcomhthéacs coibhneasta, m. sh. *a dh'itheas*.[69] Maidir le *na haon*, deir Ó Cuív: *It has been heard, though rarely, in Ballyvourney*.[70] Baineann cuid de na tréithe thuas le hiarthar na Gaillimhe chomh maith, go háirithe (2), (6).

2.7 Murab ionann agus na tréithe coimeádacha, ní féidir míniú simplí soiléir amháin a sholáthar do na tréithe forásacha go léir. B'fhéidir nach bhfuil i gcuid acu ach comhtharlú. Ach tá patrúin gheografacha le haithint mar sin féin. Síneann tréithe áirithe fan an chósta ón Rinn ó thuaidh go Corca Dhuibhne nó go Co. an Chláir, agus focheann go hOileáin Árann nó Conamara, i bpatrún 'crú capaill'. Raon níos teoranta atá ag tréithe eile, mar shampla ó Chuan na Gaillimhe anuas go Corca Dhuibhne, nó ón Rinn anoir go Baile Mhac Óda (nó go Cairbre, i gcúpla cás). Scrúdófar cuid de na patrúin gheografacha sin thíos. Tá tréithe eile an-áitiúil, agus ní gá iad a phlé go mion anseo.

2.8 Sampla is ea (19) *m'éidir* de thréith a bhaineann leis an gcósta ar fad agus nach bhfuil aon tuairisc uirthi ó cheantair intíre, de réir dealraimh (féach Mapa 2). Tréithe eile den chineál seo is ea (9) *na haon* mar mhalairt ar *gach aon*, (10) *s* deiridh in *deintears*, (11) /d´/ deiridh in *bheimíst, bheidíst etc.*, (14) *ní* in ionad *níor*, (16) *do* in ionad *go*, (20) *b'é go* (nó *m'é go*). Tá an chuma ar an scéal go raibh baint ag teagmháil farraige le forleathadh na dtréithe úd, cé gurb ar éigean a d'fhéadfaí é sin a chruthú. Tá teagmháil farraige curtha chun cinn mar mhíniú ar fhorleathadh tréithe áirithe in iarthuaisceart na tíre chomh maith, ach dealraíonn sé gur fusa an fhoinse a aithint ansin. Maidir leis an bhfuaimniú [tʃ] ar /t´/, atá coitianta i Maigh Eo agus a bhí i ndeisceart Uladh chomh maith, deir an Dochartach nach raibh aige ach *fairly marginal effects on the Irish of Donegal, apart from the dialects of the south of the county and those of the islands, Aranmore and, to a lesser extent, Tory.*[71]

Ní raibh aon amhras ar Wagner ná gurb iad na hiascairí a thug an tréith seo ó thuaidh leo.[72] Luann sé chomh maith go raibh eolas coinsiasach ag iascairí áirithe ar nósanna cainte a bhain le pobail a dtugaidís turas orthu; ag trácht dó ar fhuaimniú focail áirithe ag pointe 87 i dtuaisceart Shligigh, deir sé *an old Teelin fisherman had already given me this pronunciation which he had heard in North Sligo.*[73]

MAPA 2

2.9 Tá ardú *ó* go *ú* in aice le consan srónach ar cheann de na tréithe is suaithinsí a bhfuil raon teoranta acu ar imeall na Mumhan (féach Mapa 3). Ón taobh thiar baineann sé le ceantar leanúnach ó iarthar Mhaigh Eo go dtí deisceart an Chláir,[74] agus leis an gcuid is faide siar de leithinis Chorca Dhuibhne. Bhí briseadh sa leanúnachas idir deisceart an Chláir agus iarthar Chorca Dhuibhne de réir dealraimh, mar bhí an t-ardú seo in easnamh i gCiarraí Thuaidh i bhfianaise na bhfocal a thugann Ó hAnracháin ón mBaile Dubh, idir Baile an Bhuinneánaigh agus Baile Uí Thaidhg.[75] Ach tá tréithe eile i gcoitinne ag iarthar Chorca Dhuibhne le háiteanna timpeall ar Chuan na Gaillimhe; pléitear iad sin in §4 thíos. Ón taobh thoir, baineann ardú *ó* go *ú* le Cill Choinnigh, leis na Déise agus le Baile Mhac Óda.[76] B'fhéidir go raibh sé sna dúichí idir eatarthu tráth. Deir Holmer go raibh ardú *ó* in aice le consan srónach ar fuaid Cho. an Chláir, cé nach raibh aon chainteoirí aige ó oirdheisceart an chontae.[77] Tá éachtaint éigin le fáil gur tharla an t-athrú seo i mbarúntacht Phobal Briain, siar agus siar ó dheas ó chathair Luimnigh, sa leagan peann luaidhe *múintín* den ainm Móintín a bhreac duine de na bailitheoirí logainmneacha síos ó chaint na ndaoine in 1840.[78] Chuir Seán Ó Donnabháin an leagan liteartha *móintín* síos ina theannta i ndúch. Dealraíonn sé gur ghnáthach leis an Donnabhánach na leaganacha peann luaidhe a scriosadh agus ba mhór an trua é sin, mar is cosúil go ndéanadh na bailitheoirí iarracht ar an bhfuaimniú áitiúil a thabhairt leo.[79] Tharlódh mar sin gur shín an forás seo gan bhriseadh ó na Déise go hiarthar Mhaigh Eo tráth. Pé scéal é, bhí sé an-láidir timpeall ar Chuan na Gaillimhe agus sna Déise/Cill Choinnigh, agus is dealratach gur uathu sin faoi seach a leathnaigh sé aduaidh go hiarthar Chorca Dhuibhne agus anoir go Baile Mhac Óda. Tréithe eile a bhfuil a ndáileadh ar an gcósta cosúil le *ó* go *ú* is ea an t-urú i ndiaidh (3) *don* agus (4) *go dtí an*, (6) úsáid an tseantabharthaigh mar bhunfhoirm ag ainmneacha baininscneacha éagsúla, go háirithe *cois, láimh*, agus (11) an /d´/ deiridh in *bheimíst, bheidíst* (féach Mapa 4). B'fhéidir gur sa tslí chéanna a leathnaíodar sin amach fan an chósta; ní léir, áfach, go rabhadar sa chaint in aon líomatáiste fairsing intíre.

MAPA 3

?

o: > u:

MAPA 4

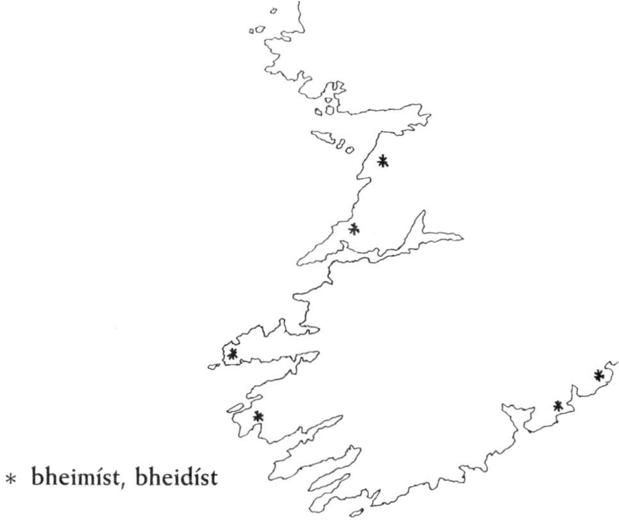

2.10 I gcásanna áirithe ní mhaireann an fuaimniú nó an fhoirm stairiúil in aon áit sa Mhumhain, ach tá dáileadh imeallach ag ceann de na foráis:

1 /N´/ > /n´/ i ngach suíomh san fhocal i gcuid mhaith de Chiarraí, i mBéarra agus i gCairbre;[80] /N´/ > /ŋ´/ i lár agus i ndeireadh focail sa chuid eile den Mhumhain, m. sh. in *bainne, olainn*.

2 *-adh* > /əx/ sa bhriathar saor, aimsir chaite, i gCorca Dhuibhne, in áiteanna eile i gCiarraí Thuaidh tráth, agus in iardheisceart an Chláir.[81]

2.11 Tá roinnt bheag tréithe imeallacha ar deacair iad a áireamh mar fhoráis nó mar choimeádachas de cheal eolais ar a gcúlra stairiúil:

1 *a* gearr ina ghuta tosaigh [a] go rialta i bhfocail mar asal sa Rinn agus i mBaile Mhac Óda.[82]

2 *á* = [ɑː] cúil i gcónaí nach mór sa Rinn agus in iarthar Chorca Dhuibhne;[83] *á* = [aː] tosaigh i gcomhthéacsanna áirithe i Múscraí agus in áiteanna eile.

3 /eː/ idir consain leathana ina ghuta leathíseal lárnaithe i bhfocail mar *caol, taobh,* mar a bheadh /œ/ na Fraincise gan cruinneas liopaí, sa Rinn agus i mBaile Mhac Óda.[84]

4 An struchtúr *cad tá sé a dhéanamh?, an rud atá sé a dhéanamh* le hais *cad tá á dhéanamh aige?, an rud atá á dhéanamh aige,* sa Rinn, i mBaile Mhac Óda, agus i gCorca Dhuibhne.[85]

5 /f´/ mar chomhartha ar thamhan an fháistinigh ag briathra a gcríochnaíonn a bhfréamhacha ar ghuta (leithéidí *lé-, ní-*) i gCairbre agus i mBéarra, m. sh. /l´eːf´ig´/ *léifidh*, /n´iːf´ig´/ *nífidh*.[86]

Maidir leis an rogha idir na struchtúir *atá tú a dhéanamh* agus *atá á dhéanamh agat*, tá a fhios againn go raibh an dá cheann sa Nua-Ghaeilge Mhoch.[87] An amhlaidh a rinneadh ginearálú ar an dara ceann acu i lár na Mumhan, ach gur mhair an rogha eatarthu ar an imeall? Nó an amhlaidh a rinneadh ginearálú ar an dara ceann ar fuaid na Mumhan, agus gur leathnaigh an chéad cheann thar n-ais ón taobh amuigh (ar nós *ó* go *ú etc.*) ina dhiaidh sin? Ní léir dom go bhfuil aon fhreagra ar na ceisteanna sin, cé go bhfuil dealramh leis an dá thuairim. Mar sin féin, ní miste an tréith seo, agus na cinn eile thuas, a lua anseo mar thacaíocht leis an deighilt a d'aithníomar idir ceantar lárnach agus ceantair imeallacha sa Mhumhain.

2.12 Tá roinnt tréithe in §2.6 atá, nó a bhí, sa chaint in áiteanna i bhfad ón Mumhain. Mar shampla, tharla claochluithe ar *l* leathan go [ɣʷ] nó cineál [w] *etc.* in áiteanna in Albain,[88] chomh maith le hiarthar Chorca Dhuibhne agus an Rinn. Tuairiscíonn Jackson go raibh an t-athrú seo ag tarlú i gcaint an Bhlascaoid sna tríochaidí:

> Following a broad vowel, a single or double l commonly becomes a spirant velar *gh* ... in the speech of the younger generation.[89]

Nuair a thit athrú amach in áiteanna i bhfad óna chéile mar sin ní míniú sásúil é forleathadh a chur i gcás; mar shampla, ní léir go raibh aon teagmháil farraige idir an Blascaod agus an Rinn sna 1930í. Tá claochluithe ar l-anna coitianta i dteangacha an domhain, áfach, go háirithe má ardaítear tosach nó cúl na teanga le linn a ndéanta (féach *fille* > [fiːj] sa Fhraincis, *milk* > [miʷk] i gcanúintí éagsúla Béarla). Tá míniú simplí eolaíoch air seo. Maidir le [ɫ] (*l* leathan), ní fada ó [w] nó [u] ó thaobh fuaime é.[90] B'fhéidir go bhfuil taobh sóisialta leis chomh maith. Tá an Blascaod agus an Rinn cosúil lena chéile sa mhéid is gur pobail iascaireachta in áiteanna imeallacha ab ea iad araon. Léirigh Labov, i staidéar cáiliúil a rinne sé i 1963, gur féidir le pobail den chineál sin a sainiúlacht a threisiú le claochluithe beaga fuaimnithe (défhoghair áirithe i Martha's Vineyard, oileán in oirthuaisceart na Stát Aontaithe, a chuir é seo ar a shúile dó).[91] Ní féidir neamhshuim a dhéanamh den *esprit de clocher*, faoi mar a thug de Saussure air.[92] Maidir le claochlú seo an *l* leathan i gCorca Dhuibhne, chuaigh sé i bhfeidhm ar an míntír i nDún Chaoin, trasna ón mBlascaod, chomh maith, ach is cosúil go bhfuil sé ag dul i léig anois. Foráis eile a bhaineann le háiteanna i bhfad óna chéile is ea séimhiú *tá* go *thá* agus *d'* go *dh'* sa bhriathar, m. sh. *dh'ól, dh'ith*. Tá siad seo in iarthar Chorca Dhuibhne agus sa Rinn, faoi mar a chonaiceamar thuas, agus tá siad forleathan in Albain chomh maith. Is dócha go bhféadfadh na foráis sin teacht chun cinn in áit ar bith go neamhspleách. Is é an dála céanna é ag an urú ar lorg *don* agus *go dtí an*, athrú analaí a bhí forleathan in oirthear Chonnacht, agus ag roinnt cainteoirí in Iorras.[93] Mar sin féin, baineann na tréithe seo le hábhar anseo sa mhéid is gur ó cheantair cois cósta amháin atá tuairisc orthu sa Mhumhain.

2.13 Tá taobh sóisialta na bhforás seo go léir níos leithne fós. Faoi mar a dúrt in §2.2, tá comhaontú sóisialta nó *consensus norm* láidir le lua le lár na Mumhan (Iarthar agus Oirthear Mhúscraí, Dúiche Ealla agus áiteanna láimh leo). Ag druidim amach ón gceantar lárnach sin, is i laige a bheadh an comhaontú ag dul, toisc na ceangail shóisialta a bheith ag éirí níos scaoilte. Ach bheadh gach áit i ndeisceart agus in iarthar na Mumhan páirteach sa chomhaontú sin, a bheag nó a mhór, toisc gur mó atá i gcoitinne acu ó thaobh teanga de ná mar atá de dhifríochtaí eatarthu. Nuair a théann athrú teanga éigin i bhfeidhm i gceantar áirithe (m. sh. foirm nua, fuaimniú nua) is féidir a rá go bhfuil glactha leis mar chuid den chomhaontú – tá an pobal i gcoitinne ag glacadh leis. Ach ní ghlactar le gach athrú a thagann chun cinn. Chonaiceamar in §2.5 thuas gur tháinig an t-athrú *-abhair* > *-úir* chun cinn sa chuid is faide siar de Chorca Dhuibhne ar feadh tamaill ach gur cailleadh arís é sa cheantar sin. Ghlac cainteoirí áirithe leis, ach chuir an pobal trí chéile suas dó ar deireadh. Sampla níos forleithne de seo sa Mhumhain is ea an t-athrú *n* > *r* i ndiaidh consain atá sa siolla céanna leis, m. sh. *cnoc* > *croc*, athrú a shamhlaítear de ghnáth leis an taobh ó thuaidh den tír,[94] cé gur tháinig sé aduaidh fada go leor i gCúige Laighean, de réir dealraimh.[95] Níl sé in easnamh ar fad sa Mhumhain. Is dócha gurb é an sampla is mó a bhfuil eolas air ná *Crohúr* < *Cnohúr* < *Conchubhar* i Múscraí. Ó m'fhiosruithe féin is dealrach go bhfuil sé coitianta i gCorca Dhuibhne in *cnúdán* > *crúdán*, agus tá *cnámh* > *crámh* ag fodhuine. Bhí aithne agam ar chainteoir amháin a deireadh *cnámh* ach *cráimhín* (téarma a bhaineann le treabhadh). Tá *brónc* < *bnóc* < *bunóc* in áit amháin in iardheisceart Chorcaí.[96] Tuairiscíonn Ó Cuív *n* > *r* in oirdheisceart Chorcaí i bhfuaimniú áitiúil an ainm Cnoc an Dúin, agus

> in the phrase *chuardaís na cruic*, and in the past tense of the verb *chím*, viz. *chruc* for *ch'nuc* (< *chonnac*).[97]

Fiú amháin, luann Ua Súilleabháin 'aon chainteoir amháin i Múscraí a dhéanadh *r* de *n* sna cairn seo cuibheasach rialta'.[98] Más ea, is athrú é seo a raibh taithí éigin air ar fuaid na Mumhan. Is dócha gur nós é a d'fhéadfadh teacht chun cinn go neamhspleách in aon áit. Glacadh go ginearálta leis sa Mhumhain i bhfocal nó dhó, ghlac daoine aonair leis i mórán focal, ach ar an mórgóir chuir an pobal suas dó. Is é sin le rá nár glacadh leis mar chuid den chomhaontú sóisialta. B'fhéidir gurbh é an dála céanna é ag séimhiú *tá*, ag *dh'* roimh bhriathra dar tús guta, agus ag an urú i ndiaidh *don* – go bhféadfaidís teacht chun cinn go neamhspleách in áiteanna éagsúla sa tslí chéanna le *n* > *r* i ndiaidh consain, ach gur éirigh leo sin préamhú in áiteanna imeallacha sa Mhumhain ina raibh an comhaontú cainte réigiúnda níos laige.

IARTHAR NA GAILLIMHE AGUS AN MHUMHAIN

3.1 Tá foráis thábhachtacha áirithe de chuid an deiscirt forleathan i gCo. na Gaillimhe, ach amháin in áiteanna atá buailte suas le Co. Mhaigh Eo, go háirithe:

1. *-adh* > /ə/ san ainm, m. sh. *cogadh* > /kogə/, *baladh* /balə ~ balhə/.[99]
2. *-adh* > /əx/ sa bhriathar finideach gníomhach, m. sh. *chuirfeadh* /xir´həx/.[100]
3. Cealú /ɣ´/ idir gutaí i mbriathra mar *nigheann* > *níonn*, *báidheann* > *bánn*, *dóigheann* > *dónn*.[101]
4. Cailliúint na n-idirdhealaithe /L ≠ l/ agus /N ≠ n/ i gCois Fharraige,[102] i Mionlach agus i mBaile Chláir (eolas ó Bhrian Ó Curnáin).
5. Guta cúnta uaireanta i bhfocail mar *cúpla*, *freagra*, *seomra* ó Charna[103] trasna go dtí áiteanna in oirthear na Gaillimhe (eolas ó Bhrian Ó Curnáin).

Ina theannta sin, síneann roinnt tréithe coimeádacha deilbhíochta de chuid an deiscirt chomh fada ó thuaidh le tuaisceart na Gaillimhe, agus le deisceart Mhaigh Eo i gcásanna áirithe. Ceann acu is ea *t'* mar fhoirm den mhír shealbhach roimh ghuta, m. sh. *t'intinn*.[104] Ceann eile is ea an guta lag a bhíonn i ndeireadh *cearca, cheana, Sasana etc.* sa Ghaillimh in ionad an *-aí* atá forleathan i gConnachta (.i. *cearcaí, cheanaí, Sasanaí*; féach *LASID* don fhocal deiridh).[105] Maidir leis an stór focal, tuairiscíonn *LASID féachaint* in ionad *breathnú* sa chuid is mó d'oirthear na Gaillimhe, agus mar rogha air i roinnt pointí in iarthar an chontae.[106]

3.2 Tá tréithe eile de chuid an deiscirt nach mbaineann ach le cósta thiar na Gaillimhe agus le hOileáin Árann amháin (pointí 39-48 in *LASID*):

1 Guta fada nó défhoghar roimh *ll*, *nn*, *m*, *ng*, m. sh. in *poll*, *beann*, *im*, *long*.[107]

2 Fadú nó défhoghrú gutaí gearra go minic roimh chonsan + *r*, *l*, *n*, m. sh. *Aibreán*, *oibre*,[108] ag glacadh leis gur macalla é seo den athchóiriú siollach a thug guta cúnta sa Mhumhain i bhfocail den chruth sin, agus uaireanta in iarthar na Gaillimhe (féach tréith (5) in §3.1).

3 *-far* in ionad *-f(a)íor* sa bhriathar saor, aimsir fháistineach, m. sh. *cuirfear*.[109]

4 *muna* > *mara*;[110] *mur* an fhoirm i dTuar Mhic Éadaigh,[111] agus in oirthear na Gaillimhe (eolas ó Bhrian Ó Curnáin).

5 *is iomú* in ionad *is iomaí*.[112]

6 *doiséinne* in ionad *duisín*.[113]

7 An struchtúr copaile *fear is ea é*, m. sh. *'Spáinneach is ea é,' a deir sé*; *as Iorras Fhlionnáin bu dh'eadh iad*;[114] tá sé i gCois Fharraige chomh maith de réir dealraimh, agus i Mionlach, m. sh. *as an mbaile ab ea ceann acu*; *ocastóir i mBarr an Chalaidh ab ea í*.[115]

8 Réimse fairsing timchainteanna foirfe, m. sh. *tá an bhó bertha*, *tá sé fágtha an áit*;[116] *bó nach mbeadh beirthe*;[117] *siad a bheas buaite*, *tá sí beirthe le seachtain*, *tá mé labhairte le go leor acab*.[118]

3.3 Tá cúiseanna maithe lena cheapadh nach bhfuil stair rófhada laistiar de thréith (1) thuas in iarthar na Gaillimhe:

(a) Maireann an /a/ stairiúil in /am/ *am* agus i roinnt mhaith focal eile in Árainn[119] agus in Inis Meáin. Uaireanta bíonn /am/ mar mhalairt ar /ɑː/ in Iorras Aithneach; tá rogha idir /tuːm/ agus /tum/ *tom* san áit chéanna.[120] Féach Mapa 5.

(b) Tá rogha idir an guta gearr stairiúil agus guta fada nó défhoghar roimh chairn chonsan áirithe in iarthar na Gaillimhe, i bhfocail mar *aimsir, caint, iompar, ionsaí, cinnte, inseacht, cuntas, lonradh, long etc.*, (go háirithe cinn a bhfuil *m* nó *ng* iontu).[121]

Dá bhrí sin is fada ó bheith dulta i bhfeidhm go hiomlán an fadú/défhoghrú seo in iarthar na Gaillimhe. Maidir leis an rogha foirme in (b) thuas tá sé faighte amach ag Brian Ó Curnáin go bhfuil na foirmeacha a bhfuil guta fada nó défhoghar iontu in uachtar i ndeisceart Iorras Aithneach agus go bhfuil na foirmeacha stairiúla níos coitianta sa taobh ó thuaidh den leithinis sin. Is dócha go raibh an t-athrú seo ag dul chun cinn go dtí le déanaí in iarthar na Gaillimhe, agus b'fhéidir go bhfuil fós.

3.4 Is dócha gur tréith eile a bhí ag forleathadh faid a bhí an teanga á labhairt go fairsing ná an foirceann *-far* in ionad *-f(a)íor* stairiúil san fhoirm chéasta, aimsir fháistineach (féach Mapa 6). Maireann an fhoirm stairiúil sa chuid is mó de Chonnachta (le /h/, m. sh. *molbaíor*) agus mhair i gCairbre sa chaint laethúil go dtí lár an fhichiú haois.[122] Ach is dócha go raibh sé níos fairsinge i ndeisceart na Mumhan roinnt glúinte siar, mar baintear úsáid as fós i bpaidreacha agus in ábhar traidisiúnta eile i Múscraí.[123] Tá an chuma ar an scéal gur tháinig *-far* chun cinn ar dtús i gceantar lárnach éigin de chuid an deiscirt (lár nó oirthear na Mumhan, b'fhéidir) ar nós *-abhair* > /uːr´/, ach gur sine d'fhorás é *-far* agus breis dul chun cinn déanta aige dá réir sin. Tá samplaí fánacha de *-f(e)ar* sa Dán Díreach,[124] ach is dócha gur athrú déanach é *-abhair* > /uːr´/. Is ar éigean a ghaibh *-far* fan an chósta go Cois Fharraige agus Conamara, ós rud é gur *-haíor* atá fós i gcomharsanacht na cathrach.[125] Is cosúil mar sin gur de bharr teagmháil mhara a bhain *-far* amach Oileáin Árann agus cósta thiar na Gaillimhe araon, agus b'fhéidir nach rófhada atá sé fréamhaithe sa cheantar sin.

MAPA 5

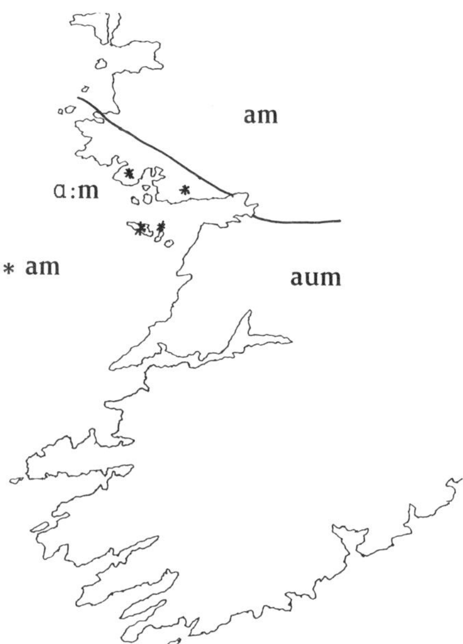

MAPA 6

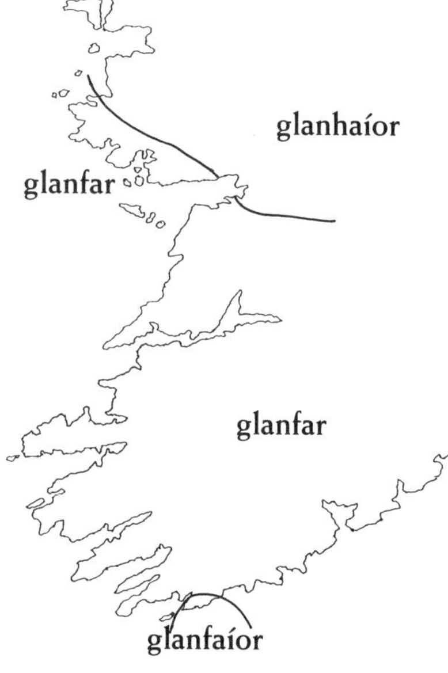

3.5 Ní mór tréithe seo an deiscirt in iarthar na Gaillimhe a mheas i gcomhthéacs stair shóisialta an cheantair. Ar an gcósta atá an pobal ar fad, geall leis, in iarthar na Gaillimhe, toisc nach bhfuil formhór mór an cheantair intíre oiriúnach d'áitreabh daonna. Mar thoradh air sin, is geall le leithinis an stríoca cósta ó Bhearna siar go Leitir Fraic. De cheal bóithre maithe, ba í an fharraige an príomhbhealach cumarsáide go dtí le déanaí. Ina theannta san, ní pobal seanbhunaithe atá in iarthar na Gaillimhe:

> It was the potato, not Cromwell, which peopled the west of Ireland. With the exception of some favoured locations (notably Corca Dhuibhne [Dingle peninsula] and the Burren), the west of Ireland was generally an area of new, not of old settlement; it was a modern rather than an archaic cultural landscape. New settlement gravitated to the Atlantic littoral, to the soggy Connacht interior, and to mountain slopes everywhere.[126]

Ní foláir gur mar chuid den ghluaiseacht sin daoine a tugadh tréithe teanga de chuid an deiscirt isteach in iarthar na Gaillimhe, ó Cho. an Chláir.

3.6 Tuairiscíonn Ó Curnáin roinnt forás a bhfuil cosúlacht acu le nósanna na Mumhan a bheith ag titim amach faoi láthair i measc cainteoirí óga in Iorras Aithneach. Ceann acu is ea ardú chúl na teanga le linn consain áirithe a bheith á ndéanamh (déadaigh is mó):

> The broad phonemes **n**, **s**, **t** and **h** are not generally phonetically velarised in traditional dialect, but they have become velarised in some young people's dialect. Broad **n** is the most frequently velarised of these consonants among younger speakers. One young speaker ... has consistent $\mathtt{n}^{\gamma}$, $\mathtt{s}^{\gamma}$, $\mathtt{t}^{\gamma}$ and $\mathtt{h}^{\gamma}$.[127]

Focail mar *naoi, suí, tuí, taobh, shuí* atá i gceist. Tá séimhiú ar *tá* i dtús cainte ag teacht chun cinn chomh maith, m. sh. '*thá go maith*', *a deir sé.*[128] Ní féidir athruithe comhaimseartha den chineál seo a cheangal leis na tréithe in §3.2. Foráis is ea iad seo a thiocfadh chun cinn go nádúrtha gan tionchar ón taobh amuigh. Agus dá mbeadh aon tionchar seachtrach le cur i gcás anois, is é tionchar na meán cumarsáide é.

IARTHAR CHORCA DHUIBHNE AGUS CEANTAIR Ó THUAIDH

4.1 Léiríonn *LASID* go bhfuil an fhoirm *meach* in ionad *beach* ar fud Chúige Chonnacht (taobh amuigh de roinnt pointí in oirthear an chúige), agus in áit amháin sa Mhumhain .i. iarthar Chorca Dhuibhne (féach Mapa 7).[129] Deir Hamp:

> This one stray spot ... geographically is the outermost piece of coast in Kerry which directly faces Connemara to the north in Connaught. Moreover, it seems that we may expect to see outside influences or innovations in West Kerry, for it is precisely here that we find, further to the south along the coast, in points 18 and 13, the mysterious form *pux*. I therefore regard the Kerry instances of *meach* as intrusions, and not as discontinuous retentions.[130]

MAPA 7

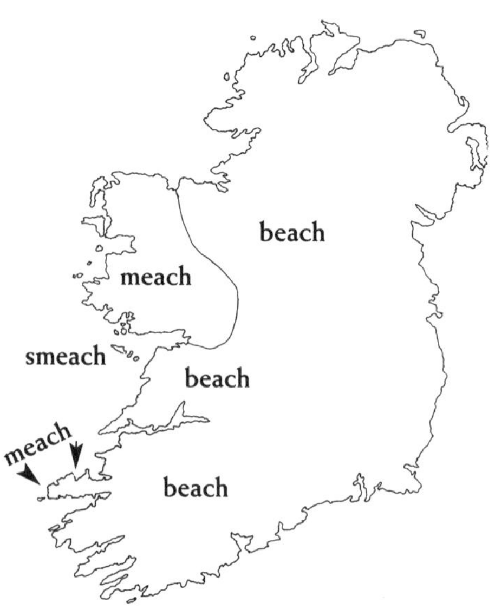

4.2 Tugaim liosta thíos de thréithe teanga eile atá i gcoitinne ag iarthar Chorca Dhuibhne le hiarthar na Gaillimhe. Tá fianaise ar chuid acu ó Cho. an Chláir chomh maith. Taobh amuigh de (1), níl tuairisc chinnte ar aon cheann acu a bheith sa chuid eile de chúige Mumhan:

1 Ardú *ó* go *ú* in aice le consain shrónacha, más fíor an léamh a rinneadh air seo in §2.9 thuas.
2 Carn consan /ŋg/ go minic in ionad /ŋ/ i bhfocail mar *teanga, ceangal,* fuaimniú atá in Uíbh Ráthach chomh maith.[131]
3 An cónasc ama *ach a,* m.sh. *ach a dtána isteach*; tá beagán fianaise air ó Cho. an Chláir agus tá sé coitianta in iarthar na Gaillimhe.[132]
4 *go mbí* mar fhoirm ghuítheach den bhriathar *tá,* le hais *go raibh.*[133]
5 Foirmeacha scartha uaireanta sa 3 iolra gnáthchaite agus coinníollach, m.sh. *bhíodh siad, bheadh siad.*[134]
6 *in ann* chun cumas a chur in úil, m. sh. *táim in ann é a dhéanamh.*[135] Níl sé seo coitianta i gCorca Dhuibhne, áfach.
7 *cé* mar fhoirm cheisteach ionaid uaireanta, m. sh. *cé rabhais aréir?,* féach *Cér fhágabhair bhur mbád?;*[136] tá sé seo coitianta i gCo. na Gaillimhe.
8 An dobhriathar treo *sall,* a chloistear in Oileáin Árann,[137] agus atá coitianta i gCois Fharraige chomh maith.[138]
9 /l´abə/ *leaba* mar rogha ar /l´abig´/ *leabaidh.*[139]

4.3 Tugann *LASID* an fhoirm *téirigí* mar shampla den dara pearsa iolra ordaitheach ó Dhún Chaoin,[140] agus mhaígh Máirtín Ó Murchú go mbíonn an foirceann *-igí* le briathra eile sa cheantar sin chomh maith.[141] Chaith Seán Ua Súilleabháin amhras ar fhoirm úd *LASID* áfach, go háirithe toisc nach dtugtar i gcomhthéacs í.[142] Ní heol dom féin aon sampla de *-igí* i litríocht an cheantair, ná in aon tuairisc ar an gcanúint taobh amuigh den dá cheann a luadh, agus níor chuala féin riamh é san áit. Dar ndóigh, ní féidir a léiriú go bhfuil foirm éigin in easnamh i gceantar faoi leith. Má tharlaíonn sé go bhfuil an foirceann *-igí* ag cainteoirí áirithe i gCorca Dhuibhne, nó má bhí go dtí le déanaí, agus nach faoi anáil na scolaíochta nó na gcuairteoirí é, bheadh an tréith sin le háireamh sa liosta thuas.

4.4 Tá sé réasúnta, dar liom, na tréithe in §4.2 a mhíniú faoi mar a mhínigh Hamp an fhoirm *meach* in iarthar Chorca Dhuibhne, mar thréithe de chuid dheisceart Chonnacht (agus Cho. an Chláir i gcásanna áirithe) a chuaigh i bhfeidhm ar iarthar Chorca Dhuibhne ar shlí éigin. Is deacair an ceangal sóisialta ba chúis leis sin a aithint anois, faoi bhun eolas níos mine a bheith againn ar stair na bádóireachta agus an iascaigh sna farraigí úd, ach b'fhéidir go bhfuil leid le fáil ó ghné amháin den chultúr ábharach. Síneann úsáid an bháid ar a dtugtar *curach* (*naomhóg* i gCorca Dhuibhne) anuas fan an chósta thiar chomh fada leis an Daingean. Níor bhain sí Corca Dhuibhne amach go dtí lár an 19ú haois de réir dealraimh, agus tugadh ainm áitiúil uirthi a bhí ann cheana ar churachán de chineál éigin. De réir an traidisiúin is teaghlach ar na Machairí in aice le Caisleán Ghriaire a rinne an chéad cheann acu sa leithinis, ar mhúnla a tháinig chucu ó Cho. an Chláir.[143] Dála na dtréithe teanga atá faoi chaibidil againn, cuireann úsáid na naomhóige i gcuimhne dúinn go mbaineann Corca Dhuibhne leis an Mumhain agus le cósta thiar na hÉireann araon.

FRÁMA TAGARTHA

Is féidir na tuairimí seo a leanas a chur chun cinn mar thoradh ar an bplé thuas. I dteannta a chéile tugann siad fráma tagartha dúinn chun na ceisteanna canúineolaíochta ab ábhar don aiste seo a shoiléiriú:

(a) Tá deighilt idir ceantar lárnach agus ceantair imeallacha, den chineál a bhfuil taithí uirthi sa chanúineolaíocht ghinearálta, le haithint go soiléir i gCúige Mumhan.

(b) Is féidir grúpa forás a aithint a tháinig chun cinn

ar dtús i lár nó in oirthear na Mumhan, is dócha, agus a leathnaigh faoin gcúige de réir a chéile.

(c) Leath cuid de na tréithe sin ó thuaidh go hiarthar na Gaillimhe.

(d) Tá a oiread sin tréithe forásacha i gcoitinne ag áiteanna ar an gcósta, ón Rinn ó thuaidh go Conamara, gur dócha go raibh tréithe teanga á malartú ó áit go háit ar feadh i bhfad, de bharr teagmháil mhara, ní foláir.

(e) Is cosúil gur leath roinnt de na tréithe áirithe sin anoir ó na Déise go dtí oirdheisceart Chorcaí, agus focheann níos faide siar go Cairbre.

(f) Ní miste a mheas gur tháinig tréithe eile a bhaineann le cósta na Mumhan chun cinn in áiteanna éagsúla go neamhspleách.

(g) Is fianaise iad tréithe áirithe de chuid Ghaeilge Chorca Dhuibhne ar theagmháil mhara leis na hairde ó thuaidh san am atá caite.

Hipitéisí is ea na pointí thuas a bheag nó a mhór, a dteastaíonn breis staidéir agus machnaimh orthu. Beidh éiginnteacht faoi leith ag baint le (d) agus (g) go dtí go n-aimseofar fianaise ar a gcúlra sóisialta. Ar deireadh, is ceisteanna sóisialta iad seo go léir. Dar ndóigh, tá *null hypothesis* ann, is é sin nach bhfuil i ndáileadh na dtréithe a pléadh thuas ach comhtharlú ar fad. Mura bhfuil aon toradh eile ar an léiriú san aiste seo, ní cás a rá go bhfuil an hipitéis sin curtha ó dhoras ag meáchan na fianaise ina coinne.

Admhálacha

Mura mbeadh an obair bhunúsach a rinne Brian Ó Cuív ar Ghaeilge Chorcaí san daichidí ní thosnóinn ar an staidéar a bhfuil tuairisc eatramhach air thuas. An-chabhair dom ab ea caibidil Sheáin Uí Shúilleabháin in *SnaG*. Ba mhór an spreagadh dom cuid de na ceisteanna seo a phlé le Eric Hamp. Táim faoi chomaoin faoi leith ag Brian Ó Curnáin as roinnt dréachtaí den aiste seo a léamh agus iad a phlé liom, agus as nithe áirithe a chur ar mo shúile dom. Ba mhór an chabhair dom an obair mhór atá déanta aige féin ar Ghaeilge Iorras Aithneach. Táim buíoch de Bhrian Ó Catháin agus de Roibeard Ó hUrdail chomh maith as roinnt pointí eolais.

---

1. B. Ó Cuív, *Irish Dialects and Irish-speaking Districts*, Dublin 1951, 47-72.
2. R. Ó hUiginn, 'Gaeilge Chonnacht', *SnaG*, 539-609; 551-2.
3. E. Hamp, 'The "Bee" in Irish, Indo-European, and Uraltic', *Ériu* 22 (1971), 185-6.
4. Ó Cuív, *Irish Dialects and Irish-speaking Districts*, 72.
5. *Ibid.*, 68.
6. *Ibid.*, 71.
7. *Ibid.*, 37.
8. J. Milroy, *Linguistic Variation and Change*, Oxford 1992, 83.
9. Ó Cuív, *Irish Dialects and Irish-speaking Districts*, 72.
10. *Ibid.*, 52-3.
11. *Ibid.*, 65.
12. Nuair a bheidh gá le comharthaí foghraíochta cuirfear / / timpeall orthu sin a thagraíonn d'fhóinéimeanna agus [ ] timpeall orthu sin a thugann eolas mion ar an bhfuaimniú. Maidir le téarmaíocht, freagraíonn 'forleathadh' agus an briathar 'leathann' don fhocal Béarla *diffusion*.

[13] S. Ua Súilleabháin, 'Gaeilge na Mumhan', *SnaG*, 479-538; 488; Ó Cuív, *Irish Dialects and Irish-speaking Districts*, 66-7.

[14] Ua Súilleabháin, 'Gaeilge na Mumhan', *SnaG*, 490.

[15] *Ibid.*, 489-90.

[16] *Ibid.*, 489.

[17] T. F. O'Rahilly, *Irish Dialects Past and Present: with chapters on Scottish Gaelic and Manx*, Dublin 1932, 73-4.

[18] B. Ó Buachalla, 'Phonetic Texts from Oileán Cléire', *Lochlann* 2 (1962), 103-21; 105.

[19] Ó Cuív, *Irish Dialects and Irish-speaking Districts*, 58-9.

[20] Ua Súilleabháin, 'Gaeilge na Mumhan', *SnaG*, 485-6.

[21] K. H. Jackson, 'Some Neologisms in Blasket Irish', *Éigse* 2 (1940), 43-4; 44.

[22] Ua Súilleabháin, 'Gaeilge na Mumhan', *SnaG*, 486.

[23] *Ibid.*, 517.

[24] S. Ó Duilearga, eag., *Leabhar Sheáin Í Chonaill*, Baile Átha Cliath 1948, 14.

[25] Jackson, 'Some Neologisms in Blasket Irish', 43.

[26] *LASID*, I, 192, 193, 282, pointe 10.

[27] *Ibid.*, 15.

[28] Ua Súilleabháin, 'Gaeilge na Mumhan', *SnaG*, 517

[29] *LASID*, I, 118.

[30] *Ibid.*, 119.

[31] *Ibid.*, 203.

[32] *Ibid.*, 268.

[33] *Ibid.*, 156.

[34] D. Ó Cróinín, eag., *Seanachas ó Chairbre*, I, Baile Átha Cliath 1985, 199.

[35] Ó Duilearga, *Leabhar Sheáin Í Chonaill*, 34.

[36] *Irish Dialects and Irish-speaking Districts*, 59.

[37] Ua Súilleabháin, 'Gaeilge na Mumhan', *SnaG*, 520.

[38] H. Andersen, 'Center and Periphery: Adoption, Diffusion and Spread', in J. Fisiak, eag., *Historical Dialectology: Regional and Social*, Berlin 1988, 39-83; 39.

[39] Féach P. Trudgill agus J. K. Chambers, *Dialectology*, Cambridge 1980, 183-4; H. H. Hock, *Principles of Historical Linguistics*, Berlin 1986, 440.

[40] 'Some Neologisms in Blasket Irish', 43.

[41] H. Wagner agus N. Mac Congáil, *Oral Literature from Dunquin, Co. Kerry*, Belfast 1983, 156.

[42] Ua Súilleabháin, 'Gaeilge na Mumhan', *SnaG*, 488; R. B. Breatnach, *The Irish of Ring, Co. Waterford. A phonetic study*, Dublin 1947, 50-1.

[43] Ua Súilleabháin, 'Gaeilge na Mumhan', *SnaG*, 485; Ó Cuív, *Irish Dialects and Irish-speaking Districts*, 53, 62.

[44] Ó Cuív, *Irish Dialects and Irish-speaking Districts*, 64.

[45] *Ibid.*

[46] Ua Súilleabháin, 'Gaeilge na Mumhan', *SnaG*, 490; Ó Buachalla, 'Phonetic Texts from Oileán Cléire', 105.
[47] Ó Cuív, *Irish Dialects and Irish-speaking Districts*, 63.
[48] *Ibid*., 53, 63.
[49] *Ibid*., 64, agus Ó Buachalla, 'Phonetic Texts from Oileán Cléire', 106 faoi seach.
[50] Ó Cuív, *Irish Dialects and Irish-speaking Districts*, 65, 69.
[51] *Ibid*., 65; Ua Súilleabháin, 'Gaeilge na Mumhan', *SnaG*, 519.
[52] Ó Cuív, *Irish Dialects and Irish-speaking Districts*, 65.
[53] *Ibid*., 53; Ua Súilleabháin, 'Gaeilge na Mumhan', *SnaG*, 517, 521.
[54] Ó Cuív, *Irish Dialects and Irish-speaking Districts*, 70.
[55] *Ibid*., 64; Jackson, 'Some Neologisms in Blasket Irish', 43.
[56] Ua Súilleabháin, 'Gaeilge na Mumhan', *SnaG*, 525.
[57] Ó Cuív, *Irish Dialects and Irish-speaking Districts*, 63.
[58] Ua Súilleabháin, 'Gaeilge na Mumhan', *SnaG*, 526.
[59] Ó Cuív, *Irish Dialects and Irish-speaking Districts*, 65.
[60] Ó Cróinín, *Seanachas ó Chairbre*, I, 567.
[61] D. Ó Sé, *Gaeilge Chorca Dhuibhne*, Baile Átha Cliath 2000, 355.
[62] Ó Cuív, *Irish Dialects and Irish-speaking Districts*, 64.
[63] *Ibid*., 65, 69.
[64] *Ibid*., 65.
[65] *Ibid*.
[66] *LASID*, I, 134.
[67] Ua Súilleabháin, 'Gaeilge na Mumhan', *SnaG*, 490.
[68] *Ibid*., 533.
[69] *Ibid*., 525-6.
[70] *Irish Dialects and Irish-speaking Districts*, 65.
[71] C. Ó Dochartaigh, *Dialects of Ulster Irish, Belfast* 1987, 151.
[72] H. Wagner, 'A Linguistic Atlas and Survey of Irish Dialects', *Lochlann* 1 (1958), 1-48; 12.
[73] *Ibid*., 36.
[74] Féach *LASID*, I, 167, 252.
[75] S. Ó hAnracháin, *Caint an Bhaile Dhuibh*, Baile Átha Cliath 1964, 19.
[76] O'Rahilly, *Irish Dialects Past and Present*, 195; T. de Bhaldraithe, *The Irish of Cois Fhairrge, Co. Galway. A phonetic study,* Dublin 1945, 86; *LASID*, I, 167, 252.
[77] N. M. Holmer, *The Dialects of Co. Clare*, I, Dublin 1962, 54.
[78] A. Ó Maolfabhail, eag., *Logainmneacha na hÉireann, I. Contae Luimnigh,* Baile Átha Cliath 1990, 222.
[79] *Ibid*., xvii, agus féach 'Taidhng a chaca' mar leagan de Toinn an Chaca i gCois Máighe, 255.
[80] Ó Cuív, *Irish Dialects and Irish-speaking Districts*, 68-9.
[81] *Ibid*., 50, 52; Ua Súilleabháin, 'Gaeilge na Mumhan', *SnaG*, 486.
[82] Ó Cuív, *Irish Dialects and Irish-speaking Districts*, 61.

[83] *Ibid.*, 63; Ua Súilleabháin, 'Gaeilge na Mumhan', *SnaG*, 483; Breatnach, *The Irish of Ring*, 12-3.

[84] Ó Cuív, *Irish Dialects and Irish-speaking Districts*, 61; Breatnach, *The Irish of Ring*, 9.

[85] Ó Cuív, *Irish Dialects and Irish-speaking Districts*, 64.

[86] Ua Súilleabháin, 'Gaeilge na Mumhan', *SnaG*, 517; *LASID*, I, 123 137.

[87] O. Bergin, *Stories from Keating's History of Ireland,* Dublin 1930, xv.

[88] S. Watson, 'Gaeilge na hAlban', *SnaG*, 661-702; 667.

[89] Jackson, 'Some Neologisms in Blasket Irish', 43.

[90] Féach J. J. Ohala, 'Phonetic Explanation in Phonology', in A. Bruck, R. A. Fox agus M. W. LaGaly, eag., *Papers from the Parasession on Natural Phonology*, Chicago 1974, 251-74; 256-7.

[91] W. Labov, *Sociolinguistic Patterns*, Pennsylvania 1972, 1-42.

[92] Téarma Fraincise ar an bparóisteánachas é sin, féach F. de Saussure, *Cours de linguistique générale*, Paris 1979, 281, agus tagairtí ag Andersen, 'Center and Periphery: Adoption, Diffusion and Spread', 39.

[93] R. Ó hUiginn, 'Gaeilge Chonnacht', *SnaG*, 604.

[94] O'Rahilly, *Irish Dialects Past and Present*, 22.

[95] N. Williams, 'Na Canúintí a Theacht chun Cinn', *SnaG*, 446-78; 472.

[96] *LASID*, II, pointe 13, ceist 763.

[97] Ó Cuív, *Irish Dialects and Irish-speaking Districts*, 65.

[98] Ua Súilleabháin, 'Gaeilge na Mumhan', *SnaG*, 490.

[99] O'Rahilly, *Irish Dialects Past and Present*, 66; *LASID*, I, 268.

[100] O'Rahilly, *Irish Dialects Past and Present*, 71; Ó hUiginn, 'Gaeilge Chonnacht', *SnaG*, 556.

[101] de Bhaldraithe, *The Irish of Cois Fhairrge*, 37.

[102] *Ibid.*, 119.

[103] B. Ó Curnáin, *Aspects of the Irish of Iorras Aithneach, County Galway*, tráchtas Ph. D. gan foilsiú, An Coláiste Ollscoile, Baile Átha Cliath 1996, I, 84.

[104] *LASID*, I, 142.

[105] *Ibid.*, 113.

[106] *Ibid.*, 126.

[107] O'Rahilly, *Irish Dialects Past and Present*, 49-50; *LASID*, I, 66.

[108] O'Rahilly, *Irish Dialects Past and Present*, 202, fn. 2, agus féach na foirmeacha den fhocal *Aibreán* in *LASID*, I, 236.

[109] *LASID*, I, 192, 193, 282.

[110] T. de Bhaldraithe, *Gaeilge Chois Fhairrge: An Deilbhíocht*, Baile Átha Cliath 1953, 186; agus féach *marach* in *LASID*, I, 172.

[111] S. de Búrca, *The Irish of Tourmakeady, Co. Mayo. A phonemic study,* Dublin 1958, 88.

[112]. *LASID*, I, 111.

[113] *Ibid.*, 40.

[114] B. Ó Curnáin, *Aspects of the Irish of Iorras Aithneach, County Galway*, II, 488.

[115] T. de Bhaldraithe, eag., *Seanchas Thomáis Laighléis,* Baile Átha Cliath 1977, 142 agus 91 faoi seach.

[116] Ó Curnáin, *Aspects of the Irish of Iorras Aithneach*, II, 412.

[117] M. Dillon, 'Notes from Inishmaan, Co. Galway', *Éigse* 1 (1939), 210-3; 211.

[118] T. de Bhaldraithe, 'An Aidiacht Bhriathartha', *Éigse* 6 (1949), 47-9; 48.

[119] S. Ó Murchú, 'Nótaí Canúna ó Árainn, Contae na Gaillimhe', *Éigse* 25 (1991), 95-101; 96.

[120] Ó Curnáin, *Aspects of the Irish of Iorras Aithneach*, I, 45.

[121] Féach de Bhaldraithe, *The Irish of Cois Fhairrge*, 110.

[122] *LASID*, I, pointe 10, *pósfaíor*, 192; *cuirfíor*, 193; *báfíor* 282.

[123] Ua Súilleabháin, 'Gaeilge na Mumhan', *SnaG*, 520.

[124] D. McManus, 'An Nua-Ghaeilge Chlasaiceach', *SnaG*, 335-445; 401.

[125] Féach pointí 37, 38 in *LASID*, I, 192, 193, 282.

[126] K. Whelan, 'The Modern Landscape: From Plantation to Present', in F. H. A. Aalen, K. Whelan agus M. Stout, eag., *Atlas of the Irish Rural Landscape*, Cork 1997, 67-103; 83.

[127] Ó Curnáin, *Aspects of the Irish of Iorras Aithneach*, I, 97.

[128] *Ibid.*, 437.

[129] *LASID*, I, 49

[130] Hamp, 'The "Bee" in Irish, Indo-European, and Uraltic', 186.

[131] Ua Súilleabháin, 'Gaeilge na Mumhan', *SnaG*, 489.

[132] B. Ó Buachalla, 'Stair an Chónaisc *Acht Go*', *Ériu* 23 (1972), 143-61; 147-50.

[133] Ua Súilleabháin, 'Gaeilge na Mumhan', *SnaG*, 533.

[134] Ó Sé, *Gaeilge Chorca Dhuibhne*, 247.

[135] T. S. Ó Máille, 'Focla Nua-Ghaeilge agus a bhFréamh', *Éigse* 11 (1965), 85-99; 85-8; agus féach O'Rahilly, *Irish Dialects Past and Present*, 239-40.

[136] R. A. Breatnach, eag., *Ar Muir is ar Tír. Caibidlí do bheatha Mhuiris Uí Chatháin ón Oileán Tiar*, Maigh Nuad 1991, 51.

[137] P. Walsh, 'On Some Irish Adverbs', *Gadelica* 1 (1912-3), 132-4; 132.

[138] S. Ó Murchú, *An Teanga Bheo: Gaeilge Chonamara*, Baile Átha Cliath 1998, 55.

[139] *LASID*, I, 141.

[140] *LASID*, II, Pointe 20, ceist 732.

[141] M. Ó Murchú, 'The 2 Pl. Imperative in Modern Irish', *Ériu* 35 (1984), 163-71; 165, 167.

[142] Ua Súilleabháin, 'Gaeilge na Mumhan', *SnaG*, 518.

[143] M. Mac Conghail, *The Blaskets: A Kerry Island Library, Dublin* 1987, 50.

'sa chomann ghrinn

sùil air seinn, sluagh agus coimhearsnachd

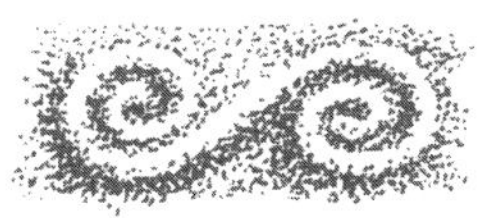

IAIN SEATHACH

Anns na deicheadan mu dheireadh tha cuspairean ùra air nochdadh ann an rannsachadh air litreachas-beòil nan caochladh dhùthchasan a tha dol gu math na's fhaide, agus air dòigh na's doimhne, na 'n teacs beul-aithris fhéin.[1] 'S ann eadar-raonail a tha a' mhòr-chuid dhe na h-àrainnean-eòlais ùra seo a th'air fosgladh amach, 's iad a' comharrachadh an taobh shòisealta: na feumalachdan a choilionas dualchas-beòil aig sluagh àraid; eadar-iomairt seinneadair/sgeulaiche agus luchd-éisdeachd; giùlan is cleachdadh-beòil; gluasadan corporra; oideas agus dearbhadh; meadhannan agus dòigheannan aisig; inbhe agus duaisean; atharrachadh thro ùine. 'Na lùib seo thathar a' gabhail barrachd suim ann an eòlas is ann an cumadh-inntinn a' bheulaiche fhéin (neo a c[h]oimhearsnaich) agus a' toirt feairt air fiosrachadh is beachdan 'nàdarra' a tha ri fhaotainn bhuapasan a tha beò am broinn cultair sam bith.[2] Mar is minig a thachair roimhe seo chaidh na ceistean seo a chur an toiseach anns na dùthchannan céine 's cha robh móran mun deidhinn anns na ceàrnaidhean Gàidhealach gu ruige bho chionna ghoirid.[3] 'San t-seagh seo tha Breandán Ó Madagáin air réiteachadh mór a dheanamh air an t-slighe a thaobh chleachdaidhean a bha ceangailte ri òrain 'sna coimhearsnachdan ann an Éirinn ré na 19mh linn, agus tha an obair sin a' deanamh soilleir dhuinn gu bheil an obair-rannsachaidh cheudna ri dheanamh anns na ceàrnaidhean Gàidhealach 'sa bheil an dualchas fhathast beò.[4]

Ma tha ceàrnaidhean ann a tha air leth freagarrach dha'n a leithid seo a rannsachadh, tha e follaiseach gu bheil Eilean Cheap Breatainn, an Alba Nodha, 'san t-sreath. Cha'n e a mhàin gun tànaig na Gàidheil ann 'nam mìltean à taobh an iar na h-Alba tràth 'san 19mh linn; 's e an aon cheàrn dhe'n t-saoghal taobh amuigh na Roinn Eòrpa 's an do ghabh dualchas na Gàidhlig bun gu daingeann. Gu ruige an deichead mu dheireadh gheobhte feadhainn 'sa raon-chruinneachaidh a bha mion-eòlach air seann òrain 's a h-uile sian a bha fuaighte riuth', agus bha Lachlann Mac'IllFheòlain ('Lachlann Dhòmhnaill Nìll'), as a' Chamus Leathan an Siorrachd Inbhirnis, air fear dhiubh sin.[5] A bharrachd air a bhith 'na shaor agus 'na shàr-sheinneadair, bha comasan eile aig Lachlann: eadar 1975 agus 1989 chaidh roinn do dh'eachdraidh a bheatha a chlàradh cho math ri naidheachdan eile a tha toirt dhuinn sealladh luachmhor air na dearbh cheistean-rannsachaidh a tha shuas. Mun aon àm rinneadh agallamhan-raoin còmhla ri feadhainn eile 'sa Chamus Leathan agus na b'fhaide air falbh a chuir gu mór ris an dealbh a tha sinn a' faighinn dhe'n chùis.

Ann am parraiste Caitligeach a' Chamuis Leathain bha na daoine aig Lachlainn sònraichte gu òrain is gu sgeulachdan agus rinneadh soilleir bho thùs gun tànaig an dìleab seo anuas bho ghlùin gu glùn. Cha'n eil fhios le cinnt cuine dh'fhàg Gilleasbuig Fhearchair, a shìn seanair air taobh athar, an 'sgreaban cruaidh do bhaile agus e clachach' ann am Beòraid Mhòrair, ach air réir coltais thog iad fearann ann an Dùnbheagain mun do thòisich na mìltean do luchd-imrich as a' Ghàidhealtachd air dòrtadh astaigh dha'n eilean eadar 1820 agus 1830. Thànaig an sin a shìn seanair eile air taobh athar, Gilleasbuig MacIllFheòlain ('Gilleasbuig mac an Tàilleir') as a' Bhurblaich, aig beul Abhainn Mhòrair, ann an 1815, agus as deaghaidh dhaibh beagan bhliadhnachan a thoirt air tìr mór na h-Alba Nodha rànaig iad an Beinn an Tàilleir 'sa Chamus Leathan ann an 1820. Bha Gilleasbuig mac an Tàilleir 'na shàr-iasgair, agus thionndaidh e ri bàrdachd 'na sheann aois.[6] Tha e 'san t-seanchas gun leubhadh 's gun sgrìobhadh e 'sa Ghàidhlig; 's ann bho Chloinn an Tàilleir cuideachd a thànaig a' mhór-chuid do dh'òrain Lachlainn anuas thro Niall, bràthair athar, agus Seònaid, a sheanmhair.[7]

Rugadh Lachlann ann an 1910 agus tha na tachartasan 's na cleachdaidhean a th'air chuimhne aige fhéin is feadhainn dh'a ghinealach ag innse dhuinn móran mun t-seasamh a bha aig seinn is òrain 'sa choimhearsnachd aca agus anns gach ceàrn 'san cluinnteadh Gàidhlig. Chaidh neart do chuspairean 's do phuingean a thogail leis na seann daoine, agus tha mi air a trì dhiubh sin a thaghadh amach a tha a choltas a bhith air leth smaoineachail agus feumail ann a bhith a' beachdachadh air seann chleachdaidhean seinn: ionnsachadh 's aiseag; femalachdan sòisealta; agus seasamh 's inbhe a' bhàird ionadail.

'S iomadh caochladh a thànaig air coimhearsnachdan dùthchail an eilein 'sna trì fichead bliadhna a chaidh seachad, 's cha lugha dhiubh sin cho fìor ainneamh 's a chluinnear luinneag 'ga seinn aig an t-sluagh an diugh seach mar a dheanadh an t-seann fheadhainn. Air réir fhianaisean a thugadh seachad le seinneadairean is eile dhe'n ghinealach sin a tha fhathast beò, 'cha robh latha nach cluinnt' òran agus gu h-àraid air an oidhche.'[8] A' dol seachad air na bailtean-fearainn chluinnte feadhainn a' seinn aig an obair, airneo nan suidheadh iad tacan a ligeil an anail; ag iomain dhachaidh a' chruidh agus 'gan leagail;[9] bhiodh duanag aig boireannaich a' fighe agus aig tuathanach air tractor a' dol suas a' bheinn a ghearradh bhlocaichean spruiseadh; ann an cuid dhe na sgìrean Prostantach chuireadh na fireannaich seachad an ùine le laoidhean ri obair throm a' tarraing logaichean amach as a' choillidh an àm a' gheamhraidh; agus 's iomadh turus a chluinneadh muinntir Mhira le mór-thoileachas na coimhearsnaich a' tilleadh à baile mór Shudni is deagh-shunnd orra an deaghaidh dhaibh latha a chur seachad an ceann gnothaich. Leis cho pailt 's a bhiodh na cothroman air a leithid ann an caitheamh-beatha an t-sluaigh, cha'n urrainn nach robh caoinean is ceathramhan òran thar nan ginealaichean a' deanamh suas cuid mhór dhe'n chòmhradh phearsanta a' bhiodh a' ruith an cridhe 's an ceann gach aoin.[10] Am measg an t-seann fheadhainn co-dhiubh 'san àrainn, 's e an t-seinn a b'fheàrr leo' mar fhearas-chuideachd agus 'dh'éisdeadh iad rithe air thoiseach air ceòl sam bith'.[11]

Ma 's e gu robh na h-òrain fillte a dhlùth 's a dh'uachdar 'san dòigh-beatha ionadail, 's fhiach dhuinn sùil a thoirt air na 'feumalachdan' a coilionas iad, agus coimeasan a dheanamh ri dualchasan eile.[12] Nuair a chuireadh a' cheist fharsaing: carson a bhite a' gabhail òran idir, bha feadhainn gu follaiseach fo imcheist, mar nach b'e ceist a bh'ann idir 'nam beachd-san. An àite bhith ag àireamhachadh 's a mìneachadh mar a dheanadh neach-rannsachaidh, chluinnte freagairtean mar seo: 'Gabhail òrain? Uill, cha'n eil fhios a'm. Bha iad a' gabhail òrain bho'n a thòisich a' saoghal.'[13] 'S e th'air cùl seo, 's dòcha, ach cumadh-inntinn 'sa bheil an t-òran cho mór anns an smior agus cho bunaiteach 's a tha an talamh fo'n casan neo an t-adhar fos an cionn.

Bha e ceadaichte do gach neach 'san t-saoghal a bh'ann òran a ghabhail, agus bu bheag an àireamh nach biodh idir ris. 'S léir dhuinn air réir gach cunntais is fianais gu robh na coimhearsnachdan Gàidhlig 'nan àrainneachd-ionnsachaidh air leth, a' toirt a h-uile cothrom is brosnachadh dha'n chloinn co-phàirt a ghabhail 'san t-seinn. Mar bu trice, thòisicheadh feadhainn a bha gu bhith 'nan seinneadairean air ionnsachadh glé òg, 'cho luath 's a thuigeadh iad facail is ceòl' le taic chunbhalach bho na boireannaich:

> Feadhainn aig am biodh guth òrain, nuair a bhiodh iad ceithir na còig a bhliadhnaichean a dh'aois 's cinnteach gu leòr gu rachadh rannan do dh'òrain ionnsachadh dhaibh. Bha iad a' cluinntinn nan òran cho tric co-dhiubh ... Bha na boireannaich 'san àm sin, bha na h-òrain ac' cho cumanta. Cha mhór bhoireannaich a bha 'san àit' sin nach robh òrain aca.[14]

Bhiodh am foghlum neo-fhoirmeil seo a' leantail thro bheatha gach òranaiche, 's bha a bhuil a' toirt fianais shoilleir air an neart 's an luach a bh'air cùlaibh a' chleachdaidh ann am beachd an t-sluaigh. Bhite a' brosnachadh an ògraidh pàirt a ghabhail anns na luaidhean – 'uaireannan shuidheadh iad mun bhòrd; neo-ar-thaing nach biodh iad a' coimhead, cumail sùil air dé bha dol air adhart'[15] – agus mar sin gheobhadh iad a' cheud eòlas air seinn is òrain gun tàir gun strì. Air réir cunntais Lachlainn 's a cho-aoisean cha ruigear a leas gabhail ris gu robh a leithid leasachadh-inntinn ann 's a gheobhar m.e. aig cuid dhe'n luchd-siubhail ann an Albainn.[16] Ann an Ceap Breatainn, 's ann a bhite ag ionnsachadh bho thùs thro stiùireadh neo-fhoirmeil gu ruige nan deugan, agus cha'n ann am broinn sgoile ann an àite stéidhichte neo a' ruith air réir clàr-ama. 'S an dòigh seo, bha an t-oideas 'sa choimhearsnachd tur eadar-dhealaichte bho sgoil na Beurla, ach gu math coltach ri aiseag nan sgilean gnàthasach eile: saoirsneachd, obair-choille agus figheadaireachd. Bho cheud chuimhne, fhuair Lachlann cothrom is eòlas air òrain bho dhaoine a thigeadh cruinn 'nan còmhlan: mar bu trice dlùth-chàirdean dha fhéin a thigeadh air astar goirid air sgrìob 's a ghabhadh iomadh seòrsa òran, 'nam measg rannan a dheanadh iad fhéin. Gheobhte caochladh ghinealaichean 'sna buidheannan seo, bho'n a bha a sheanair Niall Ruadh is a sheanmhair Seònaid, 's iad fhéin 'nan deagh-sheinneadairean, a' fuireach còmhla riuth' 'san àm. Chithear an darna ceum 'san oideas nuair bheirte seachad comhairle is taic do neach òg fa leth le òranaiche aig a robh seasamh. Tha a h-uile coltas ann gu robh Lachlann fhéin mothachail air na cothroman 's na buannachdan a thànaig 'na rathad, agus tha sin a' toirt air shùilean dhuinn aig a' cheart àm am meas is a' bhàigh phearsanta a bha an cois sin:

> Ann an toiseach mo chuimhne nuair nach robh mi ach glé òg cha robh sian air an t-saoghal a b'fheàrr leamsa na falbh mach air an oidhche 's a dhol a dh'àite air choireiginn 's a bhith ri gabhail òran 's naidheachdan. Bha àite 'Illeasbuig Aonghuis 'ic Alasdair air fear dhiubh sin.[17] Bha e fhéin 'na dhuine gasda 's bha a bhean cho math 's a ghabhadh i, agus shuidh e suas a' gabhail òran 's dh'inns' e naidheachdan aite. Gheobhadh e greim orm-s' shios:
>
> 'Lachainn, gabh an t-òran seo. Gabh a leithid seo do dh'òran.'
>
> Uill, ghabhainn-sa na bh'agam dhiubh agus aig an àm[18] cheudna bha mise 'gan ionnsachadh bho Ghilleasbuig Aonghuis 'ic Alasdair 's bho iomadh

> duine' eile: Eóghann Dhòmhnaill 'ic Aonghuis,[19] muinntir Ruairidh Ailein, Iain Dhòmhnaill Bhàin: neo'r-thaing nach biodh oidhche mhath againn. 'S ann mar sin a bha mi 'gan ionnsachadh.[20]

Tha cuimhn' aig Floraidh Nic 'IllFheòlain,[21] bana-choimhearsnach dha, mar a bhiodh Lachlann 's a theaghlach a' dol seachad air an t-slighe chun na h-aifrinn agus a' tadhal astaigh air Eóghann a h-athair air an tilleadh, gus cairtean a chluich agus òran no dhà a ghabhail. Aig deireadh seachdainn bhiodh Lachlann a' tadhal orra air an rathad dhachaidh bho'n bhaile, a' riarachadh mun cuairt na fhuair e ann 's a' cur seachad na h-ùineadh ri òrain:[22]

> 'S e fìor dhuine laghach a bh' ann an Eóghann Dhòmhnaill 'ic Aonghuis. Tha cuimhne mhath agam air agus bha e làn do dh'òrain. 'S dol reachadh tu astaigh bhiodh e glé thoilichte suidhe suas còmhla riut 's dh'*entertain*eadh e thu fhad's a bhiodh tu astaigh. Bha e math air òrain 's bha e math air naidheachdan, an dà chuid. Agus b'fhìor thoil leamsa bhith dol ann a dh'éisdeachd ri Eóghann Dhòmhnaill 'ic Aonghuis. Bu thoil leam e. Dh'innseadh e naidheachdan beaga 's dh'fhàgadh e sin agad fhéin ri chur air dòigh.[23]

Bha a' mhór-chuid dhe'n luchd-taic a chaidh ainmeachas a' còmhnaidh anns na taighean céilidh, rud a bha freagairt gu mór do neo-fhoirmeileachd nan dòigheannan-teagaisg 'sam àm. Am measg sheinneadairean dh'a ghinealach, ged thà, bha Lachlann air a shònrachadh ann a bhith faighinn oideas an dà chuid farsaing is mionaideach bho Niall Aonghus, bràthair athar. Ann an saoghal anns an robh cruadal corporra fighte astaigh ann am beatha an t-sluaigh, bha Niall air a mheas 'na dhuine air leth. Chaill e fhradharc nuair a bha e a' fàs suas 'na dhuine, ach a dh'aindeoin na buille chruaidh a bha seo rinn e a cheart uibhir a dh'fheum, eadar obair-thuathanachais agus a bhuaidheannan-inntinne fhéin, ri duine a bha beò 'sa Chamus Leathan 'na latha. 'S an dealbh a tha Lachlann air toirt dhuinn air mar a ghabh Niall fos làimh a theagasg, cha'n eil guth air stoidhle neo cleachdadh teignigeach ann an seinn – taobh a thogadh gach neach 'sa chuideachd gun a bhith mothachail air – ach 's ann air teacs fhéin an òrain a bhite a' tarraing. Thòisicheadh iad air òran ùr 'san fheasgar goirid ro àm a dhol a laighe – bhiodh Niall 'na shuidhe 'san t-seidhir-rocaidh taobh an stòbh a' cumail connadh ris – agus leanadh an leasan air la'r-na-mhàireach:

> Madainn a la'r-na-mhàireach bha Niall truagh air a chois aig soilleireachadh agus dol gheobhadh e an tein' air dòigh 's gheobhadh e an coir' air goil thigeadh e suas, dhùisgeadh e mis' agus dh'éirinn-sa anuas.
>
> 'A Lachainn, dé na bheil agad dhe'n òran a bha sinn ag obair air a raoir?'
>
> Thòisichinn-sa air air mo shocair. Cha bhiodh a dhìth orm ma dh'fhaoidte ach a dhà neo thrì dh'fhaclan 's bha e agam uileadh, an t-òran.
>
> 'Uill a nise,' thurt esan, 'bi 'ga ghabhail dhut fhéin agus ma bhios facal sam bith ann nach eil thu tuigsinn foighneachd dhomhs' e.'[24]

Bhiodh feadhainn a' cur luach mór air snas is pongalachd 'san ionnsachadh. Am broinn an taighe fhéin 's minig a chluinnte Niall còir a' gràdhainn le faighdinn ris a' ghiullan: 'Glé mhath, a Lachainn, glé mhath. Ach dh'fhàg thu seo as.' Ma bha na faclan fhéin cudthromach, bha òrdugh nan ceathramhan air an aon réir, leis an earalas 'Feumaidh tu an gnothach a chur as deaghaidh a chéile.'[25] Tha prionnsabal bunaiteach mu 'aithriseachd' ann an òrain air cùlaibh seo; thog Lachlann sin 's bha e 'na chairt-iùil aige bho'n àm sin:

> An uair ud 's e rud mór a bh'ann an òran. Ma bha thu dol 'ga ghabhail dh'fheumadh e bhith agad. Cha deanadh e sian a dh'fheum dhut tòiseachadh air rannan airson rud a ghabhail nach tuigeadh tu fhéin

> na duin' eile. Dh'fheumadh tu an t-òran a ghabhail ceathramh an deaghaidh ceathramh. Tha cuimhn' a' m air a bhith 'ga ionnsachadh bho Niall:
>
> 'A nise, a Lachainn,' thuirt e, 'tha thu dol a dh'innse naidheachd. Agus feumaidh tu falbh ceathramh an deaghaidh ceathramh.'
>
> Agus 's e sin a chuireas am blas air an òran. Dh'ionnsaichinn mar sin bho Niall e. Ach b'fhìor thoil leamsa bhith 'gan ionnsachadh.[26]

Gu ìre mhór bhite a' cur cudthrom 'sa choimhearsnachd air aithriseachd ann an ionnsachadh 's ann an cleachdadh agus tha cuimhne aig Lachlann air Niall a bhith a' gràdhainn ris gu sìmplidh: 'Tuig an t-òran.'[27] Am measg shluaghannan an t-saoghail cha'n eil seo fhéin 'na annas – gheobhar m.e. ann an ceàrnaidhean eile do dh'Ameireaga e[28] – agus tha e coltach gu bheil aithriseachd, meadaireachd, caoin, cuimhne air faclan agus air stuth dhe'n aon t-seòrs' a tha beò 'san dualchas a' toirt taic dha chéile.[29] Ach tha deagh-sheansa gu bheil na Gàidheil air leth mothachail air an taobh seo dheth; bha barrachd air aon seinneadair a' deanamh follaiseach gu dé tha toirt bàrr: 'Bha an t-òran 'na naidheachd fhéin. Bha e 'na naidheachd nuair a bha a h-uile sian air a chuir sios ann an òrdugh ... Uaireannan 's e a' bhàrdachd, 's uaireannan 's e a' chaoin, agus a' chuid bu mhotha dhe'n ùine 's e brìgh an òrain.' Agus gu dé 's ciallt dha sin? 'An rud a chaidh an t-òran a dheanamh mu dheidhinn' – 's e sin an cuspair a tha a' laighe aig teis-meadhan an òrain. Cha'n ioghnadh leinn gu faighear an dearbh bheachd anns an t-seann nòs aig Gàidheil na h-Éireann, 's tha seo a' cur f'ar comhair gur e rud a bh'ann bho shean 's a chaidh fhàgail againn air gach taobh bho'n dùthchas choitcheann.[30]

Gheobhar cunntaisean dhe'n aon seòrsa anns na coimhearsnachdan eile, co-dhiubh 's e boireannaich neo fireannaich a bh'ann. Dh'innis fear a mhuinntir Eilean na Nollaig, Peadar Jack Pheadair, mu thrup nuair a bha a phàrantan air ùr-phòsadh. Bha

Bean Iain Ruairidh 'ic 'IllFheòlain a' cur seachad beagan laithichean còmhla riuth' 'san àm agus dh'ionnsaich i òrain do bhean an taighe a rinn i fhéin. An àm dhi bhith togail rithe

> sheas i aig an dorus 's i fàgail 's thionndaidh i ri'm mhàthair 's thuirt i ri'm mhàthair, ors' ise:
>
> 'Na h-òrain', ors' ise, 'a rinn mise 's a dh'ionnsaich mi dhuibh, nuair ghabhas sibh na h-òrain sin, feuch,' ors' ise, 'nach bi ag annta.'

Thug Peadar seachad a smuaintean fhéin air gu dé bha 'san amharc aig an t-seann té:

> Bha toil aice na h-òrain a ghabhail mar a chaidh an deanamh - mar a chaidh an cur 'na chéile - nach biodh sgàth ceàrr orra. Nach biodh difir as na faclan na difir as a' chànan mar a ghabhadh i an t-òran.[31]

Bhite a' gabhail ris an deaghaidh sin gun tigeadh iomadh atharrachadh ann an òran, le faclan air an cur ris neo air am fàgail as, air thàilleabh nach robh cuid 'ach a' falbh car air réir an t-seanchais', gu h-àraid feadhainn aig nach robh na sgilean éisdeachd buileach suas ris an taghadh.[32] Tha eisimpleir againn bho'n Chamus Leathan a tha gu math feumail ann a bhith tuigsinn meud agus nàdur nan atharrachaidhean seo. 'San deichead mu dheireadh dhe'n 19mh linn nuair a bha e suas ann am bliadhnachan rinn Gilleasbuig Mac'IllFheòlain ('Gilleasbuig mac an Tàilleir') as a' Bhurblaich òran agus chaidh a chur an clò an déidh a bhàis ann am pàipear naidheachd ionadail ann an 1921. Dh'ionnsaich Lachlann 'na bhalach an aon òran bho Niall thro aiseag-beòil agus chaidh a chlàradh ann an 1979.[33] Ma nithear coimeas eadar na dhà, bheir e dhuinn tuarimse air an atharrachadh a nochdas ann an teacs òrain eadar ginealaichean ann am broinn an aon teaghlaich. Tha ceathramh 'sa phàipear nach robh aig Lachlann idir, ach tha na seachd eile dhiubh 'san aon òrdugh. Cha'n eil na difirean eile ach mionaideach; facal eile a' siod 's a' seo a tha a' co-fhreagairt 'nam fuaim agus a' riochdachadh ìre car ìseal ann an structur an òrain. 'S fhiach cuimhne a chumail cuideachd air na h-òrain luaidh, òrain obrach 'sa bheil faileas na seachdamh linn deug, a th' air an sgaoileadh fad is farsaing eadar an dà Ghàidhealtachd 's a nochdas fìor ghléidhteachas 'nan aiseag a thaobh an teacs.[34] An coimeas ri dùthchasan an t-saoghail mhóir tha an cumadh-inntinn seo gu math na's fhaide air taobh meabhair agus atharrais mhionaideach na tha e air obair ath-chruthachaidh, cur-an-céill 'sa chleachdadh neo gnàthas-beòil a chleachdar aig cuid mhór do shluaghannan eile.[35]

Dé bheireadh air neach òg a bhith 'na sheinneadair? Tha a' cheist seo dlùth-fhuaighte ris na feumalachdan a tha an cois seinn is òran ann an coimhearsnachd sam bith. Gun teagamh sam bith bha a' chuid bu mhotha dhiubh-san a thog Ó Madagáin an làthair 's an gnìomh ann an Ceap Breatainn,[36] ach air réir nan còmhraidhean 's e moladh is deagh-ghean a' ghinealaich a bha romhpa bu mhotha bha toirt tàladh is brosnachadh dhaibh. Cha robh foirmeileachd sam bith ceangailte ri tòiseachadh air duine a mheas 'na sheinneadair; 's ann a reachadh iarraidh air airson a cheud turus òran luaidh a ghabhail 'sa chuideachd mun àm a bha e tighinn gu ìre. Ach foirmeileachd ann neo as, bha gach neach a bha an làthair mothachail gu robh nàdar do sheasamh ùr air a bhuileachadh air, agus neo'r-thaing nach biodh deagh-chuimhne aig an neach òg fhéin air an oidhche ud. Tha Lachlann a' toirt dhuinn sealladh air a leithid, 's na seann laoich, na fir-chomhairle, a' cumail taic ris:

> Thug iad orm [òran a ghabhail] an àite John Alec Iain 'ac Dhòmhnaill 'ic Fhearchair. Ghabh mi'n t-òran 's bha mi cuimseach cinneach gu robh e agam. Ma dh'fhaoidte gu robh mi cóig deug na sia deug. Agus bha Gilleasbuig Aonghuis 'ic Alasdair ann 's bha Iain Dhòmhnaill Bhàin ann 's bha Eóghann Dhòmhnaill 'ic Aonghuis ann. An ceann tacain thànaig e mun cuairt:
>
> 'Feumaidh tu fear eile a ghabhail. Cha'n fhaigh thu air falbh le siod idir. Cha'n eil math do dhuine òg faighinn air falbh le siod idir.'

> Thug iad orm òran eile a ghabhail, na òran na dhà. 'S e siod car a' cheud uair a ghabh mise òran an àit' eile.[37]

B'ionnan sin 's mar a dh'éirich do Johnny Williams à Melford, taobh a deas Siorrachd Inbhirnis. As deaghaidh dha a' cheud òran riamh a ghabhail air luadh labhair seann té 's thuirt i le guth cruaidh: 'Bheat thu iad uileadh.'

Aig àm a' chéilidh dh'fhuirgheadh an luchd-éisdeachd gus am biodh an t-òran réidh mum bruidhneadh iad idir, ge b'e gu dé cho math 's a chòrdadh e riuth'.[38] Ma bha seinneadair ri moladh sònraichte fhaighinn, gu tric bhiodh feadhainn 'ga mholadh as deaghaidh làimh agus a' toirt cliù dha. Bhiodh na bha 'n làthair gu math leth-éiginneach coire fhaighinn air neach neo a cheartachadh gu follaiseach, ach uaireannan bha loinn 'sna ceathramhan cudthromach gu leòr 's gun cluinnte 'cuideiginn ann an oisinn 's bheireadh e – "Tha ceathramh eile air an òran sin 's cha deach an ceathramh a ghabhail." "Tha dà cheathramh 'ga dhìth." '[39] Gun teagamh bha an cleachdadh àbhaisteach a' leanaid iomadh innleachd shòisealta eile as aithne dhuinn air an dùthaich: 'ma bha iad 'ga mholadh, dheanadh iad e 'na làthair ach ma bha iad 'ga chàineadh dheanadh iad e air cùl a chinn.'[40]

Am measg nam feumalachdan a bhios luchd-rannsachaidh a' cunntais an cois nan òran bidh dlùthas sòisealta a' nochdadh uair is uair, agus tha an taobh sòisealta dheth air leanaid anuas chun an latha an diugh 'san eilean mar bhuaidh a thànaig o chridhe nan coimhearsnachd Gàidhealach. Chithear an iomairt seo a' dol aig Peigi Ruairidh Ailein, sàr bhan-sheinneadair as a' Chamus Leathan a rugadh mu 1885 agus aig an robh fìor thàlant gu daoine is buidhnean a thoirt cruinn thro òrain:

> Cha bhiodh luadh 'san àite nach biodh Peigi Ruairidh ann. Agus bha i mar a bha a h-uile boireannach eile aig an àm: chaill i na fiaclan. Agus cha do chuir sin stad air na h-òrain. Bhiodh cnap beag do gheir aice

> 'na pòca. Shuathadh i sin air a sliopan. Ghabhadh i an t-òran amach cho cruaidh, làidir. Agus nan tuiteadh amach gun reachadh tu gu luadhadh, chitheadh tu iad uile a' foighneachd a robh Peigi Ruairidh a' seo. 'Tha, thànaig Peigi Ruairidh tràth feasgar.' Cha'n e boireannach mór idir a bh'innte. Bha i ['na] boireannach gun a bhith ro mhór, smearail agus neo'r-thaing nach robh a coltas *all right*. Bha meas againn uileadh air Peigi.[41]

> Boireannach eireachdail a bh'ann am Peigi. Bha meas aig a h-uile duine a b'aithne dhi oirre. Cha'n fhaca tu duine riamh a reachadh am measg cuideachd a chuireadh ùpraid fodhpa mar a chuir Peigi. Bhiodh iad astaigh a' coimhead air a chéile 's thigeadh Peigi astaigh 's choimheadadh i mun cuairt 's bhruidhneadh i ris a h-uile duine agus gheobhadh i a h-uile duine a' toirt pàirt ann 's bith dé bha dol air adhart. Agus nan tigeadh i gu òrain bha Peigi aig ceann a' bhùird ... Cha chreid mi gu robh òran 'nam measg a bha daoine eòlach air aig an àm nach deachaidh a ghabhail an oidhch' ud. Agus bha Peigi Ruairidh air an ceann. Agus bhuaileadh i a basan. '*Good Boy Broad Cove!*' theireadh i, no '*Good Boy South West!*' nuair a ghabhadh fear dhiubh òran. Agus bho dhuine gu duine bha e mu thrì uairean nuair a sguir na h-òrain.[42]

Bhathas a' creidsinn gu robh feairtean sònraichte aig a' bhàrd, 's gu robh cuid dhiubh sin ceangailte ris an t-saoghal os-nàdarra. 'San t-seanchas a tha ruith gu ruige ar linn fhìn chithear na ceangalaichean seo a thaobh mar a bhuilicheadh 'buaidh na bàrdachd' air neach, agus anns an a' mhilleadh chorparra a dheante le aoir.[43] Bhathas a' géilleachdainn cuideachd ann an Ceap Breatainn agus ann an ceàrnaidhean eile gum faodadh a' bhuaidh seo nochdadh cuimseach tràth ann an saoghal leanabh, can aig àm a bhreith fhéin. Mar an tuirt Mìcheal MacNìll ('Migi bean Nìlleag') à

Sanndraigh am meadhon an eilein – 'Chaidh innse dhuinne, na bàird a bhiodh ann dha rìreabh, gu robh am bàrd sin a' tighinn dha'n t-saoghal 'na leanabh le fhiaclan 'na cheann.'[44] Air réir aithris bhiodh a' bhuaidh a' leantail as na teaghlaichean – 'a' ruith as na daoine' – mar 's minig a chluinnte an Éirinn.[45]

Ma's fhìor an gnàth-fhacal gu robh 'cead mhór aig a' bhàrdachd', cha b'ann 'sa h-uile seagh a thigeadh i gu buil 'sa chleachdadh anns na coimhearsnachdan. Gun teagamh bha taobh bagarrach – fiù's cunnartach – air a' mhaol a dh'fheumte cumail fo smachd, agus 'sa Chamus Leathan co-dhiubh rinneadh seo 'san fharsaingeachd thro mheadhannan neo-fhoirmeil.[46] Tha eisimpleir neo dhà againn bho'n t-sluagh fhéin a tha a' toirt tuairmse air mar a dh'obraicheadh an iomairt eadar bàrd is sluagh: gu dé a' chead a bha aig a' bhàrd 'san t-saoghal shòisealta agus ciamar a bhite 'ga chuingealachadh.

Cha robh e 'na chleachdadh aig muinntir a' Chamuis Leathain farpaisean a thogail neo a bhrosnachadh aig a' chéilidh, ach uaireannan bhiodh a leithid a' dol eadar dà bhàrd. Air thàilleabh 's gu robh cunnart an cois na h-aoireadh, bhiodh a' bheàrradaireachd seo 'ga cur air adhart mar dheas-ghnàth 's cha'n ann dha rìreabh – 'magadh coibhneil' a theireadh cuid ann an Albainn rith' – agus a' tarraing air an taobh spòrsail dheth.[47] Bha bana-bhàrd 'san àrainn dha'm b'ainm Màiri Thearlaich, bean Alasdair Dhùgh'laich,[48] a bha sònraichte 'na latha 's a choisinn cliù a mhair iomadh bliadhna as a deaghaidh. Dh'ionnsaich Lachlann 'na òige cuid dhe na ceathramhan a thill i fhéin 's fear eile an coinneimh a chéile; air réir na dealbh a tha e toirt air 's ann an làrach nam bonn a rinneadh na ceathramhan 's gach aon a' strì ri bàrr a thoirt air na thànaig roimhe:

> Tha cuimhn' a' m air Bean Alasdair Dhùgh'laich. Bha i fuireach 'san eilean agus phòs i Alasdair Dùgh'lach agus bha a cuid bhràithrean a' tighinn a nall 'ga coimhead. Sin bu choireach i dheanadh an òrain dol a chunnaic i 'm bàta tighinn. Rugadh i fhéin 'san t-seann dùthaich agus bha i 'na fìor bhana-bhàrd. Bhiodh i fhéin agus Fearchar mac Iain Ruaidh[49] air a'

bheinn ann a' seo car a' dol air ais 's air adhart agus cha chuireadh esan sgòd dhi. Ach ciamar a thuirt i ...

Tha Cloinn 'IllFheòlain air fàs cho lìonmhor,
Cha'n eil trian ann ach bidh iad còmhladh;
An cinneadh suarach a dh'fhàs leth-chluasach,[50]
Cha tugainn luaidh orra Luain na Dhòmhnach.

Bhiodh esan a' cur sios oirre:

Nam faigheadh tu sgiathan geòidh
Reachadh tu sgrìob a dh'Eilein Eòin[51]
Shealltainn air Cloinn 'ic Iain Òig
Gur e siod am pòr tha sgallach.

Ach thuirt ise:

Nan reachainn-sa dh'Eilein Eòin
Cha ruiginn a leas sgiathan geòidh;
Gheobhainn bàta leam fo sheòl
Agus còmhlan oirr' a dh'fhearaibh.

Nuair dh'fheòraichinn tighinn a nall
Gheobhainn iùbhrach fo cuid crann
'S sgiobair oirre dh'fhear nan Gleannd
A dh'fhàgadh do cheann-sa sgallach.

Bhiodh iad dol far a chéile mar sin.[52]

Tha òran neo dhà a rinn Màiri Thearlaich againn fhathast, ach gun teagamh b'e Dòmhnall Dòmhnallach (Dòmhnall Thormaid) bu mhotha a fhuair cliù air thàlant agus air loinn a chuid òran. Rugadh Dòmhnall 'sa pharraisde mu 1843 's bha e a mhuinntir Mhùideairt air taobh athar.[53] Bhiodh e ag obair air a' bhaile 's 'ga fhasdadh fhéin amach 'na bhuaileadair, agus air réir gach cunntais bha e réidhbheairteach, éibhinn 'na nàdur. A dh'aindeoin sin bha Dòmhnall còir buailteach air faighinn ann am brionglaid 's an connsachadh fad a bheatha – mar bu trice bha coir' aig a chuid bhàrdachd ris – rud a th' air a làimhseachadh le co-fhaireachdainn mhór anns na fionn-sgeòil mu dheidhinn a chaidh a chlàradh bho chionn ghoirid.[54] A nise, air réir sgeul eile chaidh òrain Dhòmhnaill a sgrìobhadh sios agus ged a bha móran dhe'n t-sluagh ann nach robh a' faicinn sian mì-iomchaidh 'na bhàrdachd, thànaig gnothaichean gu ìre 's gun d'rinn e fhéin suas gum b'fheudar dha an làmh-sgrìobhainn a losgadh 'sa stòbh.

'S e Lachlann a rithist a tha toirt dhuinn an ath aiteal dhe'n chùis: eisimpleir do dh'òran bho'n bhàrd a thogadh mì-chòrdadh (le nàdur do roimh-ràdh a' mhìnicheas mar a bha 'n suidheachadh) agus a ghléidheadh am measg dhaoine a dh'aindeoin sin:

> Nunn an toiseach an t-samhraidh bhiodh iad a' falbh a' siod 's a' seo a' sgealbadh a' bhuntata. Agus bha Aonghus Ailein thall ann a' seo. Fhuair e Anna Ruadh Dhòmhnaill 'ic Iain a sgealbadh a' bhuntata dha. Agus cha reachadh i sgealbadh a' bhuntata còmhla ri Dòmhnall Thormaid idir: bha e leis fhéin, agus e 'na sheann duine 's ise 'na seann bhoireannach. Agus fhuair Dòmhnall, fhuair e roinn do 'chig' as a' seo, nach reachadh i còmhla ris-san a dh'àite Aonghuis Ailein. Agus rinn e'n t-òran. Bha an t-òran aig Dòmhnall Iain Bhàin – Dan Collins[55] – agus theireadh e rium,
>
> 'A Lachainn, cha ghabh mi dhut idir e. Bheir mi dhut e,' thuirt esan, 'air leaba mo bhàis.'
>
> 'S rinn e sin. Thug mise an aire gu luath gum b'e a rinn an t-òran 's thug e dhomh an t-òran. Cha robh toil aige gun deanadh e sian do thrioblaid measg nan daoine. Agus cha robh sian ceàrr air an òran, sian idir, ach bheireadh e ort bhith a' gàireachdainn.[56]

Òran Anna Ruadh

Anna Ruadh, a ghaoil mo chridhe
'S gòrach do bhruidhinn liom;
'S neònach liom mura tig thu
'S thu cho tric a' tighinn 'nam chuimhn'.

Saoil sibh p-fhéin nach fuathasach
An cridhe cruaidh a bh'aig Anna:
Nach do ghabh i truas dhomh
'Sa chruadal 'sa robh mi ann.

Gu robh mi fhéin an uair sin
'Gam chluaineadh le cion nan caileag;
Mi liom fhìn a h-uile lath'
'S gun duin' agam a nì rium cainnt.

Nan ruigeadh tu shuas mi
Ghabhainn mun cuairt leat am falach;
'S dol a Chlìoradh Iain Ruaidh
'S tighinn mun cuairt an clìoradh thall.

Air eagal do chuailein
Buidhe dualach a bhith 'ga phealladh;
'S ann aig fearaibh no aig balaich
Bhiodh ag amas oirnn air lom.

Ged bhiomaid air uaireabh
A' coiseachd luath, gun lig sinn anail;
Bhuaileamaid air cluaineis[57]
Fo dhuathar fo sgàil nam beann.

Air lagan bòidheach uaigneach
Aig Ile Chuaich sinn fhìn am falach;
Sinn 'gar suaineadh anns a' rainich
'S i cho pailt air feadh nam beann.

'S bòidheach liom a dh'fhàs thu,
Bha thu fìrinneach 's 'nad ghealladh;
Gruaidh mar ròs an gàradh
Dà shùil mheallach ann ad cheann.

T'aghaidh thana nàrach
Beul as binne 's grinne chanas;
Bha thu fialaidh, ciallach, banail
Coibhneil, carthanntach gun mheang.

Nan ruigeadh tu shuas mi
Dh'fheuchainn cruaidh ri'd chumail agam;
Cha leiginn le neach fuadain
Bhith tarraing suas riut anns an àm.

Gun reachainn fhìn mun cuairt ort
Cho uallach ri h-aon a th'aca;
Nuair a reachamaid a chadal
Bhiodh cas fairis air an Ann'.58

BUNAN-FIOSRACHAIDH

PÀIPEARAN NAIDHEACHD

Mac-Talla. Eòin MacFhionghain, deas. Sudni [Alba Nodha], 1892-1904

The Casket. Antigonish, 1852-

CLÀRADH-RAOIN (ÒRAIN IS AGALLAMHAN)

Teipichean aig an ùghdar:

C21 29/4/87 - 2/5/87 Lachlann Mac'IllFheòlain, an Camus Leathan (Dùnbheagain).
C24 20/4/88 Lachlann Mac'IllFheòlain.
C26 3/8/88, 22/8/88 Lachlann Mac'IllFheòlain;

C27 3/4/89 Eòs MacNìll, an Rudha Meadhonach/Baile Shudni.
C28 5/4/89 Dòmhnall Ailean Mac'Illiosa, an Camus Leathan/Halifax.
C29 4/3/89, 17/5/89 Gilleasbuig MacCoinnich, Eilean na Nollaig/Halifax.
C32 21/4/90 Peadar Mac'Illeain, Eilean na Nollaig.

An tasgadh aig Oilthigh St. F. X., Antigonish, Alba Nodha:

22A7 3/2/78 Lachlann Mac'IllFheòlain.
227A9 - 228A1 6/7/79 Lachlann Mac'IllFheòlain.
342A4 22/4/82 Mìcheal MacNìll, Sanndraigh.
354B6 9/2/87 Lachlann Mac'IllFheòlain.

---

1 Ruth Finnegan, *Oral Traditions and the Verbal Arts*, London 1992, 50-2.

2 C. Geertz, '"From the Native's Point of View": On the Nature of Anthropological Understanding', in Janet L. Dolgin, D. S. Kemnitzer agus D. M. Schneider, deas., *Symbolic Anthropology*, New York 1977, 480-92; *passim*.

3 T. A. McKean, *Hebridean Song-Maker: Iain MacNeacail of the Isle of Skye*, Edinburgh 1997, xi.

4 B. Ó Madagáin, 'Functions of Irish Song in the Nineteenth Century', *Béaloideas* 53 (1985), 130-216.

5 Bidh dreach Beurla dhe'n alt seo mar phàirt do leabhar air Lachlann, a dhaoine 's a dhualchas a thathas a nist a' deasachadh.

6 J. L. MacDougall, *History of Inverness County*, A' cheud fhoills. Truro, Nova Scotia 1922, [Ath-chl. Belville, Ontario 1972], 372; *The Casket* 49/39/5 19/7/1900. Thugadh bliadhna a bhreith is a bhàis an sin mar 8/5/1805 - 8/7/1900. Faic n. 47 shios.

7 'S fhiach cuimhneachadh gu robh colaisde 'sa Bhurblaich eadar 1770 is 1780 a bha toirt foghlum do dh'ògradh as an ionad cho math ri gillean òga a bha dol astaigh dha'n t-sagartachd (Dom. O. Blundell, *The Catholic Highlands of Scotland*, Edinburgh 1917, 107-13; A. S. MacWilliam, 'The Highland Seminaries II: Glenfinnan and Buorblach', *St Peter's College Magazine* 20 (1951), 20-4; C. Macdonald, *Moidart; or Among the Clanranalds*, Edinburgh 1989, 241). Anns na h-òrain aig Lachlann tha deagh-eisimpleirean againn dhe na suidheachaidhean a bha 'gan cleachdadh ann am Mòrair 'san 18mh linn 's nach eil ri fhaotainn ann an sgrìobhadh neo air teip an diugh ach ann am fìor chorra àite.

8 C29. [Teip aig an ùghdar, faic shuas: Clàradh-Raoin (òrain is agallamhan)]

9 C27.

10 Fiosrachadh bho sheinneadair air a' Chladach a Tuath (C33).

11 C28. Teip: 'dh'éisdeadh iad ris.'

12 A. Merriam, *The Anthropology of Music*, Evanston 1964, 218-27.

13 C28.

14 C28; C29.

15 C28. Tha e coltach gu bheil an t-ionnsachadh neo-fhoirmeil seo ri fhaighinn ann an caochladh àiteachan air feadh an t-saoghail; faic Merriam, *The Anthropology of Music*, 147-8.

16 *Cf*. an t-oideas a fhuair a' bhan-sheinneadair ainmeil Jeannie Robertson a bha a' gabhail astaigh còig ìrean-ionnsachaidh (J. Porter agus H. Gower, *Jeannie Robertson: Emergent Singer, Transformative Voice*, Knoxville 1995, 270-1).

17 Faic MacDougall, *History of Inverness County*, 361-2. Tha mac dha ann an Halifax, Dòmhnall Ailean, 'na dheagh sheinneadair a tha air móran a chlàradh mu eachdraidh agus sloinnidhean ionadail 'sa Chamus Leathan.

18 Teip: 'an t-am.'

19 Faic MacDougall, *History of Inverness County*, 356-7. Bha a mhac 's a nighean, Gilleasbuig agus Flòraidh, 'nan luchd-aithris barraichte agus chaidh taosg do phìosan beul-aithris luachmhor a chlàradh bhuapa anuas gu meadhon an deichead 's a chaidh. Tha David Craig air cunntais smaoineachail a sgrìobhadh air turus a chaidh e air chéilidh orra 's tha cuid dhe na seann sgeulachdan a dh'innis Flòraidh air am meas prìseil do luchd-rannsachaidh nan sgeulachd Gàidhlig (faic D. Craig, *On the Crofters' Trail,* London 1990, 113-5).

20 C21.

21 Nighean do dh'Eóghann Dhòmhnaill 'ic Aonghuis.

22 C26 (bho aithris Lachlainn).

23 C21.

24 C21

25 C26.

26 C21.

27 C24 .

28 Finnegan, *Oral Traditions and the Verbal Arts*, 144.

29 *Ibid.*, 113-4.

30 C28. *Cf.* Seinn 'san t-*Sean-nós* ann an Éirinn: ... *the more gifted singer will often shape both words and music to fit his concept of what the song means* (T. Ó Canainn, *Traditional Music in Ireland*, London 1978, 73). Gheobh sinn an aon ghnàthas-cainnte 'sa Ghaeilge: 'brí an amhráin' (H. Shields, *Narrative Singing in Ireland*, Dublin 1993, 63).

31 C32.

32 C27.

33 Òran do Mhaighstir Dòmhnall Siosal, 227A9 - 228A1; *The Casket* 27/10/21.

34 A thaobh òran luaidh ann an Uibhist tha Francis Collinson a' gràidhinn:

> All in all, however, we have found that in the case of good traditional singers ... surprisingly little has been lost between their versions and those taken down by Father Allan McDonald, Donald MacLachlan, and Donald MacCormick fifty years earlier. (J. L. Campbell, *Hebridean Folksongs*, II, Oxford 1977, 255-6).

35 Finnegan, *Oral Traditions and the Verbal Arts*, 142; 152.

36 Faic n. 4 shuas.

37 C21.

38 Cha'n ionnan seo agus muinntir Éirinn; faic Ó Canainn, *Traditional Music in Ireland*, 78-9.

39 C28.

40 C29. Dh'fhaodadh beachdan a chluinnteadh fos n-ìseal as deaghaidh làimh a bhith car geur 'san dà chànain, m.e. 'mar thodhar chaorach a' tuiteam gu talamh'; *He brays like an donkey. He bellows like a bull.*

41 354B6. Air aithris le Lachlann Mac'IllFheòlain.

42 C26. Dòmhnall Ailean Mac'Illiosa (faic n. 17 shuas). Airson nàdur a' bheulaiche làidir faic J. D. Niles, 'The Role of the Strong Tradition-Bearer in the Making of an Oral Culture,' in J. Porter, deas., *Ballads and Boundaries. Narrative singing in an intercultural context*, Los Angeles 1995, 231-40; 235-6.

43 Campbell, *Hebridean Folksongs*, 120; D. Ó hÓgáin, *An File. Staidéar ar osnádúrthacht na filíochta sa traidisiún gaelach*, Baile Átha Cliath 1982, 168-202.

44 342A4. Tha Mórag NicLeòid aig Sgoil Eòlais na h-Alba air innse dhomh gun cualas an aon naidheachd 'sna sgìrean prostantach ann an Gàidhealtachd na h-Alba. Tha e follaiseach gu robh am beachd seo – gun tigeadh buaidh na bàrdachd air lom tràth thro chomharraidhean corporra agus buaidheannan-inntinn – beò ann an Éirinn bho'n linn mheadhon-aoiseil (faic Ó hÓgáin, *An File*, 80-93).

45 C32; Ó hÓgáin, *An File*, 128-41.

46 Bha na bàird Ghàidhealach ri spòrs is giùlan mì-iomchaidh bho shean (A. Harrison, *The Irish Trickster*, Sheffield 1989, 25) agus bho chionna ghoirid m.e. 'san deichead mu dheireadh fhuaradh cunntais air Sìne Mhór NicLeòid, bana-bhàrd a bha beò an Eilean Eòin 'sa 19mh linn, a bhith 'ga nochdadh fhéin.

47 Tha aon chòmhstrì ainmeil dhe'n t-seòrsa eadar Dòmhnall Thormaid (faic n. 53 shios) agus bàrd ionadail eile ann an clò (E. MacDhùghaill, deas., *Smeòrach nan Cnoc 's nan Gleann*, Glaschu 1939, 110-5). A dh'aindeoin mar a bha suidheachadh na Gàidhlig bho thùs tha bàird ionadail a' Chamuis Leathain agus nan sgìrean mu chuairt a' nochdadh gu pailt ann an clò (MacDhùghaill, *Smeòrach nan Cnoc 's nan Gleann;* V. MacLellan, *Failte Cheap Breatuinn*, Baile Shudni [Alba Nodha] 1891). Gheobhar bàrdachd 'Illeasbuig 'ic an Tàilleir 'sna bunan-fiosrachaidh a leanas: *The Casket* 43/23/3 14/6/1894; 48/44/7 2/11/1899; 60/46/7 14/11/1912; 69/43/11 27/10/1921; 71/10/9 8/3/1923; 77/12/8 25/4/1929; 77/10 18/7/1929; *Mac-Talla* 5/14/104 10/10/96.

48 Màiri NicDhùghaill *née* Nic-a-Phearsain (MacDougall, *History of Inverness County*, 405). Tha e glé mhì-choltach gum biodh i beò fhathast ri linn Lachlainn.

49 Fear a Chloinn 'IllFheòlain a rugadh am Mòrair (MacDougall, *History of Inverness County*, 316-7, 370).

50 'S ann à Mòrair a tha a' mheur seo do Chloinn 'IllFheòlain. Air réir na naidheachd chaill fear dhiubh a chluas ann an sabaid.

51 An t-ainm Gàidhlig a bh'aig an t-seann fheadhainn air Prince Edward Island, *cf*. Frang. Île Saint Jean.

52 C21. Cha robh caoin aig Lachlann idir air na rannan seo, agus bha an aon chleachdadh ann a thaobh beàrradaireachd ann an Albainn (J. Ross, 'A Classification of Gaelic Folk-Song', *Scottish Stúdies* 1 (1957), 95-151; 120).

53 MacDougall, *History of Inverness County*, 387, 406. Air réir MhicDhùghaill (*Smeòrach nan Cnoc 's nan Gleann*, x) rugadh Dòmhnall na bu tràithe na sin: 'Cha robh Dòmhnall MacDhòmhnaill latha riamh anns an sgoil, ach dh'ionnsaich e, gun mhóran cuideachaidh, Gàidhlig is Beurla leughadh air a shocair. Tha chuid bàrdachd a' dearbhadh gu robh aige feartan-inntinne a bha air leth. Dh'eug e air a' cheud latha de'n Iuchar, 1910, aois 80. Thàinig a dhaoine-san à Mùideart. Theirteadh ris Dòmhnall Thormaid 'ic Ruairidh 'ic Mhìcheil.'

54 J. Shaw, 'Observations on the Cape Breton Gàidhealtachd and its Relevance to Present-Day Celtic Studies' in G. W. MacLennan, deas., *Proceedings of the First North American Congress of Celtic Studies*, Ottawa 1988, 75-87; 82; *cf*. MacDhùghaill, *Smeòrach nan Cnoc 's nan Gleann*, 120-2.

55 Thànaig athair Dhòmhnaill Collins as Éirinn ann an 1816 agus phòs e piuthar do Cheaptan Ailean MacDhòmhnaill (MacDougall, *History of*

Inverness County, 387, 408). Tha an sloinneadh a tha 'ga chleachdadh an seo a' toirt oirnn creidsinn gun do thionndaidh an teaghlach 'nam fìor Ghàidheil an taobh astaigh aon ghinealach.

56 C21.

57 cluaineis: àite iomallach.

58 22A7.

Bailiú na n-Amhrán i gConnachta

RÍONACH UÍ ÓGÁIN

Is éard atá san aiste seo gearrchuntas ar chuid den obair atá déanta i mbailiú na n-amhrán Gaeilge i gConnachta agus ní miste cúlra na mbailitheoirí a thabhairt i gcuimhne, go háirithe maidir leo sin is túisce a bhí ag bailiú, agus an tréimhse inar mhair siad, ina raibh meas ar an ársaíocht agus ar an dúchas.

In Ard Mhacha a rugadh Edward Bunting (1773-1843) agus bhí an-bhaint aige le Féile na gCruitirí i mBéal Feirste i 1792. De thoradh a thaithí leis na cruitirí shocraigh sé a shaol a chaitheamh leis an gceol Éireannach.[1] Bhí sé ar an gcéad duine de na bailitheoirí mór le rá a thuig tábhacht an cheoil agus na bhfocal mar aonad i gcúrsaí amhránaíochta, agus rinne sé iarracht an dá ghné a bhailiú. Sa mbliain 1802 thug Bunting faoi thuras ar Chonnachta agus ar chuid de chúige Mumhan. Lorg sé cabhair ó Phádraig Ó Loingsigh, múinteoir scoile ó Loch an Oileáin, gar do Dhún Pádraig i gCo. an Dúin. Ceantar Gaeltachta ba ea an ceantar sin san am agus d'fhostaigh Bunting an Loingseach le dul roimhe ar a thuras agus an fhilíocht nó focail na n-amhrán a bhailiú. Tá cur síos ón Loingseach ar a thuras go Connachta i litir a scríobh sé i mí na Bealtaine 1802 as Béal an Átha chuig John McCracken i mBéal Feirste.[2] Deir sé go ndeachaigh sé go dtí an Scrín i Sligeach áit a bhfuair sé cúig cinn d'amhráin ó fheilméara, James Dowd.[3] D'éirigh go han-mhaith leis ina dhiaidh sin i gCaisleán an Bharraigh. Rinne sé teagmháil leis an bhfile Riocard Bairéad agus fuair amhráin uaidh. Ach bhí sé ar an ngannchuid, ag fanacht le Bunting a theacht agus airgead a thabhairt dó. Tháinig Bunting ar an séú lá agus d'íoc sé na billí agus chuir dóthain ar fáil le go bhféadfadh sé leanacht leis an obair. Is cosúil gur sa scríobh Rómhánach a chuireadh an Loingseach na hamhráin síos agus go ndéanadh sé cóip ghlan sa scríobh Gaelach ina dhiaidh sin. Ach nuair a chuaigh Bunting i mbun foilsithe ba bheag leas a bhain sé as saothar an Loingsigh. Tá seacht n-amhrán is seachtó in *Ancient Irish Music* (1809) agus téacs Béarla curtha le scór fonn. Tá sé tugtha síos gur aistriúcháin iad ach ní hionann iad agus an leagan bunaidh a bhí bailithe ag an Loingseach.

Chreid Bunting nár tháinig aon athrú ar fhoinn amhráin ó cheantar go ceantar cé go bhféadfaí malairt leagan a bheith ann ar na focail.[4] Tá de thoradh ar na fiontair seo go bhfuil dhá shraith leabhar nótaí ann: cinn Bunting ina bhfuil an ceol agus cinn an Loingsigh ina bhfuil focail na n-amhrán. De réir cosúlachta, choinnigh an Loingseach cín lae chomh maith, inar scríobh sé ainm an té óna bhfuair sé an t-amhrán agus an baile fearainn inar bhailigh sé é. Bhí suas le dhá chéad amhrán ar fad i gceist sa mbailiúchán seo a rinne an Loingseach.

Rugadh George Petrie (1789-1866) i mBaile Átha Cliath de bhunadh Albanach. Bhí cáil air mar ealaíontóir agus mar sheandálaí. Chreid sé go raibh an ceol traidisiúnta ag teacht go mór le nádúr an ghnáthphobail. Bhí tuairimí láidre aige faoi ársaíocht an cheoil agus shíl sé go mba iad na foinn ba shine ar fad an caoineadh, an suantraí agus an *plough-tune* mar a thug sé air. Shíl sé go raibh na suantraithe an-chosúil le suantraithe an oirthir a bhí le fáil i measc na bPeirseach agus na Hiondúch.[5] Bhí an-chaidreamh idir Petrie agus Bunting, ach bhí difríocht bhunúsach eatarthu mar gur chreid Petrie go láidir gur ag na hamhránaithe a bhí na leaganacha ba neamhthruaillithe de na foinn. Chreid sé gur chabhraigh rithim agus meadaracht na bhfocal an fonn bunúsach a choinneáil.[6] Sa mbliain 1851 bhí baint ag Petrie le bunú an Society for the Preservation and Publication of the Melodies of Ireland agus ba é an cumann seo a d'fhoilsigh leabhar Petrie, *Ancient Music of Ireland*, i 1855. Tá céad daichead a seacht píosa ceoil anseo agus nótaí anailíse agus staire leo. Insíonn sé cá bhfuair sé gach uile fhonn agus tugann a chuid tuairimí féin faoi. Tá céad caoga fonn as cúige Chonnacht sa mbailiúchán, ina measc dhá fhonn is tríocha ó Árainn. Uaireanta tugtar na focail Ghaeilge agus aistriúchán in éineacht leo i bhfilíocht nó i bprós. Duine a thug an-chabhair dó lena chuid Gaeilge agus a sholáthair focail na n-amhrán i nGaeilge dó, ba ea a chara, an scoláire, Eoghan Ó Comhraí. Tá sé soiléir ó leabhar Petrie gurbh é Ó Comhraí a chuir formhór na dtéacsanna Gaeilge ar fáil dó, gur réitigh sé agus gur mhínigh sé iad. Agus is léir go mbíodh Petrie ag brath go mór ar Ó Comhraí le cabhrú leis sa ghné seo den obair. Is eol dúinn gur thug an bheirt, Ó Comhraí agus Petrie, cuairt ar Árainn i 1857 le chéile agus go scríobhadh Petrie síos an fonn fhad is a bhíodh Ó Comhraí ag scríobh na bhfocal. Tá cuntas ag William Stokes ar an obair féin:

> To this cottage, when evening fell, Petrie, with his manuscript music-book and violin, and always accompanied by his friend O'Curry, used to proceed. Nothing could exceed the strange picturesquesness of the scenes which, night after night, were thus presented. On approaching the house, always lighted by a blazing turf fire, it was seen, surrounded by the islanders, while its interior was crowded with figures, the rich colours of whose dresses, heightened by the firelight, showed with a strange vividness and variety, while their fine countenances were all animated with curiosity and pleasure. It would have required a Rembrandt to paint the scene. The minstrel – sometimes an old woman, sometimes a beautiful girl or a young man – was seated on a low stool in the chimney corner, while chairs for Petrie and O'Curry were placed opposite; the rest of the crowded audience remained standing. The song having been given, O'Curry wrote the Irish words, when Petrie's work began. The singer recommenced, stopping at a signal from him at every two or three bars of the melody to permit the writing of the notes, and often repeating the passage until it was correctly taken down, and then going on with the melody exactly from the point where the singing was interrupted.

> The entire air being at last obtained, the singer – a second time – was called to give the song continuously, and when all corrections had been made, the violin – an instrument of great sweetness and power – was produced, and the air played as Petrie alone could play it, and often repeated. Never was the inherent love of music among the Irish people more shown than on this occasion; they listened with deep attention, while their heartfelt pleasure was expressed, less by exclamations than by gestures: and when the music ceased, a general and murmured conversation, in their own language, took place, which would continue until the next song was commenced.[7]

Mac le William Stokes, Whitley Stokes, a d'aistrigh focail na n-amhrán a bhailigh Ó Comhraí. Bhí ard-mheas ag Ó Comhraí ar na daoine a chuir na hamhráin agus an ceol ar fáil.[8]

Bhí bailitheoirí eile ceoil agus amhránaíochta ann, ar ndóigh, le linn na tréimhse seo. Ina measc bhí William Forde, 1759-1850. Duine é seo a bhfuil an-tábhacht leis maidir le Connachta mar go ndeachaigh sé thart ar Chonnachta ar fad idir 1840 agus 1850 ag bailiú i nGaillimh, Sligeach, Liatroim, Ros Comáin agus Maigh Eo, agus go bhfuair sé na foinn ó amhránaithe, ó fhidléirí, ó fhliútadóirí agus ó phíobairí.

Bailitheoir eile ab ea John Edward Pigot (1822-71), a bhailigh foinn ó amhránaithe agus ó cheoltóirí i gConnachta agus i gCúige Mumhan. Fear eile fós é Patrick Weston Joyce (1827-1914) a bhfuil an-tábhacht leis mar go mba é a chuir an chéad leabhar le chéile ina raibh focail na n-amhrán scríofa amach faoi bhun an cheoil. Fiche amhrán a bhí sa leabhar seo a foilsíodh in 1888. Cé go mba Luimníoch é seo agus gurb é an ceol a bhí cloiste aige le linn a óige a thug sé leis, is fiú é a lua i gcomhthéacs amhrán Chonnacht mar gur fhoilsigh sé in *Old Irish Music and Song*, i 1909, os cionn 400 fonn ón ábhar i lámhscríbhinní Pigot agus Forde. Is léir go raibh an-chairdeas agus an-chomhoibriú idir Joyce, Petrie agus Ó Comhraí.

I 1903 bunaíodh The Irish Folk Song Society i Sasana. Foilsíodh an chéad imleabhar den iris *Journal of the Irish Folk Song Society* i 1904. Bhí an méid seo a leanas sa réamhrá:

> The Irish Folk Song Society has been founded to collect all the unpublished traditional airs and ballads of the Irish race, and to print and publish as many as possible from time to time ... It is not the object of the Society to harmonise or 'arrange' these airs, but simply to record them as they were found. The editors will be glad to receive and print any unpublished airs or ballads sent them, and will welcome articles relating to the folk music and ballad literature of Ireland. It is important that all contributions of airs and ballads should bear the names of the persons by whom they were sung or played, the locality in which they were heard, if possible the date, and any other information relating thereto. [9]

Rugadh Micheál Ó Tiománaidhe i 1853 in Eadarghabhal i gCo. Mhaigh Eo. Chaith sé tréimhse san Astráil agus tháinig abhaile go hÉirinn i 1894. Bhí oiread saothraithe aige san Astráil go raibh sé in ann a shaol anuas go dtí 1910 a chaitheamh ag bailiú amhrán agus béaloidis ar fud Mhaigh Eo. Foilsíodh cuid dá bhailiúchán i 1906 in *Abhráin Ghaedhilge an Iarthair,* áit a bhfuil na focail le caoga amhrán. Tá cuntas tugtha ann ar chuid de na filí áitiúla ach níl aon chuntas ar na hamhránaithe, ar na foinn ná ar an modh bailithe. Bhí Ó Tiománaidhe chun tosaigh le táillí a íoc lena lucht faisnéise, 'rud a chuirfeadh ó rath iarrachtaí bailitheoirí eile nach raibh chomh deisiúil sin'.[10] Is cosúil go dtugadh sé cuireadh do na faisnéiseoirí teacht agus cur fúthu ina theach agus go n-íocadh sé as gach uile shórt dóibh fhad is a bheidís ann, amanta ar feadh cúpla mí. Mar sin, ba bheag dá shaibhreas Astrálach a bhí fágtha aige i ndeireadh báire agus b'éigean dó a dhul ar ais ann i 1910 le tuilleadh airgid a shaothrú cé gur fhill sé abhaile arís i 1925. Bhailigh sé suas le dhá chéad caoga amhrán i nGaeltacht Mhaigh Eo, a bhformhór mór in Acaill.

Ag trácht ar bhailiú an n-amhrán, ní mór Dubhglas de hÍde a lua chomh maith. Ceann de na príomhchúiseanna lena thábhacht, b'fhéidir, ní hé oiread sin an bailiú a rinne sé maidir leis na hamhráin, ach an tionchar a bhí aige sa mhéid gur spreag sé daoine le spéis a chur sna hamhráin. Is cinnte gur sna hamhráin mar litríocht ba mhó a spéis féin ach ag an am céanna rinne sé obair ríluachmhar agus tugann síos an-chuid seanchais faoi na hamhráin sna leabhair a chuir sé le chéile. I 1889 a foilsíodh *Leabhar Sgeulaigheachta,* an chéad leabhar uaidh. As lámhscríbhinní a bhain sé cuid mhór den ábhar, ach bhailigh sé amhráin i nGaeilge i gCo. Ros Comáin, ábhar a bhfuil an-tábhacht leis sa lá atá inniu ann.

Ag teacht le meon agus le saothar na hathbheochana, bhí daoine eile ag bailiú agus ag foilsiú amhrán chomh maith, mar shampla *An Fíbín: Sean-Chnuasach Amhrán ó Chonnamara*, a bhailigh 'An Gruagach Bán'. D'fhoilsigh Conradh na Gaeilge é i 1905 i sraith leabhairíní dar teideal *Leabhairíní Gaedhilge le haghaidh an tsluaigh.* Is éard a bhí sa gceann áirithe seo naoi gcinn d'amhráin, ina bhfocail, agus foclóir beag ag an deireadh. Leabhrán eile ag an údar céanna ba ea *Sídheog na Rann* ina bhfuil sean-amhráin ó chúige Chonnacht. Ba é Colm Ó Gaora 'An Gruagach Bán'. Sa réamhrá le *Sídheog na Rann* tugann sé le tuiscint gurb é a chúlra féin a thug air an t-ábhar a chnuasach. Deir sé:

> 'Séard a thug dom iad seo a chur le chéile ar dtús, nuair a chluininn na seandaoine chois na teineadh 'ghá ngabháil ins na hoidhcheanntaibh geimhridh, dubhairt mé liom féin, dá dtigeadh sé san saoghal go deó go mbéithinn i n-an' iad seo a thógáilt síos, go ndéanfainn sin le meas agus onóir do theangain na ndaoine sin, agus fós le árd-mheas ar na ranntaibh, agus fós eile le iad a chongbháilt beó beathadhach imeasg na ndaoine nach raibh náire ortha riamh iad a thógáilt ó bhéal go béal.[11]

Deich gcinn d'amhráin atá ann agus nótaí faoi na daoine a thug na hamhráin dó, a bhformhór ina dhúiche féin i Ros Muc. Díol spéise iad na cúiseanna a bhí ag daoine le hábhar den tsórt seo a fhoilsiú, mar shampla, deir sé 'má tá i ndán sábhála do'n teangain is í an fhilidheacht bun-fhréamh an fháis le n-a cur ag fás aríst.'[12]

Colm Ó Gaora. (*Le caoinchead Roinn Bhéaloideas Éireann*)

Bhí Mícheál Ó Gallchobhair (1860-1938) as Coill Salach in Iorras, Co. Mhaigh Eo, ag bailiú amhrán ina cheantar dúchais sula ndeachaigh sé go Meiriceá. Chuaigh Séamus Ó Duilearga, Stiúrthóir Choimisiún Béaloideasa Éireann, go Meiriceá i 1939 agus cé go raibh Mícheál féin caillte, bhí a mhuintir thall i gcónaí agus bhailigh an Duileargach cuid de thradisiún amhránaíochta Iorrais ó Bhríd Ní Ghallchobhair agus óna deirfiúr Máire. Agus é ag cur síos ar an oíche a thug sé ag bailiú i Chicago deir an Duileargach:

> Sarar imíos duairt Máire Ní Ghallchobhair gur mhaith léithe sean-amhrán eile a ghabháil; agus do chan sí ansin 'An Abhainn Mhór':–
>
> 'Céad slán leat, a Abháinn (sic) Mhór,
> Is é mo bhrón gan mé anocht le do thaoibh!
> Is iomaidh sin bóithrín caol uaigneach
> A' gabhail eidir mé 'gus í.'
>
> Tá an teach ar rugadh agus ar tóigeadh Máire agus a muinntir ar bhruach na hAibhne Móire i ngar do Bhéal Átha an Chomhraic i n-Iorrus; agus tá fhios agam gur ar an dteach sin a bhí sí a' smaoineamh, agus ar a hóige agus ar an tsean-tsaoghal le linn di an t-amhrán binn brónach sin a ghabháil, agus a fhios aici nach bhfeicfeadh sí go brách an dúthaigh bhreagh úd Iorruis a d'fhág sí ós cionn trí fichid blian roimhe sin.[13]

Bhronn muintir Mhíchíl Uí Ghallchobhair an cnuasach amhrán ar Shéamus Ó Duilearga agus foilsíodh é in *Béaloideas* 10 (1940), in éineacht leis na nótaí a bhí curtha ag Mícheál leis na hamhráin féin. Léiriú ann féin é nach féidir díriú ar bhailiú an n-amhrán i gConnachta gan na hamhráin a tugadh thar sáile a thabhairt i gcuntas chomh maith.

Rugadh an tAth. Tomás Ó Ceallaigh (1879-1924) i mBrisleach, Goirtín, Co. Shligigh. Tigh a sheanmháthar a tógadh é ar an gCorrshliabh ó bhí sé ceithre bliana d'aois. Bhí an-tionchar aige seo ar a shaol mar gur chuala sé an-chuid amhrán, scéalta agus seanchais uaithi. Bhí neart Gaeilge thart air agus é ag éirí aníos. Chuaigh sé go Maigh Nuad agus bhí ina eagarthóir ar *Irisleabhar Mhá Nuad*. Ó 1914 go dtí 1923 bhí sé ina Ollamh le hOideachas i gColáiste na hOllscoile, Gaillimh. Le linn na tréimhse sin chuaigh sé thart ar cheantar na nOileán agus bhailigh sé stór mór amhrán maille le nótaí faoi na hamhránaithe. Foilsíodh na hamhráin faoin teideal *Ceol na n-Oileán* i 1935.[14]

Rugadh Eibhlín Mhic Choisdealbha i Londain i 1870. Bhí sí gníomhnach i gConradh na Gaeilge ann agus an-spéis aici sna hamhráin. Bhí sí seasta ag iarraidh a theacht ar an ábhar a bhain leis an ngnáthphobal agus nach raibh aon athrú déanta air, ná iarracht déanta é a athrú. D'iompaigh Eibhlín ina Caitliceach, tháinig go hÉirinn, agus bhí ag obair i dTuaim, áit ar phós sí Dr Costelloe ó Thuaim. Thosaigh sí ag bailiú na n-amhrán i gceantar Thuama. Foilsíodh *Amhráin Mhuighe Seóla* den chéad uair i 1923, ach bhí an t-ábhar foilsithe roimhe sin i 1919 ina chuid den *Journal of the Irish Folk Song Society*.

Faoi mar atá le tuiscint sa réamhrá Béarla leis an leabhar, ní lena bhfoilsiú a bhailigh sí na hamhráin. Bhailigh sí iad idir 1906 agus 1918 le heolas cruinn a chur ar na foinn agus le rún spéis a spreagadh agus a scaipeadh san amhránaíocht i nGaeilge sna scoileanna agus i gcraobhacha de Chonradh na Gaeilge sa gceantar. Nuair a shocraigh sí síos i dTuaim, bhí aithne aici cheana féin ar amhránaithe ó cheantar Thuama a casadh uirthi ag Feiseanna éagsúla. Ina measc seo bhí Maggie Hession ó Bhéal Chláir, gar do Thuaim. Thuig Eibhlín Mhic Choisdealbha tábhacht an traidisiúin agus go raibh an chontúirt ann go rachadh an tradisiún seo i léig. Bhí plé ag cruinnithe de Chonradh na Gaeilge go mba cheart scoil don cheol traidisiúnta a chur ar siúl agus gur sa nGaeltacht ba cheart seo a lonnú. Chuige seo cuireadh sraith comórtas ar siúl agus cé nár éirigh leo scoil cheoil a bhunú, chuir Eibhlín Mhic Choisdealbha aithne ar amhránaithe an cheantair. Tá cúpla abairt spéisiúil aici faoi mhuintir na háite, go háirithe na seandaoine a thug na hamhráin di. Dúirt sí go raibh leisce ar na seandaoine na hamhráin a rá mar gur tuigeadh go soiléir dóibh nach raibh tóir ag daoine óga ar na hamhráin sin ní ba mhó.

Bhí sé de nós aici éisteacht leis an amhrán as a chéile ar dtús. Ansin scríobhadh sí síos véarsa nó dhó agus thugadh sí léi an fonn a bhí leo sin, agus í ag tabhairt aird faoi leith ar an luas agus ar an míriú. Ansin bhí uirthi an t-amhrán ar fad a chloisteáil go dtí go raibh sí sásta go raibh an fonn agus béim na bhfocal aici díreach mar a bhí ráite ag an amhránaí. Ba leor seo do na hamhráin shimplí. Sheinneadh sí ansin é, ar phianó is dóigh, agus scríobhadh sí síos na nótaí ag cur na bhfocal leis faoi mar a bhí tugtha ag an amhránaí agus ansin chuireadh sí barraí leis de réir na béime. Shíl sí go mba í seo an chuid ba dheacra mar, faoi mar a dúirt sí:

> ... in each case I had to give first importance to the words as the singer himself does. To him the air is only the medium of conveying pleasantly to his audience the story he has to tell and he will even frequently break off in the middle of a fine phrase to explain some difficulty in the verse.[15]

Cuntas an-bheacht é seo ar bhailiú na n-amhrán agus léiriú ar na deacrachtaí a bhain leis an obair agus an fhoighid agus an dua a bhí riachtanach. Uaireanta thagadh na hamhránaithe chuig an teach chuici agus uaireanta eile théadh sí féin amach ar thóir na n-amhrán. Thaistil sí fhad le Muraisc i gCo. Mhaigh Eo agus Tamhain i ndeisceart Cho. na Gaillimhe.

Beirt a bhí ag bailiú amhrán thiar ba ea Micheál agus Tomás Ó Máille. Tá toradh a saothair in *Amhráin Chlainne Gaedheal* a foilsíodh i 1905. Is iad focail na n-amhrán atá ann agus nótaí a bailíodh faoi na hamhráin féin, an chúis ar cumadh agus an té a chum. Sa réamhrá a scríobh siad anseo tá tagairt do luach saothair a thabhairt do na hamhránaithe, áit a ndeir siad go mba acmhainn dóibh seo a dhéanamh de thairbhe cabhrach a thug daoine dóibh a raibh an Bhantiarna Gregory ar dhuine díobh. Agus iad ag trácht ar na hamhráin sa leabhar seo, dúirt na bailitheoirí féin:

> Fuaireamar a mbunáite ó éan-fhear amháin, Tomás Breathnach atá i n-a chomhnuidhe i nDubhachta, i gceanntar Chorr na Móna.[16]

Tógadh ocht scór amhrán síos uaidh. Fuaireadar tuilleadh amhrán ó fhear eile, Sean-Tomás Breathnach.

Tá an-tábhacht le ré na dtaifeadtaí fuaime i mbailiú na n-amhrán agus ar cheann de na taifeadtaí is sine den amhránaíocht i nGaeilge tá guth John Williams as Garmna, ceantar na n-oileán i gCo. na Gaillimhe. Ba é an tAth. Luke a bhailigh é. Thug sé leis thart ar dhosaen amhrán ón John Williams céanna. Bhí an sagart lonnaithe i gCrois Mhic Lionnáin ag tús an chéid seo. Gléas fónograf a bhí aige ar a raibh fiteáin chéireach agus mar sin níor fhéad sé ach trí nó ceithre nóiméad d'ábhar a chur ar aon fhiteán. Is cosúil gur idir 1900 agus 1905 a rinne sé an bailiú seo. Timpeall tríocha píosa ceoil a bhailigh sé i gConamara. Amhráin a bhformhór seo agus i nGaeilge atá an chuid is mó díobh. Tá an bailiúchán sin i Roinn Bhéaloideas Éireann, An Coláiste Ollscoile, Baile Átha Cliath.

An tAth. Luke Donnellan, 1926. (*Le caoinchead Roinn Bhéaloideas Éireann*)

Cnuasach eile de thaifeadtaí stairiúla is ea an bailiúchán a rinneadh idir 1928 agus 1931 ar phlátaí nó ar cheirníní. Faoi stiúir Acadamh Ríoga na hÉireann a tugadh faoin scéim sa tír seo. Tháinig beirt Ghearmánach, An Dr Doegen agus Herr Tempel, go hÉirinn i 1928 agus é socraithe acu ceirníní a dhéanamh de labhairt na Gaeilge i gceantair ina raibh an Ghaeilge á labhairt i gcónaí. Ar choiste an Léinn Éireannaigh san Acadamh a leagadh an cúram cainteoirí feiliúnacha a aimsiú. Bailíodh scéalta, seanchas, amhráin agus dánta, paidreacha, uimhreacha agus laethanta na seachtaine freisin. Amanta ba iad focail na n-amhrán amháin a taifeadadh gan aon ghuth ceoil. I Meán Fómhair 1930 chuathas go Connachta. Ba iad Tomás Ó Máille, Liam Ó Briain, Liam Ó Buachalla, Seán Mac Énrí agus Seán Mac Giollarnáth a bhí i mbun cúrsaí ansin. Punt an ceirnín a íocadh leis na faisnéiseoirí. Bailíodh amhráin i nGaeilge i gcontaetha na Gaillimhe, Mhaigh Eo, Shligigh agus Liatroma. Cheithre amhrán is tríocha atá tugtha síos do Chonnachta faoin scéim seo agus le thart ar a leath acu seo is iad focail na n-amhrán amháin atá i gceist. I gCo. na Gaillimhe a bailíodh formhór mór na n-amhrán. Tá an bailiúchán sin in Acadamh Ríoga na hÉireann, Baile Átha Cliath.

Chuaigh an taifeadadh agus an trealamh fuaime i gcion go mór ar bhailiú na n-amhrán mar go ndearna sé an-éascaíocht san obair. Sa mbliain 1935 bunaíodh Coimisiún Béaloideasa Éireann agus den chéad uair riamh rinneadh iarracht ar bhonn leitheadach tabhairt faoin mbéaloideas a bhailiú. Bhí an Coimisiún ag brath, cuid mhór, ar pheann agus ar pháipéar le hábhar a bhailiú. Bhí seo sách crua leis na scéalta, ach ba dheacra fós é i gcás na n-amhrán. I bhfoirm lámhscríbhinne atá cuid mhór den ábhar seo áit a bhfuil focail na n-amhrán scríofa amach. Luaitear fonn le hamhrán uaireanta agus tarlaíonn sé freisin, cé gur go hannamh é, go dtugtar síos na nótaí ceoil chomh maith. Bhí bailitheoirí lánaimseartha, páirtaimseartha, speisialta agus deonacha ag bailiú na n-amhrán.

Bhí Liam Mac Coisdealbha, ó Cho. Mhaigh Eo ó dhúchas, ag obair mar bhailitheoir lánaimseartha don Choimsiún ó 1935 go

1939. Bhí sé ag obair i gConamara, i ndeisceart Mhaigh Eo agus in Iorras. Duine é a raibh an-spéis sna hamhráin aige agus bhailigh sé an t-uafás amhrán i gceantar Charna agus Chill Chiaráin. Bhí Brian Mac Lochlainn ag bailiú i gCo. na Gaillimhe agus sna hoileáin amach ón gcósta, ó 1936 go dtí 1939. Bhailigh sé an-chuid amhrán i dtuaisceart Chonamara thart ar Rinn Mhaoile, an Cloigeann agus Baile Uí Chonaola, nuair a bhí amhráin i nGaeilge flúirseach sna ceantair sin. Obair ríthábhachtach a rinne sé nuair a bhailigh sé amhráin ar chuid de na hoileáin, leithéid Inis Bó Finne agus Inis Airc. I 1936 thug sé cuairt ar Inis Bó Finne agus chuaigh sé as sin go hInis Airc. Bhí sé ag faire amach go n-éireodh leis bealach a fháil go hInis Airc as Inis Bó Finne agus i ndeireadh is é an chaoi a bhfuair sé é, faoi mar a dúirt sé féin, go bhfaca sé cuid de 'na buachaillí as Searc' ag an aifreann agus gur thugadar leo é sa gcurach. Is léir gur bhain sé an-sásamh as a thréimhse ann, áit a mbíodh sé ag cabhrú le muintir an oileáin lena gcuid oibre. Agus é ag caint faoi Mháirtín Mac Conraoi, duine ar bhailigh sé amhráin uaidh, deir sé go ndeachaigh sé fhad le Máirtín a bhí sa ngort ag baint choirce:

> Shuigh sé síos liom gur scríobh mé amhrán uaidh. Bhí iníon a dheirfiúir ag obair sa bpáirc leis agus dúirt sí go raibh ceathrú den amhrán nach raibh fós againn. Agus thug sí dhom é. Cheangail mé cúpla dornán coirce agus ansin tháinig mé liom aníos go dtí an teach. Dúirt mé le bean an tí cupán tae a fháil dhom. Nuair a fuair mé an tae chuaigh mé síos go dtí Máirtín Mac Conraoi aríst agus dúirt sé liom mo leabhar a fháil réidh agus amhrán a scríobh uaidh. Scríobh mé síos an t-amhrán agus rinne mé cúpla stuca coirce leis. Tháinig mé aníos chun an tí leis. Agus nuair a bhí a shuipéar caite aige thug sé dhá amhrán eile dhom.[17]

Uaireanta, mar sin, bailíodh na hamhráin de réir na hoibre a bhí ar siúl ag na hamhránaithe féin agus is léir go mba obair iontach mall a bhí ann.

Sna tríochaidí chuir an Coimisiún fochoiste ceoil agus amhrán ar bun mar go raibh sé soiléir go raibh bailiú na n-amhrán ag brath cuid mhór ar spéis an bhailitheora san ábhar agus go raibh géarghá le dianbhailiú a dhéanamh ar na hamhráin. Bhí an-mholadh ag dul don Choimisiún anseo mar go mba léir go raibh an tuiscint ag teacht chun cinn gur gné faoi leith an ceol agus an amhránaíocht agus go gcaithfí aird speisialta a dhíriú orthu.[18] Iarradh ar na bailitheoirí eolas a sheoladh isteach chuig an gcoiste seo faoi amhránaithe an cheantair ina raibh siad ag bailiú. Tá liosta an-bhreá ó Liam Mac Coisdealbha, mar shampla, ag cur síos ar na hamhránaithe a raibh aithne curtha aige orthu agus a mb'fhiú ábhar a bhailiú uathu i gceantar Charna. Tugann sé ainm ochtar sa gceantar agus deir sé céard iad na hamhráin atá bailithe aige féin uathu. Mhol Colm Ó Lochlainn go n-iarrfaí ar an mbailitheoir mura raibh sé in ann an ceol a scríobh amach é féin, cúnamh a lorg ón múinteoir scoile san áit nó ó cheoltóir éigin sa gceantar. Mhol Colm chomh maith go bhféadfaí leas a bhaint as leithéid *Amhráin Chlainne Gaedheal* agus *Abhráin Ghaedhilge an Iarthair* agus bailitheoirí ar thóir leaganacha agus fonn na n-amhrán.

Bhailigh Seán Ó Flannagáin an-chuid amhrán agus é ina bhailitheoir lánaimseartha ó 1937 go dtí 1940. Ina chín lae déanann sé cur síos ar cheann de na deacrachtaí a bhaineann leis an mbailiú agus é ag tagairt do dhuine d'amhránaithe an Achréidh:

> D'aithris sé leagan de 'Mhalaí Bhán' dom, amhrán atá scríofa agamsa go hiomlán. Ligeas orm nach gcuala mé riamh cheana é. Níorb fhéidir le Máirtín cuide den amhrán a thabhairt chun cruinnis agus théadh sé amach ar an sráid ag iarraidh cuimhneachtáil ar na focla. Bhí na focla agamsa cheana féin agus níorbh ait liom sin a ligean orm. Is é mo cheirdse bheith i m'aineolaí cheart chruthanta agus mo phort: 'm'anam nach gcualas a leithéide riamh.' Is ait leo a bheith ag aithris duit rud éicint a mbeifeá ag déanamh iontais dóthub.[19]

Fear eile é Micheál Mac Énrí, a bhfuil na mílte leathanach d'ábhar béaloidis bailithe aige agus tá bailiúchán mór amhrán ina measc. Bhí sé ina bhailitheoir speisialta agus i gCo. Mhaigh Eo a bhailigh sé formhór an ábhair. Tá nóta ag an gcartlannaí Seán Ó Súilleabháin le ceann dá chuid lámhscríbhinní go bhfuil sí ar cheann de na lámhscríbhinní is fearr i Roinn Bhéaloideas Éireann. Is féidir aithne éicint a chur air féin agus ar a dhearcadh faoin mbailiú má léimid cuid dá bhailiúchán, áit a bhfuil tagairtí tríd síos don obair a bhí idir lámha aige agus in áit amháin, mar shampla, ina bhfuil bailiúchán mór amhrán agus seanchais fúthu curtha isteach aige, tá nóta ag dul leis. Mar seo a leanas a scríobh sé i 1945:

> Tá sé os cionn fiche bliain anois ó thoisigh mé ag breacadh síos na n-amhrán seo ó na seandaoine. Bhí fonn mór ar gach uile dhuine acu iad a thabhairt dom. B'iontach an mheabhair agus an stuaim cinn a bhí ag na seandaoine sin. Gabhaim mo mhórbhuíochas dóibh go léir.[20]

Le dúthracht freisin agus é ag bailiú amhrán, bhí de nós aige an t-amhrán a scríobh amach agus ansin alt nó go minic cúpla leathanach a scríobh faoin teideal 'Míniú an amhráin', agus ina dhiaidh sin arís míniú a thabhairt ar fhocail agus ar nathanna cainte san amhrán chomh maith le cuntas faoi na logainmneacha sna hamhráin, an dinnseanchas agus an suíomh.

I dtuaisceart Mhaigh Eo, a dhúiche féin, a bhí Tomás de Búrca ag saothrú ina bhailitheoir lánaimseartha ó 1940 go dtí 1944. Is léiriú é a chín lae, ach oiread le cíona lae na mbailitheoirí eile, gur sna himleabhair sin is fearr a chuirtear aithne ar an mbailitheoir agus ar a chuid oibre. Agus é ag dul ar cuairt chuig amhránaí i mí na Bealtaine 1943 deir sé mar seo a leanas :

> Lá breá grianmhar. Bhí mé tamall ag scríobh isteach agus ansin dúirt mé liom féin go rachainn chomh fada le bean Mhic Suibhne in Eachros, mar chuala óna mac go raibh roinnt amhrán aici ar chaoi ar bith.

> Rugas ar mo rothar ard-tráthnóna agus seo chun siúil liom.
>
> Ba dheas an tráthnóna í agus bhí daoine idir fhir agus mhná agus pháistí ar gach aon taobh den bhóthar ag sábháil na mónadh. Níor airigh mé go raibh mé le taobh theach Bhean Mhic Suibhne. Bhuail mé an doras agus dúirt an guth liom ón taobh istigh a theacht chun cinn. Chuas isteach.
>
> Bhí sí ina suí ar chathaoir chois na tineadh. Bean chaol ard tarraingte ach d'aithneofá go raibh sí cruaidh fuinte tapaidh agus dathúil ina cheann lá dá laethaibh. Ní raibh aon aithne aici ormsa agus bhí a fhios agam go raibh sé ag cur iontais uirthi mé a bheith ag labhairt Gaeilge. D'inis mé di cé mé féin agus ansin rug sí ar láimh orm agus chroith sí go talamh mé. Dúirt sí gur minic a chuala sí a mac Antaine ag caint orm.
>
> Bhuaileamar ag comhrá. Bhí sí roinnt eaglach ar dtús ach níorbh fhada gur chuireas ar a socracht í. Dúirt sí go raibh roinnt amhrán aici ach nach raibh aon mhaith iontu. Dúirt sí ceann agus níor chuala riamh roimhe é. Scríobhas síos uaithi é. Bhí an-bhród uirthi gurbh fhiú liom a thógáil. Dúirt sí tuilleadh chomh maith nár chuala go dtí sin.[21]

Is léir i gcíona lae na mbailitheoirí tríd síos gur cuireadh fáilte is fiche rompu, go mba mhinic cloiste ag an amhránaí faoin mbailitheoir cheana féin, nár chreid na hamhránaithe i bhfiúntas a n-amhrán féin ach go raibh siad breá sásta na hamhráin a thabhairt uathu. Cúis mhórtais acu chomh maith go mb'fhiú leis an mbailitheoir an t-ábhar a thógáil uathu.

Ba é Séamus Mac Aonghusa, ar ndóigh, an té ba mhó a rinne amhráin a bhailiú i gConnachta. Bhí sé ina bhailitheoir lánaimseartha ag an gCoimsiún ó 1942 go dtí 1947. Ba é an t-aon bhailitheoir lánaimseartha amhrán agus ceoil é a bhí ag obair don Choimsiún i gConnachta. Ní raibh sé ach trí bliana is fiche nuair a thosaigh sé ar an obair. Ba cheoltóir é agus is cinnte gur mar sin ab fhearr aithne air, ach bhí buanna aige a bhí ríthábhachtach i mbailiú na n-amhrán. Bhí an Ghaeilge ar a thoil aige agus bhí sé in ann focail agus fonn a chur le chéile. Bhí tréimhse caite aige ag obair le Colm Ó Lochlainn a raibh comhlucht clódóireachta agus foilsitheoireachta aige agus ba mhaith an oiliúint a fuair sé anseo ag cur amhrán agus ceoil le chéile lena bhfoilsiú. D'fhoghlaim sé le nodaireacht an cheoil a scríobh amach. Rinne sé an bailiúchán is mó d'amhráin Chonamara dá ndearnadh riamh. Tá cáil i saol na hamhránaíochta ar fhear amháin a thug amhráin do Shéamus agus seo é Colm Ó Caodháin.[22]

Séamus Mac Aonghusa, ag obair sa veain taifeadta.
(*Le caoinchead Roinn Bhéaloideas Éireann*)

Ba mhór an chabhair an gléas eideafóin dó, ar ndóigh, mar bhí sé in ann an t-ábhar taifeadta a scríobh amach ina dhiaidh sin. Is léir gur bhain sé an-spraoi agus an-sásamh as an obair a bhí ar siúl aige. Is léir go ndeachaigh bailiú na n-amhrán i gcion go mór ar na daoine a mbíodh sé ag bailiú uathu chomh maith. Cé gur in iarthar Cho. na Gaillimhe is mó a bhí Séamus ag obair, chaith sé tréimhse i gCo. Mhaigh Eo chomh maith, áit ar bhailigh sé amhráin. Aisteach go leor, níl aon chur síos sa dialann aige ar an turas seo ach tá cuntas an-bheacht aige sa lámhscríbhinn chéanna ina bhfuil na hamhráin ar an gcaoi a bhfuair sé amhráin ó Mháire Nic Caifearcaigh, ar an mbean féin agus ar shaol an bhailitheora:

> Nuair a tháinig mise go Mulranny an chéad uair bhí an máistir, Pádraig Ó Moghráin, tar éis a ghabháil chomh fada le Máire agus a rá léi go raibh mé ag tíocht le hamhráin a scríobh uaithi. Ar maidin Dé hAoine, 11.8.1944, a chuaigh mé féin agus an máistir chomh fada léi. Bheannaigh muid isteach insa teach atá ag ceann bóithrín ag gabháil suas aird ón mbóthar agus fál *fuschia* ar gach aon taobh de. Teach beag ceann tuí é agus cuma na haoise air ach é slachtmhar go maith.
>
> D'fhreagair Máire muid go blasta i nGaeilge agus chuir sí fáilte romhainn. Tá sí trí bliana déag is trí fichid.
>
> ... Dúirt an máistir léi cé mise in éindigh leis agus thosaigh an chaint ar na hamhráin agus ní raibh sé i bhfad gur fhiafraigh Máire dhíom ar chuala mé an t-amhrán seo agus an t-amhrán siúd, nó go ndúirt sí suas le cúig nó sé de cheana dhúinn agus má dúirt, is aice bhí an guth agus an fonn cruinn cinnte ... Chaith muid píosa de lá léi gan tada a scríobh agus d'fhága muid í go buíoch.
>
> Nuair a tháinig mé aríst chuici le ghabháil ag scríobh bhí iontas aici ansin, mar shíl sí go raibh na hamhráin tógtha agam uaithi an lá cheana thar éis di

> iad a rá dhom aon uair amháin! Mar sin féin, is í bhí toilteach sásta ar gach uile chúnamh a thabhairt dhom dhá scríobh ina dhiaidh sin agus chuir mé isteach roinnt bheag tráthnóintí go suáilceach pléisiúrtha léi.[23]

Tá cuntas aige ina dhiaidh sin ar shaol Mháire agus ar an gcaoi ar thug sí léi na hamhráin. Ba as Sáile, taobh istigh de Ghob an Choire in Acaill í. Na hamhráin a chuala sí ina hóige ann, bhí siad ligthe ar gcúl agus is óna céile pósta a d'fhoghlaim sí na hamhráin a bhailigh Mac Aonghusa uaithi. Bhí a fear céile ina fhíodóir taobh thoir de Mhaol Raithní agus bhíodh sé ag gabháil fhoinn ar a sheol fíocháin ó mhaidin go hoíche.

Leo Corduff tigh Sheáin Uí Chonaola, Inis Oírr, 1957.
(Le caoinchead Roinn Bhéaloideas Éireann)

Bhí Leo Corduff (1929-92) ina bhailitheoir agus ina oifigeach taifeadta ag Coimisiún Béaloideasa Éireann agus ina dhiaidh sin ag Roinn Bhéaloideas Éireann. Bhí fíorspéis sna hamhráin aige, go háirithe in amhráin Mhaigh Eo, agus chuir sé go mór leis an gcartlann amhrán sa tréimhse 1951-71 go háirithe. Amanta bhíodh sé ag bailiú leis féin agus uaireanta eile bheadh Caoimhín Ó Danachair ón gCoimisiún, nó Micheál Mac Énrí, in éineacht leis. Bhí de spéis ag Leo Corduff sna hamhráin go ndeachaigh sé ar ais agus trealamh níos nua-aimseartha aige ná mar a bhí ann roimhe sin agus rinne taifeadadh de chuid de na daoine a raibh amhráin tógtha uathu ag tús na gcaogaidí. Bhailigh Leo Corduff amhráin ar fud Cho. na Gaillimhe chomh maith. Bhí sé in Inis Oírr, Rinn Mhaoile, Corr na Móna, Carna, An Cheathrú Rua, Casla, Leitir Móir, An Spidéal, Maigh Cuilinn, Baile Chláir agus Eanach Dhúin.

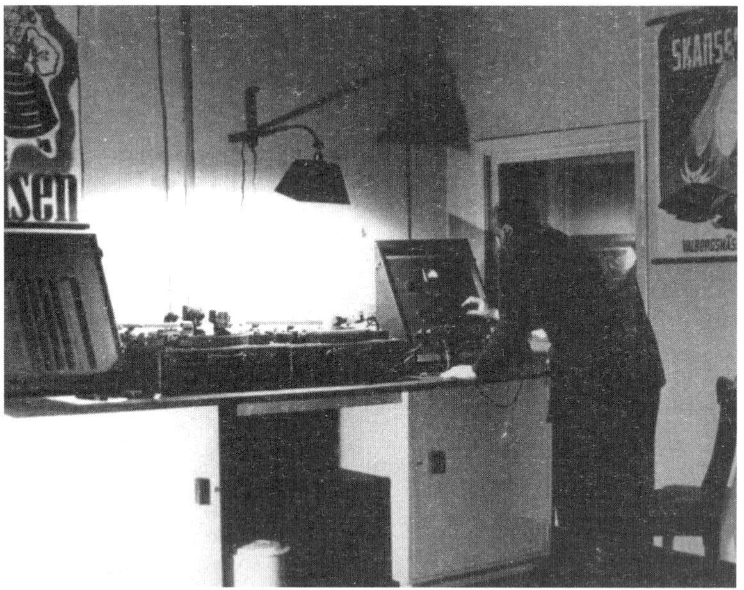

Caoimhín Ó Danachair i gcartlann fuaime Choimisiún Béaloideasa Éireann. (*Le caoinchead Roinn Bhéaloideas Éireann*)

Thosaigh Ciarán Bairéad ag obair don Choimisiún i 1951. I gCo. na Gaillimhe is mó a rinne sé an bailiú ach chaith sé tréimhsí ag bailiú i gCo. Mhaigh Eo chomh maith. Bhí sé ag obair do Roinn Bhéaloideas Éireann go dtí gur cailleadh é. Bhailigh sé na céadta amhrán, ar pháipéar amháin, ar an ngléas éideafóin, agus ina dhiaidh sin ar théipthaifeadán. Bailitheoir iontach dúthrachtach a bhí ann agus ba nós leis oiread seanchais agus ab fhéidir a thabhairt síos faoin amhrán. Duine de na hamhránaithe ar bhailigh Ciarán Bairéad ábhar uathu ba ea Micheál Ó Síoda, Carn Mór, Órán Mór, ar bhailitheoir amhrán é féin. Thart ar 1910 rinne Micheál cóip de lámhscríbhinn a bhí ag fear ó Bhaile Chláir ina raibh tuairim is dhá scór amhrán. Bhailigh Micheál amhráin ó spailpíní a thagadh go Carn Mór as Conamara le linn séasúr bhaint an fhómhair. Rinne an Bairéadach cóip den ábhar seo agus chabhraigh Micheál Ó Síoda leis le breis eolais a sholáthar faoi. Chaith Ciarán Bairéad ceithre bliana ag obair do Roinn Bhéaloideas Éireann agus ní raibh sé ach bliain éirithe as nuair a cailleadh é i 1976.

Maidir leis na bailitheoirí amhrán i gConnachta, mar sin, agus níl ach cuid acu luaite san aiste seo, bhí ina measc daoine a mba spéis leo an ceol féin seachas na focail, nó daoine a mba spéis leo ceol agus focail ach nach raibh aon Ghaeilge acu, nó daoine a mba spéis leo filíocht bhéil na Gaeilge ach go mba bheag a spéis sa gceol nó nach raibh cáilíochtaí sa cheol acu, nó daoine ón taobh amuigh a bhí ag breathnú isteach ar an ábhar, a chuir de dhua orthu féin an Ghaeilge agus an ceol a thabhairt leo, nó daoine a raibh na hamhráin ó dhúchas acu agus a raibh an spéis sin san ábhar acu.

Iadsan ar spéis leo amhráin na Gaeilge, tá siad faoi chomaoin ag na daoine seo ar fad, is cuma cén t-údar a bhí leis an mbailiú mar caithfear cuimhneamh nach saol an-chompordach é saol an bhailitheora, cinnte ag breathnú siar caoga bliain agus roimhe sin arís, bhí sé deacair. B'fhéidir nach miste a ndúirt George Petrie a thabhairt i gcuimhne agus é ag caint faoina chaitheamh aimsire féin:

> I confess that I would not resign the happiness which I derive from the indulgence of my innocent hobbies – or manias, as most people would call them – of hunting after old Irish tunes and Irish antiquities, for any other more common enjoyments that could be offered to me. In short, it is my firm belief that we

> hobby-riders, when our hobbies are, as we conscientiously believe, worthy and intellectual ones ... have the best of it, and, like madmen, have a pleasure in our pursuits, which only ourselves can know.[24]

Tá bealaí nua ann le dhul i mbun an bhailithe, bealaí atá scartha amach go maith ón gcaoi ar thug Eoghan Ó Comhraí nó fiú Eibhlín Mhic Coisdealbha faoin mbailiú agus is cinnte go bhfuil an-chuid ábhar le bailiú i gcónaí. Déantar amhráin a bhailiú ar fhístéip. Is féidir léiriú a thabhairt ar an amhránaí, agus an t-ábhar a bhailiú agus a chur i láthair sa lá atá inniu ann, ar bhealach níos beoichte agus níos cruinne ná mar a bhí na bailitheoirí in ann a dhéanamh céad bliain ó shin. Ach tá an méid seo cinnte, is é sin go bhfuilimid faoi chomaoin mhór i gcónaí ag na hamhránaithe a thug amhráin agus seanchas uathu chomh fial flaithiúil sin agus a roinn a gcuid ceoil ar bhailitheoirí na n-amhrán i gConnachta.

---

1 D'fhoilsigh sé a chéad imleabhar, *Ancient Irish Music,* i 1796. Sé phort is trí scór atá anseo agus na teidil i nGaeilge agus i mBéarla.

2 B. Breathnach, *Ceol agus Rince na hÉireann,* Baile Átha Cliath 1989, 199-200.

3 *Ibid.*

4 Grace Calder, *George Petrie and The Ancient Music of Ireland,* Dublin 1968, 20.

5 A. P. Graves, 'Irish Airs: The Petrie Collection', *Journal of the Irish Folk Song Society* 11 (1912), 26.

6 Ar an láimh eile, chreid Bunting nuair a chuirtí focail eile le fonn áirithe

go dtagadh athrú ar an bhfonn ach go raibh traidisiún na gcruitirí chomh láidir sin gur cloíodh leis an mbunleagan ceoil tríd síos; *cf.* H. C. Colles, 'George Petrie', *Journal of the Irish Folk Song Society* 5 (1907), 10. Is dóigh go bhfuil cuid den fhírinne ar an dá thaobh, ach pé scéala é, ba é Petrie a spreag Bunting chun foilsithe nuair a foilsíodh an t-imleabhar deireanach de chuid Bunting i 1840 agus aiste ag Petrie féin ann faoi chláirseach na hÉireann.

7 W. Stokes, *The Life and Labours in Art and Archaeology of George Petrie, LL.D., M.R.I.A.*, London 1868, 317-8.

8 É. de hÓir, *Seán Ó Donnabháin agus Eoghan Ó Comhraí*, Baile Átha Cliath 1962, 90.

9 Editors' Preface, *Journal of the Irish Folk Song Society* 1 (1903), 4.

10 D. Breathnach agus Máire Ní Mhurchú, *1882-1982 Beathaisnéis a hAon*, Baile Átha Cliath 1986,107-8.

11 'An Gruagach Bán', *Sídheog na Rann*, Baile Átha Cliath 1911, 9.

12 *Ibid.*, 10.

13 M. Ó Gallchobhair, 'Amhráin ó Iorrus', *Béaloideas* 10 (1940), 211.

14 Faraor níl nodaireacht an cheoil ag dul leis na hamhráin cé gur dóigh go raibh ceol ag an Ath. Ó Ceallaigh, faoi mar is léir ón lámhscríbhinn a chuir sé ar fáil don phíosa 'Irish Folk Songs collected by Rev. Thomas O'Kelly, of Sligo', *Journal of the Irish Folk Song Society* 10 (1912), 10.

15 Eibhlín Mhic Coisdealbha, 'Amhráin Mhuighe Seóla', *The Journal of the Irish Folk Song Society* 16 (1919), xx.

16 M. agus T. Ó Máille, *Amhráin Chlainne Gaedheal*, Baile Átha Cliath 1905, vi.

17 Seo sliocht as dialann Bhriain Mhic Lochlainn atá in CBÉ 423:150. Tá mé faoi chomaoin ag Ceann na Roinne cead a thabhairt dom an t-ábhar seo a fhoilsiú.

18 Ar an gcoiste seo bhí an tAth. Lorcán Ó Muireadhaigh, an tAth. Seán Ó Néill, Fionán Mac Coluim, an tOll. Séamus Ó Duilearga agus Colm Ó Lochlainn.

19 Sliocht as cín lae Uí Fhlannagáin in CBÉ 566:434-5.

20 CBÉ 1132:60.

21 Sliocht as cín lae Thomáis de Búrca in CBÉ 1110:304-6.

22 Tá eolas faoi Cholm Ó Caodháin in Ríonach uí Ógáin, 'Fear Ceoil Ghlinsce: Colm Ó Caodháin', in G. Moran, eag., *Galway History and Society. Interdisciplinary essays on the history of an Irish county,* Dublin 1996, 703-48.

23 CBÉ1282:521-2.

24 Stokes, *Life of George Petrie*, 305-6.

Uimhreacha Pearsanta sa Ghaeilge

SEOSAMH WATSON

1

I dteangacha áirithe de chuid an domhain tá fáil ar chórais ar leith le comhaireamh a dhéanamh ar aicmí éagsúla feiniméan. Is cosúil go bhfuil an-fhorbairt déanta sa réimse seo i Méisimeiriceá,[1] mar shampla, nó tá ar a laghad seacht gcatagóir dá leithéid ag roinnt de theangacha an réigiúin sin, agus trácht ar roinnt eile a bhfuil os cionn céad de na catagóirí céanna acu. Cuirtear an comhaireamh i gcrích trí mheán rangóra a tháthaítear do fhréamh uimhreach agus ar na catagóirí comhairimh i dteangacha dá macasamhla tá ceann pearsanta i gceist a dhéanann cúram, i gcás cuid acu, de chatagóir comhairimh ainmhithe fosta. Taobh istigh de leanúntas talún na hEoráise tá fáil ar a leithéidí de chórais chomh maith: ag an cheann thall ó limistéar theangacha na Ceiltise feidhmíonn catagóirí comhairimh dá macasamhla – agus ceann pearsanta san áireamh – sa Nivchis,[2] ar cadhan aonraic i measc teangacha í agus arb ábhar spéise do Cheiltiseoirí ar chúis eile í de bhrí go bhfaightear claochluithe tosaigh inti fosta, atá inchurtha lena dtarlaíonn i nuatheangacha na Ceiltise.[3]

2 Mar atá léirithe ag Daithí Ó hUaithne sa suirbhé cuimsitheach a rinne sé ar uimhreacha na Ceiltise[4] mar chuid de staidéar ollmhór ar uimhreacha sna teangacha Ind-Eorpacha, ba mhodh oibre é ag an ghrúpa teangacha seo riamh anall cnuasainmneacha a chruthú trí uimhir agus ainmfhocal a chumascadh agus tá catagóirí ag cuid acu sin – bíodh is nach bhfuil siad uilig bunaithe ar an fhoirmle thuasluaite – a d'fhéadfaí a chur i gcomparáid le cnuasuimhreacha pearsanta agus neamhphearsanta na Gaeilge (amharc thíos **3**):

cuirim i gcás comhbhailithigh na Meán-Ind-Iaránaise,[5] m.sh., Páilis *duka* 'grúpa comhdhéanta de dhá ní', *tika* 'grúpa comhdhéanta de thrí ní', *catukka* 'grúpa comhdhéanta de cheithre ní', dáiligh na Laidine,[6] m.sh., *bini, terni, quaterni* 'beirt, dhá cheann, *etc.* le chéile', nó, b'fhéidir na cnuasaithigh a dtagtar orthu i dteangacha Rómánsacha,[7] m.sh., Fraincis, *tous les deux, trois, quatre* 'an bheirt/dá ní, *etc.* i gcuideachta'. Ach thiocfadh dó gurb é grúpa na Slaivise is mó atá inchurtha sa chás, go háirithe teangacha na Slaivise Theas a bhfuil foirmeacha deilbhíochta ar leith acu, mar chóras uimhrithe pearsanta a gceanglaítear a mbunú le haicme na n-ainmfhocal fireann.[8]

3 Taobh istigh den Cheiltis is i mbrainse na Gaeilge amháin a thagtar ar a leithéidí de chatagóirí speisialta comhairimh. Le linn thréimhsí na Sean- agus Meán-Ghaeilge bhí trí cinn i gceist: catagóir neamhdhaonna,[9] a raibh an mhoirf *-de* curtha leis, catagóir daonna a raibh an mhoirf *-er, -ar* i gceist aige, agus an tríú catagóir dar chríoch *-ceng.*[10] Ar na catagóirí sin níor mhair go dtí an tréimhse nua ach an dara ceann a sholáthraigh foirmeacha sainiúla i gcás na chéad deich gcinn d'uimhreacha amháin. Tugtar na foirmeacha sin i dTábla I don tréimhse mhoch agus don nuathréimhse araon.

TÁBLA I

SEAN-GHAEILGE	NUA-GHAEILGE
duine [/óenar]	duine
diäs	beirt
triär	triúr
cethrar	ceathrar
cóicer	cúigear
seisser	seisear
mór-feis(s)er	seachtar
ochtar	ochtar
nónbor	naonbhar
deichenbor	deichneabhar

4 Mar atá léirithe ag Ó hUaithne,[11] diomaite den dara huimhir, is í an mhoirféim **-er/ar* is críoch dóibh ar fad. Gidh gur easaontaigh scoláirí áirithe, ina measc Pedersen – a mheas gur sanasaíocht de chuid an phobail nach mór a bhí i gceist[12] – leis an tsanasaíocht atá curtha síos ag Thurneysen don mhoirféim sin .i. gur foirm chomhshuite le **wiro-* 'fear' a bhí ann,[13] bhí Ó hUaithne den bharúil gur threisigh sé le tuairim an scoláire seo tagairt chomh minic sin a bheith ag na huimhreacha céanna d'ainmfhocail fhirinscneacha sa tseantréimhse. Tacaíocht bhreise é don bharúil chéanna, b'fhéidir, a bhfuil léirithe ag Breatnach ó shin .i. gur i rith thréimhse na Meán-Ghaeilge a ceadaíodh ginideach cáilithe ar lorg na n-uimhreacha seo.[14] Bíodh is nár éirigh le hÓ hUaithne bunús a mholadh san am do dhá fhoirm, *nónbor* agus *deichenbor,*[15] tá an t-ábhar athchíortha idir an dá thráth ag McCone a mholann foirmeacha cuí, **nowᵗner* agus **dexᵗnver*[16] – an dara ceann trí analach fhoirm na bunuimhreach – agus má tá an ceart ag na scoláirí sin d'fhéadfadh rangóir den chineál a chleachtar i dteangacha eile (féach faoi **1**) a bheith i gceist ó thús sa Ghaeilge, ceangailte de réir a bhunúis le haicme ainmfhocal fireann daonna. Ach cibé ba bhun leis an chatagóir seo tá sé de na comharthaí, ós rud é go raibh cosúlacht fhoirmiúil chomh mór sin idir catagóir na n-uimhreacha – a bhí curtha ar bun ar fad nach mór ag na foirmeacha seo in *-er, -ar,* – agus foirmeacha d'ainmfhocail a bhí comhshuite le *fer,* tá gach seans ann go mbeadh glacadh leis go forleathan gur catagóir uimhreacha le tagairt dhaonna a bhí ann go bunúsach, mar a thugann malairtí litrithe áirithe ar na huimhreacha seo le fios, *DIL* (*s.v.* cóicer).

5 Níl amhras ar bith, ar an lámh eile, ach gur baineadh úsáid as an chatagóir seo le tagairt neamhdhaonna ón tréimhse luath anall. Mar a deir Ó hUaithne: *The division into 'personal' and 'non-personal' is not entirely watertight at any period of the language,*[17] rud a mheabhraítear dúinn go héifeachtach i bhfoirm dhíorthach de chuid na tréimhse moiche, macasamhail *seisrech* '(sé cinn d')ainmhithe mar fhoireann céachta', nó sa nuathréimhse i gcás *deichneabhar* atá le fáil go fada, leitheadach mar théarma ar 'dheich gcinn de phaidreacha ina n-aonad sa Choróin Mhuire'. Cibé pointe tosaigh a bhí ag an idirphlé idir tagairt dhaonna agus neamhdhaonna sa chatagóir seo, is é is dócha go raibh páirt lárnach ag na foirmeacha úd nach raibh an iarmhír *-er, -ar* acu .i. an chéad agus an dara huimhir, i gcur chun cinn a úsáide le tagairt neamhdhaonna, mar a léireofar sa trácht gearr seo a leanas ar bhunús agus ar ghnéithe ar leith d'fhorás na bhfoirmeacha áirithe sin.

6 I gcás an dara huimhir phearsanta, cé bith sin de, níor cuireadh sanasaíocht shásúil chun tosaigh go fóill. Deimhníonn fianaise chanúintí na hAlban lenár linn féin, /d'ī-iʃ/ *dithis*, an séanas atá ar ár n-eolas sa tseantréimhse, SG *diäs*.[18] Ba é McCone ba dhéanaí a rinne iarracht sanasaíocht a chur ar fáil sa chás ar bhunús **dwi-pod-tā* 'déchosachas'.[19] Os a choinne sin, agus an tagairt a bhí ag Pedersen[20] á lua aige don mhoirf dheiridh atá i gcoitinne ag an fhocal sin agus ag *coícthiges* 'coicíos', tarraingíonn Ó hUaithne aird ar an díorthach *deisse* 'tréimhse dhá lá' agus molann go bhféadfadh sé gur bunús eile seachas bunús daonna/pearsanta a bhí ag *diäs* mar uimhir.[21] Ní beag an tacaíocht don bharúil chéanna go bhfuil áit *diäs* glactha ag uimhir eile .i. *beirt*, (féach 7) ar léir nach de bhunús pearsanta í – ná bunús uimhreach fiú amháin – ar fud mhórchuid na hÉireann i ndiaidh na tréimhse moiche.[22]

7 I gcás an téarma *beirt*, cibé sin de, tá sé mórán níos soiléire cén bhunfhoirm a bhí i gceist .i. SG *bert*, dar leis na scoláirí a scrúdaigh an cás go dtí seo agus, go deimhin, tá an t-ainmneach stairiúil le fáil i gcónaí i gcanúintí Ultacha.[23] Is é is bun leis an fhoirm *beirt*, tabharthach stairiúil an fhocail, a theacht in áit an ainmnigh, mar a tharla i gcás uimhreacha pearsanta eile, m.sh., NG *triúr* thar ceann *triär*,[24] *diïs/dís* thar ceann *diäs*, as siocair a mhinice a bhí an tuiseal sin in úsáid le habairtí comhaisnéise, *cf. attaam ar ndiis i cuimriug, DIL,* (*s.v.* dias), 'táimid beirt i ngeimheal', abairtí inar choitianta tagairt neamhdhaonna.[25]

8 Má bhíothas ar aon fhocal faoi bhunús an téarma *beirt* ní rabhthas ar aon tuairim faoin fhorás séimeantach a cheadaigh dó teacht isteach i gcatagóir na n-uimhreacha seo. Tá dírithe ag Ó hUaithne agus ag Ó Buachalla ar chiall phríomhdha amháin de chuid SG *bert* .i. 'gníomh, seift' faoina gceanglaíonn an chéad údar le gnóthaí foghlaeireachta é agus an dara duine le cúrsaí cluiche cláir.[26] Dar liomsa gur sásúla an moladh atá curtha chun tosaigh ag Dillon a rianaigh an fhorbairt siar go dtí ciall phríomhdha eile de chuid *bert* .i. 'ualach, lód'.[27] Féadtar an forás séimeantach a mhíniú ón phointe seo trí phróiseas den chineál a chuaigh i bhfeidhm ar an téarma *frachd* i nGaeilge na hAlban. Focal iasachta é sin ó Bhéarla na hAlban *fraught* 'lasta, lód', *cf.* Béarla *freight.*[28] I mBéarla na hAlban tháinig forbairt ar an bhrí a bhí leis sa dóigh gur chiallaigh sé 'lód a bhí inláimhsithe ag duine amháin' .i. 'lán dhá charr móna', agus, go háirithe, 'dhá bhuicéad uisce', agus seo míniú atá aige go coitianta i nGaeilge na hAlban, *cf. frachd bùirn* 'lán dhá bhuicéad uisce'.[29] Dá dtiocfadh forás dá mhacasamhail ar *bert* chuirfí an chiall leis 'lód le haghaidh dhá dhuine' .i. 'dhá earra', agus i ndiaidh dó aistriú go dtí an réimse daonna, 'dhá dhuine'.

9 I gcás na chéad uimhreach is léir go bhfuil baint fhoirmiúil ag SG *óenar* leis an chatagóir seo agus is cosúil go raibh sé in úsáid tráth mar uimhir. Féadtar corrshampla den úsáid sin a aithint, m.sh. mar a fheictear contrárthacht a bheith i gceist idir *óenar* agus *óen ben, DIL* (*s.v.* oenar). Cibé sin de, ba luath a ghlac an focal seo chuige féin, ar chúiseanna intuigthe, an tsainchiall 'gan chuideachta', sa dóigh go ndéantar feidhm de ag tagairt d'iolra ainmfhocal agus forainmneacha fosta, *cf. napad airib far n-oínur* 'daoibh amháin', *ro bu la filedu a n-aenur breithemnus* 'breithiúnas le filí amháin'. Baineann nathán cainte eile sa réimse séimeantach céanna leis an bhriathar *léic* 'lig': *léic he a oenur* 'lig de/ná bain de', *DIL* (*s.v.* oenar).[30] Ar straitéisí eile a bhí ar fáil le ciall 'aon duine amháin' a chur in iúl sa tseantréimhse bhí úsáid na n-ainmfhocal *fer, ben* agus *duine,* le cois na bunuimhreach *óen.* Ba é an bunús a bhí le húsáid an téarma seo go raibh cead, mar

mhalairt ar na huimhreacha pearsanta, na bunuimhreacha a úsáid go neamhspleách mar fhoirmeacha aonair nó mar aon le hainmfhocail dhaonna. Bíodh go bhfuil an scéal amhlaidh i gcónaí i nGaeilge na hAlban, is é an riail sa Nua-Ghaeilge nach ceadmhach na bunuimhreacha a úsáid go neamhspleách, riail a bhfuil *aon* < SG *óen* ina eisceacht shuntasach uirthi. Ós rud é gur chlúdaigh réimse séimeantach *óen* idir thagairt dhaonna agus neamhdhaonna ón tseantréimhse anall go dtínár linn féin, bheifí ag súil le go rachadh a thionchar i bhfeidhm ar chatagóir iomlán na n-uimhreacha pearsanta maidir le tagairt neamhdhaonna a dhéanamh.

10 Má scrúdaímid sna nuatheangacha úsáid na dtéarmaí úd a chiallaíonn 'an duine aonair', feicfear go soiléir an claonadh atá acu tagairt neamhdhaonna a tharraingt chucu féin. I gcanúintí thuaisceart Dhún na nGall tá an scéal amhlaidh i gcás *fear* agus *bean,*[31] agus tá fianaise ó fhilíocht an 18ú céad in Oirialla gur dócha go raibh an scéal amhlaidh in Oirthear Uladh chomh maith: *is péire maith bataí is **fear** aige Cathal díobh.*[32] Is fiú a thabhairt faoi deara go raibh gluaiseacht ina mhalairt de threo fosta, mar is léir ó chás an téarma SG *cenn.* Le cois na bunchéille, bhí an focal in úsáid sa tseantréimhse ag tagairt do 'beithíoch amháin eallaigh', rud atá ar eolas i gcanúintí ár linne féin, *LASID,* IV (Pt 86a). Ach, mar is eol dúinn, is é is coitianta inniu ag tagairt do 'aon earra amháin' nó 'aon ainmhí amháin' as measc grúpa.[33] Mar sin féin, i gCois Fharraige[34] agus i Ros Goill[35] baintear úsáid as *ceann* le tagairt dhaonna fosta.[36] Tá a fhios agam, fosta, ó mo thaithí féin, i gcás roinnt canúintí Conallacha, fiú cinn nach mbíonn *fear* agus *bean* le fáil iontu le tagairt neamhdhaonna, gurb é an téarma daonna *muintir* a fheidhmíonn mar fhoirm chomónta iolra, agus tagairt idir dhaonna agus neamhdhaonna aige.

11 Ní beag an méid atá i gcoitinne sa chás idir Gaeilge na hAlban agus an cur síos a rinneadh ar chuid de chanúintí thuaisceart Dhún na nGall agus, b'fhéidir, Oirthear Uladh, sa mhéid is go bhfuil téarmaí nach raibh i gceist acu ó thosach ach tagairt dhaonna i ndiaidh tagairt neamhdhaonna a tharraingt chucu féin fosta, agus go bhfuil téarma amháin, ar théarma daonna ó thús é, *feadhain* 'muintir', i bhfeidhm san iolra le tagairt dhaonna agus neamhdhaonna araon. San uatha tá *fear* ag freagairt dó sin leis an tagairt leathan chéanna ach i gcás ainmfhocal firinscneach amháin, gidh gur tagairt chomónta atá bainte amach aige seo fosta i dteanga ghaolmhar Mhanann.[37] Maidir leis an téarma *bean* in Albain, murab ionann agus canúintí Ultacha, ní dhéantar feidhm de le tagairt leathan bhaininscneach mar go bhfuil téarma eile, *té*, i ndiaidh an áit áirithe sin a líonadh.

12 Gidh go raibh amhras ar Ó hUaithne[38] maidir leis an tsanasaíocht a chuirtí síos do *té* – SG alt fir. *in t-* agus an iarmhír thaispeántach *-í* ar a lorg á thuiscint le linn thréimhse na MG mar *in tí* agus ansin athmhúnlú á dhéanamh air leis an dara foirm *in té* a chruthú trí thionchar an phéire fhorainmnigh *é* fir., *í* bain.– dearbhaíonn staidéar a rinneadh ar na mallaibh ar an tréimhse sin den teanga,[39] údarás na sanasaíochta sin mar, i measc na bhfoirmeacha ar a dtráchtar ann, ní amháin go bhfaightear an t-athshiollabú a luadh ach tá teacht ar idir *té* agus *tí*, mar aon leis an alt agus ina éamais, tréithe teanga a bhaineann le Gaeilge na hAlban chomh maith. Sa teanga seo tá *(an) tí* ar eolas le tagairt bhaininscneach agus fhirinscneach, *cf. roimh* ***thì*** *eile*, 'roimh dhuine eile',[40] agus baintear feidhm as go coitianta lenár linn féin ag tagairt do Dhia, *cf. a* ***Thì*** *féin!* 'A Neach (Mhóir) Féin!',[41] *an tì is airde*.[42] Bíodh go raibh tagairt chomónta i dtaca le hinscne dhaonna de i dtús ama ag *té* i nGaeilge na hAlban, mar atá i gcónaí i nGaeilge na hÉireann, *cf. an* ***té*** *nach bhfuil láidir ní foláir dó bheith glic*, dealraíonn sé gur teorannaíodh é sa teanga sin de réir a chéile do thagairt bhaininscneach faoin nuaré féin, de bhrí, b'fhéidir, go bhfacthas go raibh tagairtí soiléire firinscneacha ag *tí* den chineál ar tráchtadh air. Mar fhocal scoir, ní miste tagairt a dhéanamh don pháirt a ghlac na foirmeacha atá á bplé anseo in aistriú leathan séimeantach eile – a tháinig chun cinn, go pointe áirithe,

b'fhéidir, de bharr leathnú limistéar séimeantach na dtéarmaí *fear* agus *bean* ar tagraíodh thuas dó. Mar thoradh ar an aistriú céanna, tá *duine* i ndiaidh an chiall thánaisteach 'fear céile' a ghlacadh chuige ó *fear* agus tá ainmfhocal nua *boireannach* < SG *bainenn* 'baineann' i ndiaidh teacht chun cinn sa chiall 'bean'.

13 Is ceart trácht a dhéanamh anois ar na coinníollacha a bhaineann le húsáid na n-uimhreacha pearsanta seo sna nuatheangacha agus an dáileadh atá uirthi i gcanúintí éagsúla. Tagann údarás ghraiméar ár linne,[43] den chuid is mó, leis an chuntas a thugann Ó hUaithne i leith na Gaeilge:

> In Ireland there is a large area in the Northwest and a smaller one in the South where the personal numerals without a qualifying genitive refer to inanimate objects; this is not permitted elsewhere in Ireland, nor in Scotland. Only a small number of nouns (denoting sex, relationship, nationality, *etc.*) can be enumerated by personal numerals: Irish *beirt bhan* 'two women', *triúr Sasanach*, 'three Englishmen', Scottish Gaelic *deichnear dhaoine* 'ten men'.[44]

Féachfar ar an scéal i nGaeilge na hAlban ar ball beag ach, faoi mar a fheicfear, dearbhaíonn fianaise ón tír sin a chuirtear ar fáil thíos go raibh an scéal mar an gcéanna ansiúd agus in Éirinn i dtaca le húsáid ainmfhocal ina dteannta, is é sin, go raibh ginideach cáilithe le tagairt neamhdhaonna ceadaithe ar lorg na n-uimhreacha seo.

14 Maidir leis na limistéir in Éirinn ar thrácht Ó hUaithne orthu, ba chóir a thabhairt faoi deara i gcás Chúige Mumhan gurb eol dúinn an úsáid le tagairt neamhdhaonna in dhá cheantar, Cléire: *bhí* ***ceathrar*** *asal againn,*[45] ***cúigear*** *nó* ***seisear*** *macraeilí, do* ***bheirt*** *ordóg,*[46] *mar a chéile an* ***bheirt****: [madra gaoithe agus an bhogha leacha],*[47] agus Cairbre ar tír mór: *[an dá chuas:] idir an* ***mbeirt,***[48] *[carabhataí:] b'fhearr na cinn a dheintí sa bhaile ná* ***triúr*** *acu,*[49] [slip*eanna:*] *tá* ***beirt*** *eile in Inis Arcáin.*[50] B'fhurasta a áiteamh, mar sin, go dtiocfaí ar an tréith áirithe seo i dtuilleadh canúintí Muimhneacha atá i ndiaidh dul in éag ach na foinsí eolais a bheith ar maireachtáil chugainn.

15 Is é Co. Dhún na nGall, ar ndóigh, an *large area in the Northwest* a luann Ó hUaithne, áit a bhfuil fianaise againn ó roinnt canúintí: ***beirt** lochannaí, **naonúr** ba, **cúigear** caorach,*[51] ***seisear** caoirigh, **beirt** nó **thriúr** sceana, **beirt** nó thrí bocsaí.*[52] Ach maidir le canúintí Chúige Uladh de, tá an dáileadh níos forleithne ná mar a tuairiscíodh ag Ó hUaithne agus, le fírinne, leathnaíonn ar fud an Chúige uile, mar a léiríonn an fhianaise a leanas óna oirdheisceart: ***triúr** bó bainne,*[53] chomh maith le lár an Chúige: *d'iarr sí póg nó **beirt** air,*[54] agus ón oirthuaisceart: *'ó nur **triúr** butáta.*[55]

16 Bhunaigh Ó hUaithne a chuntas ar leagan amach an scéil i nGaeilge na hAlban, gan amhras, ar na monagraif a chuireann síos ar chanúintí Inse Ghall agus chósta an iarthuaiscirt, ach de bharr na dtagairtí atá ag roinnt taighdeoirí eile[56] d'fhéad an scoláire céanna aird a thabhairt fosta ar an úsáid a bhí ag *dithis(d)*, ar a laghad, le tagairt neamhdhaonna in Albain. Déanann Ó Baoill achoimre ar an fhianaise chéanna i gcás iardheisceart na hAlban[57] agus dearbhaíonn monagraf Grant, a tháinig amach ó shin úsáid *dithis(d)* le tagairt neamhdhaonna i gcás chanúint Íle.[58] Thabharfadh dáileadh dá leithéid ar chanúintí an iardheiscirt amháin in Albain le fios go bhfuiltear ag plé sa chás le tréith teanga a leathnaigh aneas ó Ghaeilge Chúige Uladh. Os a choinne sin, gidh nach bhfuil teacht ar an tréith i monagraf a rinneadh ar an teanga i bpáirt de Shiorramacht Pheairt lenár linn féin,[59] tá fianaise ann ó fhilíocht neamhchlasaiceach a cumadh sa chontae céanna tá dhá chéad bliain ó shin go raibh an úsáid ar eolas ansin i gcás *dithis*: *'S cha d'fhuair mi do stìom no t'anart/ Ge b'airidh mi orra 'nan **dithist**.*[60] Is léir fosta nach raibh an úsáid teoranta don dara huimhir amháin, mar a thugann sampla níos luaithe (16ú haois) ón réigiún céanna le tuiscint dúinn: *dá **chóigear** choróin.*[61]

17 Le cois na fianaise dearfa ón cheantar sin, tá tuilleadh samplaí dá leithéid bailithe agam féin le blianta beaga anuas ó chanúintí Albanacha eile nach mbaineann le limistéar an iardheiscirt a luadh ó thosach. Ó fhaisnéiseoir de chuid Cho. Inbhir Nis, Oileán Cheap Breatainn Cheanada, Alasdair Iagain Alasdair, Mabù an Ear-a-Tuath,[62] a rinne mé an chéad cheann a thaifeadadh.[63] Ós rud é gurbh as Mórair in iarthar Shiorramacht Inbhir Nis do shinsir an chainteora seo agus gur tógadh é i measc pobail arbh as an cheantar sin agus as ceantair eile a bhí buailteach leis do mhórchuid a sinsear siúd, is cosúil go bhfuil léiriú againn sa chás ar úsáid an réigiúin sin. Bhí an abairt ***deichnear** do laoigh* ar roinnt samplaí a chuir an faisnéiseoir seo ar fáil dom.

18 Baineann sampla eile le cósta thuaidh na hAlban. Sa suimiú a thugann Ó Baoill ar an fhianaise faoi na háiteanna a raibh an tréith áirithe seo ar eolas sa chaint iontu, luaitear roinnt ceantar nach feasach an nós seo a bheith le fáil iontu.[64] Orthu sin áirítear ní amháin canúintí de chuid Inse Ghall agus Iarthar Rois (Diùirinis), ach, lena chois sin, canúint de chuid Shiorramacht Chataibh (Asainnt). Más iontach le rá é, ba i gceantar ar fhíorimeall thuaisceart na siorramachta seo a rinne mé féin sampla eile den úsáid 'neamhphearsanta' a thaifeadadh ar na mallaibh (30/5/97, Iain Coinneach MacAoidh, Crasg). Rann atá i gceist ann agus é maoite ar fhile iomráiteach de chuid an chontae, Rob Donn Mac Aoidh, a dhéanann aoibhneas faoi bhás póitseálaí aitheanta:

Ba mhath a' chù thu
le do chù 's do ghunna 's do each.
M'och! tha thus' an-diugh san uaigh
'S tha èid-as, 'n triùir, mu seach.[65]

[Ba mhaith an madra tú/ le do mhadra, agus do ghunna agus do chapall./ Mo bhrón! tá tusa inniu san uaigh/ agus tá siadsan, ina dtriúr, ar maireachtáil.][66]

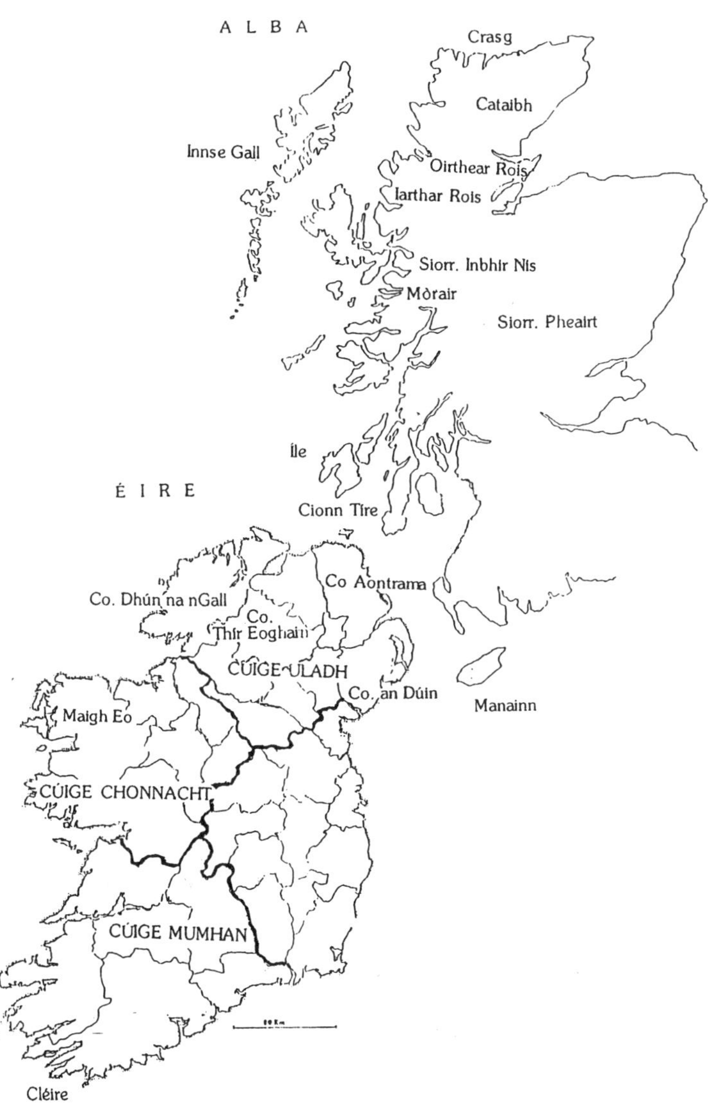
A L B A
Crasg
Cataibh
Innse Gall
Oirthear Rois
Iarthar Rois
Siorr. Inbhir Nis
Mòrair
Siorr. Phealrt
Íle
É I R E
Cionn Tìre
Co Aontrama
Co. Dhún na nGall
Co. Thír Eoghain
CÚIGE ULADH
Co. an Dúin
Manainn
Maigh Eo
CÚIGE CHONNACHT
CÚIGE MUMHAN
Cléire

19 Leagann na samplaí seo féin, ar le linn turas tástála sa ghort a fuarthas iad, béim ar an riachtanas atá ann sna canúintí éagsúla teacht ar an-mhórán buneolais dá leithéid nár lorg an Linguistic Survey of Scotland (Gaelic) a cuireadh i gcrích den chuid ba mhó idir 1950 agus 1961.[67] Cuireann an t-eolas breise a tugadh thuas i leith pointí in iarthar agus i dtuaisceart na hAlban crot eile ar an scéal maidir le dáileadh na dtréithe atá á scrúdú sa tír sin (amharc Léarscáil thuas) agus nuair a thógtar le chéile leithead a dáilte in Éirinn, mar a chonacthas thuas é, agus dáta cuid de shamplaí na hAlban, is mó an chosúlacht atá ar an scéal go bhfuiltear ag plé le tréith sheanda a bhí le fáil i bhfad níb fhorleithne ar fud an limistéir Ghaelaigh uile go léir ná mar atá lenár linn féin. Tá tacaíocht bhreise le fáil ag an bharúil chéanna ó fhoinsí eile fós, b'fhéidir, cuir i gcás nóta Wagner faoi phointe Connachtach in aice le Cluain Cearbán in iardheisceart Mhaigh Eo, *LASID*, III (Pt 52): beirt *and* triúr *are used as anaphoric pronouns, as in N. Donegal Irish*, nó na tagairtí a dhéantar i bhfilíocht Ghaeilge na hAlban san 18ú céad do na hocht méar a mbaintear feidhm astu leis an phíob a sheinm mar *ochdnar: Bidh sionnsair caol crochta / fo chaonnaig aig ochdnar [A slender chanter will hang down / in an affray with eight].*[68] D'fhéadfaí an úsáid chéanna a chur síos do chaomhnú na comhréire traidisiúnta lán chomh maith le húsáid mheafarach den chineál a gheofaí i nGaeilge na hÉireann fosta.[69]

20 Má thugtar le tuiscint ón mhéid sin go bhfuil meath i ndiaidh teacht ar úsáid thraidisiúnta amháin de chuid na n-uimhreacha pearsanta, maireann siad, mar sin féin, faoi mar is eol dúinn, in úsáid laethúil i gcónaí mar chatagóir (a) le tagairt dhaonna i nGaeilge na hÉireann agus na hAlban maille le hainmfhocal cáilithe agus ina éamais; agus (b) os a choinne sin, i gCo. Dhún na nGall, le tagairt neamhdhaonna, ach, ar feadh m'eolais, gan ainmfhocal cáilithe ar a lorg ag cainteoirí na comhaimsire. Sa chás deiridh seo cuireann na huimhreacha céanna gléas an-ghonta ar fáil maidir le tomhais ama, spáis agus líon earraí: *triúr* [troithe] *ceathrar* [bliana], *cúigear* [deochanna], agus ní baol báis don úsáid áirithe seo san am i láthair.

Mar fhocal scoir, ní miste a thabhairt faoi deara a fheabhas a d'éirigh leis na huimhreacha céanna mar chatagóir ón tréimhse mhoch – go deimhin féin ní féidir a chur as an áireamh gurbh é an bláth a bhí orthu sin ba chiontach lena gcomhchatagóir phearsanta dul in éag i rith na tréimhse céanna agus an chatagóir chomhthreomhar neamhdhaonna lena chois (amharc **3**). Is móide an t-ábhar iontais gur tháinig siad i mbláth chomh mór sin nuair a chuimhnítear go raibh a n-úsáid roghnach ó thosach. Bhí cead na bunuimhreacha a chleachtadh fosta le húsáid dhaonna ón tréimhse mhoch, fiú mar fhorainmneacha: *na dáu sa,*[70] faoi mar a cheadaítear i gcónaí i nGaeilge na hAlban: *na dhà dhiubh,* agus cibé scéal a bhain do na huimhreacha pearsanta is léir go raibh údarás na húsáide daonna ag catagóir na mbunuimhreacha le tréimhse chomh fada siar agus atá cuntas ar scríobh na Gaeilge .i. tréimhse na n-inscríbhinní Oghaim: *cf.* TRIA MAQA 'an triúir mac'.[71]

GLUAIS

cnuasaitheach	*collective*
comhbhailitheach	*aggregative*
dáileach	*distributive*
rangóir	*classifier*

1 J. A. Suárez, *The Mesoamerican Languages*, Cambridge 1983, 87-8.

2 B. Comrie, *The Languages of the Soviet Union*, Cambridge 1981, 269. Is ann dá mhacasmhail de chóras sa tSeapáinis fosta, *cf.* G. L. Campbell, *Concise Compendium of the World's Languages*, London 1995, 263. Tá mé buíoch de mo chomhghleacaí, an Dr Aingeal de Búrca as mé a chur ar an eolas faoi seo.

3 E. Gruzdeva, 'Aspects of Nivkh Morphophonology: Initial Consonant Alternation after Sonants', *Journal de la Société Finno-Ougrienne* 87 (1997), 79-96; 81-3, 92-3. Tá mé buíoch den Ollamh Séamas Ó Catháin as an tagairt seo a lua liom.

4 D. Greene, 'Celtic', in J. Gvozdanović, *Indo-European Numerals*, New York 1992, 497-554; 517.

5 Gvozdanović, *Indo-European Numerals*, 236.

6 *Ibid.*, 418-9.

7 *Ibid.*, 481.

8 B. Comrie, 'Slavonic', in Gvozdanović, *Indo-European Numerals*, 717-834; 802-5.

9 H. Lewis agus H. Pedersen, *A Concise Comparative Celtic Grammar*, eagrán leasaithe, Göttingen 1961, 193.

10 Greene, 'Celtic', 517.

11 *Ibid.*, 497-554.

12 H. Pedersen, *Vergleichende Grammatik der keltischen Sprachen*, Göttingen 1909-13, 136.

13 R. Thurneysen, *A Grammar of Old Irish*, Dublin 1946, 243.

14 L. Breatnach, 'An Mheán-Ghaeilge', in *SnaG*, 221-334; 262.

15 Greene, 'Celtic', 558.

16 K. McCone, 'An tSean-Ghaeilge agus a Réamhstair', in *SnaG*, 61-220; 206-7.

17 Greene, 'Celtic', 517.

18 M. Oftedal, *The Gaelic of Leurbost, Isle of Lewis*, Oslo 1956, 231.

19 McCone, 'An tSean-Ghaeilge', 207.

20 Pedersen, *Vergleichende Grammatik*, 136.

21 Greene, 'Celtic', 518.

22 Tá teacht ar *dís* go fóill mar mhalairt ar *beirt* i gCúige Uladh agus i ndeisceart na Mumhan. Léiríonn fianaise ón tuaisceart go mbaintear úsáid choitianta as go neamhspleách ar ainmfhocal cáilithe sa chiall 'péire, beirt' agus gur féidir le hainmfhocal cáilithe é a leanúint chomh maith, *cf. dís mac*, S. Watson, 'Séamus Ó Duilearga's Antrim Notebooks – II: Language', *ZCP* 42 (1987), 138-218;167; É. Ó Tuathail, *Sgéalta Mhuintir Luinigh*, Dublin 1933, 4; *dís fear*, *LASID*, IV (Pt 68); *dís ban óg*, C. Goan, *Róise na nAmhrán: Songs of a Donegal Woman*, Dublin 1994, 13. Ar shamplaí de *dís* atá ar eolas ó fhíordheisceart Chúige Mumhan: tá *ciall agus míchiall, dís ná gabhann le chéile*, in *M* .i. cnuasach focal i nGaeilge na Mumhan leis an Dr Éamonn Ó hÓgáin, Cartlann Fhoclóir na Nua-Ghaeilge, Acadamh Ríoga na hÉireann, Baile Átha Cliath; *M* 81, Cléire.

[23] S. Ó Searcaigh, *Coimhréir Ghaedhilge an Tuaiscirt*, Baile Átha Cliath 1939, 76; H. Wagner agus G. Stockman, 'Contributions to a Study of Tyrone Irish', *Lochlann* 3 (1965), 43-236; 168; *LASID*, IV (Pt 77, 79).

[24] *Cf.* mar a mhair *triar* sa teanga fosta: *LASID*, III (Pt 52); filíocht Uladh an 18ú haois, S. de Rís, *Peadar Ó Doirnín*, Baile Átha Cliath 1969, 101, agus, go háirithe, filíocht an 17ú haois in Albain mar a dtagtar ar fhoirm stairiúil, dhéshiollach i gcónaí, *cf.* *triar* (gin. iol.: *bruidhinn*), W. Matheson, eag., *An Clàrsair Dall: the Blind Harper*, Edinburgh 1970, 42.

[25] Thurneysen, *Grammar of Old Irish*, 244.

[26] D. Greene, 'The Semantics of *beirt*', *Éigse* 12 (1967), 68 agus ag B. Ó Buachalla, 'Varia III: Modern Irish *beirt*', *Ériu* 27 (1976): 130-4; 131-4.

[27] M. Dillon, 'Distribution in Gaelic Dialects', *Language* 29 (1953), 322-5; 325.

[28] W. Grant agus D. D. Murison, *The Scottish National Dictionary*, IV, Edinburgh 1956, 180.

[29] N. C. Dorian, *East Sutherland Gaelic*, Dublin 1978, 166.

[30] Cuireann focail eile atá díortha ó *oenar* tuilleadh samplaí ar fáil sa réimse séimeantach céanna, m.sh., an díspeagán *oenarán*, arb ionann úsáid dó, nach mór; *oenaránach* 'an duine leis féin' (*cf.* Gaeilge na hAlban *ònarach* 'leat féin, uaigneach') agus *oenaránacht* 'bheith ar an uaigneas'.

[31] C. Ó Baoill, *Contributions to a Comparative Study of Ulster Irish and Scottish Gaelic*, Belfast 1978, 131; J. N. Hamilton, *A Phonetic Study of the Irish of Tory Island, Co. Donegal*, Belfast 1974, 181.

[32] de Rís, *Peadar Ó Doirnín*, 15.

[33] C. Ó Cadhlaigh, *Gnás na Gaedhilge*, Baile Átha Cliath 1940, 282-3.

[34] T. de Bhaldraithe, *Gaeilge Chois Fhairrge: An Deilbhíocht*, Baile Átha Cliath 1953, 147.

[35] L. W. Lucas, *Grammar of Ros Goill Irish, Co. Donegal*, Belfast 1979, 81.

[36] Ní miste tagairt a dhéanamh d'fhorás gaolmhar i nGaeilge na hAlban faoinar tháinig *cuid* chun cinn le tagairt dhaonna san fhocal *cuideigin* 'duine éigin'.

[37] N. Williams, 'An Mhanainnis', in *SnaG*, 703-44; 720.

[38] Greene, 'Celtic', 532

[39] Breatnach, 'An Mheán-Ghaeilge', 277.

[40] W. J. Watson, *Bàrdachd Ghàidhlig*, Inverness 1959, 210.

[41] *Ibid.*, 238.

[42] H. C. Dieckhoff, *A Pronouncing Dictionary of Scottish Gaelic*, Edinburgh 1932, 163.

[43] Na Bráithre Críostaí, *Graiméar Gaeilge na mBráithre Críostaí*, Baile Átha Cliath 1960, 133-4.

[44] Greene, 'Celtic', 537.

[45] *M* 81. Tá mé buíoch den Dr Éamonn Ó hÓgáin, Eagarthóir Ginearálta Fhoclóir na Nua-Ghaeilge, Acadamh Ríoga na hÉireann as an tagairt seo a lua liom.

46 Ó Buachalla, 'Modern Irish *beirt*', 131.

47 *M* 81.

48 *MO* 86; *MO* .i. cnuasach focal i gCartlann Fhoclóir na Nua-Ghaeilge, Acadamh Ríoga na hÉireann, Baile Átha Cliath, a baineadh as D. Ó Cróinín, *Seanachas ó Chairbre,* Baile Átha Cliath 1982.

49 *Ibid.*

50 *Ibid.*

51 H. Wagner, *Gaedhilge Theilinn,* Baile Átha Cliath 1959, 153, 155.

52 Lucas, *Grammar of Ros Goill Irish,* 80.

53 W. Neilson, *An Introduction to the Irish Language,* Dublin 1808, 104.

54 Ó Tuathail, *Sgéalta Mhuintir Luinigh*, 139.

55 Watson, 'Ó Duilearga's Antrim Notebooks', 176. Is fiú a lua go bhfuil tionchar láidir Ghaeilge na hAlban ar an chanúint áirithe sin léirithe in úsáid an chnuasainm *butáta* mar iolra, ar nós na hAlban.

56 E. Dwelly, *The Illustrated Gaelic-English Dictionary,* naoú heagrán, Glasgow 1977, 342; G. Henderson, 'The Gaelic Dialects', *ZCP* 5 (1905), 455-81; 478; N. M. Holmer, *The Gaelic of Kintyre*, Dublin 1962, 87.

57 Ó Baoill, *Ulster Irish and Scottish Gaelic*, 52-3.

58 J. H. Grant, 'The Gaelic of Islay: Phonology, Lexicon and Linguistic Context', tráchtas Ph.D., University of Aberdeen 1987, 146.

59 M. Ó Murchú, *East Perthshire Gaelic,* Dublin 1987.

60 D. S. Thomson, *The Macdiarmid MS Anthology*, Edinburgh 1992, 34.

61 W. J. Watson, *Bàrdachd Albannach: Scottish Verse from the Book of the Dean of Lismore*, Edinburgh 1937, 214, l. 2145.

62 F. MacEachen, 'Cape Breton to Manitoba: Speaking Our Language', *Am Bràighe* 2.2 (1994), 12-3; 12.

63 S. Watson, téip CB 98-07-08.

64 Ó Baoill, *Ulster Irish and Scottish Gaelic*, 52-3.

65 Dearbhaíonn tréithe canúna mar *èid-as* gur caint de chuid na taoibhe sin tíre atá i gceist.

66 Aistriúchán bunaithe ar leagan Béarla an fhaisnéiseora féin.

67 W. Gillies, 'The History of the Survey', in C. Ó Dochartaigh, *Survey of the Gaelic Dialects of Scotland*, I, Dublin 1997, 25-47.

68 U. MacMhathain, *Orain Iain Mhic Fhearchair,* Dùn Eideann 1939, 36, ll.1072-3; *cf.* fosta C. Ó Baoill, eag., *Eachann Bacach and Other Maclean Poets*, Edinburgh 1979, 56, l. 684, mar a bhfaightear tagairt eile dá leithéid.

69 N. Williams, *Cniogaide Cnagaide,* Baile Átha Cliath 1988, 167.

70 Greene, 'Celtic', 501

71 Lewis agus Pedersen, *Celtic Grammar*, 188.

Clár Saothair Bhreandáin Uí Mhadagáin

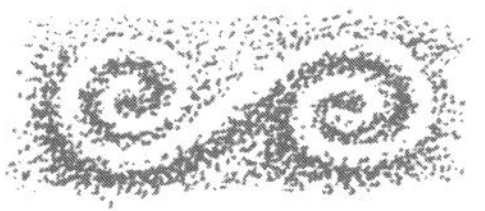

ROLF BAUMGARTEN

Leabhar an Athar Muiris Paodhar
Tráchtas Ph.D., An Coláiste Ollscoile, Baile Átha Cliath 1967

Léirmheas ar A. Ó Fachtna, (eag.), *An Bheatha Dhiadha nó an tSlighe Ríoghdha*, Baile Átha Cliath 1967
Éigse 12 (1967-8), 333-6

Addendum le S. Ó hEochaidh, 'Seanchas Éanlaithe Iar-Uladh', *Béaloideas* 37-8 (1969-70), 210-336
Ibid., 336-7

Nótaí ar Chlaochlú Tosaigh an Ainmfhocail agus na hAidiachta i gCanúint de Chuid Cho. Chorcaí
Éigse 14 (1971-2), 81-6

An Té a bhfuil Cluas le hÉisteacht Air Éisteadh Sé
Léirmheas ar *Tiomna Nua Ár dTiarna agus Ár Slánaitheora Íosa Chríost*, C. Ó Cuinn a d'aistrigh ón *Revised Standard Version* agus ón nGréigis. Baile Átha Cliath 1970
Combar 30 (Márta 1971), 20-2

Léirmheas ar O. Bergin, *Irish Bardic Poetry*, eag. D. Greene agus F. Kelly, Dublin 1970
Éigse 14 (1971-2), 249-56

Léirmheas ar [P. Ó Fiannachta], *An Pentatúc. Arna aistriú ón mbuntéacs faoi threoir ó easpaig na hÉireann*, Má Nuad 1971
Irish Theological Quarterly 39 (1972), 398-402

Lámhscríbhinn Ghaeilge i mBelcamp
Belcamp College Annual 1973, 14-5

An Ghaeilge i Luimneach 1700-1900, Baile Átha Cliath 1974 (athchló 1980)

Eag., *Teagasc ar an Sean-Tiomna. An tAthair M. Paodhar a scríobh*, Baile Átha Cliath 1974

Léirmheas ar C. Ó Cuinn, eag., *Scéalta as an Apocrypha. Muircheartach Ó Cionga a d'aistrigh don Easpag Bedell*, Baile Átha Cliath 1971
Studia Hibernica 14 (1974), 181-7

Oidhreacht na hAmhránaíochta
Macalla (1977), 15-8

Eag., *Gnéithe den Chaointeoireacht. Léachtaí a tugadh ag Scoil Gheimhridh Chumann Merriman i mBaile Uí Bheacháin, Co. an Chláir, Eanáir 1978*, Baile Átha Cliath 1978

Ceol an Chaointe
In B. Ó Madagáin, eag., *Gnéithe den Chaointeoireacht*, 30-52

An Dialann Dúlra. Cín lae Amhlaoibh Uí Shúilleabháin agus scríbhinní dúlra an Bhéarla, Baile Átha Cliath 1978

Irish Vocal Music of Lament and Syllabic Verse
In R. O'Driscoll, eag., *The Celtic Consciousness*, Toronto 1981 [Portlaoise 1982], 311-32

Léirmheas ar D. O'Sullivan agus M. Ó Súilleabháin, eag., *Bunting's Ancient Music of Ireland*, Cork 1983
Studia Hibernica 22-3 (1982-3), 174-80

Ceol a Chanadh Eoghan Mór Ó Comhraí
Béaloideas 51 (1983), 71-86

Léirmheas ar Angela Partridge, *Caoineadh na dTrí Muire. Téama na Páise i bhfilíocht bhéil na Gaeilge*, Baile Átha Cliath 1983
Comhar 43 (Iúil 1984), 37-8

Functions of Irish Song in the Nineteenth Century
Béaloideas 53 (1985), 130-216

Limerick's Heritage of Irish Song
North Munster Antiquarian Journal 28 (1986), 77-102

Cultural Continuity and Regeneration.
In M. A. G. Ó Tuathaigh, eag., *Community, Culture, and Conflict*, Galway 1986, 17-30

Amhráin Bheannaithe: An Traidisiún Dúchais
An Sagart 30, 2 (Samhradh 1987), 11-20,

Págántacht agus Críostaíocht i bhFilíocht na Scoileanna (A.D. 1200-1700)
In M. Mac Conmara, eag., *An Léann Eaglasta in Éirinn 1200-1900*, Baile Átha Cliath 1988, 156-68

An Bíobla i nGaeilge (1600-1981)
Ibid., 176-86

The Gaelic Lullaby: A Charm to Protect a Baby?
Scottish Studies 29 (1989), 29-38

An Amhránaíocht i Saol na nDaoine Fadó
In L. Prút, eag., *Dúchas* 1986-89, Baile Átha Cliath 1990, 162-80

Léirmheas ar J. L. Campbell, *Songs Remembered in Exile: Traditional Gaelic Songs from Nova Scotia recorded in Cape Breton and Antigonish County in 1937*, Aberdeen 1990
Béaloideas 58 (1990), 227-230

Gaelic Work Songs
Ireland of the Welcomes 40 (March/April 1991), 41-54

Dáibhí Ó Bruadair and Irish Culture in Limerick, 1691
North Munster Antiquarian Journal 33 (1991), 41-54

Echoes of Magic in the Gaelic Song Tradition
In C. J. Byrne *et al.*, eag., *Celtic Languages and Celtic Peoples. Proceedings of the Second North American congress of Celtic studies, held in Halifax, 1989*, Halifax N.S. 1992, 125-40

An Ceol a Ligeann an Racht
Oidhreacht na nOileán. Léachtaí Cholm Cille 22 (1992), 164-84

Song for Emotional Release in the Gaelic Tradition
In G. Gillen agus H. White, eag., *Music and the Church*. Irish Musical Studies, 2, Blackrock, Co. Dublin 1993, 254-75

The Picturesque in the Gaelic Tradition
In T. Collins, eag., *Decoding the Landscape. Papers read at the Inaugural Conference of the Centre for Landscape Studies ... at University College Galway, 1990*, Galway 1994 [dara heagrán athchóirithe 1997], 48-59

Douglas Hyde and the Songs of Connacht
In B. Ó Conaire, eag., *Comhdháil an Chraoibhín. Conference proceedings 1990, 1992*, Boyle 1994, 9-17

The Book of O'Conor Don
In B. Ó Conaire, eag., *Comhdháil an Chraoibhín. Conference proceedings 1994*, Boyle 1995, 74-95

Eoghan Ó Comhraí agus Amhráin Ghaeilge an Chláir
In P. Ó Fiannachta, eag., *Ómós do Eoghan Ó Comhraí*, An Daingean 1995, 43-58

Irish: A Difficult Birth
In T. Foley, eag., *From Queen's College to National University: Essays on the Academic History of QCG/UCG/NUI, Galway*, Dublin 1999, 344-59

Coibhneas na Filíochta leis an gCeol, 1700-1900
In Pádraigín Riggs, B. Ó Conchúir, S. Ó Coileáin, eag., *Saoi na hÉigse. Aistí in ómós do Sheán Ó Tuama*, Baile Átha Cliath 2000, 83-104

Tá taifeadtaí d'amhránaíocht Bhreandáin Uí Mhadagáin in Ollscoil na hÉireann, Gaillimh, Leabharlann James Hardiman, uimhir seilpe AV 390.

Tá mé faoi chomaoin ag an Dr Pádraig Ó Héalaí, Scoil na Gaeilge, Ollscoil na hÉireann, Gaillimh; an tOllamh Nollaig Mac Congáil, iarDhéan, Dámh na nDán, Ollscoil na hÉireann, Gaillimh; An Dr Úna Nic Éinrí, Coláiste Mhuire Gan Smál, Ollscoil Luimnigh; Marie Boran, Special Collections Librarian, Leabharlann James Hardiman, Ollscoil na hÉireann, Gaillimh; Pauline Foster, Oifig an Uachtaráin, An Coláiste Ollscoile, Baile Átha Cliath; Nioclás Ó Cearbhalláin agus Joan McDermott, Taisce Cheol Dúchais Éireann, Baile Átha Cliath.

na léaráidí

na húdair

Anders Ahlqvist Ph.D.: Comhollamh le Sean-Ghaeilge i Scoil na Gaeilge, Ollscoil na hÉireann, Gaillimh; stair na Gaeilge agus téacsanna teangeolaíochta na Sean-Ghaeilge a phríomhréimsí léinn.

Rolf Baumgarten Ph.D.: Ollamh *Emeritus* in Institiúid Ard-Léinn Bhaile Átha Cliath; bibleagrafaíocht léann na Gaeilge agus an logainmníocht a phríomhréimsí léinn.

Gearóid Denvir M.A., Ph.D.: Léachtóir i Scoil na Gaeilge, Ollscoil na hÉireann, Gaillimh; litríocht an naoú haois déag agus an fichiú haois, an litríocht bhéil, an tsochtheangeolaíocht agus an chritic chultúrtha a phríomhréimsí léinn.

Alan Harrison M.A., Ph.D.: Comhollamh i Roinn na Nua-Ghaeilge, An Coláiste Ollscoile, Baile Átha Cliath; an chrosántacht agus aos léinn na Gaeilge san ochtú haois déag a phríomhréimsí léinn.

Proinsias Mac Cana M.A., Ph.D., D.Litt. (*honoris causa* Ollscoil Átha Cliath, Ollscoil Uladh, Ollscoil na Breataine Bige): Ollamh *Emeritus* in Institiúid Ard-Léinn Bhaile Átha Cliath; teanga (go háirithe an chomhréir) agus litríocht na Breatnaise agus na Gaeilge a phríomhréimsí léinn.

Mícheál Mac Craith M.A., Ph.D.: Ollamh na Nua-Ghaeilge agus Ceann Scoil na Gaeilge in Ollscoil na hÉireann, Gaillimh; litríocht an seachtú agus an ochtú haois déag, Oisíneachas agus forás an Cheilteachais, an spioradáltacht dúchais agus filíocht agus prós an fichiú haois a phríomhréimsí léinn.

Gearóid Mac Eoin M.A., Ph.D.: Ollamh *Emeritus* i Scoil na Gaeilge, Ollscoil na hÉireann, Gaillimh; teanga agus litríocht na Gaeilge a phríomhréimsí léinn.

Liam Mac Mathúna M.A., Ph.D.: Cláraitheoir Choláiste Phádraig, Droim Conrach, Baile Átha Cliath; tá an fhoclóireacht shéimeantach, an logainmníocht agus stair na Gaeilge ar a phríomhréimsí léinn.

Séamus Mac Mathúna B.A., Ph.D.: Ollamh na Gaeilge in Ollscoil Uladh, Cúil Raithin; an Luath-Ghaeilge, filíocht na mbard, foclóireacht na Gaeilge, comhréir agus séimeantaic na Gaeilge a phríomhréimsí léinn.

Éilís Ní Dheá A.T.O., M.A.: Léachtóir le Gaeilge i gColáiste Mhuire gan Smál, Ollscoil Luimnigh; teangacha neamhfhorleathana in oiliúint múinteoirí agus traidisiún liteartha an Chláir 1700-1900 a príomhréimsí léinn.

Máirín Ní Dhonnchadha M.A., Ph.D.: Ollamh le Sean- agus Meán-Ghaeilge agus Teangeolaíocht Cheilteach in Ollscoil na hÉireann, Gaillimh; litríocht na Meánaoiseanna, dlíthe na mbreithiún agus eagarthóireacht théacsúil a príomhréimsí léinn.

Bairbre Ní Fhloinn M.A.: Cartlannaí/Bailitheoir i Roinn Bhéaloideas Éireann, An Coláiste Ollscoile, Baile Átha Cliath; traidisiún béil na hÉireann go háirithe seanchas na farraige a príomhréimsí léinn.

Máirtín Ó Briain B.A., M.Phil., Ph.D.: Léachtóir i Scoil na Gaeilge in Ollscoil na hÉireann, Gaillimh; filíocht na Meán-Ghaeilge agus an Fhiannaíocht a phríomhréimsí léinn.

Breandán Ó Conchúir M.A., Ph.D.: Comhollamh i Roinn na Nua-Ghaeilge i gColáiste na hOllscoile, Corcaigh; traidisiún na lámhscríbhinní Gaeilge go háirithe i gCúige Mumhan san ochtú agus sa naoú haois déag a phríomhréimsí léinn.

Cathal Ó Háinle B.D., M.A., Litt.D., F.T.C.D.: Ollamh na Gaeilge in Ollscoil Átha Cliath; litríocht na Nua-Ghaeilge ó thús ré na Gaeilge Clasaicí anuas mar aon le gnéithe de theanga na Nua-Ghaeilge a phríomhréimsí léinn.

Pádraig Ó Héalaí B.D., Lic. Hist. Eccl., M.A., Ph.D.: Léachtóir i Scoil na Gaeilge in Ollscoil na hÉireann, Gaillimh; béaloideas na hÉireann go háirithe an scéalaíocht chráifeach, traidisiúin faoin osnádúr agus bailiú an bhéaloidis a phríomhréimsí léinn.

Ruairí Ó hUiginn M.A., Ph.D.: Ollamh na Nua-Ghaeilge in Ollscoil na hÉireann, Má Nuad; an Rúraíocht, an Fhiannaíocht, stair agus forás na Gaeilge, logainmneacha agus ainmneacha pearsanta a phríomhréimsí léinn.

Lillis Ó Laoire M.A., Ph.D.: Léachtóir i gColáiste na nDaonnachtaí, Ollscoil Luimhnigh; stair agus aeistéitic an amhráin thraidisiúnta, an léamh antraipeolaíochta agus eitneacheolaíochta ar cheol agus amhránaíocht na hÉireann, seachadadh agus cur i láthair an amhráin a phríomhréimsí léinn.

Mícheál Ó Mainnín M.A.: Léachtóir i Roinn na Ceiltise in Ollscoil na Banríona, Béal Feirste; an caidreamh idir Éire agus Albain sa tréimhse c.1200-1700, logainmneacha Chúige Uladh agus canúineolaíocht na Gaeilge a phríomhréimsí léinn.

Damien Ó Muirí M.A., Ph.D.: Léachtóir i Roinn na Nua-Ghaeilge in Ollscoil na hÉireann, Má Nuad; canúineolaíocht na Gaeilge agus litríocht Chúige Uladh a phríomhréimsí léinn.

Diarmaid Ó Muirithe M.A., M.Litt., Ph.D.: Léachtóir *Emeritus* i Roinn na Nua-Ghaeilge, An Coláiste Ollscoile, Baile Átha Cliath; filíocht na Mumhan, an t-amhrán macarónach agus foclóireolaíocht an Bhéarla in Éirinn a phríomhréimsí léinn.

Diarmuid Ó Sé M.A., Ph.D.: Léachtóir i Roinn na Nua-Ghaeilge, An Coláiste Ollscoile, Baile Átha Cliath; teangeolaíocht agus canúineolaíocht na Gaeilge a phríomhréimsí léinn.

Iain Seathach M.A., Ph.D.: Léachtóir i Scoil Eolais na hAlban, Ollscoil Dhún Éideann; traidisiún béil, amhránaíocht agus ceol Ghaeltacht na hAlban agus na hAlban Nua a phríomhréimsí léinn.

Ríonach uí Ógáin M.A., A.T.O., Ph.D.: Léachtóir i Roinn Bhéaloideas Éireann, An Coláiste Ollscoile, Baile Átha Cliath; béaloideas na hÉireann, go háirithe amhráin na ndaoine, traidisiúin stairiúla agus bailiú an bhéaloidis a príomhréimsí léinn.

Seosamh Watson M.A., M.Litt., Ph.D.: Ollamh le Nua-Ghaeilge sa Choláiste Ollscoile, Baile Átha Cliath; teangeolaíocht agus canúineolaíocht Ghaeilge na hÉireann agus na hAlban a phríomhréimsí léinn.

tabula gratulatoria

Anders Ahlqvist
Bo Almqvist
Rolf Baumgarten
Antoine Boltúin
Pádraig Breathnach
Jimmie Browne
Nicholas Canny
R. N. de Buitléir
Nóra de h-Óir
Siobhán de h-Óir
Gearóid Denvir
Dewi Wyn Evans
Jim Flavin
Tadhg Foley
Marion Gunn
Alan Harrison
Máire Herbert
Fergus Kelly
Patricia Kelly
Peadar Mac an Iomaire
Máirtín F. Mac Aodha
Iarla Mac Aodha Bhuí
Proinsias Mac Cana
Tomás Mac Con Iomaire
Mícheál Mac Craith
Terence Mac Eachaidh
Eoghan Mac Éinrí
Gearóid Mac Eoin
Pádraig Mac Fhearghasa

Liam Mac Mathúna
Séamus Mac Mathúna (OÉ, Gaillimh)
Séamus Mac Mathúna (OU)
Seán Mac Pháidín
Cian Marnell
Malachy McKenna
Michael Mitchell
Eilís Ní Bhrádaigh
Muireann Ní Bhrolcháin
Éilís Ní Dheá
Íosold Ní Dheirg
Cáit Ní Dhomhnaill
Máirín Ní Dhonnchadha
Bairbre Ní Fhloinn
Máire Ní Neachtain
Róisín Ní Néill
Siobhán Ní Shúilleabháin
Dorothy Ní Uigín
Colm Ó Baoill
Feargal Ó Béarra
Anraí Ó Braonáin
Máirtín Ó Briain
Breandán Ó Buachalla
Aodh Ó Canainn
Déaglán Ó Caoimh
Séamas Ó Catháin
Tomás Ó Cathasaigh
Seán Ó Ceallaigh
Risteard Ó Ceallaigh
Diarmuid Ó Cearbhaill
Pádraig Ó Cearbhaill
Breandán Ó Cíobháin
Niall Ó Cíosáin
Seán Ó Coileáin
Tomás Ó Con Cheanainn

Breandán Ó Conaire
Brian Ó Conchubhair
Breandán Ó Conchúir
Brian Ó Curnáin
Caitríona Ó Dochartaigh
Liam Ó Dochartaigh
Proinsias Ó Drisceoil
Donncha Ó Duibhir
Connla Ó Dúláine, S.J.
Pádraig Ó Fiannachta
Dónall Ó Fionnáin
Mícheál Ó Flaithearta
Peadar Ó Flatharta
Máirtín Ó Flathartaigh
Nollaig Ó Gadhra
Cormac Ó Gráda
Cathal Ó Háinle
Eoghan Ó hAnluain
Donncha Ó hAodha
Pádraig Ó Héalaí
Tadhg Ó hIfearnáin
Éanna Ó hOisín
Ruairí Ó hUiginn
Lillis Ó Laoire
Muiris Ó Laoire
Mícheál Ó Mainnín
Peadar Ó Maoláin
Roibeard Ó Maolalaigh
Iognáid Ó Muircheartaigh
Damien Ó Muirí
Diarmaid Ó Muirithe
Liam Ó Muirthile
Nollaig Ó Muraíle
Aibhistín Ó Murchadha
Felix Ó Murchadha

Colmán Ó Raghallaigh
Pádraig Ó Riain
Donncha Ó Riain
Seán Ó Riain (Berlin)
Seán Ó Riain
Muiris Ó Rócháin
Diarmuid Ó Sé
Máirtín Ó Tnúthail
Caitríona Ó Torna
Lochlainn Ó Tuairisg
Leslie Owen
Pádraigín Riggs
Iain Seathach
Mainchín Seoighe
Alan Titley
Seán Ua Súilleabháin
Caitlín Uí Anluain
Regina Uí Chollatáin
Gearóidín Uí Nia
Ríonach uí Ógáin
John Waddell
Seosamh Watson

Áras Mháirtín Uí Chadhain
Comhar na Múinteoirí Gaeilge
Leabharlann Scoil an Léinn Cheiltigh
Roinn Bhéaloideas Éireann
Scoil na Gaeilge, OÉ, Gaillimh
Údarás na Gaeltachta